3rd Edition

文法 | 語法 | イディオム | 会話・表現 | ボキャブラリー | 英文構造

英文法・語法

エンゲージ

Engage

おおくぼ よしあき まつ だ まさる
大久保 伊晨・松田 優＝編著

IIZUNA SHOTEN

はしがき

本書は，大学受験に向けて，理解すべき，また覚えておくべき英文法・語法・イディオム・表現などの知識を効率よく学習し，習得することを目的にした学習書です。

大学入試で必要な点数が取れる

「合格に必要な点数」を確実に取るためには何を学習したらよいでしょうか。私たち編著者はその課題に応えるべく，近年の入試問題を分析し，出題されている問題の種類と頻度を集計し，合格を勝ち取るための必須項目をピックアップしました。

合格に結びつく設問と解説のあり方

入試で出題されている問題は，同じ文法項目がテーマのものであっても，易しい単語が用いられたシンプルな問題から，語彙も文の構造もわかりにくい難しい問題まであります。一見して難しいと思われる問題には，気後れして解けないと思い込みがちですが，問われている文法項目は易しい問題と同じです。一つ一つの文法・語法の知識をしっかり理解し，問題を解くための着眼点を身につけていれば，難しい問題でも解くことができるのです。そして，この問題を解く力は，英語を読んだり書いたりする力の源にもなるのです。

本書では，そのような力を養成できるように，様々な工夫を凝らしています。

各章のはじめに，設問へのアプローチ方法と着眼点が確認できるよう「STRATEGY」と「注目ポイント」を用意しました。「STRATEGY」では，例題を提示し，解き方の手順を詳細に示すことで，設問への取り組み方がわかるようにしています。「注目ポイント」には，設問を解くうえでの着眼点を示してありますので，これを確認しつつ解き進めていきましょう。この作業を繰り返すことで，着眼点を見抜く力が身につき，結果として設問の解き方がわかるようになります。

設問は，効率よく文法・語法のポイントが学習できるように，問われるポイントがシンプルなものを用意しました。解き方が明瞭で理解のしやすいシンプルな設問を数多く解いていくことが，より複雑で難しい設問を解く力を培うことへつながっていきます。

解説は，設問の解き方と，見るべき着眼ポイントを重点的に取り上げています。設問の解き方は，㋐…，㋑…，㋒…と，ポイントを一つ一つ区切って説明しています。解き方をスモールステップで示し，解法の観点を明確にしています。わからなかった設問については，自分がどこでつまずいたのか，何がわかっていないのか，克服すべき課題は何なのかをはっきりと認識することができます。

このように，注目ポイントを意識してたくさんの設問を解き，さらに自分の解き方と，本書の解説で展開される解法の手順を比べながら，たくさんの解説を読んでいくことで，みなさんは設問の解き方，すなわち得点力を，自然かつ着実に身につけていけることでしょう。

🖋 本書の構成

本書は，以下の 6 つの Field から構成されています。

Field 1　文法

大学入試で必須の文法事項を体系的に並べ，ルールを理解しやすいように構成しています。入試の頻出項目や，文法の基本ルールについては，STRATEGY のコーナーを用意して重点的に学習できるようにしています。

Field 2　語法

語法とは，ある語を使うときに守らなければならないルールのことです。これを品詞別にまとめてあります。動詞の語法で取り上げた使役動詞など，文法項目を横断して学習しなければならないものも語法として扱っているので，入試に向けたより実践的な学習が可能になります。

Field 3　イディオム

入試を分析し，頻出のものを厳選しています。学習者が覚えやすい順番に並べ，掲載しています。

Field 4　会話・表現

近年，会話の中で使われる表現についての出題が増えています。会話表現を覚えることも大切ですが，会話の内容や話者の意図を理解する力も求められますので，意識して学びましょう。

Field 5　ボキャブラリー

近年，語彙問題の出題が多くなっています。出題頻度の高い項目，問われやすい設問形式などを選びましたので，単語の意味を中心に覚えていってください。

Field 6　英文構造

これまで学習した文法・語法・イディオムなどの知識を，英作文や英文解釈に活かしていく練習をします。特に，近年の入試では英文を読む量が格段に増え，英語を速く，正確に読むことが必要とされます。これに対応するために，第28章では，英文構造を意識する習慣が身につくような問題を用意しています。

　多くの学習書の中から『英文法・語法Engage 3rd Edition』を選んでいただき，ありがとうございました。この本に取り組まれた皆さんが，大学入試で 1 問でも多くの正解にたどり着き，結果として自分の夢に近づかれることを心から願っています。

編著者

紙面構成と記号

左ページには設問を掲載しています

(1) 解説動画・解説サイトへの QR コード
(2) 解説動画マーク
(3) STRATEGY
(4) 注目
(5) 設問番号
(6) 設問
(7) 日本語訳

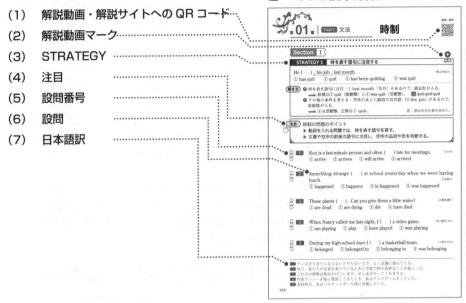

〈説明〉

(1) 解説動画・解説サイトへの QR
Field 1 各章に用意した,解説動画・解説サイトへアクセスする QR コードです。QR コードリーダーで読み取り,アクセスしてください。

(2) 解説動画マーク
解説動画があることを示します(解説動画・解説サイト)。

(3) STRATEGY
章のコア(中心)となる項目と入試頻出項目について例題とその解き方を示しています。どのようなところを見ていけば設問が解けるか,問題にアプローチする方法をチェックします。

(4) 注目
設問に取り組む際の注目ポイントです。これを頭に入れて,設問に取り組みましょう。

(5) 設問番号
設問番号は 1 で示しています。大学入試問題で出題頻度の高いものには 1 のように赤い色をつけ,特に高い上位 100 項目には TOP 100 のマークを置きました。時間がない場合には,最初に赤い設問番号の問題だけを解いて,あとで全問を解くという使い方もできます。

(6) 設問
設問は,すべて大学入試問題から採用しています(第 28 章を除く)。できるだけそのまま掲載していますが,選択肢の数の統一やネイティブチェックによる若干の修正をしています。種類は 4 択の適語選択が中心ですが,一部並べかえ,誤文指摘,同意文,同意選択,共通語補充,適語補充もあります。適語選択以外の問題には,そのページの初出の設問に設問形式を載せています。

(7) 日本語訳
設問の日本語訳を左ページの下に掲載しています。

右ページには設問解説を掲載しています

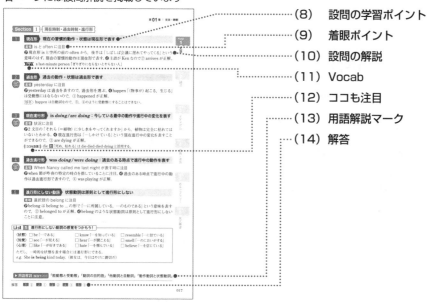

（8）　設問の学習ポイント
（9）　着眼ポイント
（10）設問の解説
（11）Vocab
（12）ココも注目
（13）用語解説マーク
（14）解答

〈説明〉

（8）設問の学習ポイント
　ねらいとしている設問のポイント，裏返せば，獲得すべき学習ポイントを記しています。

（9）着眼ポイント
　設問を解くのに，何に着眼すべきかを記しています。

（10）設問の解説
　Field 1 では，設問を解く観点を **ア** ...，**イ** ...，**ウ** ... と一つ一つ区切り，スモールステップで解説をしています。解けなかった場合は，どこがわからなかったのかを確認してください。

（11）Vocab
　英文の中で難しいと思われる語の意味を掲載しています。

（12）ココも注目
　設問の学習ポイント以外に，設問文に含まれる大事な項目を記しています。

（13）用語解説マーク
　文法用語の解説があることを示します（解説動画・解説サイト）。

（14）解答
　設問の解答を右ページの下に掲載しています。

◎（一緒に確認）　一緒に覚えておくべき項目を記しています。

（選択肢）　解答以外の押さえておくべき選択肢の意味を掲載しています。

（誤答）　ひっかけ問題を解説しています。

■コラムについて

Check　学習項目について，確認すべき項目をまとめています。

List　学習した内容と関連する項目をリストにして示しています。

Contents

第**11**章 Field 1 文法 ┃ 接続詞

第**12**章 Field 1 文法 ┃ 主語と動詞

第**13**章 Field 1 文法 ┃ 疑問詞

第**27**章 | Field 6 英文構造
英作文のストラテジー

第**28**章 | Field 6 英文構造
英文理解のストラテジー

Field 1

文法

第01章 [Field 1] 文法　時制

動画・解説

Section 1

[動画]

STRATEGY 1　時を表す語句に注目する

He (　　) Ⓑ his job Ⓐ last month.　（青山学院大）
① has quit　② quit　③ has been quitting　④ was quit

[解き方] ㋐ 時を表す語句に注目：Ⓐ **last month**「先月」があるので，過去形が入る。
➡ 候補は② quit（能動態）と④ was quit（受動態）。 [活] quit-quit-quit
㋑ その他の条件を考える：空所のあとに**動詞の目的語**（Ⓑ **his job**）があるので，能動態が入る。
➡ ④は受動態。正解は② **quit**。　訳：彼は先月仕事を辞めた。

[注目] **時制の問題のポイント**
▶ 動詞を入れる問題では，時を表す語句を探す。
▶ 文意や空所の前後の語句に注目し，空所の品詞や形を判断する。

1 Ken is a last-minute person and often (　　) late for meetings.　（玉川大）
① arrive　② arrives　③ will arrive　④ arrived

2 Something strange (　　) at school yesterday when we were having lunch.　（立命館大）
① happened　② happens　③ is happened　④ was happened

3 These plants (　　). Can you give them a little water?　（兵庫医療大）
① are dead　② are dying　③ die　④ have died

4 When Nancy called me last night, I (　　) a video game.　（名古屋女子大）
① am playing　② play　③ have played　④ was playing

5 During my high-school days I (　　) a basketball team.　（大東文化大）
① belonged　② belonged to　③ belonging to　④ was belonging

---

1 ケンはぎりぎりにならないとやらない人で，よく会議に遅れてくる。
2 昨日，私たちが昼食を食べているときに学校で何か奇妙なことが起こった。
3 これらの植物は枯れかけています。少し水をやってくれますか。
4 昨夜ナンシーが私に電話してきたとき，私はテレビゲームをしていた。
5 高校時代，私はバスケットボール部に所属していた。

Section 1 ◦◦ 〈 現在時制・過去時制・進行形 〉

1 **現在形** 現在の習慣的動作・状態は現在形で表す

着眼 is と often に注目

㋐ 現在形 is と空所の前の often から，後半は「しばしば会議に遅れてやってくる」という意味のはず。現在の習慣的動作は現在形で表す。㋑ 主語が Ken なので ② arrives が正解。

Vocab a last-minute person「ぎりぎりにならないとやらない人」

2 **過去形** 過去の動作・状態は過去形で表す

着眼 yesterday に注目

㋐ yesterday は過去を表すので，過去形を選ぶ。㋑ happen「(物事が) 起こる，生じる」は受動態にはならないので，① happened が正解。

〔誤答〕 happen は自動詞なので，③，④のように受動態にすることはできない。

3 **現在進行形** is *doing*／are *doing*：今している最中の動作や進行中の変化を表す

着眼 状況に注目

㋐ 2 文目の「それら (＝植物) に少し水をやってくれますか」から，植物は完全に枯れてはいないとわかる。㋑ 現在進行形は「…しかけている」という現在進行中の変化を表すことができるので，② are dying が正解。

((**ココも注目**)) die 動「死ぬ，枯れる」は die-died-died-dying と活用する。

4 **過去進行形** was *doing*／were *doing*：過去のある時点で進行中の動作を表す

着眼 When Nancy called me last night が表す時に注目

㋐ when 節が昨夜の特定の時点を指していることに注目。㋑ 過去のある時点で進行中の動作は過去進行形で表すので，④ was playing が正解。

5 **進行形にしない動詞** 状態動詞は原則として進行形にしない

着眼 選択肢の belong に注目

㋐ belong は belong to ... の形で「…に所属している，…のものである」という意味を表すので，② belonged to が正解。㋑ belong のような状態動詞は原則として進行形にしないことに注意。

List 1 進行形にしない動詞の感覚をつかもう！

〈状態〉	□ be「…である」	□ know「…を知っている」	□ resemble「…に似ている」
〈知覚〉	□ see「…が見える」	□ hear「…が聞こえる」	□ smell「…のにおいがする」
〈心理〉	□ like「…が好きである」	□ hate「…を憎んでいる」	□ believe「…を信じている」

ただし，一時的な状態を表す場合には進行形にできる。

e.g. She **is being** kind today. (彼女は，今日はやけに親切だ)

▶ 用語解説 (解説サイト) 「能動態と受動態」「動詞の目的語」「他動詞と自動詞」「動作動詞と状態動詞」

解答 **1** ② **2** ① **3** ② **4** ④ **5** ②

6 Do you think they (　) me nicely if I go there again? （法政大）
① will treat　② had treated　③ treat　④ treated

7 What time is the boat (　) tomorrow? （神奈川大）
① arrives　② will arrive　③ does arrive　④ going to arrive

8 Mr. Johnson (　) to Chicago on business next month. （関西学院大）
① go　② gone　③ is going　④ went

9 I expect she (　) her mind before long. （福岡大）
① will be changing　② will be changed
③ is changed　④ was changed

10 A: Did you manage to answer all the questions on the test? （学習院大）
B: I was (　) to finish the last question when the bell rang.
① about　② close　③ over　④ out

---

6 再びそこへ行ったら，彼らは私によくしてくれると思いますか。
7 その船は明日何時に到着する予定ですか。
8 ジョンソン氏は来月仕事でシカゴへ行く予定だ。
9 もうすぐ彼女は気持ちが変わるだろうと思う。
10 A：テストの問題に全部答えられた？
　　B：まさに最後の問題を書き終えようというところでチャイムが鳴ったんだ。

Section 2 〉〈 未来のことを表す表現 〉

6 will 未来のことは〈will ＋動詞の原形〉で表す

(TOP 100)

着眼 if ... again に注目

㋐if I go there again「私が再びそこへ行ったら」は未来のことについて述べている。㋑未来のことは原則として will を使って表す。

〔誤答〕 Do you think を見て現在形の③を選んではいけない。「もし…なら～するだろう（未来）とあなたは思いますか（現在）」となっていることに注意。

《《ココも注目》》 〈時〉や〈条件〉を表す副詞節内では，未来のことでも現在形で表す。→ 31
if I go there again で現在形 go が用いられているのは，このため。

7 be going to これからするつもりのこと，そうなりそうなことを表す

着眼 is, tomorrow に注目

㋐tomorrow「明日」があるので，未来のことを尋ねている文。㋑is があるので，be going to を用いた疑問文（〈be 動詞＋主語＋going to〉の語順）だと判断し，④を選ぶ。

8 現在進行形 現在進行形で未来の予定を表す

着眼 next month に注目

㋐next month「来月」があり，未来のことについて述べているとわかる。㋑現在進行形は未来の予定を表すことができるので，③ is going が正解。

《《ココも注目》》 現在進行形で未来の予定を表すときには，〈往来・発着〉を表す動詞（ go, come, leave, arrive など）が用いられることが多い。

9 未来進行形 will be *doing*：未来のある時点で進行中の動作，未来の予定を表す

着眼 expect に注目

㋐expect (that) ...「…するだろうと思う」の「…」には未来のことが入る。㋑未来進行形 will be *doing* は「…しているだろう」〈進行中の動作〉と「…することになるだろう」〈未来の予定〉の意味がある。ここでは「（考えを）変えることになるだろう」という意味になる① will be changing が正解。

◎ 一緒に確認 〈未来のある時点での進行中の動作〉
This time tomorrow I'**ll be skiing** in Hokkaido.
（明日の今ごろは北海道でスキーをしているだろう）

10 be about to *do* 「まさに…するところだ」〈差し迫った未来〉を表す

着眼 was ( ) to finish に注目

㋐when the bell rang「チャイムが鳴ったとき」という時が示されている。㋑前に was，後ろに不定詞があることに注目し，be about to *do*「まさに…するところだ」を使うと判断する。be about to *do* は差し迫った未来を表す表現。

《《ココも注目》》 be about to *do* が過去時制で用いられると，その行為がその時点では完結していなかったことを意味する。本問では「最後の問題の答えは完成していない」ということ。

《《ココも注目》》 manage to *do*「どうにか…する」→ 479

▶ 用語解説（解説サイト）「副詞節」

解答 6 ① 7 ④ 8 ③ 9 ① 10 ①

Section 3

[動画]

STRATEGY 2 完了形の文でよく使われる語句に注意する

They Ⓑ are good friends and (　　) each other Ⓐ since they were children.
① had known　② have known　③ knew　④ are knowing　(酪農学園大)

[解き方] ㋐ 完了形の文でよく使う語句を探す：Ⓐ **since**「…して以来（ずっと）」は継続を表す完了形の文でよく使われる。
㋑〈時〉に注目する：前半の動詞はⒷ **are** → 現在の状況を述べている。
➡ 現在までの継続を表す現在完了の② **have known** が正解。

訳：彼らは仲がよくて，子どものころからの知り合いだ。

[注目] **完了形の問題のポイント**

▶ 完了形でよく使われる語句に注意する。
〈完了・結果〉already「すでに」，just「ちょうど」，yet「まだ」など
〈継続〉since「…して以来（ずっと）」，for「…の間」など
〈経験〉once「1回」，twice「2回」，three times「3回」，often「しばしば」など
▶ 英文が〈完了・結果〉〈継続〉〈経験〉のどの意味になるかを考える。
▶〈現在〉に関心があれば現在完了，〈過去〉に関心があれば過去完了を使う。

11　"Are Mary and Tom still living in Tokyo?"　(青山学院大)
"No. They (　　) to Beijing."
① are just moved　② had just moved
③ have just moved　④ will just move

12　I've never been (　　) China, but I'd like to go.　(南山大)
① in　② at　③ to　④ on

13　彼は学校をどれくらい欠席していますか？　[並べかえ]
How (absent / been / from / has / he / long / school)?　(静岡福祉大)

11「メアリーとトムはまだ東京に住んでいるのですか」「いいえ。彼らはちょうど北京へ引っ越したところです」
12 私は中国に一度も行ったことはないが，行きたいと思っている。

Section **3** 〈 現在完了 〉

☑ **Check** **1** 現在完了〈have ＋過去分詞〉が表す意味を確認しよう！

□〈完了・結果〉完了したことの結果として，現在どういう状況になっているかを表す。
I'm sorry, but she <u>has</u> already <u>gone</u> home.
（申し訳ありませんが，彼女はもう帰りました）

□〈経験〉現在までの経験を表す。
I <u>have</u> <u>seen</u> the movie before so I know the ending.
（前にその映画を見たことがあるので，結末を知っています）

□〈継続〉現在まである状態が続いていることを表す。
We <u>have</u> <u>lived</u> in Chiba since 2000.　（2000 年から私たちは千葉に住んでいる）

11
(TOP 100)
現在完了　have ＋過去分詞：過去とつながりのある現在の状況を表す

[着眼] 今の状況を尋ねられていること／選択肢の just に注目

㋐「メアリーとトムはまだ東京に住んでいるのですか」と尋ねられ，「いいえ」と答えているので，メアリーたちは今，東京に住んでいないことがわかる。㋑選択肢にはすべて just「ちょうど」があるので「ちょうど北京（Beijing）へ引っ越したところです」という完了・結果の意味になるように現在完了の③ have just moved を選ぶ。

北京へ引っ越した　➡　だから今，東京にいない
▲　　　　　　　　　▲今

12
have been to ...　「…に行ったことがある」〈経験〉

[着眼] 空所の前の have been に注目

㋐but 以下に「しかし，行きたいと思っている」とあるので，前半は「中国に行ったことがない」であると予想できる。㋑have been to ...で「…に行ったことがある」という経験を表す。ここでは never「一度も…ない」があるので「一度も行ったことがない」の意味になる。

《ココも注目》　have been to ... には「…に行ってきたところだ」〈完了〉の意味もある。
I <u>have</u> just <u>been</u> <u>to</u> the airport to see Jeff off.
（私はジェフを見送るために空港に行ってきたところだ）

13
現在完了の疑問文　疑問文は〈have ＋主語＋過去分詞〉の語順

[着眼]「どれくらい〜しているか」は継続の期間を尋ねている

㋐問題文は「彼は現在までどれくらい学校を欠席し続けているか」という意味だから，現在までの継続を表す現在完了で表す。㋑現在完了の疑問文は〈have ＋主語＋過去分詞〉の語順。「どれくらい…か」は How long ...? で表すので，How long has he been と並べる。「学校を欠席している」は be absent from school。

解答　**11** ③　**12** ③　**13** long has he been absent from school

14 Ken and Mari (　　) at their grandmother's house in Hawaii since last weekend. They will go back to Japan tomorrow. 〔産業能率大〕

① will be staying　　② stay　　③ have been staying　　④ stayed

15 A : Have you ever been to London? 〔学習院大〕
B : Yes, actually, I (　　) there last year.

① go　　② have gone　　③ went　　④ would go

List 2 現在完了とともに用いることができない過去を表す語句・表現

☐ yesterday	「昨日」	☐ last night	「昨夜」
☐ last week	「先週」	☐ last year	「昨年」
☐ ... ago	「(今から) …前に」	☐ then	「そのとき」
☐ When ...?	「いつ…?」	☐ when + 過去時制	「…だったとき」
☐ just now	「たった今, ついさっき」		

---

16 It's (since / been / moved / 30 years / I) here from Osaka. 並べかえ
〔中部大〕

17 She came to this town five years ago, and she has lived here since then.
Five years (　　) she came to this town. 同意文

① passed from　　　　② have passed since 〔福岡工業大〕
③ had passed since　　④ have passed from

18 彼のおじいさんが亡くなってから 10 年になります。 適語補充
His grandfather has (　　　　　　　) (　　　　　　　) for ten years. 〔兵庫県立大〕

List 3 「…してから (時間) になる」の表現

☐ It is[has been] + 時間 + since S + V.「…してから (時間) になる」→ **16**
☐ 時間 + have passed since S + V.「…してから (時間) になる」→ **17**
　　　　　　　※ since 節は過去形になる。
☐ S have been dead for ...「S が亡くなって… (時間) になる」→ **18**

---

14 ケンとマリは先週末からハワイの祖母の家に泊まっている。彼らは明日, 日本に戻るだろう。
15 A : ロンドンに行ったことがありますか。／B : ええ, 実は去年行ったんです。
16 私が大阪からここに引っ越してきてから 30 年になる。
17 彼女は 5 年前にこの町にやって来て, そのとき以来ずっとここに住んでいる。／彼女がこの町にやって来てから 5 年になる。

14 [TOP100] 現在完了進行形 have + been *doing*：過去とつながりのある現在の状況を表す

[着眼] since last weekend に注目

[ア] since last weekend「先週末からずっと」と,「明日, 日本に戻るだろう」という2文目の内容から,「現在までずっと祖母の家に泊まっている」という文意だと判断する。[イ] 現在までの動作の継続は現在完了進行形〈**have been *doing***〉で表すので, ③ have been staying が正解。

15 現在完了と過去を表す語句 現在完了は過去を表す語句とともには使えない

[着眼] last year に注目

[ア] 文末に last year があるので, この文は過去のことを述べている。過去を表す語句がある文では, 現在完了は使えない。[イ] 過去の文では過去形を使うので, ③ went が正解。現在完了の疑問文に引きずられて②を選ばないよう注意。

16 [TOP100] It is[has been] +時間+ since S + V. 「…してから（時間）になる」

[着眼] It's, been, since に注目

[ア]〈**It is[has been] +時間+ since S + V.**〉で「…してから（時間）になる」という意味を表す。[イ] 文頭の It's は It has の省略形と判断し, been を続ける。since のあとには過去の文がくる。

17 時間＋have passed since S＋V. 「…してから（時間）になる」

[着眼] 文頭の時間を表す語句に注目

[ア] 最初の文は「彼女は5年前にこの町にやって来て, そのとき以来ずっとここに住んでいる」の意味。[イ] この内容は「彼女がこの町にやって来てから5年になる」という現在完了の文で表せる。[ウ] 文頭に時間を表す語句 Five years があるので,〈**時間＋ have passed since S＋V.**〉「…してから（時間）になる」で表す。

18 S have been dead for +時間 ... 「Sが亡くなって（時間）になる」

[着眼] has, for ten years に注目

[ア] has と for ten years「10年間」があるので,〈継続〉を表す現在完了の文だと判断する。[イ]「亡くなって（時間）になる」は **have been dead for ＋時間**で表す。「死んでいる状態 (be dead) が10年間継続している」ということ。

[誤答] been dying は誤り。die の進行形 be dying は「死にかけている」という意味を表すので,「10年間死にかけている」という意味になってしまう。

解答 [14] ③ [15] ③ [16] been 30 years since I moved [17] ② [18] been dead

19 When Dave reached the station, he found that his train (　　) left. 　(南山大)

▶

動画

① did already　　② has already　　③ had already　　④ was already

20 I lost the map that I (　　) the day before. 　(摂南大)

① buy　　② was buying　　③ have bought　　④ had bought

21 My sister seemed very sleepy because she (　　) all night. 　(名城大)

① studies　　　　　② is studying

③ has been studying　　④ had been studying

22 John told me that his brother (　　) sick since last weekend. 　(駒澤大)

▶

動画

① had been　　② will have been　　③ would be　　④ have been

23 The teacher told us that Queen Victoria (　　) in 1901. 　(東洋大)

① died　　② dies　　③ dead　　④ has been dead

---

19 デイヴが駅に着いたとき，彼の乗る電車がすでに発車していたことに気づいた。
20 私は前日に買った地図をなくした。
21 姉［妹］は一晩中勉強していたので，とても眠そうに見えた。
22 ジョンは私に，彼の兄［弟］は先週末からずっと具合が悪いのだと言った。
23 先生は私たちに，ヴィクトリア女王は1901年に亡くなったと言った。

Section 4 過去完了

19 **過去完了** had ＋過去分詞：過去のある時点までの〈完了・結果〉〈継続〉〈経験〉

着眼 過去を表す語句と選択肢の already に注目
ⓐWhen Dave reached the station は過去の時点を表す。ⓑ選択肢に already があるので，「デイヴが駅に着いたとき，彼の乗る電車はすでに発車していた」という意味にする。ⓒ過去のある時点までに完了していたことは過去完了〈had ＋過去分詞〉で表す。

20 **大過去** 過去完了は「より古い過去」を表す

着眼 主節の動詞と the day before に注目
I lost the map that I (　) the day before.
「私がその前日に買った地図」

that 以下は the map を先行詞とする関係代名詞節。ⓐ文の動詞は lost「なくした」と過去形。ⓑthe day before「前日に」があるので，「地図を買った」のは「地図をなくした」よりも 1 日前のことだとわかる。ⓒ先に示されている過去の時 (lost) よりもさらに古い過去 (大過去) を表す場合には，過去完了〈had ＋過去分詞〉を用いるので，④が正解。

注目
▲地図を買った (過去完了 had bought)　▲地図をなくした (過去形 lost)　▲今

21 **過去完了進行形** had been *doing*：過去のある時点までの〈動作の継続〉

着眼 主節の動詞に注目
ⓐ主節の動詞は seemed と過去形になっている。ⓑbecause 節は，姉 [妹] が眠そうに見えた理由を表しているのだから，空所に入る動詞は，より以前にしていたことを表すはず。過去のある時点までし続けていたことを表す④ had been studying が正解。**had been *doing*** は過去完了進行形で，「(ずっと) …し続けていた」という動作の継続を表す。

Section 5 時制の一致

22 **時制の一致** 従属節の時制は主節の影響を受ける

着眼 told, since に注目
ⓐthat 節には〈継続〉を表す since があるので，空所には完了形が入る。ⓑ主節の動詞told が過去形なので，空所は時制の一致により過去完了の① had been が入る。ⓒ従属節の時制が主節の影響を受けて過去形や過去完了になることを時制の一致と言う。

注目
His brother has been sick since last weekend.
現在完了
John told me that his brother had been sick since last weekend.
過去　　　　　　　　　　　　過去完了

23 **時制の一致の例外** 歴史的事実は過去形で表す

着眼 文意を考える
ⓐ「1901 年」は，先生が授業をした過去の時点よりも前なので，通常であれば時制の一致のルールに従い，従属節には過去完了を用いる。しかし，ⓑ「ヴィクトリア女王が 1901 年に亡くなった」のような歴史的事実は，過去の出来事であることがはっきりしているため，時制の一致の適用を受けず，過去形で表す。よって，① died が正解。
《ココも注目》 **die** (die-died-died) は動詞で「死ぬ」，**dead** は形容詞で「死んでいる」状態を表す。

▶ 用語解説 (解説サイト)　「主節と従属節」

Field
2
語法

Field
3
イディオム

Field
4
会話・表現

Field
5
ボキャブラリー

Field
6
英文構造

解答　**19** ③　**20** ④　**21** ④　**22** ①　**23** ①

24 In the sixteenth century, Copernicus found that the Earth (　　) the Sun. (国士舘大)
① go around　② goes around　③ went circling　④ gone around

Section 6

25 On their next anniversary, my grandparents (　　) for 50 years. (日本女子大)
① had married　② have been married
③ will have been married　④ will have married

26 By the end of this year, I (　　) for this bank for eight years. (近畿大)
① had been working　② had worked
③ will have been working　④ will work

Section 7

[動画]

STRATEGY 3　副詞節内の動詞には要注意

ⒷIf it (　　) Ⓐtomorrow, we won't go on a picnic. (大阪経済大)
① rain　② rains　③ raining　④ will rain

[解き方] ㋐ 時を表す語句に注目する：Ⓐ **tomorrow**「明日」がある。
㋑ 接続詞のはたらきを確認する：Ⓑ **if** は「もし…なら」〈条件〉を表す副詞節を作っている。〈条件〉を表す副詞節の中では，未来のことでも現在形で表す。
→ 現在形は① rain と② rains。主語が it だから，② **rains** が正解。
訳：明日もし雨なら，私たちはピクニックに行かない。

[注目] **時や条件を表す副詞節のポイント**
▶〈時〉や〈条件〉を表す副詞節では，未来のことでも現在形で表す。
・〈時〉の副詞節をつくる接続詞：when，until[till]，before，after など
・〈条件〉の副詞節をつくる接続詞：if，unless など
▶ if や when は名詞節をつくることもある。名詞節では，未来のことは will などを使って表すことに注意。

27 The baseball game is supposed to start again as soon as it (　　) raining. (関西学院大)
① stops　② should stop　③ will stop　④ stopped

28 I will wait till you (　　) your assignment. (専修大)
① finishes　② will have finished　③ have finished　④ will finish

---

24 16 世紀にコペルニクスは地球が太陽の周りを回っていることを発見した。
25 次の記念日で，祖父母は結婚して 50 年になる。
26 今年の年末には，私は 8 年間この銀行に勤めていることになる。
27 野球の試合は雨がやみ次第，再開することになっている。
28 あなたが宿題を終わらせてしまうまで，私はあなたを待ちます。

24 | **時制の一致の例外**　変わることのない事実は現在形で表す

着眼 that 以下の内容に注目

㋐「地球が太陽の周りを回っている」は，16世紀の時点にのみ言えることではなく，現在も未来も変わることのない事実である。㋑このような「普遍的事実」は時制の一致の適用を受けず，現在形で表すことができる。㋒the Earth が主語なので，② goes around が正解。

誤答〉 主節の時制が過去のとき，普遍的事実は過去形で表してもよいが，go circling とは言わないので，③は誤り。

Section 6 ‹・未来完了›

25 | **未来完了**　will have ＋過去分詞：未来のある時点での〈完了・結果〉〈継続〉〈経験〉

(TOP 100)

着眼 On their next anniversary の表す時に注目

㋐On their next anniversary「次の記念日で」は未来のことを表している。㋑選択肢すべてに married があるので，「次の記念日で祖父母は結婚して50年になる」という未来のある時点までの状態の継続を表すように，空所には未来完了を入れる。㋒「結婚している」という状態は be married で表すので，③ will have been married が正解。

Vocab anniversary「記念日」

26 | **未来完了進行形**　will have been *doing*：未来のある時点までの〈動作の継続〉を表す

着眼 By the end of this year の表す時に注目

㋐By the end of this year「今年の年末までに」は未来のある時点を表す。㋑文末に for eight years「8年間」があるので，「今年の年末には，私は8年間この銀行に勤めていることになる」という意味になるとわかる。㋒未来のある時点までの動作の継続を表すのは未来完了進行形〈will have been *doing*〉なので，③が正解。

Section 7 ‹・副詞節内の動詞›

27 | **副詞節内の動詞**　時を表す副詞節内では未来の内容でも現在形で表す

(TOP 100)

着眼 as soon as ... は時を表す副詞節

㋐文の前半は「野球の試合は再開することになっている」の意味。㋑as soon as は「…するとすぐに」の意味の接続詞で，「雨がやむ」は未来のことを表している。時を表す副詞節内では未来の内容でも現在形で表すので，① stops が正解。

《ココも注目》 be supposed to *do* は「(取り決めなどにより) …することになっている」の意味。→ 911

28 | **副詞節内の動詞**　時を表す副詞節内では未来完了の内容でも現在完了で表す

着眼 till ... は時を表す副詞節

㋐I will wait は「私は待ちます」の意味。㋑till は「…するときまで (ずっと)」の意味の接続詞で，「あなたが宿題を終わらせる」は未来に起こること。㋒時を表す副詞節内では未来完了にあたる内容でも現在完了で表すので，③ have finished が正解。

解答　24 ②　25 ③　26 ③　27 ①　28 ③

29 By the time you visit me again in Yokohama, I (　　) from high school. 〔神奈川大〕
① graduated　　② am graduating
③ have graduated　　④ will have graduated

Section 8

30 I wonder if it (　　) fine tomorrow. 〔松山大〕
① be　② is　③ were　④ will be

31 If ①it ②will rained tomorrow, we ③will put off the meeting ④until next week. 誤文指摘 〔麻布大〕

32 You can't tell when the next general election (　　) held. 〔十文字学園女子大〕
① is　② were　③ will have been　④ will be

33 We'll go out when it (　　) raining. 〔東北学院大〕
① had stopped　② stopped　③ stops　④ will stop

☑ Check 2　名詞節と副詞節 (if 節／when 節)

① if 節
　□ 副詞節の if 節「もし…なら」　※副詞節を取り除いても文として成立する。
　　They'll go to the beach if it is fine tomorrow.
　　(もし明日晴れなら彼らはビーチに行くだろう)
　□ 名詞節の if 節「…かどうか」
　　I don't know if it'll be fine tomorrow.　(明日晴れるかどうか私はわからない)
② when 節
　□ 副詞節の when 節「…するときに」　※副詞節を取り除いても文として成立する。
　　Could you ask her to call me back when she comes back?
　　(彼女が戻ってきたら私に折り返し電話するよう伝えていただけますか)
　□ 名詞節の when 節「いつ…するか」
　　Do you know when she will come back?
　　(彼女がいつ戻ってくるか知っていますか)

---

29 あなたがもう一度横浜に私を訪ねてくれるときまでには，私は高校を卒業していることでしょう。
30 明日は晴れるだろうか。
31 もし明日が雨なら，来週まで会議を延期しよう。
32 次の総選挙がいつ行われるかはわからない。
33 雨がやんだら私たちは外出します。

29 副詞節内の動詞 副詞節内の動詞から主節の時制を判断する

[着眼] by the time 節の動詞は現在形

[ア]by the time は接続詞的に用いて「…するときまでに」という意味を表す。[イ]by the time ... が時を表す副詞節のため，動詞は visit と現在形が用いられているが，内容としては未来のことを言っている。よって，主節には未来のことを表す④ will have graduated を選ぶ。この未来完了〈will have＋過去分詞〉は，「あなたがもう一度横浜に私を訪ねてくれるときまでに」「私は高校を卒業しているだろう」という〈完了〉の意味を表す。

《ココも注目》 **graduate from A**「A を卒業する」→ [467]

Section 8・if 節と when 節—名詞節か副詞節か

30 名詞節の if 節 名詞節の if 節では未来の内容は will を用いて表す

[着眼] if 節の前の wonder に注目

[ア]wonder は「…（かどうか）と思う」の意味の他動詞で，この文は「明日は晴れるだろうか」という意味を表す。[イ]if 節は wonder の目的語なので，「…かどうか」という意味を表す名詞節。「もし…なら」を表す副詞節の if 節ならば，未来の内容でも現在形を用いて表すが，[ウ]名詞節の場合は未来の内容は will などの未来のことを表す表現を用いて表すので，④が正解。

31 [TOP 100] 副詞節の if 節 副詞節の if 節では未来の内容でも現在形を用いて表す

[着眼] 文意を考える

[ア]If ... tomorrow は「もし…なら」の意味を表す副詞節。[イ]時を表す副詞節の場合と同様，条件を表す副詞節内では，未来の内容でも現在形を用いて表すので，②の will rained は誤り。現在形の rains が正しい。

《ココも注目》 **put off A / put A off**「A を延期する」→ [778]

32 名詞節の when 節 名詞節の when 節では未来の内容は will を用いて表す

[着眼] when の前の tell に注目

[ア]when の前に tell があり，when 節は tell の目的語なので，「いつ…するか」という意味を表す名詞節。[イ]「総選挙が行われる」は受動態〈be 動詞＋過去分詞〉で表す。[ウ]the next general election「次の総選挙」は未来のこと。名詞節の中では未来の内容は will などの未来を表す表現を用いて表すので，④ will be が正解。

33 [TOP 100] 副詞節の when 節 副詞節の when 節では未来の内容でも現在形を用いて表す

[着眼] 文意を考える

[ア]「雨がやんだら私たちは外出します」という意味になると予想する。[イ]「…するときに」という意味を表す副詞節では，未来のことでも現在形で表す。

▶ 用語解説（解説サイト） 「主節と従属節」「名詞節」「副詞節」

解答 [29] ④ [30] ④ [31] ②（will rained → rains） [32] ④ [33] ③

受動態

動画・解説

Section 9

STRATEGY 4 「…する」〈能動〉か「…される」〈受動〉かを考える

[動画]

[同意文]

Somebody stole Ⓐ a lot of money.
Ⓐ A lot of money Ⓑ was (　　) by somebody.　(芝浦工業大)

[解き方] ㋐「誰かがたくさんのお金を盗んだ」をⒶ **A lot of money** を主語にして言いかえると，「たくさんのお金が誰かに盗まれた」となる。
㋑「…された」は受動態〈**be 動詞＋過去分詞**〉で表す。be 動詞のⒷ **was** はすでにあるので，(　　) には steal「盗む」の過去分詞が入る。[活] steal-stole-stolen
➡ **正解は stolen。**
訳：誰かがたくさんのお金を盗んだ。／たくさんのお金が誰かに盗まれた。

[注目] **受動態の問題のポイント**
▶ 主語と動詞が「(主語) が…される」という〈受動〉の関係なら，受動態〈be 動詞＋過去分詞〉を使う。
▶ be 動詞は主語・時制に応じた形を使う。

34 Much of the castle (　　) in the 16th century.　(東海大)
① destroyed　② was destroyed　③ has destroyed　④ destroys

35 When I climbed to the top of the mountain, I was (　　) the magnificent view of the whole area.　(獨協大)
① moved to　② moved by　③ moving on　④ moving with

36 私は叔父の名をとってマークと名づけられました。　[適語補充]
I (　　　　) (　　　　) Mark after my uncle.　(兵庫県立大)

37 [動画] The other day he (　　) in French by a foreigner.　(駒澤大)
① was spoken to　② spoke to　③ was spoken　④ spoken up

---

34 その城の大部分は16世紀に破壊された。
35 山の頂上まで登ったとき，私は辺り一帯の壮大な眺めに心を動かされた。
37 先日，彼は外国人にフランス語で話しかけられた。

Section 9・受動態の基本

34 受動態の形 be 動詞＋過去分詞

[TOP 100]

[着眼] 主語と destroy の関係に注目

[ア] 選択肢に使われている destroy は「…を破壊する」という意味の他動詞。[イ] 主語の Much of the castle と destroy は，「その城の大部分は破壊される」という受動の関係になるはずだから，受動態〈be 動詞＋過去分詞〉の② was destroyed が正解。

《ココも注目》 **much of A** は「A の大部分」の意味。

35 by＋動作主 動作主は by ... で表す

[TOP 100]

[着眼] move の意味に注目

[ア] move には「(人) の心を動かす」という意味がある。[イ] ここでは I が主語になっているので，「私の心が動かされた」となるよう，受動態を用いる。また，受動態では動作主は **by ...** の形で表すので，the magnificent view of the whole area「辺り一帯の壮大な眺め」の前に by を置く。よって，② moved by が正解。

36 SVOC の受動態 過去分詞の後ろに C を置く

[着眼]「名づけられた」に注目

[ア]「名づける」を意味する動詞 name は，〈**name ＋ O ＋ C**〉「O を C と名づける」という形で使う。[イ] これを受動態にすると，〈**be named ＋ C**〉「C と名づけられる」となる。過去のことなので，was named が正解。

《ココも注目》 **be named after ...**「… の名前をとって名づけられる」

[注目] My parents named me Mark.　「両親は私にマークと名づけた」
S　V　O　C
I was named Mark by my parents.「私は両親にマークと名づけられた」

37 群動詞の受動態 群動詞を 1 つの動詞として扱う

[着眼] speak の使い方に注目

[ア] 英文は「先日，彼は外国人によってフランス語で (　　)」という意味だから，(　　) には「話しかけられた」という受動態が入ると推測する。[イ]「(人) に話しかける」は speak to ... で表す。**speak to ...** を受動態にすると **be spoken to** となるので，①が正解。[ウ] speak to のような群動詞を受動態にするときは，to のような部分まで含めて 1 つの動詞として扱う。

[注目] A foreigner [spoke to] him.　「外国人が彼に話しかけた」
to はそのまま残る
He [was spoken to] by a foreigner.「彼は外国人に話しかけられた」

▶ 用語解説 (解説サイト)「群動詞」

解答　[34] ②　[35] ②　[36] was named　[37] ①

38 Next week, our meeting (　　) on Wednesday instead of Friday. 〔南山大〕
① will be held　　② will hold
③ will have held　　④ will be holding

39 A new building (　　) constructed on campus. 〔神奈川大〕
① has　② being　③ is being　④ had

40 The musical "Les Misérables" (　　) on Broadway since 1990. 〔南山大〕
① has performed　　② is performed
③ was performed　　④ has been performed

41 I was embarrassed when my bag got (　　) in the doors on the train.
① to catch　　② caught　　③ catch　　④ to have caught 〔神戸学院大〕

☑ Check 3 S is said to *do* / It is said (that) ... の形

□ **S is said to *do*** は **It is said (that) ...** で書きかえることができる。
She **is said to be** the smartest girl in our school. → **42**
(彼女はうちの学校で一番賢いと言われている)
= **It is said** (that) she is the smartest girl in our school. → **43**

□ **believe**, **think** も同様の形で,「…だと信じられている」「…だと考えられている」を表す。
A virus **is thought to be** the cause of the disease.
(ウイルスがその病気の原因であると考えられている)
= **It is thought** (that) a virus is the cause of the disease.

---

38 来週は, 私たちの会議は金曜ではなく水曜に開かれる。
39 大学構内に新しいビルが建設中だ。
40 ミュージカル『レ・ミゼラブル』は 1990 年からずっとブロードウェイで上演されている。
41 私は電車のドアにかばんを挟まれて恥ずかしかった。

Section 10 いろいろな形の受動態

38 [TOP 100] **助動詞を含む受動態** 助動詞＋ be ＋過去分詞

[着眼] 選択肢にある hold に注目

[ア]hold には「(会など) を開く，開催する」という意味がある。[イ]ここでは our meeting が主語になっているので，「会議が開かれる」という意味になるよう，受動態を用いる。[ウ] will と受動態を組み合わせると，〈**will be ＋過去分詞**〉「…されるだろう」の形になるので，① will be held が正解。

39 [TOP 100] **進行形の受動態** be 動詞＋ being ＋過去分詞「…されているところだ」

[着眼] constructed に注目

[ア]construct は「…を建設する」という意味の他動詞。[イ]A new building (　　) constructed は「新しいビルが建設される」という受動の意味になるはず。主語が単数だから，受動態にするには，(　　) 内に is が必要。[ウ]③ is being を入れれば，進行形の受動態〈**be 動詞＋ being ＋過去分詞**〉「…されているところだ」の形になる。

40 [TOP 100] **完了形の受動態** have been ＋過去分詞

[着眼] since に注目

[ア]perform には「(…を) 上演する」という意味がある。[イ]主語が The musical “Les Misérables” だから，「ミュージカル『レ・ミゼラブル』が上演される」という受動の関係になるはず。[ウ]受動態にするには，(　　) 内に be 動詞が必要。③ since 1990 があるので，「1990 年からずっと上演されている」という継続の意味も入っていると考え，現在完了の受動態〈**have[has] been ＋過去分詞**〉の形である④ has been performed を選ぶ。

41 **動作の受動態** 〈get ＋過去分詞〉「…される」

[着眼] get と選択肢の catch に注目

[ア]catch には「(物を) 挟む」という意味があるので，my bag と catch は「私のかばんが挟まれた」という受動の関係になっていると判断する。[イ]〈**get ＋過去分詞**〉で「…される」という動作の受動態を表すので，② caught が正解。[ウ]my bag was caught だと，「挟まれていた」(状態) と「挟まれた」(動作) のどちらにもとれる。〈get ＋過去分詞〉は動作の意味を強調したいときに使われる。

《ココも注目》 **be embarrassed**「(人が) 恥ずかしい，ばつが悪い」→ 685

解答 38 ① 39 ③ 40 ④ 41 ②

42 ( ) the best baseball player in Japan. （専修大）
① People often say him to be　② He is often said that he is
③ He is often said to be　④ It is often said for him to be

43 In Japan, (it / people / that / is / young / said) today are less interested in politics. 並べかえ （獨協大）

44 Einstein is known ( ) one of the greatest scientists today. （埼玉工業大）
① as　② with　③ for　④ to

45 We were ( ) in a heavy traffic jam and couldn't get there on time.
① brought　② caught　③ met　④ put （学習院大）

46 The students are all ( ) studying abroad. （椙山女学園大）
① interesting for　② interested at
③ interesting to　④ interested in

List 4 by 以外の前置詞が続く受動態

☐ be known **as** ...	「…として知られている」	→ 44
☐ be known **to** ...	「…に知られている」	
☐ be caught **in** ...	「（渋滞，嵐）にあう，巻き込まれる」	→ 45
☐ be killed **in** ...	「（事故など）で死ぬ」	
☐ be interested **in** ...	「…に興味がある」	→ 46
☐ be covered **with** ...	「…で覆われている」	
☐ be satisfied **with** ...	「…に満足している」	→ 687

---

42 彼はしばしば日本で最高の野球選手だと言われている。
43 日本では，今日の若者は政治にあまり興味がないと言われている。
44 今日，アインシュタインは最も偉大な科学者の１人として知られている。
45 私たちはひどい渋滞に巻き込まれて，時間通りにそこに着くことができなかった。
46 生徒たちはみな留学に興味がある。

Section 11 ·〈 受動態を用いた表現 〉

42 | **S is said to *do*** 「…と言われている」

着眼 選択肢から文意を推測する

㋐ 選択肢を見て，「人々は彼を…だと言っている」あるいは「彼は…だと言われている」という文意だと推測する。㋑「（一般的に）…と言われている」という表現は，people を主語にする場合は，**People say (that) S'＋V'...** になるので，①は不可。㋒人を主語にする場合は，**S is said to *do* ...** になるので③が正解。なお，It を主語にする場合は，**It is said (that) S'＋V'...** となる（→ **43**）ので，④は不可。

（注目） <u>People say</u> (<u>that</u>) he is the best baseball player in Japan.
<u>He</u> <u>is</u> <u>said</u> <u>to</u> <u>be</u> the best baseball player in Japan.
<u>It</u> <u>is</u> <u>said</u> (<u>that</u>) he is the best baseball player in Japan.

43 | **It is said that ...** 「…と言われている」

着眼 is, said に注目

㋐ said を述語動詞にして young people said that ... とすると，is が使えないので，受動態 is said を使うと判断する。㋑ it と said もあるので，**It is said that ...**「…と言われている」の形だと判断する。young は young people today「今日の若者」として使う。

44 | **be known as ...** 「…として知られている」

着眼 as に注目

be known as ... で「…として知られている」という意味を表す。

（誤答） ③ be known for ...「…で有名だ」→ **920**，④ be known to ...「…に知られている」

45 | **be caught in ...** 「（渋滞，嵐）にあう，巻き込まれる」

着眼 in に注目

「（渋滞，嵐）にあう，巻き込まれる」は be caught in ... で表すので，② caught が正解。受動態のあとに by 以外の前置詞が続く表現がいくつかあり，be caught in ... はその一例。この種のものはイディオムとして覚えておくとよい。

《ココも注目》 **a heavy traffic jam**「ひどい交通渋滞」→ **1125**, **on time**「時間通りに」→ **965**

46 | **be interested in ...** 「…に興味がある」

着眼 The students に注目

主語が The students であることに注目。人を主語にして「（人が）…に興味がある」と言うときは，**be interested in ...** を使うので，④が正解。

Field
2
語法

Field
3
イディオム

Field
4
会話・表現

Field
5
ボキャブラリー

Field
6
英文構造

解答　**42** ③　**43** it is said that young people　**44** ①　**45** ②　**46** ④

助動詞

動画・解説

Section 12

STRATEGY 5 動詞にどんな意味を加えればよいかを考える

動画

If you want to learn more, you (　　) Ⓐ study harder.　（熊本県立大）

① must　② have　③ want　④ don't

[解き方] ㋐ (　　) に入る語の種類を絞り込む：直後のⒶ **study** は動詞の原形または現在形。
→ (　　) に動詞（②，③）は入らない。
㋑ どんな意味を動詞に加えればよいか考える：④ don't では「勉強しない」となり，if 節の内容と合わない。
→ ① **must** なら「勉強しなければならない」となり，文意が通る。
訳：もっと多くのことを学びたければ，あなたはもっと熱心に勉強しなければならない。

[注目] **助動詞の問題のポイント**

- ▶ 助動詞は〈助動詞＋動詞の原形〉の形で使う。
- ▶ 助動詞は動詞に意味を加える。話し手がどんな意味を加えたいと思っているかは，前後の文脈を手がかりにして考える。

47 You (　　) not believe this, but I plan to become a professional jazz musician.
① can　② may　③ must　④ should　（京都産業大）

48 You (　　) be tired after such a long flight.　（日本大）
① are able to　② needn't　③ ought　④ must

49 He (　　) be over thirty; he must still be in his twenties.　（京都光華女子大）
① can't　② may　③ must　④ oughtn't

50 About six years ago I decided that I (　　) learn Arabic.　（杏林大）
① would　② will　③ might　④ may

51 I asked the man to move his bag, but he (　　) listen.　（松山大）
① could　② wouldn't　③ shouldn't　④ will

---

47 あなたはこのことを信じないかもしれないが，私はプロのジャズミュージシャンになるつもりだ。
48 そんな長いフライトのあとではあなたは疲れているに違いない。
49 彼は30歳を超えているはずがない。彼はまだ20代に違いない。
50 約6年前に，私はアラビア語を習おうと決めた。
51 私はその男性に彼のバッグを動かしてくれるように頼んだが，彼は耳を貸そうとしなかった。

Section 12 can / may / will / must

Field 1 文法 / Field 2 語法 / Field 3 イディオム / Field 4 会話・表現 / Field 5 ボキャブラリー / Field 6 英文構造

47 may 「…かもしれない」〈推量〉

[着眼] but に注目

[ア] 英文は「あなたはこのことを信じない（　　）が，私はプロのジャズミュージシャンになるつもりだ」の意味。[イ] コンマのあとには but があるので，この文は推量の助動詞 **may**「かもしれない」を用いた may ..., but 〜「…かもしれない，しかし〜」の形だとわかる。

48 must 「…に違いない」〈確信〉

[着眼] 文の意味を考える

[ア] 英文は「そんな長いフライトのあとではあなたは疲れている（　　）」の意味。[イ] 確信を表す④ **must**「…に違いない」を入れれば文意が通る。

[誤答] ③ ought は ought to の形なら「…するはずだ」という確信を表す。

49 cannot[can't] 「…のはずがない」〈確信〉

[着眼] 文の意味を考える

[ア] セミコロンのあとに「彼はまだ 20 代に違いない」とあるので，前半は「彼は 30 歳を超えていない」ことを表しているはず。[イ] 確信を表す① **can't**「…のはずがない」を入れれば文意が通る。

[選択肢] ② may「…かもしれない」，③ must「…しなければならない，…に違いない」，④は oughtn't to で「…すべきではない，…のはずがない」

[ココも注目] he must still be ... の **must** は「…に違いない」という**確信**を表す。→ 48

50 will 「…するつもりだ」〈意志〉

[着眼] decided に注目

[ア] that 以下は decided の目的語。decide は「…を決める」の意味なので，「私はアラビア語を習おうと決めた」という内容だと考えられる。[イ] 話し手の意志「…するつもりだ」は **will** を用いて表すが，[ウ] 主節の動詞が decided と過去形なので，that 節内の助動詞も時制の一致を受けて過去形 **would** を用いる。

51 will not 「どうしても…しようとしない」〈拒絶〉

[着眼] but に注目

[ア] 〈ask + O + to *do*〉で「O に…してくれるように頼む」の意味。[イ]「私はその男性にバッグを動かしてくれるように頼んだが」という意味なので，「彼は耳を貸そうとしなかった」という意味になるよう，② wouldn't を入れる。will[would] には主語の強い意志を表す用法があり，否定形 **won't[wouldn't]** を使って「どうしても…しようとしない［しなかった］」という拒絶を表すことができる。

解答 47 ② 48 ④ 49 ① 50 ① 51 ②

52 If you like, you (　　) use this computer for your next presentation.
　① ought to　② should　③ must　④ can　　　　　　　(神奈川大)

List 5	助動詞の基本的な意味を身につけておこう！
□ can	「…できる」「…してもよい」
□ cannot [can't]	「…できない」「…のはずがない」
□ may	「…かもしれない」「…してもよい」
□ will	「…するつもりだ」「きっと…だ」
□ must	「…しなければならない」「…に違いない」
□ must not	「…してはいけない」
□ should	「…すべきだ」「…のはずだ」
□ ought to	「…すべきだ」「…のはずだ」

Section 13

53 Because we were on a tight schedule, we (　　) hurry to catch the train.
　① had to　② must　③ must have　④ have to　　　(神奈川大)

54 A: Should I keep working to finish this report tonight?　　(南山大)
　B: No, you (　　) have to.　Finish it tomorrow.
　① can't　② don't　③ mustn't　④ wouldn't

55 雨が降り出す前にここを出たほうがいいですよ。　　　[並べかえ] (東洋大)
　You (leave here / before / better / begins / it / had) raining.

56 Tom (　　) bother his mother since she is about to start cooking.
　① had better not　② had not better　　(日本大)
　③ has better not　④ has no better

---

52 お望みなら，次の発表のためにこのコンピュータを使ってもいいですよ。
53 厳しいスケジュールだったので，私たちは電車に間に合うように急がなければならなかった。
54 A：今夜このレポートを仕上げるために作業を続けるべきですか。／B：いいえ，その必要はありません。明日それを仕上げてください。
56 トムはお母さんの邪魔をしないほうがいいよ。彼女はまさに料理を始めるところなのだから。

52 　**can**　「…してもよい」〈許可〉

着眼 If you like に注目

㋐If you like「お望みなら」とあるので，「このコンピュータを使ってもよい」とすれば文意が通る。**㋑**④ can には「…してもよい」と許可を表す用法がある。

選択肢 ① ought to「…するべきだ，…のはずだ」，② should「…するべきだ，…のはずだ」，③ must「…しなければならない，…に違いない」

Vocab presentation「発表，プレゼンテーション」

> **Section 13** ⦅ **have to / had better** ⦆

53 　**have to**　「…しなければならない」〈義務〉

着眼 were に注目

㋐選択肢から，（　）には「…しなければならない」という意味の助動詞が入るとわかる。**㋑**because 節の動詞 were から，過去の文だと判断する。過去のことについて「…しなければならなかった」と言うときは，must ではなく，have to の過去形 **had to** を使うので，①が正解。

54 　**don't have to**　「…する必要はない」〈不必要〉

着眼 空所のあとの have to に注目

㋐「今夜作業を続けるべきですか」という質問に対し，「明日それを仕上げてください」と答えているのだから，you（　）have to は「そうする必要はない」という意味だとわかる。**㋑**「…する必要はない」は **don't have to** で表すので，②が正解。

◎（一緒に確認）「…する必要はない」は **need not _do_** でも表せる。助動詞 need は否定文と疑問文で使われる。

　　　　　You <u>need</u> <u>not</u> finish this report tonight.

55 　**had better**　「…したほうがいい」〈忠告〉

着眼 better, had に注目

㋐「出たほうがいい」という日本文と，語群に better, had があることから，**had better**「…したほうがいい」を使うと判断する。**㋑**had better は直後に動詞の原形を置くので，had better leave here とする。**㋒**「雨が降り出す前に」は before it begins raining。

56 　**had better not**　「…しないほうがいい」〈忠告〉

着眼 各選択肢の not の位置に注目

㋐had better「…したほうがいい」は常にこの形で用いられ，主語が三人称単数でも had が has に変わることはない。**㋑**had better の否定形は **had better not**「…しないほうがいい」。よって，①が正解。

《ココも注目》 <u>be about to _do_</u>「まさに…するところだ」→ **10**

Vocab bother「…の邪魔をする」

解答　**52** ④　**53** ①　**54** ②　**55** had better leave here before it begins　**56** ①

Section 14

57 It's a good movie. You ( ) go and see it. （国士舘大）
① will ② shall ③ ought ④ should

58 The soccer match is really exciting, but I know that I ( ) to turn off the TV and do my homework. （明治大）
① had better ② mightn't ③ ought ④ should

59 They ( ) to be noisy at this time of the night. （森ノ宮医療大）
① do not ought ② ought not ③ should not ④ not ought

List 6 語順を間違えやすい助動詞の否定形を覚えよう！

□ have to「…しなければならない」 → □ **don't have to**「…する必要はない」 → 54
□ had better「…したほうがいい」 → □ **had better not**「…しないほうがいい」 → 56
□ ought to「…すべきだ」 → □ **ought not to**「…すべきではない」 → 59

Section 15

60 We ( ) in a small town, but now we live in Tokyo. （東邦大）
① are used to live ② used to living
③ used to live ④ are using to live

61 We ( ) talk about the future when we were young. （関西学院大）
① can't help ② have to ③ ought to ④ used to

---

57 それはよい映画だ。あなたはそれを見にいくべきだ。
58 そのサッカーの試合はとてもおもしろいのだが，私はテレビを消して宿題をするべきだとわかっている。
59 彼らは夜のこんな時間にうるさくするべきではない。
60 私たちは，以前は小さな町に住んでいたが，今は東京に住んでいる。
61 私たちは若かったころ，よく将来について話した。

Section 14 should / ought to

57 should 「…すべきだ」〈弱い義務・助言〉

[着眼] 文の意味を考える

[ア] 1文目の「それはよい映画だ」から，2文目は相手に映画を観に行くことを勧めていると判断する。[イ] ④ **should**「…するべきだ」を入れれば，助言の意味を表すことができる。③ ought は ought to の形で should とほぼ同じ意味を表す。

[一緒に確認] should[ought to] は「…するはずだ」という**当然の推量**の意味も表す。
She **should**[**ought to**] know that information.
（彼女はその情報を知っているはずだ）

[Vocab] go and see「見にいく」

58 ought to 「…すべきだ」〈弱い義務・助言〉

[着眼] to に注目

[ア] (　　) の直後の to に注目。①～④の選択肢の中で，直後に to をとるものは③ ought だけ。[イ] **ought to** は「…すべきだ」を表す。

59 ought not to 「…すべきではない」〈弱い義務・助言〉

[着眼] not の位置に注目

[ア] 選択肢と，(　　) の直後の to から，ought to を使うと判断する。[イ] ought to の否定形は **ought not to**「…すべきではない」なので，②が正解。

Section 15 過去の習慣・状態

60 used to 「(以前は) …だった」〈過去の状態〉

[TOP 100]

[着眼] 後半にある「しかし今は…」との対比に注目

[ア] 後半は「しかし今は東京に住んでいる」と以前の状態との対比を表しているので，過去の状態を表す **used to**「(以前は) …だった」を用いて表す。[イ] used to は助動詞としてはたらき，直後に動詞の原形がくるので，③が正解。used to は過去と現在を対比し，「現在はそうではない」という含みを持つ。

61 used to 「(以前は) よく…した」〈過去の習慣的動作〉

[TOP 100]

[着眼] when we were young に注目

[ア] when we were young「私たちが若かったころ」という過去を表す副詞節があることに注目。[イ] ④ **used to** は「(以前は) よく…した」という意味で，過去の習慣的動作を表す。

[誤答] ①は *doing* が続き，can't help *doing*「…せずにはいられない」。② have to「…しなければならない」では現在時制になるので，誤り。③ ought to を用いて「…すべきだった」と過去のことを表すには，〈ought to have ＋過去分詞〉とするので誤り (→ p.44, List 8)。

解答　57 ④　58 ③　59 ②　60 ③　61 ④

62 I (　　) cry over nothing when I was a child. (日本女子大)

① shall often　② should often
③ will often　④ would often

Section 16

STRATEGY 6　〈助動詞＋have＋過去分詞〉は過去の事柄への推量などを表す　[動画]

He is still sleeping. He (　　) Ⓐ have come back very late.
① mustn't　② can　③ must　④ can't (駒澤大)

[解き方] ㋐ 特徴のある動詞の形に注目する：選択肢はすべて助動詞で，そのあとはⒶ **have come** という完了形。
➡〈助動詞＋ have ＋過去分詞〉の形。これは，過去の事柄への推量「…したのかもしれない」や確信「…したに違いない」などを表す。
㋑ どんな意味を加えればよいか考える：〈must have ＋過去分詞〉は「…したに違いない」，〈can't have ＋過去分詞〉は「…したはずがない」という意味。
➡「とても遅く帰ってきたに違いない」なら文意が通るので，③ **must** が正解。
訳：彼はまだ眠っている。彼はとても遅く帰ってきたに違いない。

[注目] 〈助動詞＋ have ＋過去分詞〉の問題のポイント
▶ 過去の事柄への推量や確信などを述べる表現。
▶〈助動詞＋have＋過去分詞〉の助動詞ごとの意味を覚えておく。→ List 7, 8

63 You look very tired. You (　　) have been studying quite hard. (宮崎大)
① might　② must　③ ought　④ can't

64 I don't know where Alan is, but his bag is still in his office so he (　　) home yet. (専修大)
① can go　② can't have gone
③ must have gone　④ must not be

62 私は子どもだったころ，何でもないことでよく泣いたものだった。
63 あなたはとても疲れているようですね。あなたはかなり熱心に勉強し続けていたに違いない。
64 アランがどこにいるか知らないが，彼のかばんがまだ事務室にあるのだから，彼が帰宅したはずがない。

62 would (often) 「(以前は) よく…したものだ」〈過去の習慣〉

[着眼] when I was a child に注目

[ア] when 節が過去のことを述べているので，主節も過去のことだと判断する。[イ] 選択肢の中で，過去のことを表せるのは④だけ。**would** は「(以前は) よく…したものだ」という意味で，過去の習慣を表す。often をつけて使うことが多い。

《ココも注目》 **cry over** は「…のことで泣く，…を嘆く」の意味。後ろに nothing を続けると「何でもないことで泣く」の意味になる。

Check 4 would と used to の違いを確認しよう！

・used to には**動作動詞・状態動詞**のどちらも続けられる。

□ There **used to** be a big tree around here.
((以前は) このあたりに大きな木が1本あった)

□ I **used to** play the guitar when I was a student.
(私は学生だったとき，よくギターを弾いた)

・would (often) には通例，**動作動詞**を続ける。

□ I **would** often play the guitar when I was a student.
(私は学生だったとき，よくギターを弾いたものだ)

※ **used to** は「現在はそうではない」という含みがあるが，**would** にはそのような含みはない。

Section 16・推量・確信を表す〈助動詞＋ have ＋過去分詞〉

63 must have ＋過去分詞 「…したに違いない」〈確信〉

[TOP 100]

[着眼] have been に注目

[ア] 選択肢が助動詞で，(　　) の後ろに have been があるので，〈助動詞＋ have ＋過去分詞〉の形になる。この形は，過去の事柄に対する推量などを表すときに使う。[イ]「とても疲れているように見える」という根拠に基づいて「かなり熱心に勉強をし続けていた」と推測しているのだから，〈**must have ＋過去分詞**〉「…したに違いない」を使うのが適切。[ウ] have been studying は完了進行形で，「ずっと…し続けている」という意味を表す。

[誤答] ① might は「ひょっとしたら…かもしれない」という意味を表すので，文脈に合わない。③は ought to の to がない。④の〈can't have ＋過去分詞〉は→ 64 を参照。

64 can't[cannot] have ＋過去分詞 「…したはずがない」〈確信〉

[着眼] 文の意味を考える

[ア] his bag is still in his office「彼のかばんがまだ事務室にある」ことを根拠にして，so 以下のことを述べている。[イ] かばんがある＝まだ事務室にいる，と考えて，「帰宅したはずがない」となるよう，②を選ぶ。〈**can't have ＋過去分詞**〉で「…したはずがない」を表す。

解答 62 ④ 63 ② 64 ②

65 She hasn't arrived yet. She (　　) got caught in a traffic jam.　(神戸女子大)
① should have　② might have
③ mustn't have　④ won't have

66 Since they left very early, they (　　) in Paris by now.　(芝浦工業大)
① will arrive　② arrive
③ can arrive　④ should have arrived

List 7 推量・確信を表す〈助動詞＋ have ＋過去分詞〉を覚えよう!

□ **must** have ＋過去分詞　　　「…したに違いない」→ 63
□ **should** have ＋過去分詞　　「…したはずだ」→ 66
□ **ought to** have ＋過去分詞　「…したはずだ」
□ **can't [cannot]** have ＋過去分詞　「…したはずがない」→ 64
□ **may [might]** have ＋過去分詞　「…したかもしれない」→ 65
□ **could** have ＋過去分詞　　　「(ひょっとしたら) …だったこともありえる」

Section 17

67 I (　　) told you about the change in the schedule, but I forgot to do so.
① must have　② should have　(明治大)
③ must not have　④ should not have

68 London was really great, but I (　　) so much money there.　(専修大)
① should spend　② had not better spend
③ ought not spend　④ should not have spent

List 8 後悔を表す〈助動詞＋ have ＋過去分詞〉を覚えよう!

□ **should** have ＋過去分詞　　　「…すべきだったのに (実際は…しなかった)」→ 67
□ **ought to** have ＋過去分詞　　「…すべきだったのに (実際は…しなかった)」
□ **should not** have ＋過去分詞　「…すべきではなかったのに (実際は…した)」→ 68
□ **ought not to** have ＋過去分詞　「…すべきではなかったのに (実際は…した)」
□ **need not** have ＋過去分詞　　「…する必要はなかったのに (実際は…した)」

---

65 彼女はまだ到着していない。彼女は交通渋滞につかまったのかもしれない。
66 彼らはとても早く出発したのだから，今ごろはもうパリに到着しているはずだ。
67 私はあなたにスケジュールの変更について伝えておくべきだったのだが，そうするのを忘れてしまった。
68 ロンドンは本当にすばらしかったが，私はそこでそんなにお金を使うべきではなかった。

[65] may[might] have ＋過去分詞　「…したかもしれない」〈推量〉

[着眼] 文の意味を考える

[ア] 選択肢と（　　）の後ろの got から，〈助動詞＋ have ＋過去分詞〉の形が使われていると判断できる。[イ]「まだ到着していない」という 1 文目の文意から，後半は「交通渋滞につかまったのかもしれない」という意味だと考え，② might have を選ぶ。**〈may[might] have ＋過去分詞〉**は「…したかもしれない」を表す。

[Vocab] get caught in a traffic jam「交通渋滞につかまる」

[66] should have ＋過去分詞　「…したはずだ」〈推量〉

[着眼] by now に注目

[ア] 前半の「とても早く出発したのだから」という文意と，選択肢に含まれる arrive，さらに by now「今ごろはもう」から，後半は「もうパリに着いただろう」という推測を述べていると考えられる。[イ]「…したはずだ」という完了の推量は**〈should have ＋過去分詞〉**で表すので，④が正解。

[ココも注目] since は「…だから，…なので」という意味の接続詞。→ [366]

Section 17・後悔を表す〈should have ＋過去分詞〉

[67] should have ＋過去分詞　「…すべきだったのに」〈後悔〉

[TOP 100]

[着眼] 文の意味を考える

[ア] 文末の do so は tell you about the change in the schedule のことで，but 以下は「しかし，私はスケジュールの変更について伝えるのを忘れた」の意味。[イ] つまり，前半は，「あなたに伝えるべきだったのに」の意味になるようにすればいいので，② should have を入れる。**〈should have ＋過去分詞〉**は「…すべきだったのに（実際はしなかった）」の意味で，後悔の気持ちを表す。

[68] should not have ＋過去分詞　「…すべきではなかったのに」〈後悔〉

[着眼] 文の意味を考える

[ア] 前半の動詞が was で，there はロンドンを指しているので，後半も過去のことについて述べているとわかる。[イ]「ロンドンは本当にすばらしかった」に対し，「しかし」と続いているので，マイナスな内容になるはずである。[ウ] ④ should not have spent を入れれば「そんなにお金を使うべきではなかったのに（実際には使ってしまった）」となる。**〈should not have ＋過去分詞〉**は「…すべきではなかったのに（実際はした）」という後悔を表す。

[誤答] ①の should *do* の形では現在の内容を述べることになってしまうので誤り。

解答　[65] ②　[66] ④　[67] ②　[68] ④

69 It is quite natural that you ( ) be offended by his bad manners. （日本大）
① can　② must　③ ought to　④ should

List 9 〈感情・判断〉を表す形容詞

☐ **surprising**　「驚くべき」　　☐ **appropriate**「適切な」
☐ **disappointing**　「残念な」　　☐ **strange**　「不思議な」
☐ **natural**　「当然な」　　☐ **awful**　「恐ろしい」
☐ **right**　「正しい」　　☐ **wrong**　「間違った」

70 明日は必ず時間を守ってくれ。 （成城大）
It is essential that you ( ) on time tomorrow.
① to be　② have been　③ be　④ were

List 10 〈重要・必要〉を表す形容詞

☐ **important**　「重要な」　　☐ **essential**　「不可欠の」
☐ **necessary**　「必要な」　　☐ **desirable**　「望ましい」
☐ **urgent**　「緊急の」

71 I'd ( ) stay here than go out. （専修大）
① rather　② better　③ more　④ well

72 A: Do you want to go to Hakone by bus or train? （東京電機大）
B: I ( ) by train.
① will have gone　　② would rather go
③ would rather to go　　④ would rather have gone

73 I ( ) go to the party, as I have a slight fever. （関西学院大）
① would no rather　　② would not rather
③ not would rather　　④ would rather not

---

69 あなたが彼のマナーの悪さに腹を立てるのもまったく当然だ。
71 私は外出するよりもここにいたい。
72 A：箱根にはバスで行きたい？　それとも電車で？／B：電車で行きたいな。
73 少し熱があるので，パーティーには行きたくない。

Section 18 ｝・｛ that 節で用いる should ｝

69 **should** It is ＋形容詞＋ that ＋ S' ＋ should *do*

着眼 natural「当然な」に注目

㋐It is natural that ... は，「…するのも当然だ」という判断を表す表現。㋑感情や判断を表す形容詞を用いた〈It is ＋形容詞＋ that ...〉では，that 節中の動詞は should *do* の形をとるので，④ should が正解。

《ココも注目》 **be offended** は「気分を害する，腹を立てる」の意味。

70 **should** It is ＋形容詞＋ that ＋ S' ＋ (should) *do*

着眼 essential「不可欠な」に注目

㋐It is essential that ... は，「…することは不可欠だ」の意味。㋑〈It is ＋形容詞＋ that ...〉の形容詞が重要・必要を表す場合は，that 節の動詞は原形または should *do* を用いるので，③ be が正解。

《ココも注目》 **on time**「時間通りに」→ 965

Section 19 ｝・｛ would rather ｝

71 **would rather A than B** 「B するよりもむしろ A したい」

着眼 I'd(＝ I would) と than に注目

I'd(＝ I would) と than から，**would rather A than B**「B するよりもむしろ A したい」の形だと判断し，① rather を入れる。rather，than のあとには動詞の原形がくることにも注意。

72 **would rather *do*** 「…したい」

着眼 文の意味を考える

㋐「バスと電車のどちらで行きたい (want to go) か」という質問に答えるのだから，「…で行きたい」と答えるはず。㋑「…したい」は **would rather *do*** で表せるので，② would rather go が正解。would rather *do* は would rather A than B「B するよりもむしろ A したい」の than B が省略された形。

73 **would rather not *do*** 「…したくない」

着眼 not の位置に注目

would rather *do*「…したい」の否定形は **would rather not *do*「…したくない」**。would rather を 1 つの助動詞と考えればよい。

解答 **69** ④ **70** ③ **71** ① **72** ② **73** ④

74 そんな高級車を買えるだけの余裕はありません。 　　　適語補充 （兵庫県立大）

I cannot (　　　　　)(　　　　　　　) buy a deluxe car like that.

75 僕たちは彼の滑稽な変装を見て笑わないではいられなかった。 　（成城大）

We (　) laughing at his funny disguise.

① could not but 　　　　② could not help

③ could not feel like 　④ could not worth

List 11 「…せずにはいられない」の表現

・can't[cannot] help *doing* → **75**

□ I <u>can't help feeling</u> sorry for the little girl.

（私はその小さな女の子に同情せずにはいられない）

・can't[cannot] help but *do*

□ I <u>can't help but feel</u> sorry for the little girl.

・can't[cannot] but *do* （かたい表現）

□ I <u>can't but feel</u> sorry for the little girl.

---

76 A : When I was crossing the street, a car suddenly drove by and I nearly got run over. 　（学習院大）

B : Really? You (　) be too careful when you cross the street.

① can't 　② mustn't 　③ shouldn't 　④ won't

77 Soccer (　) be the world's most popular sport; however, baseball is more popular in the U.S. 　（工学院大）

① may well 　② should well 　③ can well 　④ must well

78 彼に金をやるくらいなら捨てたほうがましだよ。 　　　並べかえ （専修大）

(as / you / your / might / throw / well) money away as give it to him.

79 If you want to buy the car, (do / as / it / may / now / you / well). （成蹊大）

---

76 A：道を渡っていたら，急に車が来て危うくひかれそうになったわ。／B：本当？　通りを渡るときはいくら注意をしてもしすぎることはないよ。

77 サッカーはたぶん世界で最も人気のあるスポーツだろう。しかし，アメリカでは野球のほうが人気がある。

79 その車を買いたいなら，今そうしてもいいでしょう。

Section 20 ◆ 助動詞を用いた表現

Field 1 文法

Field 2 語法

Field 3 イディオム

Field 4 会話・表現

Field 5 ボキャブラリー

Field 6 英文構造

74 **can't[cannot] afford to *do*** 「…する余裕がない」

着眼 cannot に注目

「…する（金銭的な）余裕がない」は cannot afford to *do* で表す。

《ココも注目》 **cannot afford to *do*** は時間的な余裕がない場合にも使う。
I cannot afford to wait any longer.（私はもうこれ以上は待てない）

75 **can't[cannot] help *doing*** 「…せずにはいられない」

着眼 could not, laughing に注目

「…せずにはいられない」は can't[cannot] help *doing* で表す。

◎ 一緒に確認 can't[cannot] help *doing* の意味は、**can't[cannot] (help) but *do*** でも表せる。

76 **can't[cannot] *do* too ...** 「いくら…してもしすぎることはない」

着眼 too careful に注目

空所のあとに be too careful「注意をしすぎる」とあるので、① can't を入れれば、can't be too careful で「いくら注意をしてもしすぎることはない」という意味になる。**can't[cannot] *do* too ...** は「いくら…してもしすぎることはない」という意味を表し、too のあとには形容詞か副詞が続く。

77 **may[might] well *do*** 「たぶん…だろう」

着眼 〈助動詞＋ well〉に注目

選択肢が〈助動詞＋ well〉になっていることに注目。① may well「たぶん…だろう」を入れれば文意が通る。

《ココも注目》 may[might] well *do* には「…するのももっともだ」の意味もある。
He may well be proud of his daughter.（彼が自分の娘を誇りに思うのももっともだ）

78 **may[might] as well *do* ... as *do* ～** 「～するくらいなら…するほうがましだ」

着眼 as, might, well に注目

㋐主語になる語は語群の中には you しかない。㋑「～するくらいなら…するほうがましだ」は may[might] as well *do* ... as *do* ～で表すので You might as well throw your (money away ...) とする。

79 **may[might] as well *do*** 「…してもよい」

着眼 as, may, well に注目

㋐may, as, well を見て、may as well *do*「…してもよい」を使うと判断する。㋑助言する相手は「あなた」なので、主語を you にする。do it ＝ buy the car。now は文末に置く。

解答 **74** afford to **75** ② **76** ① **77** ① **78** You might as well throw your
79 you may as well do it now

仮定法

Section 21

| **STRATEGY 7** | 助動詞の過去形を見たら，仮定法を予想する | 動画 |

ⓑI don't know where Ann is. If ⓒI ( ), I Ⓐwould tell you.
① know ② knew ③ would know ④ have known

(清泉女子大)

解き方 ㋐ if のある文では，助動詞の過去形がないか確認する：Ⓐ **would** がある。
━━▶ 助動詞の過去形を見たら仮定法ではないかと予想する。
㋑ if 節の内容が事実どうか確認する：Ⓑは「私は知らない」。Ⓒは，選択肢がすべて肯定形なので，「私は知っている」。つまり，if 節の内容は事実ではない。
━━▶ 主節の would tell は〈助動詞の過去形＋動詞の原形〉だから，仮定法過去（→ Check 5）と判断。if 節は過去形を使うから，② **knew** が正解。
訳：私はアンがどこにいるか知らない。もし私が知っていれば，あなたに教えるだろうに。

注目 仮定法の問題のポイント
▶ 助動詞の過去形（would, could など）を見たら，仮定法の可能性を考える。
▶ 事実に反する内容なら仮定法，事実と合う内容なら直説法（＝通常の時制）を使う。

80 If I ( ) in Tokyo, I would go to Harajuku at least once a week. (杏林大)
① lived ② lives ③ has lived ④ had lived

81 If I ( ) you, I wouldn't believe even a word of what she said. (芝浦工業大)
① will be ② were ③ am ④ be

82 If I were you, I ( ) this job because I know you're interested in teaching math. (東京電機大)
① will take ② would take ③ took ④ had taken

---

80 東京に住んでいれば，私は少なくとも週に1回は原宿に行くのに。
81 私があなたなら，私は彼女の言ったことなど一言だって信じないだろうに。
82 私があなたならこの仕事に就くでしょう，だって私はあなたが数学を教えることに興味をもっていることを知っているから。

Section 21・仮定法過去／仮定法過去完了

Check 5 最初に仮定法過去／仮定法過去完了の基本の形を確認しよう！

●**仮定法過去**：現在の事実に反すること

□ **〈If + S′＋動詞の過去形, S＋助動詞の過去形＋動詞の原形〉**

If I had more time, I would visit the museum.

（もっと時間があれば，美術館を訪れるのに）

●**仮定法過去完了**：過去の事実に反すること

□ **〈If + S′ + had＋過去分詞, S＋助動詞の過去形＋ have ＋過去分詞〉**

If I had had more time, I would have visited the museum.

（もっと時間があったら，美術館を訪れたのに）

80 [TOP 100] 仮定法過去 現在の事実に反すること

[着眼] would go に注目

[ア] If「もし…なら」があり，主節に would があるので，仮定法過去の文だと判断する。[イ] 仮定法過去の if 節では，動詞は過去形を用いるので，① lived が正解。仮定法過去は現在の事実に反することや，実現の可能性が低い願望などを表す表現。動詞は過去形を用いるが，現在のことを述べているという点に注意。

[注目] 〈If＋S'＋動詞の過去形，S＋助動詞の過去形＋動詞の原形〉

81 if S were 仮定法過去の if 節中の be 動詞は原則として were を使う

[着眼] wouldn't believe に注目

[ア] 主節の動詞が wouldn't believe なので，仮定法過去を用いた文だと判断する。[イ] 仮定法過去の if 節中の動詞が be 動詞のときは，原則として主語に関係なく were を使うので，②が正解。口語では was を用いることもあるが，「もし私があなたなら」と言うときは必ず if I were you と were を用いる。

82 [TOP 100] 仮定法過去 仮定法過去の主節は〈助動詞の過去形＋動詞の原形〉

[着眼] If I were you に注目

[ア] if I were you は「もし私があなたなら」という仮定を表す仮定法過去を用いた表現なので，主節の動詞は〈助動詞の過去形＋動詞の原形〉にする。よって，② would take が正解。

《ココも注目》 because 節の内容は「事実」なので，動詞は現在形になっている。(直説法)。

▶用語解説（解説サイト）「仮定法」「直説法」

解答 [80] ① [81] ② [82] ②

83 It's already seven o'clock. If I had got up earlier, I (　　) the 6:30 express train. （大東文化大）

① will have caught　　② can catch

③ could have caught　　④ will catch

84 もし医師が近くにいなかったら，娘は死んでいたかもしれない。 並べかえ （専修大）

If (　) (　) not (　) a (　) nearby, my daughter (　) have (　).

(died / there / might / doctor / been / had)

85 If I (　　) the seminar last year, I would be able to speak English more fluently now. （立教大）

① had attended　　② have attended

③ should have attended　　④ were attending

☑ Check 6　仮定法過去完了と仮定法過去を組み合わせる場合がある！

●「もし（過去に）…していたら，今は〜だろうに」〈仮定法過去完了＋仮定法過去〉

□〈**If + S' + had** ＋過去分詞，**S** ＋助動詞の過去形＋動詞の原形〉

If I <u>had taken</u> your advice, I <u>would be</u> successful now.

　仮定法過去完了　　　　　　仮定法過去

（あなたの忠告を聞いていたら，今ごろは成功しているだろうに）

Section 22

86 What would happen if all the Antarctic ice (　　)? （東海大）

① are melt　　② were to melt

③ will be melt　　④ melt to be

---

83 もう7時だ。もっと早く起きていたら，私は6時30分の急行電車に乗れたのに。

85 去年セミナーに参加していたら，今ごろは英語をもっとスラスラと話せているだろうに。

86 南極の氷がすべて溶けてしまったらどうなるだろう。

83 仮定法過去完了 仮定法過去完了の主節は〈助動詞の過去形＋have＋過去分詞〉

着眼 if 節の動詞が過去完了になっていることに注目
㋐if 節の動詞が had got up と過去完了になっているので，仮定法過去完了の文だと判断する。㋑仮定法過去完了の主節には〈助動詞の過去形＋have＋過去分詞〉を使うので，③ could have caught が正解。

注目 〈If＋S'＋had＋過去分詞, S＋助動詞の過去形＋have＋過去分詞〉

84 仮定法過去完了 過去の事実に反する仮定

着眼 「もし…だったら，〜だったかもしれない」に注目
㋐日本文から，実際には医者が近くにいたので，娘は助かったとわかる。「もし医者が近くにいなかったら…」という過去の事実に反する仮定は，仮定法過去完了で表す。㋑if 節はthere was not ...「…がいなかった」の was not を過去完了 had not been にして表す。㋒主節は〈助動詞の過去形＋have＋過去分詞〉になるよう，might have died とする。

85 仮定法過去完了＋仮定法過去 「もし（過去に）…していたら，今は〜だろうに」

着眼 last year と now に注目
㋐主節に助動詞の過去形（would）が用いられているので，仮定法を用いた文だと考える。㋑主節は，would be と now から現在の事実に反する内容を述べているとわかる。㋒しかし，if 節には last year があり，過去の事実に反する仮定を述べていると予想できるので，空所に入る動詞は仮定法過去完了の形（過去完了）でなければならない。よって，① had attended が正解。

⟨ Section **22** ⟩ if S were to *do* / if S should *do*

86 were to *do* 未来に関する実現性の低い仮定

着眼 would に注目
㋐主節に would があることから，仮定法を用いた文だと考える。㋑選択肢に melt があることから，if 節は「仮に南極の氷がすべて溶けてしまったら」という意味になるはず。「仮に A が…するようなことがあれば」という未来に関する実現性の低い仮定は if S were to *do* で表す。if 節に were to *do* を使う場合，主節は〈助動詞の過去形＋動詞の原形〉の形をとる。

《ココも注目》 were to *do* は，実現の可能性がまったくない場合にも用いることができる。

解答 **83** ③ **84** there had / been / doctor / might / died **85** ① **86** ②

87 I know that you have to stay home tomorrow. But if you (　) your mind, please call me. (天理大)
① changed ② should change
③ will change ④ would change

✓ Check 7 直説法と仮定法の違いを確認しよう！

☐ If it **rains**, the game **will** be postponed.
「雨が降る」という現実味がある→直説法
（もし雨なら，その試合は延期されます）

☐ If it **rained**, the game **would** be postponed.
今，雨は降っていない（事実と異なる）→仮定法
（雨が降れば，その試合は延期されるのに）

☐ If it **should rain**, the game **would** be postponed.
話者は雨が降るとは思っていない→仮定法
（雨が降るようなことがあれば，試合は延期されるだろう）

Section 23

88 (　) a little more time, I could have met him then. (関西学院大)
① Within ② With ③ Give ④ Take

89 If you hadn't helped me, I would not have passed the exam. 同意文
= (　) your help, I would not have passed the exam. (中京大)

90 (　) their suggestion, we could not have completed our project in time for the festival. (立命館大)
① All but ② But for ③ Due to ④ Supposing

---

87 私は，明日あなたが家にいなければいけないとわかっています。でも万一，気が変わったら，私に電話してください。
88 もう少し時間があったら，私はそのとき彼に会うことができただろうに。
89 あなたの助けがなかったら，私は試験に合格しなかっただろう。
90 彼らの提案がなかったら，私たちは祭りに間に合うようにプロジェクトを仕上げることができなかっただろう。

054

87 should 「万一…なら」 実現の可能性があまり高くない仮定

[着眼]「気が変わる可能性」を考える

[ア]選択肢に change が含まれているので，if you (　　) your mind は「もしあなたの気が変わったら」という意味だと考えられる。[イ]最初の文で「あなたは明日家にいなければならない」と言っているのだから，気が変わる，つまり外出することになる可能性は低いはず。このような実現の可能性があまり高くない仮定は，**if S should *do*「万一…なら」**で表すので，②が正解。should は were to *do* (→ 86) より実現の可能性が高いことを示す。

《ココも注目》 if S should *do* の主節には，命令文や直説法を使った文がくることがある。
If you should change your mind, please call me.
命令文

Section 23 「…があれば」「…がなければ」

88 with 「…があれば」

[着眼] could have met に注目

[ア]コンマのあとにある could have met を見て仮定法過去完了だと判断する。[イ]コンマより前の部分は「もう少し時間があれば」という意味だと考え，② With を選ぶ。**with …** は if 節の代用として用いられ,「…があれば」という意味を表す。

89 without 「…がなければ」

[着眼] would not have passed に注目

[ア]コンマのあとにある would not have passed を見て仮定法過去完了だと判断する。[イ]上の文の If you hadn't helped me は「もしあなたが私を助けてくれていなければ」の意味。[ウ]空所のあとに your help と名詞が続くので，without を用いて「あなたの助けがなかったら」と書きかえられる。**without** も if 節の代用として用いられ,「…がなければ」という意味を表す。

90 but for … 「…がなければ」

[着眼] could not have completed に注目

[ア]could have not completed は仮定法過去完了で「…を仕上げられなかっただろう」という意味。[イ]コンマの前が「もし彼らの提案がなかったら」という仮定を表すとすれば文意が通るので，② **But for …**「…がなければ」を選ぶ。

《ココも注目》 **in time for …**「…に間に合って」

[選択肢] ① All but …「…のほかはすべて」, ③ Due to …「…のために」→ 1054, ④ Supposing [接]「もし…ならば」

解答 87 ② 88 ② 89 Without 90 ②

91 空気がなければ，すべての生き物は死ぬだろう。　　　　　並べかえ（中央大）

(for / it / not / if / air / were), all living things would die.

92 インターネットがなかったら，私はあなたと知り合えていなかっただろう。

I (w　　　　　) not have gotten to know you if it had not been

(　　　　　) the Internet.　　　　　　適語補充（群馬大）

List 12 「…がなければ」の表現

- [ ] **If it were not for** music, our life would be boring. → **91**
- [ ] = **Without** music, our life would be boring. → **89**
- [ ] = **But for** music, our life would be boring. → **90**
  （音楽がなければ，私たちの人生はつまらないだろう）

List 13 「…がなかったら」の表現

- [ ] **If it had not been for** her help, I would have given up my dream. → **92**
- [ ] = **Without** her help, I would have given up my dream. → **89**
- [ ] = **But for** her help, I would have given up my dream. → **90**
  （彼女の助けがなかったら，私は自分の夢をあきらめていただろう）

Section 24

93 (　　　) it a little warmer, I would go out for a walk.　　　（日本大）

① Have been　　② Had been　　③ Were　　④ Been

94 あなたの住所を知っていたら，あなたに手紙を書くこともできたのですが。

（成蹊大）

I (address / could / had / have / known / I / written / your / you).

---

93 もう少し暖かければ散歩に出かけるのに。

[91] if it were not for ... 「…がなければ」

[着眼] if, for, it, not に注目

㋐語群に if があり，主節の動詞が would die なので，仮定法過去の文だと判断する。㋑さらに，for, it, not があるので，**if it were not for ...**「…がなければ」を使うと判断する。

《ココも注目》 if it were not for ... は，**but for ...** (→ [90]) や **without ...** (→ [89]) と交換可能。

[92] if it had not been for ... 「…がなかったら」

[着眼] it had not been に注目

㋐if 節は **if it had not been for ...**「…がなかったら」の形。㋑仮定法過去完了の文だから，主節には〈助動詞の過去形＋ have ＋過去分詞〉の形を使うので，最初の空所には would を入れる。

《ココも注目》 **get to know**「…と知り合いになる」

Section 24・if の省略

[93] Were S ... 「S が…なら」

[着眼] would go に注目

㋐would go は〈助動詞の過去形＋動詞の原形〉なので，仮定法の可能性が高いが，英文にも選択肢にも if がない。㋑そこで，if は省略されていると考える。**if S were ...** の **if** を省略すると，**were S ...** となるので，③が正解。

[注目] If it [were] a little warmer, ...

= [Were] it a little warmer, ...

[94] Had S ＋過去分詞 ... 「もし…だったら」

[TOP 100]

[着眼] if がないことに注目

㋐「あなたの住所を知っていたら」を if I had known your address と表したいが，if がないので，if を省略して had I known your address とする。〈**if S had ＋過去分詞 ...**〉の **if** を省略すると，〈**had S ＋過去分詞 ...**〉となる。㋑「手紙を書くこともできたのですが」は仮定法過去完了を使って could have written と表す。㋒ただし，文が I で始まっているので，主節を先にして I could have written you had I known your address. とする。

[注目] ... if I [had] known your address.

= ... [had] I known your address.

解答 [91] If it were not for air [92] (w)ould / for [93] ③
[94] could have written you had I known your address

95 Had I known that Peter was having financial problems, I ( ) him.
　① would help　② would have helped 〈南山大〉
　③ will help　　④ have helped

96 ( ) something happen, let us know immediately. 〈日本大〉
　① Should　② If　③ Were　④ Had

97 音楽がなければ，人生はつまらないだろう。 並べかえ 〈高知大〉
　(were / life / it / would / for / music / not / be / ,) boring.

98 あなたの励ましがなかったら，私はあきらめていただろう。 〈追手門学院大〉
▶ (not / had / it / your / been / for) encouragement, I would have given
動画　up.

☑ Check 8　If を省略する場合の文を確認しよう！

(1) If I were you, I would study abroad.
　□ = **Were I you**, I would study abroad. → 93
　　（私があなたなら，留学するのに）

(2) If I had taken the train, I would have got to school on time.
　□ = **Had I taken** the train, I would have got to school on time. → 94
　　（その電車に乗っていたら，私は遅刻せずに登校しただろう）

(3) If it were not for his injury, he would be playing in this game.
　□ = **Were it not for** his injury, he would be playing in this game. → 97
　　（けががなければ，彼はこの試合でプレーしているだろうに）

(4) If it had not been for your call, I would have been late for the meeting.
　□ = **Had it not been for** your call, I would have been late for the meeting. → 98
　　（あなたの電話がなかったら，私は会議に遅れていただろう）

(5) If you should have a problem, we would help you.
　□ = **Should you have** a problem, we would help you. → 96
　　（万一困ったことがあれば，私たちがあなたを助けます）

---

95 ピーターが経済的な問題を抱えていると知っていたら，私は彼を助けただろうに。
96 万一何かが起こったら，すぐに私たちに知らせてください。

95 **Had S ＋過去分詞 ...** ▶ 疑問文の語順で〈?〉がない＝倒置

着眼 **Had I known** に注目

㋐**Had I known** は過去完了の疑問文の語順だが，文末に〈?〉がないので，倒置形だと判断する。㋑仮定法過去完了の〈if ＋ S ＋ had ＋過去分詞〉から **if** を省略すると，〈**had ＋ S ＋過去分詞**〉の語順になる。㋒仮定法過去完了の主節は〈助動詞の過去形＋ have ＋過去分詞〉の形だから，②が正解。

誤答 ① would help では「過去のある時点で知っていたら，（その時点ではなく）今，彼を助けるだろう」という意味になるので，不自然。

 Field 1 文法

96 **Should S *do* ...** ▶ 「万一…なら」

着眼 **happen** ＝原形に注目

㋐**happen**「起こる，生じる」の主語は something だから，本来なら happens となるはず。ところが実際には原形 happen になっている。㋑ということは，前に助動詞があるはずだから，① **Should** が正解。if S should do（→ **87**）の if を省略すると，**should S *do*** の語順になる。

注目 If something │should│ happen, ...

＝│Should│ something happen, ...

97 **Were it not for ...** ▶ 「…がなければ」

着眼 **if** がないことに注目

㋐「音楽がなければ」は現在の事実に反する仮定なので，仮定法過去で表す。㋑「…がなければ」は if it were not for ... で表すが（→ **91**），if がないので，**if** を省略した **Were it not for ...** の形を使う。㋒「人生はつまらないだろう」は life would be boring。

注目 If it │were│ not for music, ...

＝│Were│ it not for music, ...

98 **Had it not been for ...** ▶ 「…がなかったら」

着眼 **if** がないことに注目

㋐「…がなかったら」は if it had not been for ... で表せる。㋑しかし語群に if がないので，**if** を省略した形 **Had it not been for ...** にする。if を省略すると倒置が起きるので，注意すること。

Vocab encouragement「励まし」

注目 If it │had│ not been for your encouragement, ...

＝│Had│ it not been for your encouragement, ...

▶ **用語解説**(解説サイト) 「倒置」

解答 **95** ② **96** ① **97** Were it not for music, life would be **98** Had it not been for your

99 It rained heavily, ( ) I would have played tennis outside. 　(中央大)

① then 　② otherwise 　③ since 　④ because

100 ( ) her talk, you would think that she was an actress. 　(上智大)

① Hear 　② Heard 　③ In hearing 　④ To hear

Section 26

101 (rich / I / were / in / wish / our country) natural resources. 　並べかえ

(獨協大)

102 I wish I ( ) enough money to buy the house around this time last year. 　(明治大)

① had 　　　② could have

③ had had 　④ should have

✓ Check 9 　wish に続く仮定法

wish に続く節に仮定法過去を使うか仮定法過去完了を使うかは，wish している〈時〉を基準にする。願っている〈時〉と願う内容が同じ〈時〉なら仮定法過去を，願っている〈時〉よりも前の〈時〉なら仮定法過去完了を用いる。

□ I wish she **were** with me.（彼女が一緒にいればいいのに）

「現在」願っている―「同じ時（＝現在）」彼女が一緒にいればいいのに。

□ I wish she **had been** with me.（彼女が一緒にいてくれていたらよかったのに）

「現在」願っている―「それよりも前の時（＝過去）」彼女が一緒にいてくれていたらなあ。

※ as if に続く節内も，if 節内の内容が主節の〈時〉と同時なら仮定法過去，主節よりも前の内容であれば仮定法過去完了を用いる。

I wish she were with me.

I wish she had been with me.

---

99 雨が激しく降った。そうでなかったら，私は外でテニスをしただろうに。

100 彼女が話すのを聞けば，彼女が女優だったと思うだろう。

101 私たちの国に天然資源が豊富にあればいいのに。

102 去年の今ごろ，私にその家を買えるだけのお金があったらよかったのに。

Section 25・if 節の代用

99 otherwise 「そうでなければ」

[着眼] would have played に注目

[ア] would have played は仮定法過去完了だが, if 節がない。また, if の省略 (→ [93], [94]) の語順でもない。[イ] ② **otherwise** は「そうでなければ」という意味を表し, **if** 節の代わりに使うことができるので, これが正解。[ウ] otherwise を if 節で書きかえれば, if it had not rained heavily となる。

[選択肢] ① then「それで」, ③ since「…だから」, ④ because「…だから」

100 不定詞 「…すれば」

[着眼] would think に注目

[ア] would think は仮定法過去の形だが, if 節がない。[イ] 不定詞は **if** 節の代わりに仮定の意味を表すことができるので, ④ To hear を入れれば,「彼女が話すのを聞けば」という意味を表せる。[ウ] To hear her talk を if 節で書きかえれば, If you heard her talk となる。

《ココも注目》 hear her talk は〈**hear + O + *do***〉「O が…するのが聞こえる」の構文。→ p.74, List 21

Section 26・wish +仮定法/as if +仮定法

101 wish +仮定法過去 「…ならいいのに」〈現在の事実に反する願望〉

[着眼] were, wish に注目

[ア] wish と were を見て,〈wish +仮定法過去〉「…ならいいのに」の文だと判断する。〈**wish + S +動詞の過去形(=仮定法過去)**〉は現在の事実に反する願望を表す表現。[イ] 主語になれる名詞は I と our country。文意を考えて, I wish our country were ...「私たちの国が…ならいいのに」とする。[ウ] be rich in ... で「…が豊富である」を表すので, were のあとに rich in natural resources を続ける。

[Vocab] natural resources「天然資源」

102 wish +仮定法過去完了 「…したらよかったのに」〈過去の事実に反する願望〉

[TOP 100]

[着眼] wish, last year に注目

[ア] wish と last year があるので, 過去の事実に反する願望を述べる文だと判断する。[イ] 過去の事実に反する願望は〈**wish + S + had +過去分詞(=仮定法過去完了)**〉で表すので, ③ had had を選ぶ。

解答 [99] ② [100] ④ [101] I wish our country were rich in [102] ③

103 When I was a child, the man treated me as if I (　　) his own daughter.
① am　　② have been　　③ were　　④ will be　　(近畿大)

104 He talks as if he (　　) to many foreign countries.　(國學院大)
① is　　② had been　　③ have been　　④ were

Section 27

105 (　　) I knew her phone number!　(摂南大)
① As to　　② If only　　③ If ever　　④ In that

106 I would rather you (　　) here tomorrow.　(法政大)
① stayed　　② will stay　　③ are staying　　④ stay

107 It is time the country (　　) environmental problems more seriously.
① take　　② taken　　③ took　　④ will take　　(明治大)

List 14 〈If only ＋仮定法〉の表現を覚えよう！

☐ **If only** ＋S＋動詞の過去形 ... .　「…すればなあ」→ 105
☐ **If only** ＋S＋had＋過去分詞 ... .　「…していたらなあ」

List 15 〈It is time ＋仮定法過去〉の表現を覚えよう！

☐ It is **time** ＋S'＋動詞の過去形 ... .　「もう…してもよいころだ」→ 107
☐ It is **high time** ＋S'＋動詞の過去形 ... .　「とっくに…する時だ」
☐ It is **about time** ＋S'＋動詞の過去形 ... .　「そろそろ…すべき時だ」

---

103 私が子どものころ，その男は私を彼自身の娘であるかのように扱った。
104 彼はまるで多くの外国に行ったことがあるかのように話す。
105 彼女の電話番号を知っていればなあ！
106 明日あなたがここにいてくれるといいのだが。
107 その国が環境問題をもっと真剣に受け止めてもよいころだ。

103 **as if ＋仮定法過去** 「まるで…するかのように」

着眼 as if に注目

㋐as if は〈as if ＋仮定法〉で「まるで…のように」という意味を表す。㋑as if 節の主語は I なので，仮定法過去なら were[was]，仮定法過去完了なら had been が入る。選択肢に③ were があるので，仮定法過去だと判断する。〈as if ＋仮定法過去〉は主節の時制にかかわらず，その時点の事実に反することを表す。

◎（**一緒に確認**） 仮定の意味がなく，単に様子を表す場合は直説法を使うこともある。
Your voice sounds as if you <u>have</u> a cold.
（きみの声は風邪をひいているように聞こえる）

104 **as if ＋仮定法過去完了** 「まるで…したかのように」

着眼 as if に注目

㋐as if のあとには，仮定法過去，仮定法過去完了，直説法のいずれかがくる。㋑空所の直後に to many foreign countries と続いていることから，「…に行ったことがある」という〈経験〉を表す表現 have been to ...（→ **12**）が用いられると判断し，② had been を選ぶ。〈as if ＋仮定法過去完了〉は「まるで…したかのように」を表す。主節の動詞の時制にかかわらず，その時点よりも過去の事実に反することなら，仮定法過去完了を使う。

〉 Section **27** 〈・〉 **仮定法を用いた表現** 〉

105 **if only ＋仮定法過去** 〉 「…すればなあ」

着眼 knew に注目

㋐空所のあとの節は I knew ... と過去形になっていることに注目。㋑② If only はあとに仮定法過去を用いて「…すればなあ」の意味を表す。㋒〈if only ＋仮定法〉は〈wish ＋仮定法〉よりも強い願望を表す。

選択肢 ① As to ... は「…について」，③〈If ever ＋過去形の動詞〉で「もし（これまでに）…だとしたら」，④ In that ... は「…という点で」という意味を表す。→ **387**

《**ココも注目**》 If only のあとに仮定法過去完了を用いると「…していたらなあ」という過去のことについての強い願望を表す。

106 **would rather ＋仮定法過去** 「むしろ…だといいのだが」

着眼 would rather に節が続いていることに注目

㋐would rather A than B の形で「B するよりもむしろ A したい」という意味を表す（→ **71**）が，ここでは than がなく，rather のあとに節が続いている。㋑would rather に節が続く場合は，節内に仮定法過去を用いて「むしろ…だといいのだが」という願望を表す。㋒ここでは tomorrow があるので，これから相手にしてもらいたい控えめな願望を表していると考え，仮定法過去（動詞の過去形）の① stayed を選ぶ。

107 **It is time ＋仮定法過去** 「もう…してもよいころだ」

着眼 It is time に注目

㋐It is time に続く節中に仮定法過去を用いて「もう…してもよいころだ」という意味を表すので，③ took が正解。

<u>**Vocab**</u> environmental problem「環境問題」，seriously「深刻に，真剣に」

解答 **103** ③ **104** ② **105** ② **106** ① **107** ③

不定詞

動画・解説

Section 28

STRATEGY 8 to と動詞の原形を見たら，不定詞を予想する

動画

Some children believe that Ⓒit (Ⓐto / duty / Ⓑlook / is / their) after their pets.

[並べかえ] (日本大)

[解き方] ㋐ **to があったら動詞の原形を探す**：Ⓐ **to** があり，さらに動詞の原形Ⓑ **look** があるので，2つを組み合わせて不定詞 to look として使うのではないかと予想する。

㋑ **it もあれば，その it は形式主語や形式目的語の可能性が高い**：Ⓒ **it** は that 節内の主語

➡ **it is ... to *do*** ～の形式主語構文を予想する。

㋒ **文として成り立つかを確認する**：their duty「彼らの義務」，look after ...「…の世話をする」という組み合わせができる。

➡ it **is their duty to look** after their pets「ペットの世話をすることが彼らの義務だ」となり，文意が通るので，この語順が正解。

訳：ペットの世話をすることが自分の義務だと信じている子どもたちもいる。

[注目] **不定詞の並べかえ問題のポイント**

▶ to と動詞の原形を見たら，不定詞として使うことを予想する。

▶ 形式主語構文や〈疑問詞＋不定詞〉など，不定詞を含む重要構文を覚えておく。

▶ 名詞用法・形容詞用法・副詞用法の意味や用法（→ Check 10）を覚えておく。

108 私の夢は英語で小説を書くことだ。 [並べかえ] (中央大)

My (to / novel / dream / a / write / is) in English.

109 (is / walk alone / dangerous / to / it / along) this street at night.

(芝浦工業大)

110 It was necessary (　　) me to stand up and speak out right away. (宮崎大)

① for　② of　③ to　④ with

---

109 夜にこの通りを一人で歩くのは危険だ。

110 私がすぐに立ち上がって意見を述べる必要があった。

Check 10 最初に不定詞の3用法を確認しよう！

□名詞用法： 不定詞は「…すること」を表し，文の主語，補語，動詞の目的語になる。
□形容詞用法：不定詞は〈名詞＋to *do*〉の形で前の名詞を修飾し，「…する(べき)(名詞)／…するための(名詞)」の意味を表す。
□副詞用法： 不定詞は，目的「…するために～」，結果「～した結果…」，感情の原因「…して～」，判断の根拠「…するとは～」などの意味を表す。

Section 28・不定詞の名詞用法

108 名詞用法〈補語〉 名詞用法の不定詞は補語になれる

[着眼] to，write に注目

㋐「私の夢は…だ」は My dream is ....。㋑「書くこと」は名詞用法の不定詞 to write で表す。名詞用法の不定詞は補語になれるので，is のあとに to write を置き，My dream is to write a novel とする。

109 It is ... to *do* ～. 「～するのは…だ」

[着眼] is，to，it に注目

㋐to は walk alone と組み合わせて不定詞にする。㋑is と it もあるので，**It is ... to *do* ～.**「～するのは…だ」の形だと判断する。㋒It is のあとに dangerous「危険な」を置き，along「…に沿って」を this street の前に置けば，It is dangerous to walk alone along this street at night.「夜にこの通りを一人で歩くのは危険だ」となる。

[注目] [To walk alone along this street at night] is dangerous.
＝ It is dangerous [to walk alone along this street at night].
形式主語　　　　真の主語

※不定詞が主語になる場合は，it を形式主語にして，真の主語である不定詞を後ろに回すことが多い。

110 It is ... for ＋人＋ to *do* ～. 「(人) が～するのは…だ」

[着眼] 文頭に It was necessary がある／空所のあとに me to stand が続く

㋐形式的に it を主語に置き，真の主語 to stand up ... を後ろに置いている文。㋑不定詞 to stand ... の意味上の主語は〈for ＋人〉の形で表し，不定詞の前に置く。〈**It is ... for ＋人＋ to *do* ～.**〉で「(人) が～するのは…だ」の意味を表す。

[注目] It was necessary [for me] to stand up and speak out right away.
「私が」「すぐに立ち上がって意見を述べること」
意味上の主語

[一緒に確認] 〈of ＋人〉を使う構文については → 122

解答 108 dream is to write a novel 109 It is dangerous to walk alone along 110 ①

111 日の出に間に合うように山頂に着くのは難しいと私はわかった。 　並べかえ

▶ I found (to / it / to get / the top of / difficult / the mountain) in time for
動画 　the sunrise.

(東洋大)

---

112 この機械の操作方法を教えていただけませんか。 (東洋大)

　　　Could you (to / this machine / how / me / show / operate)?

List 16　疑問詞＋不定詞

- ☐ **how** to *do*　　　　　　　　「…する方法，どのように…すべきか」→ **112**
- ☐ **what** to *do*　　　　　　　　「何を…すべきか」
- ☐ **which** to *do*　　　　　　　「どれを…すべきか」
- ☐ **where** to *do*　　　　　　　「どこに［で，へ］…すべきか」
- ☐ **when** to *do*　　　　　　　「いつ…すべきか」
- ☐ **who(m)** to *do*　　　　　　「誰を［に］…すべきか」
- ☐ **what** ＋名詞＋ to *do*　　　「何の（名詞）を…すべきか」
- ☐ **which** ＋名詞＋ to *do*　　「どの（名詞）を…すべきか」

Section 29

113 このエプロンには物を入れるポケットがない。 (東洋大)

▶ This apron has no (things / put / in / pocket / to).
動画

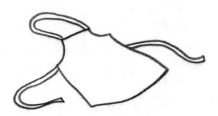

111 [形式目的語を受ける不定詞] SV + it + 形容詞 + to *do*

[TOP 100]

[着眼] found, it, to get に注目

㋐〈find + O + C〉で「O が C だとわかる」という意味だから，O =「日の出に間に合うように山頂に着くこと」，C =「難しい」となる。㋑ただし，**O** が「…すること」という不定詞である場合は，it を目的語にして，不定詞は C の後ろに回し，**〈find + it + C + to *do*〉**という形にするので，found it difficult to get to ... と並べる。㋒「山頂に着く」は get to the top of the mountain。

[注目] I found [it] difficult [to get to the top of the mountain ...]
（it ＝ 形式目的語 → to get to the top of the mountain ... ＝ 真の目的語）
S　V　O　C

《ココも注目》 **in time for ...**「…に間に合って」

112 [疑問詞＋不定詞] how to *do*「…する方法，どのように…すべきか」

[着眼] how, to に注目

㋐「…を教えていただけませんか」は「…を私に教えていただけませんか」ということなので，Could you show me ... ? とする。㋑「この機械の操作方法」は，**how to *do***「…する方法，どのように…すべきか」を用いて，how to operate this machine とする。

Section 29 不定詞の形容詞用法

113 [形容詞用法] 名詞＋ to *do*「…するための（名詞）」

[着眼] in に注目

㋐まず「このエプロンにはポケットがない」This apron has no pocket. を組み立てる。㋑「物を入れるポケット」は，pocket のあとに**形容詞用法の不定詞**（to put things in）を続けて表す。修飾される名詞 pocket が不定詞 to put things in の目的語にあたることに注意する。

[注目] [put things in] [a pocket]「ポケットの中に物を入れる」
→ [a pocket] to [put things in]「中に物を入れるためのポケット」
※前置詞 in が最後につくことに注意。

解答
111 it difficult to get to the top of the mountain
112 show me how to operate this machine
113 pocket to put things in

114 彼らが座るのに十分な椅子がない。　　　　　　　　　　　　並べかえ（東洋大）

There are not (them / on / chairs / sit / enough / for / to).

Section 30

115 Why don't you come to my office (matters / discuss / these / with / to)
us?　　　　　　　　　　　　　　　　　　　　　　　　　　　　（成蹊大）

116 The data was analyzed in (　　) to develop their new medicine.　（芝浦工業大）
　① case　　② way　　③ fact　　④ order

117 I studied five hours every day after school (get / good / as / to / so /
grades) this term.　　　　　　　　　　　　　　　　　　　　（獨協大）

118 You should leave home now (　　　) miss your flight should there be a lot
of traffic on the way to the airport.　　　　　　　　　　　　　（中央大）
　① as you don't　　　　　② not because you
　③ not so as to　　　　　④ so as not to

115 私たちとこれらの問題について議論するために，私のオフィスに来てはどう？
116 そのデータは彼らの新薬を開発するために分析された。
117 私は今学期によい成績を取るために，学校が終わってから，毎日5時間勉強した。
118 空港への道で万一渋滞が起きても飛行機に遅れないように，あなたはもう家を出るべきだ。

114 enough＋名詞＋to *do* 「…するのに十分な（名詞）」

[着眼] enough, to に注目

[ア]「十分な椅子」は enough chairs と表せる。さらに〈**enough**＋名詞＋**to** ***do***〉「…するのに十分な（名詞）」の形になるよう，to sit を続ける。[イ]「椅子に座る」は sit on chairs と表すのだから，「座るための椅子」は chairs to sit on と表すことに注意。また，座るのは「彼ら」なので，不定詞の意味上の主語を for them と表し，不定詞の直前に置く。

[注目] [sit on] [chairs]「椅子に座る」

[chairs] to [sit on]「座るための椅子」 ※前置詞 on が最後につくことに注意。

Section 30・不定詞の副詞用法

115 副詞用法〈目的〉 to *do*「…するために」

TOP 100

[着眼] discuss, to に注目

[ア]（　）の前は「私のオフィスに来てはどうですか」という意味で，ここまでで完全な文だから，並べかえる部分は副詞句。[イ] to discuss を副詞用法の不定詞と考えれば，「…を議論するために」という目的を表す副詞句を作ることができる。to discuss these matters with us で「私たちとこれらの問題について議論するために」という意味。

《ココも注目》 **Why don't you ...?** は「…してはどうか」という〈提案〉を表す。→ 428

116 in order to *do*「…するために」

[着眼] in, to develop に注目

（　）の前に in があり，後ろに不定詞があるので，④ order を入れれば **in order to** ***do***「…するために」の形になり，「彼らの新薬を開発するために」という意味になる。その他の選択肢はどれも〈in＋名詞＋to *do*〉の形で意味を成す成句にならない。

117 so as to *do*「…するために」

[着眼] as, to, so に注目

語群に as, to, so があるので，**so as to** ***do***「…するために」の形を用いると考える。so as to get good grades this term で「今学期によい成績を取るために」という意味。

Vocab grade「成績」，term「学期」

118 so as not to *do*「…しないように」

[着眼] 文の意味を考える

[ア] 前半の「あなたはもう家を出るべきだ」と miss your flight「飛行機に乗り遅れる」をうまくつなげるには，「飛行機に乗り遅れないように」とすればよい。[イ]「…しないように」は **so as not to** ***do*** で表すので，④が正解。

《ココも注目》 **should there** be a lot of traffic ... は if を省略して倒置が起きた形。→ 96
＝ **if there should** be traffic on the way ...

解答 114 enough chairs for them to sit on　115 to discuss these matters with
116 ④　117 so as to get good grades　118 ④

119 I ran to the station as fast as I could (　　) to miss the train.　(関西学院大)
　　① as　　② only　　③ until　　④ before

120 研究者たちが新しい素材を作り出すのは本当に難しかった。　並べかえ
▶ (　　) (　　) (　　) for the researchers (　　).　(駒澤大)
動画 (very tough / the new materials / to create / were)

121 I was surprised (　　) that she was badly injured in the accident.
　　① hear　　② hearing　　③ to hear　　④ being heard　(大阪経済大)

122 It was careless (　　) you to lose your key.　(関西学院大)
　　① by　　② of　　③ to　　④ with

119 私はできるだけ速く駅まで走ったが，結局電車に間に合わなかった。
121 彼女が事故でひどいけがをしたと聞いて私は驚いた。
122 鍵をなくすとは，あなたは不注意だった。

119 **副詞用法〈結果〉** only to *do*「結局…しただけだ」

着眼 ran to the station と miss the train のつながりを考える

㋐ ran to the station「駅まで走った」と miss the train「電車に間に合わなかった」は、「走ったが、間に合わなかった」という意味でつながるはず。㋑「結局…しただけだ」を表す only to *do* を使うと判断し、②を選ぶ。㋒副詞用法の不定詞は「その結果…する」という意味を表す場合がある。特に、不本意な結果を表す場合は only をつけることが多い。

《ココも注目》 as fast as *one* can「できるだけ速く」→ **250**

---

120 **難易を表す形容詞＋ to *do*** 「…するのが難しい／やさしい」

着眼 were に注目

㋐述語動詞になる動詞が were しかないので、主語は複数形の the new materials に決まる。㋑〈難易を表す形容詞＋ to *do*〉で「…するのが難しい／やさしい」という意味を表せるので、very tough to create とすれば「作り出すのが本当に難しい」を表せる。㋒ for the researchers は to create の意味上の主語を表していると判断し、very tough for the researchers to create の語順にする。

《ココも注目》 〈**It is** ＋形容詞＋ **(for ＋人＋) to *do* ～.**〉（→ **110**）に書きかえられる。
The new materials were <u>**very**</u> <u>**tough**</u> for the researchers <u>**to**</u> <u>**create**</u>.
<u>**It**</u> was <u>**very**</u> <u>**tough**</u> for the researchers <u>**to**</u> <u>**create**</u> the new materials.

---

121 **副詞用法〈感情の原因〉** 感情を表す形容詞＋ to *do*「…して［したので］～」

着眼 surprised に注目

㋐ surprised「驚いて」は感情を表す形容詞。㋑〈感情を表す形容詞＋ to *do*〉で「…して［したので］～」という意味を表せるので、不定詞の③ to hear を選ぶ。surprised to hear で「…を聞いて驚いた」という意味。

---

122 **副詞用法〈判断の根拠〉** It is ＋人の性質を表す形容詞＋ of ＋人＋ to *do*

着眼 careless に注目

㋐ careless「不注意な」は人の性質を表す形容詞。㋑〈It is ＋人の性質を表す形容詞＋ of ＋人＋ to *do* ...〉で「…するとは（人）は～だ」という意味を表すので、② of が正解。㋒この構文では、不定詞は「その人はこういう性質である」と判断した根拠を示している。

《ココも注目》 〈人 ＋ **is** ＋形容詞＋ **to *do* ...**〉に書きかえられる。
<u>**It**</u> was careless <u>**of you to lose**</u> your key.
<u>**You were**</u> careless <u>**to lose**</u> your key.

Field 1 文法

Field 2 語法

Field 3 イディオム

Field 4 会話・表現

Field 5 ボキャブラリー

Field 6 英文構造

解答 **119** ② **120** The new materials were very tough ／ to create **121** ③ **122** ②

Section 31

STRATEGY 9 不定詞にも完了形や受動態がある

[動画]

The man Ⓐclaims (　　) Ⓑthe ghost of a woman in the castle at night. （福岡大）

① to have seen　② to seeing　③ to have been seen　④ to be seen

[解き方] ㋐ 選択肢の違いを整理する：②以外はすべて不定詞。①と③は完了形の不定詞。③と④は〈be 動詞＋過去分詞〉が含まれているので，受動態の不定詞。

→ Ⓐ **claims** は **claim to *do***「…すると主張する」の形をとるので，②は不可。

㋑ 文意や前後の語句から，適切な形を判断する：(　　) のあとにⒷ **the ghost** という名詞がある。これは seen の目的語だから，(　　) には能動態が入る。

→ **① to have seen が正解。完了形の不定詞〈to have ＋過去分詞〉は，述語動詞が表す〈時〉よりも以前のことを表す。**

過去　　　　　　　　現在

▲幽霊を見た　　　　▲言い張っている

訳：その男性は，夜に城で女性の幽霊を見たと言い張っている。

[注目] **不定詞の形が問われる問題のポイント**

▶ 不定詞には動詞としての性質があり，完了形，進行形，受動態，否定形がある。

完了形：to have ＋過去分詞　　進行形：to be *doing*

受動態：to be ＋過去分詞　　否定形：not to *do*

▶ どの形が適切かは，述語動詞や前後の語句，文意などを手がかりにして決める。

123 彼は私に，いつも同じものを食べないように助言した。 [並べかえ]（北海道薬科大）

He advised (me / to / the same foods / eat / not) all the time.

124 この人気の小説は書店で今なおよく売れているようだ。 （駒澤大）

This (　　) still (　　) to (　　) (　　) at bookstores.

(popular novel / well / seems / be selling)

125 A full report is expected (　　) later this month. （立命館大）

① releasing　② to be released

③ to have released　④ to release

126 He seems (　　) rich when he was in his forties. （立命館大）

[動画]

① that he has been　② that he was

③ to be　④ to have been

---

125 詳細な報告書は今月中（今月後半）に公表される見込みだ。

126 彼は40代のときは裕福だったようだ。

Section 31⟨⟩⟨ いろいろな形の不定詞 ⟩

123 | 不定詞の否定形 ⟩ not to *do*

着眼 「…しないように」に注目

㋐「(人) に…するように助言する」は〈advise ＋人＋ to *do*〉の形で表す。**㋑**ここでは「食べないように助言した」なので，不定詞 to *do* を否定形 **not to *do*** にして，advised me not to eat とする。**㋒**不定詞の否定形には，否定の意味を強調した never to *do* という形もある。

124 | 進行形の不定詞 ⟩ to be *doing*

着眼 「…しているようだ」に注目

㋐主語は This popular novel。**㋑**「…するようだ」は seem to *do* で表す。ただし，「売れている」は進行中であることを表しているので，進行形の不定詞 **to be *doing*** を使って seems to be selling とする。**㋒**「よく売れる」は sell well と表すので，well を selling の後ろに置く。

《ココも注目》 自動詞 sell は「売れる」という意味。他動詞 sell「…を売る」との違いに注意。

125 | 受動態の不定詞 ⟩ to be ＋過去分詞

着眼 選択肢にある他動詞 release に注目

㋐be expected to *do* で「…する見込みだ」という意味。**㋑**選択肢にある release は「…を公表する」の意味。主語が A full report「詳細な報告書」なので，release は「公表される」という意味の受動態になるはず。よって，受動態の不定詞〈**to be ＋過去分詞**〉になっている② to be released が正解。

Vocab later this month「今月中に，今月後半に」

126 | 完了形の不定詞 ⟩ to have ＋過去分詞

着眼 文の意味を考える

㋐「彼は 40 代のときは裕福だったようだ」という文意だと判断する。**㋑**過去のことについて「…したようだ」と言うときは〈seem to have ＋過去分詞〉を使うので，④ to have been が正解。不定詞の〈時〉が述語動詞の〈時〉よりも前の場合は，完了形の不定詞〈**to have ＋過去分詞**〉を使う。

☑ Check 13 S seem to have *done* と It seems that …

He seems to have been rich. (彼は裕福であったようだ)
　　　現在形　完了形の不定詞　※ seems よりも前の〈時〉

= It seems that he was rich. (彼は裕福であったようだ)
　　　　　　現在　　　　　過去

解答 **123** me not to eat the same foods **124** popular novel／seems／be selling well **125** ② **126** ④

127 I saw the sun ( ) over the lake through my hotel room window. （近畿大）

▶ ① rise ② risen ③ rises ④ rose

動画

List 21 知覚動詞＋O＋*do*

□ **see** ＋ O ＋ *do* 「O が…するのを見る」
□ **hear** ＋ O ＋ *do* 「O が…するのが聞こえる」
□ **listen** to ＋ O ＋ *do* 「O が…するのを聞く」
□ **feel** ＋ O ＋ *do* 「O が…するのを感じる」

128 One bee after another was seen ( ) out of a hole in the wall. （日本大）

① creep ② crept ③ for creeping ④ to creep

129 She made her daughter ( ) call her once a week. （亜細亜大）

① to promise to ② promise to

③ promising ④ promising to

130 My parents were really angry with me, and I was made ( ) never to come home so late again. （天理大）

① promise ② promised ③ promising ④ to promise

List 22 使役動詞＋O＋*do*

□ **make** ＋ O ＋ *do* 「O に…させる」 ※無理やりさせる。→ 129
□ **let** ＋ O ＋ *do* 「O に…させる」 ※やりたがっていることをさせる。
□ **have** ＋ O ＋ *do* 「O に…してもらう」 ※業者・専門家・目下の人にさせる。
※ **get** ＋ O ＋ **to** do 「（頼んで［説得して］）O に…してもらう」→ 504

131 この洗濯機は，このスイッチを押すだけでよい。 並べかえ （和洋女子大）

With this washing machine, (is / to / all / do / have / you) press this button.

---

127 私はホテルの部屋の窓越しに，太陽が湖の上に昇るのを見た。
128 ハチが次々とその壁の穴からはい出てくるのが見られた。
129 彼女は自分の娘に1週間に1回電話をよこすよう約束させた。
130 両親は私に激怒し，私は二度とこんなに遅く帰宅しないと約束させられた。

Section 32 〈 原形不定詞・動詞の原形 〉

Field
1
文法

127 | **知覚動詞＋O＋*do*** ▶ see ＋ O ＋ *do*「O が…するのを見る」

着眼 the sun と rise の関係を考える

㋐知覚動詞 see は，〈see ＋ O ＋ *do*〉「O が…するのを見る」や〈see ＋ O ＋分詞〉「O が…している［される］のを見る」の形をつくる。㋑ここでは，the sun と rise の間に「太陽は昇る」という能動の関係が成り立つので，（　）には原形の① rise が入る。

注目 I saw the sun rise over the lake ...
the sun rises 「太陽が昇る」の能動関係が成り立つ

128 | **〈知覚動詞＋O＋*do*〉の受動態** ▶ be seen to *do*

着眼 was seen に注目

㋐was seen は知覚動詞 saw の受動態。㋑〈知覚動詞 see ＋ O ＋ *do*〉の受動態は to のある不定詞を用いて **be seen to *do*** の形で表すので，④ to creep が正解。
Vocab one after another「次々に」→ **1003**，creep out of ...「…から抜け出る，はい出る」

129 | **make ＋ O ＋ *do*** ▶ make ＋ O ＋ *do*「O に…させる」

着眼 使役動詞 make に注目

㋐make は〈**make ＋ O ＋ *do***〉の形で「O に…させる」という意味を表す。㋑動詞の原形 promise が使われている②を選べば，「自分の娘に…約束させた」という意味になる。
Vocab promise to *do*「…することを約束する」

130 | **〈make ＋ O ＋ *do*〉の受動態** ▶ be made to *do*「…させられる」
(TOP100)

着眼 受動態 was made に注目

㋐was made は「作られた」では意味が通じないから，使役動詞の受動態「…させられた」だと判断する。㋑〈使役動詞 make ＋ O ＋ *do*〉の受動態は **be made to *do*** となるので，④ to promise が正解。原形不定詞が to のある不定詞に変わることに注意。

注目 My parents made me **promise** never to come ...

→ I was made **to promise** never to come ...

《ココも注目》 never to come は不定詞の否定形。→ **123**

131 | **all A have to do is *do*** ▶ 「A は…しさえすればよい」

着眼 all に注目

㋐「…するだけでよい」を all を使って表す方法を考える。㋑**all A have to do is *do*** で「A がしなければならないすべてのことは…だ」，つまり「A は…しさえすればよい」という意味を表すので，all you have to do is と並べる。is のあとに動詞の原形がくることに注意。

《ココも注目》 all は代名詞で，直後に関係代名詞 that が省略されている。

解答 **127** ① **128** ④ **129** ② **130** ④ **131** all you have to do is

Section 33

132 He is prepared to help you if you want him (　　). (東京理科大)
① do　　② to　　③ it　　④ do it

133 The student went out of the room, though the teacher told him (　　).
① not to　　② no to　　③ not do　　④ do not (名古屋学院大)

Section 34

134 ニューヨークからサンフランシスコまで車で行くと4日くらいかかります。
It (to / about / drive / takes / four days / from New York) to San Francisco. 並べかえ (中京大)

135 How much (to fly / me / it / cost / would) to Singapore? (拓殖大)

Section 35

136 It was not long before Paul (　　) to realize how serious the situation was. (東京国際大)
① became　　② came　　③ went　　④ turned

---

132 あなたが彼に助けてもらいたいのなら，彼はあなたを助けるつもりでいますよ。
133 先生が出ていかないように言ったにもかかわらず，その生徒は部屋を出ていった。
135 シンガポールへ飛行機で行くにはいくらかかるでしょう。
136 ポールは状況がどんなに深刻かをまもなく知るようになった。

Section 33 代不定詞

132 | **代不定詞 to** ｜ 同じ語句の繰り返しを避け to *do* の to だけ残す

着眼 want him に注目

㋐〈want ＋人＋ to *do*〉で「（人）に…してほしい」という意味を表す。㋑ 前に He is prepared to help you があるので，if you want him to help you「あなたが彼に自分を助けてもらいたいのなら」となるが，to help you は選択肢にない。㋒ そこで，help you が省略されたと考え，② to を選ぶ。同じ語句の繰り返しを避け，to *do* の *do* が省略されることがある。この to を代不定詞という。

133 | **not to** ｜ 同じ語句の繰り返しを避け not to *do* の not to だけ残す

着眼 told him に注目／選択肢に否定語と to がある

㋐ 選択肢に否定語と to があるので，〈tell ＋人＋ not to *do*〉「（人）に…しないように言う」の形だとわかる。㋑ 前半に The student went out of the room とあり，後半は though で始まるので，「彼に部屋から出ていかないように言ったにもかかわらず」という意味だと考える。㋒ told him not to go out of the room を代不定詞① not to で表す。

Section 34 時間や費用を表す表現

134 | **It takes（＋人）＋時間＋ to *do*** ｜ 「（（人）が）…するのに（時間が）かかる」

着眼 It, takes, four days に注目

㋐「…するのに（時間が）かかる」は〈It takes（＋人）＋時間＋ to *do*〉で表す。㋑ It に takes を続ける。㋒ 本問では（＋人）の部分はなく，〈時間〉にあたるのが about four days「4 日くらい」。㋓「ニューヨークからサンフランシスコまで」は from New York to San Francisco。

135 | **It costs（＋人）＋費用＋ to *do*** ｜ 「（（人）が）…するのに（費用が）かかる」

着眼 to fly, it, cost に注目

㋐ 語群の単語から，〈It costs（＋人）＋費用＋ to *do*〉「（（人）が）…するのに（費用が）かかる」の構文だと判断する。How much が文頭にあるので，「費用」を尋ねる疑問文だとわかる。㋑ 助動詞 would の位置に注意して，How much would it cost と並べ，さらに「人」にあたる me と，不定詞 to fly を続ける。

Section 35 不定詞を使う表現

136 | **come to *do*** ｜ 「…するようになる」

着眼 to realize に注目

come to *do* で「…するようになる」の意味を表す。

誤答 ① became は不定詞を続けることはできないので誤り。

《ココも注目》 It is not long before ... 「まもなく…する」→ **352**

解答 **132** ② **133** ① **134** takes about four days to drive from New York
135 would it cost me to fly **136** ②

137 (enough / you / to / the box / tall / reach / are) on the top shelf.

並べかえ （芝浦工業大）

138 He (as / carry / help / kind / me / so / to / was) my baggage.

（東北学院大）

139 I was (　　　) pay attention to what he was saying. （駒澤大）
① very busy to　　② too busy to
③ so busy that　　④ quite busy that

Section 36

140 彼は，イギリスはもちろん，フランスに行ったこともある。 適語補充

He has been to France, (　　　　　) (　　　　　) nothing of England.

（兵庫県立大）

┌─ **List 23** 独立不定詞を覚えよう！ ──────────────┐
│ ☐ strange to say　　　　　「不思議なことに」
│ ☐ needless to say　　　　　「言うまでもなく」
│ ☐ to say nothing of A　　　「A は言うまでもなく，A はもちろん」→ 140
│ ☐ not to mention A　　　　「A は言うまでもなく」
│ ☐ to make matters worse　「さらに悪いことに」→ 143
│ ☐ to begin[start] with　　「まず最初に」
│ ☐ to be frank (with you)　「率直に言って」→ 142
│ ☐ to be honest (with you)　「正直に言って」
│ ☐ so to speak　　　　　　「いわば」→ 141
│ ☐ to tell the truth　　　　「実は，実を言うと」
└──────────────────────────────────┘

---

137 あなたはいちばん上の棚にある箱に手が届くくらい背が高い。
138 彼は親切にも私が荷物を運ぶのを助けてくれた。
139 私はあまりにも忙しくて，彼の言っていることに注意を払うことができなかった。

137 形容詞[副詞]+ enough to *do* 「…するのに十分〜」

[TOP 100]

[着眼] 小さな組み合わせを作り，全体の意味を推測する

㋐まず，to と reach は不定詞になると予想する。さらに，reach the box「箱に手が届く」や you are tall「あなたは背が高い」という組み合わせを作る。㋑enough には〈形容詞[副詞]＋**enough to *do***〉「…するのに十分〜」という重要構文があるので，これを使って You are tall enough to reach the box とすれば，意味の通る文ができる。㋒〈形容詞[副詞]＋enough〉の語順に注意。

Vocab shelf「棚」

[一緒に確認] 〈**enough＋名詞＋to *do***〉「…するのに十分な（名詞）」（→ 114）との違いに注意。

138 so＋形容詞[副詞]＋as to *do* 「〜するほど…な」

[着眼] 小さな組み合わせを作り，全体の意味を推測する

㋐語群の語句を見て，He was kind，help me，carry my baggage「荷物を運ぶ」の組み合わせを作る。㋑残った as，so，to から〈**so＋形容詞[副詞]＋as to *do***〉「〜するほど…な」という重要構文ができる。形容詞＝kind だから，He was so kind as to help me とする。㋒〈help＋O＋*do*〉「O が…するのを助ける，手伝う」（→ 518）を使って，help me carry my baggage「私が荷物を運ぶのを助ける」と並べる。

139 too＋形容詞[副詞]＋to *do* 「〜すぎて…できない」

[TOP 100]

[着眼] busy の程度に注目

㋐（　）の後ろに動詞句 pay attention to ...「…に注意を払う」があるので，that で終わる選択肢の③と④は入らないと判断する。㋑〈**too＋形容詞[副詞]＋to *do***〉「〜すぎて…できない」の形の② too busy to なら，「忙しすぎて注意を払えなかった」となるので，これが正解。

[ココも注目] what は関係代名詞。what he was saying で「彼が言っていたこと」。→ 226

[ココも注目] **pay attention to A**「A に注意を払う」→ 803

Section 36・独立不定詞

140 to say nothing of A 「A は言うまでもなく，A はもちろん」

[着眼] nothing of に注目

（　）nothing of England で「イギリスはもちろん」という意味を表すには，**to say nothing of A**「A は言うまでもなく，A はもちろん」を使う。慣用句として用いる不定詞は「独立不定詞」と呼ばれる。

解答　137 You are tall enough to reach the box　138 was so kind as to help me carry
139 ②　140 to say

141 Our English teacher is, so to (　　), a "walking dictionary." 〔西南学院大〕
　① think　② talk　③ hear　④ speak

142 To (with / frank / you / be), this restaurant is not very good. 〔並べかえ〕
〔東北芸術工科大〕

143 To (　　) matters (　　), he got pneumonia after breaking his leg.
　① give － pause　② take － bad 〔東京理科大〕
　③ make － worse　④ put － double

Section 37

144 The president of our company is (　　) a speech at the party tomorrow.
　① deliver　② being delivered　③ delivered　④ to deliver 〔国士舘大〕

145 If you are (　　) there before noon, you must start early in the morning.
　① arrive　② being arrived　③ arrived　④ to arrive 〔東邦大〕

List 24 〈be 動詞＋to do〉が表す意味を確認しよう！
□「…する予定だ」〈予定〉→ **144**
□「…できない」〈可能〉（※否定文・否定語とともに用いる）
□「…しなければならない，…するべきだ」〈義務〉
□「…する運命だ」〈運命〉
□「…したいと思う」〈意図〉（※ if 節中で用いられることが多い）→ **145**

141 私たちの英語の先生は，いわば「生き字引」だ。
142 率直に言って，このレストランはあまりよくない。
143 さらに悪いことに，彼は脚を骨折したあとで肺炎にかかった。
144 私たちの会社の社長は明日，パーティーでスピーチを行う予定だ。
145 そこに正午前に到着したいのなら，あなたは朝早くに出発しなければならない。

141 **so to speak** 「いわば」

着眼 so to に注目

㋐so to (　　) が挿入句になっていることに注目。㋑so to speak「いわば」は，なじみの薄い用語や比喩的な表現の前に置く挿入句。

Vocab walking dictionary「歩く辞書，生き字引」

142 **to be frank (with you)** 「率直に言って」

着眼 To, frank に注目

to be frank with you で「率直に言って」という意味。with you は省略されることもある。

143 **to make matters worse** 「さらに悪いことに」

着眼 To, matters に注目

to make matters worse で「さらに悪いことに」という意味。make matters worse は〈make ＋ O ＋ C〉「O を C にする」の形（→ 538 ）で，「事態をさらに悪くする」という意味。

Vocab pneumonia[n(j)umóuniə]「肺炎」

Section 37 ・ { be 動詞＋ to *do* }

144 **be 動詞＋ to *do*〈予定〉** 「…する予定だ」

着眼 is, tomorrow に注目

㋐動詞 is は現在形だが，文末に tomorrow があることに注目。㋑〈be 動詞＋ to *do*〉「…する予定だ」を使えば未来の予定を表すことができるので，④ to deliver が正解。予定を表す〈be 動詞＋ to *do*〉は公式の予定などについて言う場合によく使われる。

Vocab deliver a speech「演説をする」

145 **be 動詞＋ to *do*〈意図〉** 「…したいと思う」

着眼 are, arrive に注目

㋐（　　）の直前に are があるので，原形の① arrive は入れられない。また，arrive は自動詞だから，受動態にならないので，②③も×。㋑if 節中の〈be 動詞＋ to *do*〉は「…したいと思う」という意図を表すので，④が正解。

解答　**141** ④　**142** be frank with you　**143** ③　**144** ④　**145** ④

動名詞

動画・解説

Section 38

STRATEGY 10 動名詞は名詞としてはたらく 動画

You can improve your health ⓐ by ( ) more exercise. （中部大）

① doing ② does ③ to do ④ do

解き方 ア ( ) の直前の語に注目する：直前のⓐ by は前置詞。前置詞のあとには名詞または名詞に相当する語句がくる。 ➡ 名詞に相当するのは①と③。

イ 不定詞と動名詞の違いに注意：不定詞には名詞としてのはたらきもあるが，前置詞のあとに不定詞は置けない。
➡ 動名詞の① doing が正解。

訳：もっと運動することによって，あなたは健康を改善できる。

注目 動名詞の問題のポイント

▶ 動名詞は名詞としてはたらく＝文の要素（主語・目的語・補語）になる。

▶ 動名詞は不定詞と異なり，前置詞の目的語にもなれる。

▶ 動名詞には動詞としての性質もあり，完了形〈having ＋過去分詞〉／受動態〈being ＋過去分詞〉／否定形〈not *doing*〉がある。

146 ( ) too much chocolate can destroy your health. （獨協大）
① To eating ② Eating ③ Eat ④ With eating

147 How about ( ) a short break before starting the next meeting?
① take ② taking ③ I take ④ to take （芝浦工業大）

148 Jim's parents don't like the idea of ( ) part-time. （東海大）
① he working ② him to work ③ his working ④ to work

Section 39

149 The father insists on his children ( ) in the street. （武蔵野美術大）
① not playing ② not to play
③ having not played ④ having not to play

150 彼は誰にも気づかれずにビルを出た。 並べかえ （福井工業大）
He (the building / noticed / without / got out / of / being) by anyone.

---

146 チョコレートを食べ過ぎると健康を損なうかもしれない。
147 次の会議を始める前に少し休憩するのはどうですか。
148 ジムの両親は，彼がアルバイトをするという考えが気に入らない。
149 その父親は自分の子どもたちに通りで遊ばないように強く求めている。

Section 38・動名詞の基本

146 動名詞ー主語 動名詞は主語になる

[着眼] ( ) に入る語のはたらきに注目

[ア]( ) too much chocolate が主語なので, ( ) には名詞のはたらきをする語 (句) が入る。[イ]動詞 eat に名詞のはたらきを持たせるには, 不定詞か動名詞にすればよいので, 動名詞の② Eating を選ぶ。

147 動名詞ー前置詞の目的語 動名詞は前置詞の目的語になる

[TOP 100]

[着眼] about に注目

空所の前に前置詞 about があり, 空所には**前置詞の目的語**を入れるので, 名詞のはたらきをする動名詞② taking を入れる。

[誤答] 不定詞と動名詞はどちらも文の主語・補語・目的語として用いることが可能だが, 不定詞は**前置詞の目的語**にすることができないので, ④は不可。

[ココも注目] **How about *doing* ...?**「…するのはどうですか」→ [1072]

148 動名詞の意味上の主語 動名詞の意味上の主語は動名詞の前に置く

[着眼] 選択肢の代名詞に注目

[ア]( ) は of の目的語なので, 動名詞が入る。動名詞が使われているのは①と③。[イ] working の前に he や his という代名詞があることに注目。代名詞を動名詞の意味上の主語にするときは, 所有格か目的格を使うので, ③ his working が正解。his working で「彼が働くこと」という意味。

[一緒に確認] 動名詞の意味上の主語が名詞の場合には, 所有格かそのままの形を用いる。

Section 39・いろいろな形の動名詞

149 動名詞の否定形 not *doing*

[着眼] insist の語法に注目

[ア]insist は insist on *doing* で「…することを要求 [主張] する」という意味を表す。[イ]選択肢には not があるので,「…しないことを要求する」の意味になるとわかる。[ウ]動名詞の否定形は **not *doing*** で表すので, ①が正解。

[ココも注目] 空所の前にある his children は, 動名詞の意味上の主語。→ [148]
〈**意味上の主語＋ not *doing***〉の語順に注意。

[一緒に確認] **insist**「…を要求する」は that 節を目的語にとることもできる。→ [543]
The father **insists** that his children **should not play** in the street.

150 動名詞の受動態 being ＋過去分詞

[着眼]「気づかれずに」が受動を表すことに注目

[ア]「彼はビルを出た」は He got out of the building と表す。[イ]「気づかれずに」は〈without ＋動名詞〉「…せずに」を使って表す。ただし,「気づかれる」が受動の意味であることに注意して, 動名詞を受動態〈**being ＋過去分詞**〉にして, without being noticed と表す。

解答 [146] ② [147] ② [148] ③ [149] ① [150] got out of the building without being noticed

□ **151** 彼女は自分の娘が有名な女優になったことを自慢に思っている。 　並べかえ

▶ She is proud (become / daughter / having / her / of) a famous actress.

動画 （日本大）

Section 40

□ **152** I'm looking forward to (　　) my old classmates tomorrow at our elementary school reunion. （南山大）

① meet　　② meeting　　③ have met　　④ be meeting

□ **153** I am used to (　　) presentations in English. （宮崎大）

① be making　　② have made　　③ make　　④ making

List 25 **used を用いた混同しやすい表現**

□ **be used to** *doing* 「…するのに慣れている」 → 153

□ **used to** *do* 「(以前は) …だった，(以前は) よく…したものだった」 → 60 61

□ **be used** to *do* 「…するために用いられる」 ※ to *do* は〈目的〉を表す副詞用法の不定詞

□ **154** Their children are not accustomed to (　　) up early in the morning.

① gotten　　② get　　③ getting　　④ have gotten （名桜大）

□ **155** The participants objected to (　　) like children. （立命館大）

① be treated　　② being treated　　③ have treated　　④ treat

□ **156** What do you say (　　) out for lunch today? （日本大）

① go　　② to go　　③ to going　　④ to have gone

List 26 **「…するのはどうですか」の表現**

□ What do you say to *doing*? → 156

□ What about *doing*? → 1072

□ How about *doing*? → 1072

---

151 私は明日，小学校の同窓会で昔のクラスメートに会うのを楽しみにしている。
153 私は英語で発表することに慣れている。
154 彼らの子どもたちは朝早く起きるのに慣れていない。
155 参加者たちは子どものように扱われることに異議を唱えた。
156 今日，昼食を外に食べに行くのはどうですか。

151 **動名詞の完了形** having +過去分詞

[着眼]「…したことを自慢に思う」の表し方を考える

[ア]「…することを自慢に思う」は〈be proud of +動名詞〉で表す。[イ]ただし，女優になったのは「娘」だから，動名詞の前に意味上の主語 her daughter を置く。[ウ]さらに，女優になったのは過去のことだから，動名詞を完了形〈**having +過去分詞**〉にする必要がある。これらをまとめると，is proud of her daughter having become ... となる。

[注目] ▲「彼女の娘が有名な女優になった」 → ▲今「彼女はそれを自慢に思っている」

((ココも注目)) 〈意味上の主語+ **having** +過去分詞〉の語順に注意。

Section 40 ・ 前置詞 to のあとに動名詞を続ける表現

152 [TOP 100] **look forward to *doing*** 「…するのを楽しみに待つ」

[着眼] looking forward to に注目

look forward to *doing* で「…するのを楽しみに待つ」の意味。

Vocab reunion「同窓会」

153 [TOP 100] **be used to *doing*** 「…するのに慣れている」

[着眼] am used to に注目

be used to *doing* で「…するのに慣れている」の意味。同じ意味は be accustomed to *doing* でも表せる。

154 **be accustomed to *doing*** 「…するのに慣れている」

[着眼] are not accustomed to に注目

be accustomed to *doing* で「…するのに慣れている」の意味。

155 **object to *doing*** 「…することに反対する」

[着眼] objected to に注目

[ア]**object to *doing*** で「…することに反対する」の意味。[イ]treat は「…を扱う」の意味。( ) の後ろに treat の目的語がないので，「扱われる」という受動の意味を表すと判断し，動名詞の受動態（→ 150）の② being treated を選ぶ。

156 **What do you say to *doing*?** 「…するのはどうですか」

[着眼] What do you say に注目

What do you say to *doing*? で「…するのはどうですか」の意味。

解答 151 of her daughter having become 152 ② 153 ④ 154 ③ 155 ② 156 ③

Section 41

157 何をすべきか彼に言ってもむだだ。　　　　　　　　　　　　並べかえ （立命館大）
It (him / is / no / telling / to do / use / what).

158 He was not listening to me, so it was (　　) telling him what happened
today.　　　　　　　　　　　　　　　　　　　　　　　　　　　　　　（福岡大）
① no good　　　　　　② not good at
③ no better for　　　④ had better not

159 There is no (　　) in doing a job if you don't do it properly.　　（専修大）
① blame　　② business　　③ fear　　④ point

List 27 「…してもむだだ」の表現

☐ it is **no** use *doing*　→ 157
☐ it is **no** good *doing*　→ 158
☐ it is **useless** to *do*
　・It is useless to try to open the door. （そのドアを開けようとしてもむだだ）

☐ There is **no** point (in) *doing*.　→ 159
☐ There is **no** good (in) *doing*.　→ 159
☐ There is **no** sense (in) *doing*.　→ 159
☐ There is **no** use (in) *doing*.　→ 159
　・There is no use trying to open the door. （そのドアを開けようとしてもむだだ）

Section 42

160 The city is known for its historical buildings, which are well worth (　　).
① visit　② visited　③ visiting　④ visitor　　　　　　　　　　（秋田県立大）

161 My job at the library is OK, but I spend ① most of ② my time ③ to put
books back ④ on the shelves, so it's a little boring.　　　　　誤文指摘
（学習院大）

---

158 彼は私の言うことを聞いていなかったので，今日起こったことを彼に話してもむだだった。
159 きちんと仕事をしないなら，仕事をしてもむだだ。
160 その都市は歴史的建造物群で有名で，それらは訪れる価値が十分にある。
161 図書館での私の仕事は問題ないが，本を棚に戻すのに私の時間のほとんどを費やしているの
で，ちょっと退屈だ。

Section 41・「…してもむだだ」の表現

157 it is no use *doing* 「…してもむだだ」

[着眼] It, no, telling, use に注目

[ア] 文頭に It があり，語群に no, telling, use があるので，「…してもむだだ」は **It is no use *doing*** で表す。[イ] tell は目的語を 2 つとり〈tell ＋人＋こと〉の語順になる。[ウ]「何をすべきか」は what to *do*（→ p.66 List 16）で表す。

[一緒に確認] **it is no good *doing*** も「…してもむだだ」の意味を表す。→ 158

158 it is no good *doing* 「…してもむだだ」

[着眼] it was, telling に注目

[ア] 文の前半は「彼は私の言うことを聞いていなかった」の意味で，後半は「だから，今日起こったことを彼に…」と続く。[イ] **it is no good *doing*** で「…してもむだだ」の意味を表すので，①を選ぶ。

159 There is no point[use / good / sense] (in) *doing*. 「…してもむだだ」

[着眼] There is no, in doing に注目

There is no point in *doing* で「…してもむだだ」という意味。前置詞 in は省略されることもある。point の代わりに use や good, sense を使っても同じ意味を表す。

Vocab properly「適切に，きちんと」

Section 42・*doing* を用いる表現

160 worth *doing* 「…する価値がある」

[着眼] worth に注目

[ア] **worth** は「価値がある」という意味の前置詞で，後ろに名詞または**動名詞**を続けて「…の［する］価値がある」という意味を表す。よって，③ visiting が正解。[イ] ① visit は名詞とも考えられるが，その場合は worth a visit と冠詞が必要。

[ココも注目] It is worth *doing* で書きかえられる。

The buildings are **worth visiting**.

＝ **It is worth visiting** the buildings.（その建造物群は訪れる価値がある）

[ココも注目] 〈, which〉は非制限用法の関係代名詞。

161 spend ＋時間＋ (on) *doing* 「…するのに（時間）を費やす」

[着眼] spend に注目

[ア] spend は **〈spend ＋時間＋ *doing*〉** の形で「…するのに（時間）を費やす」という意味を表す。[イ] most of my time「私の時間のほとんど」のあとの③ to put が誤り。putting に直す。

[一緒に確認] *doing* の位置に名詞がくる場合は〈spend ＋時間＋ on ＋名詞〉の形をとる。

解答　157 is no use telling him what to do　158 ①　159 ④　160 ③　161 ③（to put → putting）

162 David was busy (　　) his mother in the yard. （青山学院大）
① to help　　② helped　　③ helping　　④ help

163 While in New York, we had a lot of difficulty (　　) a parking place.
① finding　　② to find　　③ searching　　④ to search （成城大）

164 John (cigarettes / trouble / a lot of / is / giving / having / up).
並べかえ （高崎経済大）

165 (　　) of the man's death, she burst into tears. （国士舘大）
① Of hearing the news　　② On hearing the news
③ To hearing the news　　④ With hearing the news

166 修理にどのくらい時間がかかるかは言えない。 （駒澤大）
There is (　　) the repairs will take.
① telling how long no　　② how long telling no
③ no telling how long　　④ telling no how long

167 It (　　) without saying that anyone riding a motorcycle should wear a helmet. （獨協大）
① calls　　② goes　　③ takes　　④ moves

List 28 「…するのに苦労する」の表現

☐ have difficulty (in) *doing*　→ **163**
☐ have trouble (in) *doing*　→ **164**
☐ have a hard time (in) *doing*
・I **had a hard time finding** the hotel.（私はそのホテルを見つけるのに苦労した）

---

162 デイビッドは庭で母親を手伝うのに忙しかった。
163 ニューヨークに滞在中，私たちは駐車場を見つけるのに大変苦労した。
164 ジョンはタバコをやめるのにとても苦労している。
165 その男性が亡くなったという知らせを聞くとすぐに，彼女は泣きだした。
167 誰であれバイクに乗る人はヘルメットをかぶるべきだということは，言うまでもない。

[162] be busy (in) *doing* 「…するのに忙しい」

[着眼] was busy に注目
前に was busy があることに注目。**be busy *doing*** で「…するのに忙しい」という意味を表すので，③ helping が正解。*doing* の前に前置詞 in を置くこともある。

[163] have difficulty (in) *doing* 「…するのに苦労する」

[着眼] had a lot of difficulty に注目
have difficulty *doing* で「…するのに苦労する」という意味を表す。*doing* の前に前置詞 in を置くこともある。
[誤答] ③ search を「…をさがす」の意味で用いる場合は，search for ... の形になる。

[164] have trouble (in) *doing* 「…するのに苦労する」

[着眼] trouble に注目
[ア] 主語 John に続く動詞は is しかない。[イ] 語群の中から giving up cigarettes「タバコをやめること」と **have trouble *doing*** 「…するのに苦労する」という表現を見つけ，「タバコをやめるのに苦労する」という文を考える。[ウ] is に having を続けて現在進行形にし，a lot of は trouble の前に置けば，「ジョンはタバコをやめるのにとても苦労している」という文ができる。
[一緒に確認] **give up *doing*** は「…するのをやめる，あきらめる」の意味。→ [487]

[165] on *doing* 「…するとすぐに」

[着眼] 前置詞に注目
on *doing* は「…するとすぐに」という意味を表すので，②を入れれば「その男性が亡くなったという知らせを聞くとすぐに」という意味になる。
[ココも注目] on *doing*「…するとすぐに」は〈**as soon as + S' + V' ...**〉(→ [353]) で書きかえられる。
[一緒に確認] **in *doing*** は「…している間に」の意味。

[166] There is no *doing*. 「…できない」

[着眼] There is がある
[ア] There is が文頭にあるので，「…できない」は **There is no *doing*.** を用いて表す。[イ] telling の目的語にあたるのは疑問詞節 how long the repairs will take。

[167] It goes without saying that S' + V' ... 「…は言うまでもない」

[着眼] It，without saying that に注目
〈**It goes without saying that S' + V' ...**〉で「…は言うまでもない」という意味。
[ココも注目] 独立不定詞の **needless to say** (→ p.078, List 23) を用いて書きかえることができる。
Needless to say, anyone riding a motorcycle should wear a helmet.

解答 [162] ③ [163] ① [164] is having a lot of trouble giving up cigarettes [165] ② [166] ③ [167] ②

第07章 Field 1 文法　分詞

Section 43

動画

STRATEGY 11　名詞と分詞の関係が〈能動〉か〈受動〉かを考える

Some of Ⓑthe people Ⓐ(　　) to the reception cannot come.
① invite　② inviting　③ invited　④ to invite　（藤女子大）

[解き方] ㋐ 文の骨格をつかむ：Some of the people が主語で，cannot come が述語動詞。
➡ **Ⓐ(　　) to the reception** は**Ⓑ the people** を後ろから修飾している。
Some of the people [(　　) to the reception] cannot come.

㋑ 修飾される名詞と修飾する語の意味関係を考える：the people と，(　　) に入る動詞 invite とは，「人々は招待される」という受動の意味関係になる。
➡ 過去分詞の③ **invited** が正解。

訳：披露宴に招待された人々の中には，来られない人もいる。

[注目] **名詞を修飾する分詞の問題のポイント**
▶ 修飾される名詞と分詞の意味関係を考える。
「(名詞) が…する」〈能動〉なら現在分詞，「(名詞) が…される」〈受動〉なら過去分詞を使う。

168 Bill looked at the (　　) child.　（大阪学院大）
① slept　② sleeping　③ to sleep　④ sleep

169 (　　) is handy when you want to add some flavor to the meal you're cooking.
① Dried garlic　② Drying garlic　（九州ルーテル学院大）
③ Garlic dried　④ Garlic which is drying

170 The (　　) leaves were piled up under the tree.　（東洋大）
① falling　② fell　③ fallen　④ felt

168 ビルは眠っている子どもを見た。
169 乾燥ニンニクは，調理している料理に風味を加えたいときに便利だ。
170 落ち葉が木の根元に積み上げられていた。

Section 43 〈 名詞を修飾する分詞 〉

168 | 現在分詞の前置修飾 〈現在分詞＋名詞〉「…している（名詞）」

着眼 sleep と child の関係に注目

㋐（　　）に入る動詞 sleep と child は，「子どもは眠っている」という能動の関係になる。**㋑** 能動の関係なら現在分詞を使うので，② sleeping が正解。分詞が1語で名詞を修飾する場合は，分詞は名詞の前に置く。

《**ココも注目**》 自動詞の現在分詞は「…している」という〈進行〉の意味を表す。

（**注目**） Bill looked at the **sleeping** child.
　　　　　　　　　　　　※「子どもは眠っている」という能動の意味関係がある。

169 | 過去分詞の前置修飾 〈過去分詞＋名詞〉「…された（名詞）」

着眼 garlic と dry の関係に注目

㋐ 文の意味を考えると，「乾燥ニンニクは便利だ」ということ。garlic と dry には「ニンニクは乾かされる」という受動の関係があるので，過去分詞 dried を用いる。**㋑** 分詞1語で名詞を修飾する場合は，名詞の前に置くので，①が正解。

Vocab handy「役に立つ，便利な」，add some flavor to A「A に風味を加える」

《**ココも注目**》 you're cooking は関係代名詞節。→ 202

（**注目**） **Dried** garlic is handy when ...
　　　　　　　※「ニンニクは乾かされる」という受動の意味関係がある。

170 | 完了を表す過去分詞 〈自動詞の過去分詞＋名詞〉「…した（名詞）」

着眼 the leaves と fall の関係に注目

㋐ were piled up under the tree は「木の根元に積み上げられていた」という意味だから，主語の The（　　）leaves は「落ち葉」という意味だと判断する。**㋑**「落ち葉」は「落ちた葉」と考え，fall の過去分詞③ fallen を使って fallen leaves と表す。**㋒** fall「落ちる」が自動詞であることに注意。自動詞は受動態にできないので，名詞を修飾する自動詞の過去分詞は完了の意味を表す。

[誤答] 現在分詞の falling leaves は，「落ちている最中の葉」という意味になる。

解答　168 ②　169 ①　170 ③

Section 44

171 The passengers ( ) from Paris to Sydney must go to the transit area in Terminal A as soon as possible. （近畿大）

① are traveling　② travel　③ traveled　④ traveling

172 The exam ( ) to students in the reading class was too hard. （摂南大）

① giving　② given　③ which gave　④ that given

173 A quarter ₍₁₎of British adults walk ₍₂₎for less ₍₃₎than ten minutes a day, including time ₍₄₎spend walking to their cars. 　[誤文指摘]

（東京都市大）

Section 45

174 She felt ( ) by her parents' kind words. 　（日本大）

① to encourage　　② encouraged

③ encouraging　　④ encourage

---

171 パリからシドニーへ行く乗客は、できるだけ速やかに A ターミナルの乗り継ぎエリアに行かなければならない。

172 講読の授業で生徒たちに課された試験はあまりにも難しかった。

173 イギリスの成人の4分の1は、自分の車のところまで歩くのにかかる時間を含めても、一日に10分未満しか歩かない。

174 彼女は両親の優しい言葉に励まされたと感じた。

Section 44 〈 分詞の後置修飾 〉

171 | **現在分詞の後置修飾** 〈名詞＋現在分詞＋語句〉「…している（名詞）」

着眼 the passengers と travel の関係に注目

㋐述語動詞は must go なので，それよりも前の部分が主部。㋑（　）from Paris to Sydney が後ろから The passengers を修飾し，「パリからシドニーへ行く乗客」という意味になると考える。㋒the passengers「乗客」と travel「進む，行く」の間には，「乗客は行く」という能動の意味関係が成り立つので，現在分詞の④ traveling が正解。

注目 The passengers $\boxed{\text{traveling from Paris to Sydney}}$ must go to the transit area ...
　　　　　 S　　└─現在分詞＋語句　　　　　　V

《ココも注目》 **as soon as possible**「できるだけ早く」→ 251

172 | **過去分詞の後置修飾** 〈名詞＋過去分詞＋語句〉「…された（名詞）」

着眼 the exam と give の関係に注目

㋐述語動詞は was なので，それより前の部分が主部。㋑（　）to students in the reading class が後ろから The exam を修飾して「講読の授業で生徒たちに課された試験」という意味になると判断する。㋒The exam と give は「試験は課された」という受動の関係になるので，過去分詞の② given が正解。

注目 The exam $\boxed{\text{given to students in the reading class}}$ was too hard.
　　　　 S　└─過去分詞＋語句　　　　　　　　　V　　C

173 | **過去分詞の後置修飾** 分詞の形は修飾される名詞との意味関係で決まる

着眼 time と spend の関係に注目

㋐time と spend は「時間は費やされる」という受動の関係になるので，④ spend は過去分詞 spent でないとおかしい。㋑including は「…を含めて」という意味の前置詞。including time spent ...で「…に費やされる（＝かかる）時間を含めて」という意味。

《ココも注目》 **a quarter of A**「Aの4分の1」，**less than** 数詞「…未満」→ 264
　　　　　　　〈**spend ＋時間＋ *doing***〉「…するのに（時間）を費やす」→ 161

Section 45 〈 SVC（分詞）/ SVOC（分詞）〉

174 | **SVC（＝分詞）** 分詞を補語として使って，主語の状況を説明する

着眼 she と encourage の関係に注目

㋐feel の直後に不定詞や動詞の原形がくることはないので，②か③のどちらかが正解。㋑SVC（＝分詞）の構文では，V を be 動詞に置きかえて，現在分詞と過去分詞のどちらを入れれば文が成り立つかを考える。㋒encouraging の後ろに「誰を励ましているのか」を示す目的語がないから，She was encouraging「彼女は励ましていた」は成り立たない。She was encouraged by ...「彼女は…に励まされた」なら成り立つので，② encouraged が正解。

解答　**171** ④　**172** ②　**173** ④（spend → spent）　**174** ②

（右側欄外）
Field **1** 文法
Field **2** 語法
Field **3** イディオム
Field **4** 会話・表現
Field **5** ボキャブラリー
Field **6** 英文構造

175 I was shocked to find that someone had left the water ( ) in the upstairs bathtub. (学習院大)
▶
動画
① ran　② run　③ running　④ is running

176 She kept me ( ) for half an hour at the station. (日本大)
① to wait　② wait　③ waiting　④ waited

177 I asked her to keep me ( ) of any new developments in the matter.
① informing　② to inform　③ informed　④ information　(専修大)

178 Because of the noise, I could not make myself ( ). (甲南大)
① listen　② listening　③ heard　④ hearing

179 Can you make yourself ( ) in English? (神奈川工科大)
① understand well　② well understood
③ to be understood　④ to understand

---

175 誰かが上の階の風呂の水を出しっぱなしにしていたのがわかって，私はショックだった。
176 彼女は駅で私を30分待たせた。
177 私は彼女に，その件で何か新たな展開があったら逐時知らせてくれるように頼んだ。
178 騒音のせいで，私の話すことを聞き取ってもらえなかった。
179 あなたは英語で十分に用が足せますか。

175 **SVOC（＝分詞）** 分詞を補語として使って，目的語の状況を説明する

着眼 the water と run の関係に注目

㋐had left the water（　　）は〈leave ＋ O ＋ C〉「O を C（の状態）のままにしておく」の形。㋑選択肢には run が使われているので，the water と run の関係を考える。「水は流れている」という能動の関係が成り立つので，現在分詞の③ running が正解。

《ココも注目》 **be shocked to *do*** 「…してショックだ」の to *do* は〈感情の原因〉を表す副詞用法の不定詞。→ 121

176 **SVOC（＝現在分詞）** O と C が能動関係なら現在分詞，受動関係なら過去分詞

着眼 me と wait の関係に注目

㋐kept me（　　）は〈keep ＋ O ＋ C〉「O を C（の状態）にしておく」の形。㋑選択肢には wait が使われているので，me と wait の関係を考える。「私は待っている」という能動の関係が成り立つので，現在分詞の③ waiting が正解。㋒wait に「…を待たせる」という意味はないので，×「私は待たされた」という関係は成立しないことに注意。

177 **SVOC（＝過去分詞）** O と C が能動関係なら現在分詞，受動関係なら過去分詞

着眼 me と inform の関係に注目

㋐keep me（　　）は〈keep ＋ O ＋ C〉「O を C（の状態）にしておく」の形。㋑選択肢には inform が使われているので，me と inform の関係を考える。「私は知らされた」という受動の関係が成り立つので，過去分詞の③ informed が正解。

《ココも注目》 inform は〈**inform ＋人＋ of A**〉で「（人）に A を知らせる」の意味。→ 524

178 **make *oneself* heard** 「自分の話すことを聞き取ってもらう」

着眼 make myself に注目

make *oneself* heard で「自分の話すことを聞き取ってもらう」という意味を表す。

179 **make *oneself* understood** 「自分の考え［言葉］を理解してもらう」

着眼 make yourself に注目

make *oneself* understood で「自分の考え［言葉］を理解してもらう」という意味を表す。副詞 well は過去分詞の前に置いて「よく（されて），大いに（されて）」の意味を表す。make *oneself* understood in English は「英語で言ったことを理解してもらう」から「英語で用を足す」の意味になる。

解答　**175** ③　**176** ③　**177** ③　**178** ③　**179** ②

180 When I looked out of the window last night, I saw a cat (　　) into my
▶ neighbor's yard. 〈センター試験〉
動画 ① is sneaked　② sneaking　③ sneaks　④ to sneak

✓ Check 14 〈see + O + *do*〉と〈see + O +現在分詞〉の違いを確認しよう！

☐ see + O + *do*　　「O が…する（一部始終）を見る」→ 127
☐ see + O +現在分詞　「O が…している（行為の一部）を見る」→ 180

---

181 I heard my name (　　). Didn't you hear it? 〈宮崎大〉
① called　② calling　③ having called　④ to call

182 She was seen (　　) into the station with a big suitcase. 〈日本大〉
① go　② went　③ gone　④ going

Section 47

▶

STRATEGY 12	分詞構文で使う分詞は，文の主語との意味関係で決まる 動画

Ⓑ(　　) her favorite song Ⓐmy sister is cleaning the living room.
① Sings　② Sang　③ Sung　④ Singing 〈日本大〉

- -

（解き方）
ⓐ 文の骨格をつかむ：Ⓐ **my sister is cleaning the living room** は完全な文だ
から，Ⓑ(　　) **her favorite song** はⒶに情報を加える副詞句。

ⓑ 副詞句の先頭の品詞を確認する：(　　) に現在形の①や過去形の②は入らない。
　　　➡ ③と④は分詞。分詞で始まる副詞句は分詞構文。

ⓒ 文の主語と分詞の意味関係を考える：my sister と sing は「姉［妹］は歌って
いる」という能動の関係になる。
　　　➡ 現在分詞の④ **Singing** が正解。この分詞構文は「…しながら」という意味
を表している。

　　　　　訳：お気に入りの歌を歌いながら，姉［妹］はリビングルームを掃除している。

（注目）**分詞構文の問題のポイント**

▶ 副詞句の先頭が (　　) になっていて，選択肢に分詞が含まれている場合は，
分詞構文の可能性が高い。→ 分詞以外の選択肢を消せるかどうか確認する。

▶ 文の主語と分詞が能動の関係なら現在分詞を，受動の関係なら過去分詞を
使う。

▶ 分詞構文が表す意味 (→ Check 15) は文脈によって決まる。

---

180 昨夜，私が窓の外を見たとき，一匹のネコが隣の庭にこっそり入っていくのを見た。
181 私の名前が呼ばれるのが聞こえた。聞こえませんでしたか。
182 彼女は大きなスーツケースを持って駅に入っていくのを見られた。

Section 46 〉 知覚動詞＋Ｏ＋分詞

180 | 知覚動詞＋Ｏ＋現在分詞 ▶ see ＋Ｏ＋現在分詞「Ｏが…しているのを見る」

着眼 saw a cat に注目

㋐選択肢に使われている sneak は「こっそり入る」という意味。㋑知覚動詞 see は〈see ＋Ｏ＋分詞〉の形がとれる。分詞の形はＯとの意味関係で決まる。㋒a cat と sneak は「ネコがこっそり入る」という能動の関係になるので, 現在分詞の② sneaking が正解。〈see ＋Ｏ＋現在分詞〉は「Ｏが…しているのを見る」という意味を表す。〈see ＋Ｏ＋ *do*〉(→ **127**)との違いは Check 14 を参照。

誤答 ③ sneaks は三単現の -s がついているので, 〈see ＋Ｏ＋ *do*〉にあてはまらない。

181 | 知覚動詞＋Ｏ＋過去分詞 ▶ hear ＋Ｏ＋過去分詞「Ｏが…されるのが聞こえる」

着眼 my name と call の意味関係を考える

㋐知覚動詞 hear は〈知覚動詞＋Ｏ＋分詞〉の形をとることができる。㋑my name と call は「私の名前が呼ばれる」という受動の関係になるので, 過去分詞の① called が正解。〈hear ＋Ｏ＋過去分詞〉は「Ｏが…されるのが聞こえる」という意味を表す。

誤答 ③ having called は動名詞の完了形(→ **151**)だから, この called に受動の意味はない。

182 | 〈知覚動詞＋Ｏ＋分詞〉の受動態 ▶ be seen ＋分詞

着眼 was seen に注目

㋐She was seen (　　) は受動態の文。能動態に直せば saw her (　　) となる。これは〈see ＋Ｏ＋ *do*〉か〈see ＋Ｏ＋分詞〉のどちらかの形。㋑〈see ＋Ｏ＋ *do*〉の受動態なら be seen to *do* (→ **128**)となるはずだが, 選択肢に不定詞はないので, (　　) には分詞が入ると決まる。㋒her と go は「彼女は行く」という能動の関係になるから, 現在分詞の④ going が正解。〈see ＋Ｏ＋現在分詞〉の受動態は〈be seen ＋現在分詞〉「…しているのを見られる」となる。

◎ 一緒に確認 〈see ＋Ｏ＋過去分詞〉の受動態は〈be seen ＋過去分詞〉「…されるのを見られる」。

Section 47 〉 分詞構文

✓ Check **15** 最初に分詞構文が表す意味を確認しよう！

分詞が文に情報を追加するはたらきをするものを分詞構文という。分詞構文は, 以下のような意味を表す。※ただし, どの意味になるかはっきりと区別できない場合も多い。

① 〈付帯状況〉「…しながら」「…して, そして〜」　　② 〈時〉「…するとき」
③ 〈理由〉「…なので」　　④ 〈条件〉「…すれば」　　⑤ 〈譲歩〉「…だが」

▶ 用語解説(解説サイト) 「知覚動詞」

解答 **180** ② **181** ① **182** ④

183 (　　) tired, I decided not to go to the party. 〔芝浦工業大〕
① To feel　② Feel　③ Feeling　④ I feel

184 ▶ 動画 (　　) from a distance, the mountain looks like Mt. Fuji. 〔関西学院大〕
① Viewing　　② To view
③ Having viewed　④ Viewed

Section 48

185 (　　) what to do, he came to me for help. 〔福井工業大〕
① Knowing not　② Not knowing
③ Not known　　④ Having not known

186 Since Mike lived there, he can show us around the city. 同意文
(　　) (　　) there, Mike can show us around the city. 〔大阪教育大〕

☑ **Check 16** 　分詞構文の基本を確認しよう！

① 分詞構文は，「…しながら」「…するとき」「…なので」などの意味を表し，文に情報を加える。
　Leaving the room, | **I switched off the light** |．（部屋を出るときに，私は明かりを消した）

② 分詞 (Leaving) の意味上の主語は，文の主語 (I) と同じ。
　• 主語と分詞の関係が〈能動〉のときは，現在分詞を使う。(I left「私は出た」=能動)
　• 主語と分詞の関係が〈受動〉のときは，過去分詞を使う。
　　Made of gold, **the watch** is expensive.（金でできているので，その腕時計は高い）
　　(the watch is made「腕時計は作られる」=受動)
　※分詞の意味上の主語が文の主語と異なる場合は，意味上の主語を分詞の前に置く。→ 188

③ 意味を明確にするために，when や while などの接続詞を分詞の前に置くこともある。
　| When | leaving the room, **I switched off the light.**

④ 受動態（be 動詞＋過去分詞）の場合は，be 動詞を現在分詞 being にするが，being は省略される。→ 184 　※ただし，〈理由〉を表す場合には，being が省略されないこともある。
　(Being) written in Chinese, the letter was impossible for me to read.
　（中国語で書かれていたので，その手紙を私が読むのは不可能だった）

⑤ 分詞の表す内容が，文が表す〈時〉よりも前の場合は，完了形の分詞構文〈having ＋過去分詞〉を用いる。→ 186
　※表す〈時〉が同じでも，〈完了〉〈継続〉の意味を表す場合には完了形の分詞構文を使う。→ 187

---

183 疲れていると感じたので，私はパーティーに行かないことに決めた。
184 遠くから見ると，その山は富士山のように見える。
185 何をすればよいかわからなかったので，彼は私に助けを求めにきた。
186 マイクはそこに住んでいたので，その都市のあちらこちらに私たちを案内できる。

183 TOP100

分詞構文 分詞句を使って文に情報を加える

[着眼] 接続詞や前置詞がないことに注目

[ア]（　　）の前や選択肢の中に，接続詞や前置詞がないことに注目。[イ]接続詞や前置詞を使わずに文に情報を加えるのが分詞構文。ここでは現在分詞の③ Feeling を入れて，Feeling tired「疲れていたので」という〈理由〉を表す分詞構文にする。

[誤答] ④ To feel だと「…するためにという目的を表すことになり，意味が通らない。

[ココも注目] **not to go**「行かないこと」は不定詞の否定形（→ 123）。これは不定詞の名詞用法で decided の目的語。

184 TOP100

受動態の分詞構文 過去分詞で始める分詞構文

[着眼] 文の主語 the mountain に注目

[ア]（　　）の前や選択肢の中に接続詞や前置詞がないので，分詞構文だと判断する。[イ] the mountain と view は「山は見られる」という受動の関係になるから，過去分詞の④ Viewed が正解。[ウ]分詞構文では，文の主語と分詞が能動の関係なら現在分詞を，受動の関係なら過去分詞を使う。

[注目] Viewed from a distance, the mountain looks like Mt. Fuji.
＝When the mountain is viewed from a distance, ...

[誤答] ③ Having viewed は完了形の分詞構文（→ 186）。能動態であることに注意。

Section 48・いろいろな形の分詞構文

185

否定形の分詞構文 not ＋分詞

[着眼] not の位置に注目

[ア]すべての選択肢に not と分詞が含まれているので，否定形の分詞構文だと判断する。[イ]分詞構文の否定形は分詞の直前に **not[never]** を置く。[ウ]分詞の意味上の主語（＝文の主語）he と know の間には「彼は知っている」という能動の意味関係が成り立つので，現在分詞を用いた② Not knowing が正解。

186

完了形の分詞構文 述語動詞の〈時〉よりも前のことは完了形で表す

[着眼] 時制に注目

[ア] since「だから」は理由を表す接続詞。（　　）が 2 つしかないので，分詞構文を使うと判断する。[イ] since 節が過去 (lived) で主節が現在 (can) であることに注目。従属節の動詞が主節の動詞が表す〈時〉よりも前の場合には，完了形の分詞構文で表す。[ウ]完了形の分詞構文は〈**Having ＋過去分詞**〉で始めるので，空所には Having lived を入れる。

[注目] Since Mike lived there, he **can show** us around the city.
（lived：過去　can show：現在）
→ Having lived there, Mike can show us around the city.

解答　183 ③　184 ④　185 ②　186 Having lived

187 ( ) the same suitcase for more than ten years, Edward is going to buy a new one this summer.

(東京電機大)

① Having used　　　② Using
③ Having been used　④ Have used

188 ( ) a bit too humid, we decided to start using the air conditioner.

(日本大)

① Having been　② It being
③ It was　　　　④ Had it been

189 ( ) no buses running so late at night, I had to walk home in the rain.

① Due　② Because　③ There being　④ Being

(日本大)

Section 49

190 ①Judged from his accent, ②I'd say he is ③probably from the southern part ④of the country.

誤文指摘 （福島大）

191 率直に言うと君の言うことには同意できない。（F で始まる単語）

適語補充

(成城大)

( ) speaking, I can't agree with you.

---

187 10 年以上同じスーツケースを使ってきたので，エドワードは今年の夏は新しいものを買う
　　つもりだ。
188 ちょっと蒸し暑すぎたので，私たちはエアコンを使い始めることにした。
189 そんな夜遅くにバスの便がなかったので，私は雨の中を歩いて家に帰らなければならなかった。
190 彼のなまりから判断すると，彼はおそらくその国の南部の出身でしょうね。

187 完了形の分詞構文 ▶ 完了形で表す分詞構文

【着眼】 for more than ten years に注目

❼選択肢を見て，分詞構文の問題だと判断する。❶for more than ten years「10 年以上の間」があるので，「10 年以上同じスーツケースを<u>使ってきたので</u>」という意味の分詞構文にする。❼完了・結果，継続，経験などの意味をもつ分詞構文は，完了形〈**having ＋過去分詞**〉で表す。❶主語の Edward と use は「エドワードが使う」という能動の関係になるから，① Having used が正解。

（注目） Since Edward **has used** the same suitcase for more than ten years, he is ...
現在完了〈継続〉
Having used the same suitcase for more than ten years, Edward is ...

188 独立分詞構文 ▶ 現在分詞の前に，分詞の意味上の主語を置く

【着眼】 humid に注目

❼humid は「蒸し暑い」という意味の形容詞。寒暖などを表す文では，it を主語にするが，コンマのあとの文の主語は we になっている。❶分詞構文では，分詞の意味上の主語が文の主語と一致しない場合，分詞の前に意味上の主語を置くので，② It being が正解。この形の分詞構文は独立分詞構文と呼ばれる。

Vocab humid「蒸し暑い」

（注目） Because [it] **was** a bit too humid, [we] decided to start using ...
≠
[It] **being** a bit too humid, we decided to start using ...

189 独立分詞構文 ▶ **There** を意味上の主語として扱う

【着眼】 文の意味を考える

❼コンマの後ろに「私は雨の中を歩いて家に帰らなければならなかった」とあるので，コンマの前は「夜遅くにバスの便がなかったから」という〈理由〉を表すと考える。❶because there were no buses running so late at night という〈**There ＋ be 動詞 ...**〉を分詞構文にする場合，there を分詞の意味上の主語と考え，文の主語 I とは異なるので，分詞の前に there を置く。

（注目） Because [there] **were** no buses running so late at night, [I] had to walk ...
≠
[There] **being** no buses running so late at night, I had to walk ...

Section **49** ▶ 慣用的な分詞構文

190 **judging from ...** ▶ 「…から判断すると」

【着眼】 分詞構文に注目

「…から判断すると」は **judging from ...** で表すので，①が誤り。

《ココも注目》 **I'd say (that) ...**「私は…だと思う，…でしょうね」（断定を避ける場合に用いる）

191 **frankly speaking** ▶ 「率直に言えば」

【着眼】 speaking に注目

「率直に言えば」は **frankly speaking** で表す。

《ココも注目》 **agree with A**「A に同意する」

解答 **187** ① **188** ② **189** ③ **190** ①（Judged from → Judging from） **191** Frankly

192 Roxana is very careful with money, ( ) her age. （東洋英和女学院大）
- ① considering
- ② examining
- ③ speculating
- ④ thinking

193 All things (consider), we should not take such a risk. 語形変化
（明治大）

List 29 慣用的な分詞構文を覚えよう！

- □ **considering** ...　　　「…を考慮すれば」→ **192**
- □ **all things considered**　「すべてのことを考慮すると，結局のところ」→ **193**
- □ **judging from** ...　　　「…から判断すると」→ **190**
- □ **speaking of** ...　　　　「…と言えば」
- □ **talking of** ...　　　　　「…と言えば」
- □ **strictly speaking**　　　「厳密に言えば」
- □ **frankly speaking**　　　「率直に言えば」→ **191**
- □ **generally speaking**　　「一般的に言えば」
- □ **weather permitting**　　「天気がよければ」

Section 50

194 With the deadline for the article ( ), I have less time to sleep. （近畿大）
▶
動画
- ① approached
- ② approaches
- ③ approaching
- ④ to approach

195 He was sitting by the desk with his arms ( ). （宮崎大）
- ① be folded
- ② fold
- ③ folded
- ④ folding

196 There is no bread ( ) in the basket. （宮崎大）
- ① leave
- ② leaving
- ③ left
- ④ to leave

イラストで
確認　　「腕を組む」と「足を組む」

with *one's* arms folded　　with *one's* legs crossed

---

192 年齢を考慮すれば，ロクサーナはとても倹約家だ。
193 すべてのことを考慮すれば，私たちはそのような危険を冒すべきではない。
194 記事の締切が近づいているので，私は睡眠時間が減っている。
195 彼は机の側で腕を組んで座っていた。
196 かごの中にパンが残っていない。

192 considering ... 「…を考慮すれば」

[着眼] 選択肢に注目

considering ... で「…を考慮すれば，…のわりには」の意味。

Vocab careful with money「倹約家で，むだ遣いしないで」

193 all things considered 「すべてのことを考慮すると，結局のところ」

[着眼] all things に注目

all things considered で「すべてのことを考慮すると，結局のところ」という意味を表す。慣用表現として覚えておこう。この文は，文の主語（we）と分詞の意味上の主語 all things が異なる独立分詞構文。all things are considered「すべてのことが考慮される」という受動の意味関係が成り立つ。

Vocab take a risk「危険を冒す」

Section 50・分詞を用いる表現

194 with＋名詞＋現在分詞 「（名詞）が…している状態で」〈付帯状況〉

[着眼] with に注目

[ア] コンマの前が〈with＋名詞句＋（　　）〉という形であることに注目。[イ]〈**with＋名詞＋分詞**〉は「（名詞）が…している［された］状態で」という付帯状況を表す。ここでは，the deadline「締切」と approach が「締切は近づいている」という能動の関係になるので，現在分詞の③ approaching が正解。

195 with＋名詞＋過去分詞 「（名詞）が…された状態で」〈付帯状況〉

[TOP 100]

[着眼]〈with＋名詞〉に注目

[ア]（　　）の前に〈with＋名詞〉があるので，〈with＋名詞＋分詞〉の形だと予想する。[イ] his arms と fold は「腕は組まれる」という受動の関係になるので，過去分詞の③ folded が正解。〈**with＋名詞＋過去分詞**〉で「（名詞）が…された状態で」という意味。

[一緒に確認] **with *one's* legs crossed**「足を組んで」

196 There is[are]＋名詞＋分詞 ... 「（名詞）が…して［されて］いる」

[着眼] bread と leave の関係を考える

[ア]〈**There is[are]＋名詞＋分詞 ...**〉で「（名詞）が…して［されて］いる」という意味を表す。[イ] 文は「かごの中にパンが残されていない」という意味になると考えられるので，bread と leave が受動の意味関係になるように，過去分詞の③ left を選ぶ。

[一緒に確認] **There is S *doing* ...** は「S が…している」の意味を表す。
There is a bus coming.（バスが来るよ）

解答　192 ①　193 considered　194 ③　195 ③　196 ③

第**08**章 | Field 1 文法　　関係詞

動画・解説

Section 51

STRATEGY 13　関係代名詞は関係詞節でのはたらきと先行詞の種類で決まる 動画

ⓐ I have a friend (　　) ⓑ lives in New York.　　　　　　　　　（駒澤大）
① who　　② when　　③ how　　④ which

解き方
ⓐ 文の骨格をつかむ：ⓐ **I have a friend** は完全な文。また選択肢から，（　　）には関係詞が入ると判断する。

ⓘ（　　）の関係詞節内でのはたらきを考える：直後に動詞ⓑ **lives** が続いている。
　⟶（　　）には lives の主語としてはたらく語，つまり主格の関係代名詞が入る。

ⓦ 先行詞の種類を確認する：先行詞は a friend，つまり〈人〉。
　⟶ 主格の関係代名詞で先行詞が〈人〉のときは，① who を使う。

訳：私にはニューヨークに住んでいる友人がいる。

注目 関係代名詞の問題のポイント

▶（　　）に関係代名詞を入れる問題では，①関係詞節内でのはたらき，②先行詞の種類，を考える。

▶主語としてはたらくなら主格，目的語としてはたらくなら目的格，「その…」の意味で直後の名詞にかかるなら所有格を使う。

▶先行詞が〈人〉なら who，〈人以外〉なら which。that はどちらでも使える。

197 The man (　　) bought the watch is from China.　　　　（大阪経済大）
　　① who　　② whose　　③ whom　　④ which

198 New York is a city (　　) is popular with tourists.　　　　（東北学院大）
　　① where　　② when　　③ which　　④ how

199 That is the boy (　　) we met the other day.　　　　（東京工芸大）
　　① which　　② who　　③ where　　④ there

200 Last week, I went to see a movie with Sally and the seats (　　) we had
　　reserved were really good.　　　　　　　　　　　　　　　（南山大）
　　① where　　② which　　③ when　　④ what

---

197 その腕時計を買った男性は中国から来た人だ。
198 ニューヨークは観光客に人気のある都市である。
199 あちらが，先日私たちが会った少年です。
200 先週，私はサリーと映画を見に行ったのだが，私たちが予約した席は本当によかった。

Section 51 関係代名詞の基本

Check 17 関係代名詞の種類を確認しよう！

先行詞＼格	主格	目的格	所有格
人	**who / that**	**who(m) / that**	**whose**
人以外	**which / that**	**which / that**	**whose**

※目的格の関係代名詞は省略可。

197 主格 who 先行詞が〈人〉／関係詞節中で主語のはたらきをする

[TOP 100]

[着眼] 先行詞は〈人〉か〈人以外〉か／空所の役割に注目

㋐ 述語動詞は is で，The man is from China. が文の骨格。㋑ (　　) bought the watch は The man を修飾する関係詞節。㋒ 空所には bought に対する主語としてはたらく語が入るので，主格の関係代名詞が入る。㋓ 先行詞は The man で〈人〉なので，① **who** が正解。

198 主格 which 先行詞が〈人以外〉／関係詞節中で主語のはたらきをする

[着眼] 先行詞は〈人〉か〈人以外〉か／空所の役割に注目

㋐ New York is a city. が文の骨格で，(　　) 以下は a city を修飾する関係詞節。㋑ 空所には is に対する主語としてはたらく語が入るので，主格の関係代名詞が入る。㋒ 先行詞は a city で〈人以外〉なので，③ **which** が正解。

199 目的格 who(m) 先行詞が〈人〉／関係詞節中で目的語のはたらきをする

[着眼] 先行詞は〈人〉か〈人以外〉か／空所の役割に注目

㋐ That is the boy が文の骨格で，(　　) 以下は the boy を修飾する関係詞節。㋑ **met** の目的語がないので，空所には目的格の関係代名詞が入る。㋒ 先行詞 (the boy) は〈人〉なので whom が入るが，**whom は who で代用できる**ので，②が正解。whom を who で代用するのは〈略式〉。

[Vocab] the other day「先日」

200 目的格 which 先行詞が〈人以外〉／関係詞節中で目的語のはたらきをする

[着眼] 先行詞は〈人〉か〈人以外〉か／空所の役割に注目

㋐ and 以下の文の骨格は the seats were really good で，(　　) we had reserved は the seats を修飾する関係詞節。㋑ **had reserved** の目的語がないので，空所には目的格の関係代名詞が入る。㋒ 先行詞 (the seats) が〈人以外〉なので，② which が正解。

《ココも注目》 had reserved は〈大過去〉の過去完了。→ [20]

解答　[197] ①　[198] ③　[199] ②　[200] ②

ⒶThis is my friend (Ⓒactor / Ⓓfather / is a famous / Ⓑwhose).　並べかえ

(大阪経済大)

(解き方) ㋐ 文の骨格をつかむ：ⒶThis is my friend は完全な文。さらに，語群にⒷwhose があるので，並べかえる部分は my friend を修飾する関係代名詞節だと判断する。

㋑ whose に「冠詞のない名詞」を続ける：冠詞のない名詞はⒸactor かⒹfather。whose は「私の友達の」という意味になるので，father と組み合わせるのが適切。

➡ This is my friend **whose father is a famous actor.** が正解。

訳：こちらは，お父さんが有名な俳優である私の友人です。

(注目) 関係代名詞 whose の問題のポイント

▶〈whose ＋冠詞のない名詞〉の形で使う。

▶whose は先行詞が〈人〉でも〈人以外〉でも使える。

▶〈whose ＋名詞〉が目的語になることもある。

The photographer whose pictures you like is a friend of mine.
　　　　　　　　　　　　O'　　　S'　　V'

※whose pictures は like の目的語にあたる。

（あなたが好きな写真を撮る写真家は私の友だ）

---

201 Take a look at the house (　　) roof is blue.　(日本大)

① that　　② which　　③ whose　　④ in which

---

202 若いうちにしなければならないことがたくさんある。　並べかえ　(京都女子大)

There are (a / do / have / lot / of / things / to / we) in our youth.

---

203 The hotel which (for / popular / stayed / at / we / is) among foreign
tourists.　(1 語不要)　(畿央大)
動画

---

204 彼女こそわれわれが待っていた少女だ。　(龍谷大)

She (have / the girl / for / is / waiting / been / we).

---

201 屋根が青い家を見て。
203 私たちが宿泊したホテルは，外国人の旅行者に人気がある。

201 所有格 whose 関係詞節中で所有格の代名詞のはたらきをする

[TOP 100]

[着眼] the house と roof に注目

[ア] Take a look at the house という命令文が文の骨格で，(　　) roof is blue は the house を修飾する関係詞節。[イ] この roof は「その家の屋根」のことだから，(　　) には「その…」を表す所有格の関係代名詞③ **whose** が入る。所有格の関係代名詞 whose は必ず〈先行詞＋ **whose** ＋名詞〉の形で使う。

[注目] Take a look at the house. ＋ [Its] roof is blue.

Take a look at the house [**whose**] roof is blue.

202 関係代名詞の省略 目的格の関係代名詞は省略できる

[着眼] have, we に注目

[ア]「…ことがたくさんある」は「たくさんのことがある」と考え，There are a lot of things と表す。[イ]「しなければならない」は have to do で表せる。残った we は have to の主語にする。[ウ] we have to do「私たちがしなければならない」は「たくさんのこと」を修飾すると考え，a lot of things の直後に置く。things と we の間に目的格の関係代名詞が省略されていると考える。

[注目] There are a lot of things [(which) we have to do in our youth].

※ We have to do a lot of things in our youth.

203 目的格の関係代名詞 関係代名詞は関係詞節中の前置詞の目的語になる

[着眼] 動詞を中心に組み立てる

[ア] The hotel が主語だから，述語動詞は is だと判断する。which は The hotel を修飾する関係代名詞。[イ] stayed at ...「…に泊まった」の主語を we にして，The hotel which we stayed at とすれば，「私たちが泊まったホテル」という意味になる。この **which** は前置詞 **at** の目的語にあたる。[ウ] popular は is のあとに置く。for が不要。

[注目] The hotel [which we stayed at] is popular among foreign tourists.
S　V　C

※ We stayed at the hotel.

204 関係代名詞の省略 前置詞の目的語になる関係代名詞は省略できる

[着眼] have been waiting for から考える

[ア] 文の骨格「彼女こそ…少女だ」は She is the girl. と組み立てる。[イ]「われわれが待っていた少女」なので，the girl の後ろに「われわれが待っていた」we have been waiting for を続ける。目的格の関係代名詞が省略された文。

[注目] She is [**the girl**]. We have been waiting for [**her**].

She is [**the girl**] [(**who(m)**) we have been waiting for].

((ココも注目)) have been waiting は現在完了進行形。→ 14

解答　201 ③　202 a lot of things we have to do　203 we stayed at is popular（for が不要）
204 is the girl we have been waiting for

STRATEGY 15 前置詞の有無は，先行詞を関係詞節に入れて判断する ［動画］

Mexico is the largest ⒶcountryⒷ (　　　) Spanish is spoken.
① that　　② in that　　③ which　　④ in which

(神奈川大)

解き方 ㋐ 文の骨格をつかむ：Mexico is the largest country は完全な文。また，選択肢を見て，(　　) 以下は関係代名詞節だと判断する。

㋑ 先行詞を関係詞節に入れて，意味の通る文をつくる：Ⓑ **Spanish is spoken** にⒶ **country** を入れる。

➡ Spanish is spoken in the country.「スペイン語は その国 で話されている」と，in を補う必要がある。

㋒ 前置詞が必要なら，〈前置詞＋関係代名詞〉の形になる：候補は②と④。

➡ 関係代名詞 that は前置詞の後ろに置けないので，④ **in which** が正解。

訳：メキシコはスペイン語が話されている最も大きな国だ。

注目 〈前置詞＋関係代名詞〉の問題のポイント

▶ 先行詞を関係詞節に入れて，意味の通る文を作る。そのときに前置詞が必要なら，〈前置詞＋関係代名詞〉の形になる。

▶ ただし，前置詞が関係代名詞節の中に残ることもある。(→ 203)

▶〈前置詞＋関係代名詞〉の形では，関係代名詞は省略できない。また，関係代名詞 that は〈前置詞＋関係代名詞〉の形をとらない。

---

205 This is a famous poem (　　　) I do not understand the meaning. (福岡大)
① which　　② of which　　③ of that　　④ whose

206 あなたが見ている本は，村上春樹の作品の1つです。 ［並べかえ］ (中央大)
(at which / the book / you / looking / are) is one of Haruki Murakami's.

---

207 That person is the one (　　　) I think rescued the kitten. (立命館大)
▶ ① what　　② where　　③ who　　④ whom
［動画］

208 私は，父の友人と思われる男性を見かけた。 (東京経済大)
I saw a man (of / who / thought / a / was / friend / I) my father's.

---

205 これは，私はその意味を理解できないのだが，有名な詩だ。
207 その人が，その子ネコを救ったと思われる人だ。

Section 52 前置詞＋関係代名詞

205 前置詞＋目的格の関係代名詞 関係代名詞が前置詞の目的語のはたらきをする

[着眼] a famous poem を関係詞節に入れる

㋐a famous poem を（　）以下が修飾していることをつかむ。㋑a famous poem を I do not understand the meaning の中に入れて，意味の通る文を作ると，I do not understand the meaning **of** [the famous poem].「私は[その有名な詩]の意味を理解できない」となる。㋒**前置詞 of** を補う必要があり，**〈of ＋関係代名詞〉**の形の② of which が正解。

[注目] This is a famous poem. ＋ I do not understand the meaning [of the famous poem].

This is a famous poem [of which] I do not understand the meaning.

[誤答] 関係代名詞 that は〈of ＋関係代名詞〉の形では使えないので，③は誤り。

206 前置詞＋目的格の関係代名詞 前置詞を関係代名詞の前に置く

[着眼] at which に注目

㋐「あなたが見ている本」を関係代名詞を使って表す。㋑主語は the book で，そのあとに「あなたが見ている」という関係詞節を続ける。㋒「…を見る」は look at で表すが，語群に at which 〈前置詞＋関係代名詞〉の形があるので，at which you are looking となる。

[注目] The book is one of Haruki Murakami's. ＋ You are looking [at the book].

The book [at which] you are looking is one of Haruki Murakami's.

Section 53 連鎖関係代名詞節

207 連鎖関係代名詞節 関係代名詞の直後に I think や I believe などが続く

[着眼] rescued の主語がないことに注目

㋐the one を（　）以下が修飾していることをつかむ。㋑the one を I think rescued the kitten の中に入れて，意味の通る文を作る。rescued の主語がないので，the one は **rescued の主語の位置に入り**，I think [the one(=person)] rescued the kitten.「私は，[その人]がその子ネコを救ったのだと思う」という文ができる。㋒この the one は rescued の主語にあたるから，**主格の**③ who が正解。

[注目] That person is the one. ＋ **I think** [the one(=person)] rescued the kitten.

That person is the one [who] **I think** rescued the kitten.

[誤答] 空所の直後に I think〈主語＋動詞〉があるからといって目的格④ whom を入れるのは誤り。

208 連鎖関係代名詞節 〈関係代名詞＋ I think ＋関係詞節の動詞〉の語順

[着眼]「…と思われる」に注目

㋐文の骨格は I saw a man で，後ろに a man を修飾する関係代名詞節が続くと考える。㋑「…と思われる」は「私が…だと思った」ということだから，「私はその男性が父の友人だと思った」という文を考える。この文は I thought [the man] was a friend of my father's. と表せる。㋒この the man を関係代名詞 who にすれば，[who] I thought was a friend of my father's という関係代名詞節ができる。この関係代名詞節を a man に続ける。

[注目] I saw a man. ＋ **I thought** [the man] was a friend of my father's.

I saw a man [who] **I thought** was a friend of my father's.

解答 205 ② 206 The book at which you are looking 207 ③ 208 who I thought was a friend of

Section 54

STRATEGY 16 〈場所〉〈時〉の副詞句は関係副詞 where ／ when になる [動画]

Yuka gave me the name of Ⓐ the hotel (　　) Ⓑ she was staying.
① which　② where　③ when　④ why　(中村学園大)

[解き方] ㋐ 文の骨格をつかむ：Yuka ... the hotel が文の骨格で，(　　) 以下は the hotel を修飾する関係詞節。

㋑ 先行詞を関係詞節に入れて，意味の通る文を作る。：Ⓑ **she was staying** にⒶ **the hotel** を入れる。

➡ She was staying **at** [the hotel].「彼女は[そのホテル]に泊まっていた」と，**at が必要**。しかし選択肢に at which はない。

㋒〈前置詞＋名詞〉が〈場所〉の副詞句なら where,〈時〉の副詞句なら when になる：at the hotel「そのホテルに」は場所を表す副詞句。

➡ 場所を表す副詞句を関係副詞にすると，② **where** になる。

訳：ユカは彼女が泊まっているホテルの名前を私に教えてくれた。

[注目] **関係副詞の問題のポイント**

▶ 先行詞を関係詞節に入れてできた〈前置詞＋名詞〉が〈場所〉を表す副詞句なら関係副詞 where,〈時〉を表す副詞句なら関係副詞 when を使う。
▶ 関係副詞 why の先行詞は reason。how は先行詞なしで使う。
▶ where,　when,　why の先行詞は省略されることもある。

Check 18 先行詞と関係副詞の関係を確認しよう！

先行詞	場所	時	理由(reason)	なし
関係副詞	**where**	**when**	**why**	**how**

209 When I went to the U.S. last summer, I visited the house (　　) George Washington lived.　(津田塾大)
① that　② what　③ where　④ which

210 Do you remember the day (　　) we first met Paul?　(畿央大)
① which　② whom　③ when　④ where

211 Our friendship goes back to (joined / we / the / both / when) basketball team in elementary school.　[並べかえ]　(西南学院大)

209 この前の夏にアメリカに行ったとき，私はジョージ・ワシントンが住んでいた家を訪れた。
210 あなたは私たちが初めてポールに会った日を覚えていますか。
211 私たちの友情は，私たち二人が小学校のバスケットボール部に入ったときにさかのぼる。

Section 54・関係副詞

209 関係副詞 where 〈場所〉を表す副詞のはたらきをする

[TOP 100]

[着眼] the house を関係詞節に入れる

㋐選択肢を見て，関係詞の問題だと判断する。㋑the house を（　）の後ろの文に入れると，George Washington lived **in** [the house].「ジョージ・ワシントンは[その家]に住んだ」と，**in** を補う必要がある。しかし，選択肢に in which はない。㋒in the house「その家に」は場所を表す副詞句だから，関係副詞 **where** になる。

[注目] I visited the house. ＋ George Washington lived [in the house].
〈場所〉の副詞句
I visited the house [where] George Washington lived.

☺ [一緒に確認] 関係代名詞を用いて，同じ内容を表せる。
I visited the house [in which] George Washington lived.

210 関係副詞 when 〈時〉を表す副詞のはたらきをする

[着眼] the day を関係詞節に入れる

㋐the day を（　）の後ろの文に入れると，We first met Paul **on** [the day].「私たちは[その日]に初めてポールに会った」と，**on** を補う必要がある。しかし，選択肢に on which はない。㋑on the day「その日に」は時を表す副詞句だから，関係副詞 **when** になる。

[注目] Do you remember the day? ＋ We first met Paul [on the day].
〈時〉の副詞句
Do you remember the day [when] we first met Paul?

☺ [一緒に確認] 関係代名詞を用いて，同じ内容を表せる。
Do you remember the day [on which] we first met Paul?

211 関係副詞の先行詞の省略 関係副詞 when は先行詞なしで使うことがある

[着眼] go back to ...「…にさかのぼる」に注目

㋐「私たちの友情は，小学校のバスケットボール部（　）にさかのぼる」という意味。㋑語群の語を組み合わせて，we both joined the basketball team「私たち二人がバスケットボール部に入った」という文を作る。㋒語群には goes back to ... の〈...〉にあたる名詞がないが，関係副詞 **when** は the time when の意味の場合に，先行詞なしで使うことができるので，goes back to のあとに，直接 when we both joined ... を続ければよい。

[注目] Our friendship goes back to ~~the time~~ **when** we both joined the basketball team ...

Vocab go back to ...「…に戻る，さかのぼる」

解答　209 ③　210 ③　211 when we both joined the

212 A car crashed into a tree just a few meters away from ( ) we were standing.　(西南学院大)

① which　② what　③ when　④ where

213 I want to know the reason ( ) you did that.　(芝浦工業大)

① what　② which　③ why　④ how

214 彼らはそういうわけであなたに会いに来なかったのです。　[並べかえ]

(come / they / you / to / that's / didn't / see / why).　(龍谷大)

215 I overcame the hardship in this way.　[同意文]

This is ( ) I overcame the hardship.　(大阪教育大)

216 しゃべり方からして，あいつもきっと博多っ子たい。　(九州産業大)

Judging (from / he / the / speaks / way), I'm sure he is a native of Hakata, too.

Section 55

☑ **Check** 19 　制限用法と非制限用法の関係詞

制限用法の関係詞　… 関係詞の前にコンマを置かない用法を制限用法と言う。先行詞は関係詞節で限定される。

非制限用法の関係詞　… 関係詞の前にコンマを置く用法を非制限用法と言う。関係詞節は先行詞に対して，補足説明をしている。

・非制限用法の関係代名詞：which, who, whose, whom
・非制限用法の関係副詞：when, where
・that は非制限用法には用いない。
・「唯一のもの」を表す固有名詞などは，制限用法の関係詞の先行詞にはならない。

217 My friend John, ( ) lives in California, has a car with New York license plates.　(岡山理科大)

① who　② that　③ whose　④ which

---

212 1台の車が，私たちが立っていたところからわずか数メートルのところの木にぶつかった。
213 私は，あなたがなぜそれをしたのか理由が知りたい。
215 こうやって私は困難に打ち勝った。
217 私の友人のジョンは，カリフォルニアに住んでいるのだが，ニューヨークナンバーの車を所有している。

212 関係副詞の先行詞の省略 関係副詞 where は先行詞なしで使うことがある

着眼 from の目的語がないことに注目

㋐... meters away from ～「～から…メートル離れて」のあとには場所を表す名詞がくるはずだが, 選択肢には the place のような場所を表す名詞がない。㋑関係副詞 where は the place where の意味の場合, 先行詞なしで使うことができるので, ④ where を入れる。

注目 ... meters away from ~~the place~~ where we were standing

213 関係副詞 why the reason why ...「…する理由」

着眼 the reason に注目

㋐空所の前は「私はその理由が知りたい」という意味。㋑先行詞は the reason なので, 関係副詞 why を入れる。

214 That's why ... 「そういうわけで…」

着眼「そういうわけで」に注目

㋐「そういうわけで…」は That's why ... で表すことができる。この why は関係副詞で, 先行詞 the reason が省略されている。㋑That's why のあとに「彼らはあなたに会いに来なかった」they didn't come to see you を置く。

215 This is how ... 「こうやって…」

着眼 in this way に注目

㋐上の文は「私はこのようにして困難に打ち勝った」という意味。㋑上下の文を比べてみると, 上の文の in this way「このようにして」の部分を, 下の文では This is (　　) で表している。㋒This is how ... で「こうやって…」の意味を表す。関係副詞 how は常に先行詞なしで用いられる。

216 the way + S + V 「S が V する方法」

着眼 way に注目

㋐judging from ... で「…から判断すると」の意味 (→ **190**)。㋑「しゃべり方」は〈the way + S + V〉を用いて the way he speaks「彼が話す方法」と表す。

◎ 一緒に確認 〈how + S + V〉でも「S が V する方法」の意味を表せる。

Section **55** 非制限用法の関係詞

217 非制限用法の who 先行詞を補足説明する

着眼 コンマに注目

㋐選択肢を見て, 関係代名詞の問題だと判断する。㋑先行詞 (John) が〈人〉で, (　　) は lived の主語にあたるので, 主格の関係代名詞 who が入る。John のような固有名詞を関係詞節で補足説明するときは, 関係詞の前にコンマを置く。

Field 1 文法

Field 2 語法

Field 3 イディオム

Field 4 会話・表現

Field 5 ボキャブラリー

Field 6 英文構造

解答 **212** ④ **213** ③ **214** That's why they didn't come to see you **215** how
216 from the way he speaks **217** ①

218 "There's a black cat in the kitchen!" my roommate cried in the middle of the night, (　　) surprised me.　(鹿児島大)

① that　　② when　　③ where　　④ which

219 My student said he had done his homework, (　　) proved to be a lie.

① it　　② that　　③ what　　④ which　　(宮城学院女子大)

220 I was taking a bath last night, (　　) the lights suddenly went out.　(日本大)

① when　　② why　　③ what　　④ how

221 It was a very hot afternoon. We found a coffee shop, (　　) we rested for a while.　(二松學舍大)

① which　　② when　　③ where　　④ that

222 We have released several products recently, all of (　　) are selling well.

① which　　② such　　③ they　　④ what　　(獨協大)

---

218 「キッチンに黒ネコがいる！」とルームメイトが真夜中に叫んだ。そのことは私をびっくりさせた。

219 私の生徒は宿題をやったと言ったが，それはうそだとわかった。

220 昨夜私が風呂に入っていると，そのとき明かりが突然消えた。

221 午後はとても暑かった。私たちは喫茶店を見つけて，そこでしばらく休んだ。

222 我が社は最近いくつかの製品を発売したが，それらのすべてがよく売れている。

114

218 [TOP 100] 非制限用法の which　which は節を先行詞にすることができる

[着眼] コンマに注目

㋐選択肢を見て，関係詞の問題だと判断する。㋑surprised「…を驚かせた」の主語が欠けているので，(　　) には主格の関係代名詞 (①か④) が入る。㋒(　　) の前にコンマがあるので，非制限用法だとわかる。**that は非制限用法では使えないので**，④ which が正解。「私」を驚かせたのは，コンマの前の「『キッチンに黒ネコがいる！』とルームメイトが真夜中に叫んだこと」という内容。このように，**節全体が先行詞にあたる場合には，which を非制限用法で使う。**

219 非制限用法の which　which は文の一部を先行詞にすることができる

[着眼] (　　) に入る語のはたらきに注目

㋐(　　) に入る語は，(1) コンマの前後をつなぐ，(2) proved の主語になる，という2つのはたらきを持つ。この2つのはたらきを持つのが主格の関係代名詞。㋑前にコンマがある，つまり非制限用法だから，that は使えないので，④ which が正解。which の先行詞にあたるのは，he had done his homework「彼が宿題をした」という部分。このように，**非制限用法の which は文の一部を先行詞にすることもできる**ので，④ which が正解。

[ココも注目] prove to be ...「…であることが判明する」

220 非制限用法の when　(1)先行詞を補足説明する　(2)「…，そしてそのとき～」

[着眼] コンマに注目

㋐(　　) の前にコンマがあるので，非制限用法の関係詞が入る。㋑後半の the lights suddenly went out「明かりが突然消えた」は完全な文なので，(　　) には関係代名詞ではなく関係副詞が入る。**非制限用法で使える関係副詞は where と when だけなので**，① when が正解。非制限用法の when には，(1) **先行詞を補足説明する場合と**，(2) 前の内容を受けて「…，そしてそのとき～」という意味を表す場合がある。本問は (2) にあたる。

221 非制限用法の where　(1)先行詞を補足説明する　(2)「…，そしてそこで～」

[着眼] コンマに注目

㋐選択肢から，関係詞の問題だと判断する。(　　) の前にコンマがあるので，非制限用法。㋑we rested for a while「私たちはしばらく休んだ」は完全な文なので，(　　) には関係代名詞ではなく関係副詞が入る。先行詞 a coffee shop は〈場所〉だから関係副詞③ where が正解。**非制限用法の where は，(1) 先行詞を補足説明する場合と，(2)「…，そしてそこで～」を表す場合がある。**本問は (2) にあたる。

Vocab for a while「しばらく」

222 [TOP 100] 非制限用法の〈all of which[whom]〉「…，その全部が [を] ～」

[着眼] (　　) のはたらきに注目

㋐all of (　　)「(　　) のすべて」は「最近発売した製品のすべて」を表すはず。㋑関係代名詞を入れれば「それら (＝製品) のすべて」という意味を表し，さらにコンマの前後をつなぐはたらきも果たせる。**非制限用法の all of which は「…，そしてその全部が [を] ～」という意味を表す。**all 以外に，many，some，none などの数量を表す代名詞を使うこともある。また，先行詞が〈人〉の場合は関係代名詞 whom を使う。

解答　[218] ④　[219] ④　[220] ①　[221] ③　[222] ①

STRATEGY 17 関係代名詞 what は「…すること，…するもの」を表す 🎬動画

_Ⓐ( ) John said yesterday _Ⓑis probably true.
① When　② What　③ Which　④ Where　　　　(摂南大)

解き方　㋐ 文の骨格をつかむ：Ⓐ( ) John said yesterday という節が主語で，Ⓑ is が述語動詞だと判断する。

　㋑ ( ) のはたらきを考える：said の目的語がない → ( ) は said の目的語にあたる。　➡ 目的語＝名詞だから，②か③が答えになる。

　㋒「…すること，…するもの」は what で表す：Ⓐが「ジョンが昨日言ったこと」という意味なら，文意が通る。　➡ ② **What** が正解。

　　　　　　　　　　　　　　訳：ジョンが昨日言ったことはおそらく本当だ。

注目　関係代名詞 what の問題のポイント
　▶ 関係代名詞 what は先行詞なしで使う。
　▶ 関係代名詞 what は「…すること，…するもの」の意味の名詞節をつくる。

223　( ) is important is to keep early hours.　　　(明治大)
① Whether　② Which　③ That　④ What

224　This project (wanted / is / what / to / has / George) start for a long time.　　　　並べかえ　(獨協大)

225　I couldn't hear (because / teacher / what / saying / was / the) the class was too noisy.　　　(獨協大)

226　Your future depends on ( ) you do in the present.　　(中央大)
① that　② however　③ what　④ whether

Section 57

227　John is not ( ) he used to be.　　　(千葉工業大)
① what　② that　③ which　④ when

---

223 重要なことは，早寝早起きをすることだ。
224 この計画は，ジョージが長い間ずっと始めたいと思ってきたものだ。
225 教室がうるさすぎたので，私は先生が言っていることが聞こえなかった。
226 あなたの将来は，今あなたがすることにかかっている。
227 ジョンはかつての彼ではない。

Section 56・関係代名詞 what

[223] 関係代名詞 what 「…すること，…するもの」

[着眼] (　　) のはたらきと意味に注目

㋐ [(　　) is important] is to keep early hours. 「[　　] は早寝早起きをすることだ」が文の骨格。㋑ (　　) は節内の主語であると同時に，(　　) is important を名詞節としてまとめている。この2つのはたらきが同時にできるのは② Which と④ What。㋒「[　　]」は「重要なこと」という意味になるはず。**関係代名詞 what** は先行詞なしで使い，「…すること，…するもの」という意味の名詞節をつくるので，④が正解。

[Vocab] keep early hours「早寝早起きをする」

[224] 関係代名詞 what 関係代名詞 what は名詞節をつくる

[着眼] 動詞を中心に組み立てる

㋐語群の wanted, has と，文末の for a long time を見て，継続を表す現在完了だと考え，George has wanted to start と並べる。㋑ start「…を始める」の目的語が欠けているので，**what を関係代名詞として使う**と判断する。㋒ This project is what George has wanted to start で「この計画は，ジョージがずっと始めたいと思ってきたものだ」という意味になる。この文では，**what がつくる節が補語**になっている。

[注目] This project (S) is (V) what George has wanted to start for a long time (C＝名詞節).

[225] 関係代名詞 what で始まる名詞節は目的語になる

[着眼] hear の目的語を考える

㋐〈hear ＋人〉で「(人の発言) が聞こえる」という意味になるが，それでは saying が余ってしまう。**what を関係代名詞として使えば**，hear what the teacher was saying で「先生の言っていることが聞こえる」という意味を表せる。㋑ because は the class was too noisy「教室がうるさすぎた」の前に置く。

[注目] I (S) couldn't hear (V) what the teacher was saying (O＝名詞節) because ....

[226] 関係代名詞 what で始まる名詞節は前置詞の目的語になる

[着眼] 文の意味を考える

㋐ depend on ... は「…にかかっている，…次第だ」を表すから，この文は「あなたの将来は，今あなたがすることにかかっている」という意味だと推測できる。㋑「…すること」は関係代名詞 what で表せるので，③が正解。この文では **what がつくる名詞節が前置詞の目的語**になっている。

Section 57・関係代名詞 what を用いた慣用表現

[227] what S used to be / what S was[were] 「昔の S，以前の S」

[着眼] 空所のあとに he used to be がある

㋐空所のあとに S used to be があることに注目。㋑ **what S used to be** で「昔の S，以前の S」を表すので，① what が正解。

[ココも注目] **used to** は「(以前は) …だった」という過去の状態を表す助動詞。→ [60]

解答 [223] ④ [224] is what George has wanted to [225] what the teacher was saying because [226] ③ [227] ①

228 She gave me (　) little money she had. 〈東洋大〉
① which　② whether　③ what　④ whose

229 Takashi knows so many words in English. He's (　) we call a walking dictionary. 〈南山大〉
① what　② that　③ which　④ why

230 読書の精神に対する関係は，食物の肉体に対する関係に等しい。 【並べかえ】
Reading is (food / mind / what / the / to) is to the body. 〈武蔵大〉

List 30 関係代名詞 what を用いた慣用表現

□ **what** S **is**	「今の S，現在の S」
□ **what** S **was[were]**	「昔の S，以前の S」→ **227**
□ **what** S **used to be**	「昔の S，以前の S」→ **227**
□ **what we call** A	「いわゆる A」→ **229**
□ **what is called** A	「いわゆる A」→ **229**
□ **what is worse**	「さらに悪いことには」
□ **what is more**	「その上，さらに」
□ **what** ＋名詞	「…するすべての（名詞）」→ **228**
□ A **is to** B **what** C **is to** D.	「A の B に対する関係は C の D に対する関係と同じだ」→ **230**

Section 58

231 (　) passes the final interview next week will get the job. 〈南山大〉
① Whoever　② Whose　③ Who　④ Whom

232 それらのうち，どれでも一番好きなものをお取りください。 〈桃山学院大〉
Please (whichever / them / you like / of / take) best.

☑ Check 20 名詞節を導く複合関係代名詞を確認しよう！

□ **whoever**	「…する人は誰でも」→ **231**
□ **whichever**	「…するものはどれでも，どれでも…するもの」→ **232**
□ **whatever**	「…するものは何でも」
□ **whatever** ＋名詞	「…するどんな（名詞）でも」→ **233**

---

228 彼女はわずかに持っていたお金を全部私にくれた。
229 タカシはとても多くの英語の言葉を知っている。彼はいわゆる生き字引だ。
231 来週の最終面接に通る人は誰でも，その仕事に就くことになるだろう。

228 **what (+little) +名詞 ...** 「（わずかながらも）…するすべての（名詞）」

［着眼］little money に注目

( ) little money に注目する。〈what little +名詞〉で「わずかながらも…するすべての（名詞）」という意味を表せるので，③ what が正解。〈what +名詞〉は「…するすべての（名詞）」という意味を表す。名詞の前に little や few を置いて，「わずかながらも」という意味を強調することが多い。

《 ココも注目 》〈what +名詞 ...〉は〈all the +名詞（+ that）〉で書きかえられる。
  She gave me what money she had.
  = She gave me all the money (that) she had.

229 **what we call A / what is called A** 「いわゆる A」

［着眼］we call に注目

walking dictionary は「歩く辞書，生き字引」の意。空所のあとに we call があるので，① what を入れて **what we call A** 「いわゆる A」とすれば，「彼はいわゆる生き字引だ」となり，文意が通る。**what is called A** でも同じ意味を表す。

230 **A is to B what C is to D.** 「A の B に対する関係は C の D に対する関係と同じだ」

［着眼］文意に注目

㋐「A の B に対する関係は，C の D に対する関係に等しい」は **A is to B what C is to D.** と表すことができる。㋑ B = the mind，C = food となるように並べる。

［注目］ Reading is to the mind | what | food is to the body.
      A   B   C   D

Section 58 複合関係代名詞 whoever, whatever, whichever

231 **whoever** 「…する人は誰でも」

［着眼］主部に注目

㋐ will get the job で「仕事に就くだろう」という意味。仕事に就くのは「人」だから，( ) passes the final interview は「…する人」という意味になるはず。㋑ 先行詞なしで「…する人」の意味を表せるのは① Whoever だけ。**whoever** は「…する人は誰でも」という意味の名詞節をつくる。

232 **whichever** 「…するものはどれでも」

［着眼］「どれでも…するもの」に注目

㋐ Please で始まっているので，命令文だと判断し，take を最初に置く。㋑ take の目的語である「それらのうち，どれでも」は，whichever of them とする。㋒ そのあとに you like (best) を続ける。**whichever** は「どれでも，どちらでも」という意味を表し，名詞節を導く。

解答 228 ③ 229 ① 230 to the mind what food 231 ① 232 take whichever of them you like

233 Help yourself to (　　) food there is in the refrigerator. 〈広島工業大〉
　　① whoever　　② whatever　　③ whenever　　④ wherever

234 (　　) happens, you can rely on my friendship. 〈日本大〉
　　① However　　② Whatever　　③ Whenever　　④ Whoever

Section 59

235 I try to see my family (　　) I have free time. 〈獨協大〉
　　① whenever　　② whatever　　③ however　　④ whichever

236 Your parents will support and love you, (　　) you go. 〈順天堂大〉
　　① there　　② somewhere　　③ whatever　　④ wherever

237 (however / might be / difficult / problem / the), you should never give
up solving it. 　並べかえ　〈相模女子大〉

233 冷蔵庫にある食べ物は何でも自由に召し上がれ。
234 何が起ころうとも，あなたは私の友情を当てにして大丈夫です。
235 私は暇があるときにはいつでも家族に会うようにしている。
236 あなたがどこへ行こうとも，あなたのご両親はあなたを支え，愛するでしょう。
237 その問題がどんなに困難であっても，あなたはそれを解決することを決してあきらめるべき
ではない。

233 whatever＋名詞 「…するどんな（名詞）でも」

[着眼] food に注目
（　　）の直後に food という名詞があることに注目。〈複合関係詞＋名詞〉の形で使えるのは，選択肢の中では② whatever だけ。**〈whatever＋名詞〉**で「…するどんな（名詞）でも」という意味の名詞節をつくる。**単独の whatever は「…するものは何でも」という意味。**

234 副詞節をつくる whatever 「何が…しようとも，何を…しようとも」〈譲歩〉

[着眼] happens に注目
[ア]（　　）は happens の主語にあたるから，（　　）には名詞のはたらきを持つ語が入る。選択肢の中で，名詞のはたらきを持つのは②と④。[イ]**whatever** を入れれば「何が…しようとも」という**譲歩**を表す**副詞節**になり，意味が通る。whoever は「誰が…しようとも」という意味なので，意味が通らない。

[一緒に確認] whoever, whichever, whatever,〈whatever＋名詞〉には，「（たとえ）…しようとも」という意味の〈譲歩〉の副詞節をつくる用法もある。→ Check 21

Section 59 複合関係副詞

235 whenever 「…するときはいつでも」

[着眼] I have free time が完全な文であることに注目
[ア]選択肢から，空所には複合関係詞が入るとわかる。[イ]空所のあとに続く I have free time は完全な文なので，空所には複合関係代名詞ではなく**複合関係副詞**が入る。[ウ]「私は暇な時間がある」という意味から，空所には〈時〉に関係する語が入ると考えられるので，① **whenever**「…するときはいつでも」が正解。

[一緒に確認] 〈場所〉を表す **wherever** は「…するところならどこでも」の意味。
You can put the picture wherever you like.
（その写真をどこでも好きなところに置いていいですよ）

236 wherever 「どこへ…しようとも」〈譲歩〉

[着眼] you go に注目
[ア]you go は〈S＋V〉の文で，文の要素がそろっているので，（　　）は副詞のはたらきをする。また，（　　）はコンマの前後の2文をつなぐはたらきも果たしている。[イ]この2つのはたらきを持っている語は④ wherever だけ。**wherever** は「…するところならどこでも」という意味のほかに，「どこへ…しようとも」という譲歩の意味もある。ここでは後者の意味で使われている。

237 however＋形容詞［副詞］ 「どんなに…でも」

[着眼] however に注目
[ア]however があるので，**〈however＋形容詞［副詞］〉**「どんなに…でも」という譲歩を表す副詞節をつくると考える。[イ]However のあとに形容詞 difficult を置き，その後ろに〈S＋V〉を続ける。

[誤答] However the problem might be difficult とする誤りが多い。「どんなに困難であっても」という意味をつくるので，however と difficult を離してはいけない。

[ココも注目] 同じ意味を **〈no matter how＋形容詞［副詞］＋S＋V〉** で表せる。→ 238
＝ No matter how difficult the problem might be, ...

▶ 用語解説（解説サイト） 「譲歩」

解答　233 ②　234 ②　235 ①　236 ④　237 However difficult the problem might be

Section 60

238 どんなに裕福だからといって，幸せとは限らない。 　[並べかえ] （専修大）

( )( )( ) rich a ( )( )( ), he may not always be happy.

[man / no / how / be / may / matter]

239 彼があなたに何を言っても，彼の言うことを信じるな。 （獨協大）

( )( )( )( )( ) to ( ), don't believe him.

[you / matter / says / what / he / no]

☑ **Check 24** 　no matter を使う表現を確認しよう！

- □ whatever 「何が［を］…しても」 　　　　= no matter what → **239**
- □ whoever 「誰が…しても」 　　　　　　 = no matter who
- □ whichever 「どちらが［を］…しても」 　 = no matter which
- □ whenever 「いつ…しても」 　　　　　　 = no matter when
- □ wherever 「どこで［へ］…しても」 　　　= no matter where
- □ however ＋形容詞［副詞］「どれほど…でも」= no matter how ＋形容詞［副詞］ → **238**

Section 61

240 Children should not have more money ( ) is needed. （東洋大）

① it 　② but 　③ because 　④ than

241 The police were careful not to (as / the / they / mistake / make / same) did before. （獨協大）

242 I fell asleep when I tried to do my homework in bed last night, ( ) is often the case. （近畿大）

① as 　② when 　③ for 　④ what

---

240 子どもたちは必要以上のお金を持つべきではない。

241 警察は，前に犯した過ちと同じ過ちを犯さないように気をつけていた。

242 私は，昨夜ベッドで宿題をしようとしたとき，よくあることだが，眠ってしまった。

Section 62 〈原級を用いた基本表現〉

☑ Check 25 最初に原級を用いた比較の基本を確認しよう！

He is tall. ＋ I am tall.
tall「背の高さ」を〈比較の観点〉として he を I（比較の基準）と比べる。
・I と比較して，he と I の背の高さが同等なら，〈as ＋原級＋ as ...〉を用いる。
　→ He is as **tall** as I am.
・I と比較して，he が I ほど背が高くない場合には，〈not as[so] ＋原級＋ as ...〉を用いる。
　→ He is not as **tall** as I am.
※〈比較の観点〉となる語は**形容詞**か**副詞**。

Field 1 文法

---

243 **as ＋原級＋ as ...** 「…と同じくらい～」

着眼 as, than に注目
❼ 選択肢に as や than が含まれているので，比較の問題だと判断する。❶〈as ＋原級＋ as ...〉か〈比較級＋ than ...〉が正しい形なので，④が正解。
Vocab adorable「（動物や子どもなどが）かわいらしい」

244 **not as[so] ＋原級＋ as ...** 「…ほど～ない」

着眼 as, not, so に注目
❼ 主語 Those big tomatoes に対応する述語動詞は are。❶ 語群に as, not, so があるので，〈not as[so] ＋原級＋ as ...〉「…ほど～ない」の比較表現を用いると考える。「…ほど安くない」となると判断し，are not so cheap as ... の語順にする。
《ココも注目》 these little ones の **ones** は tomatoes のことを表している。→ 609

245 **as ＋ many[much] ＋名詞＋ as ...** 「…と同じくらい多くの（名詞）」

着眼 much と strength の修飾関係に注目
❼ 選択肢に as が 2 つずつあるので，〈as ＋原級＋ as ...〉の比較の文だと判断する。❶ ただし，many や much を使って「…と同じくらい多くの（名詞）」と言うときは，〈as many[much] ＋名詞＋ as ...〉の形を使うので，②が正解。この形では，2 つの as の間に〈many[much] ＋名詞〉がセットで入ることに注意。
◎《一緒に確認》 数えられる名詞のときは〈as **many** ＋複数名詞＋ as ...〉，数えられない名詞のときは〈as ＋ **much** ＋単数名詞＋ as ...〉となる。

246 **as ＋形容詞＋ a[an] ＋名詞＋ as ...** 「…と同じくらい～な（名詞）」

着眼 2 つの as と a に注目
❼ 語群を見て，〈as ＋原級＋ as ...〉の比較の文だと判断する。He と his father を比べるのだから，He is as ... as his father. とする。❶ 2 つの as の間に a nice person を挟むときは，as nice a person as とする。まず〈as ＋原級〉がきて，その後ろに〈a[an] ＋名詞〉を置くことに注意。〈as ＋形容詞＋ a[an] ＋名詞＋ as ...〉で「…と同じくらい～な（名詞）」を表す。

解答 **243** ④ **244** are not so cheap as **245** ② **246** as nice a person as

247　今日の人々は100年前にくらべ6倍の水を使っています。　[並べかえ]（東洋大）

People today (six / as much / using / water / are / times / as) 100 years ago.

☑ Check 26　分数を使った比較表現を確認しよう！

分数を英語で表す場合，分子を基数 (one, two, ...)，分母を序数 (third, fourth, ...) で表し，〈分子→分母〉の順にする。

□ **one third** as large as ...　　「…の3分の1の大きさ」
□ **half** as expensive as ...　　「…の半分の値段」※「2分の1」はhalfを用いるのがふつう。
□ **a quarter** as heavy as ...　　「…の4分の1の重さ」
□ **three quarters** as thick as ...　　「…の4分の3の太さ［厚さ］」
□ **three fourths** as deep as ...　　「…の4分の3の深さ」
　　　　　　　　　　　　　※分子が2以上の場合は，分母を表す序数を複数形にする。

248　The new hotel building is (　　) the old one.　　（金城学院大）
　　① as twice tall as　　② higher twice than
　　③ twice as tall as　　④ as tall as twice

249　This island is almost (　　) that one.　　（創価大）
　　① as three times as　　② three times the size of
　　③ three times of　　④ larger three times than

250　"To sell this product, you need to call (　　) you can," said the manager.
　　① as many people　　② as many people as　　（鹿児島大）
　　③ as more people　　④ as more people as

---

248 その新しいホテルの建物は古いホテルの建物の2倍の高さだ。
249 この島はあの島のほぼ3倍の大きさだ。
250 「この製品を売るためには，君（たち）はできるだけ多くの人々に電話をかける必要がある」と部長は言った。

Section 63・倍数表現

[247] X times as ＋原級＋ as ... 「…の X 倍〜」

[着眼] times, as much に注目

[ア]「水を使っている」は，are using water という現在進行形で表す。[イ]「6 倍の水」は，times と 2 つの as があることから，〈**X times as ＋原級＋ as ...**〉「…の X 倍〜」という倍数表現を用いる。[ウ]ただし，as much の much は water を修飾する形容詞なので，[245] の形を使って as much water as とする。全体で，「…に比べて 6 倍の水を使っている」は are using six times as much water as ... となる。

[一緒に確認] 「…の 6 分の 1 の水」を表す場合は，分数を表す one sixth を as much water as ... の前に置く。
one sixth as much water as ...「…の 6 分の 1 の水」

[248] twice as ＋原級＋ as ... 「…の 2 倍〜」

[着眼] 選択肢の twice に注目

[ア]選択肢から，新しいホテルと古いホテルの建物の高さを比べて「新しいほうは古いほうの 2 倍高い」と言っているとわかる。[イ]「…の X 倍〜」は〈X times as ＋原級＋ as ...〉で表すが，「…の 2 倍〜」の場合は X times を twice にした〈**twice as ＋原級＋ as ...**〉を用いる。

[249] 名詞を用いた倍数表現 X times ＋ the size of ... 「…の X 倍の大きさ」

[着眼] three times に注目

[ア]選択肢から，「この島はあの島の約 3 倍の大きさだ」という意味が推測できる。[イ]「…の X 倍〜」は〈X times as ＋原級＋ as ...〉と表せる（→ [247]）が，適する選択肢がない。[ウ]「…の X 倍の大きさ」は，size「大きさ」という名詞を使って**X times the size of ...** とも表せるので，②が正解。size のほか，length「長さ」，weight「重さ」，number「数」，amount「量」などを使って同様の表現を作ることができる。

[ココも注目] ②は three times **as large as** と書きかえられる。

Section 64・原級を用いた慣用表現

[250] as ... as *one* can 「できるだけ…」

[着眼] you can に注目

[ア]選択肢に as が含まれ，空所のあとに you can があることから，**as ... as *one* can**「できるだけ…」を用いる。[イ]また，選択肢に名詞 people が含まれているので，〈as ＋ many ＋名詞＋ as ...〉「…と同じくらい多くの（名詞）」（→ [245]）の形になっている②が正解。call as many people as you can で「できるだけ多くの人々に電話をかける」という意味。as ... as possible（→ [251]）と交換可能。

解答　[247] are using six times as much water as　[248] ③　[249] ②　[250] ②

251 If you learn by heart (　　), you will certainly get a higher score on the test.

(専修大)

① as many as English proverbs
② as many English proverbs possible
③ English proverbs as many as possible
④ as many English proverbs as possible

252 Only half of the shops opened this year have attracted as many (　　).

① as customers expecting
② as expected customers
③ expected as customers
④ customers as expected

(福岡大)

253 (　　) two million people gathered to listen to the new president's speech.

(獨協大)

① So as many
② As so many
③ So many than
④ As many as

List 31 〈as ... as ＋数詞〉のまとめ

□ **as many as** ＋数詞	「…も（多く）の」	数の多さを強調 → 253
□ **as much as** ＋数詞	「…も（多く）の」	量の多さを強調 → 253
□ **as few as** ＋数詞	「わずか…」	数の少なさを強調
□ **as little as** ＋数詞	「わずか…」	量の少なさを強調

---

254 Ken is not so much a scholar (　　) a businessman.

(青山学院大)

① at
② as
③ with
④ of

255 He is so shy that he cannot so (　　) as greet his neighbors.

(金城学院大)

① less
② much
③ proud
④ shy

---

251 できるだけ多くの英語のことわざを暗記すれば，きっとテストでより高い点が取れるでしょう。

252 今年開店した店の半数しか，期待したほど多くの客を引きつけられなかった。

253 200万もの人が新大統領の演説を聴きに集まった。

254 ケンは学者というより実業家だ。

255 彼はとても内気なので，近所の人に挨拶すらできない。

Field 1 文法
Field 2 語法
Field 3 イディオム
Field 4 会話・表現
Field 5 ボキャブラリー
Field 6 英文構造

251 as ... as possible 「できるだけ…」

[着眼] as, possible に注目

㋐選択肢に as と possible が含まれているので, **as ... as possible**「できるだけ…」を用いる。㋑many は English proverbs「英語のことわざ」を修飾していると考え,〈as + many +名詞+ as ...〉「…と同じくらい多くの(名詞)」(→ 245) の形になっている④を選ぶ。

((ココも注目)) ④は **as** many English proverbs **as you can** と書きかえることができる。→ 250

252 as ... as expected 「期待されたほど…」

[着眼] as, expect に注目

㋐選択肢に as と expect が含まれているので, **as ... as expected**「期待されたほど…」が用いられていると考える。㋑many は customers「客」を修飾していると考え,〈as + many +名詞+ as ...〉(→ 245) の形になる④を選ぶ。

((ココも注目)) only は〈数量〉などと用いて「たった…, …だけ」の意味を表す。

((ココも注目)) opened this year は前の the shops を修飾する過去分詞句。→ 172

the shops [opened this year]

253 as many as +数詞 「…も(多く)の」: 数の多さを強調

[着眼] as, many と two million に注目

㋐空所以下は「200万人が新大統領の演説を聴きに集まった」という意味。㋑two million という数詞の前に as と many を用いた表現が入るのだから,〈**as many as** +数詞〉「…も(多く)の」を用いる。数の多さを強調する表現で,「200万もの人」の意味になる。

[一緒に確認] 〈**as much as** +数詞〉は量の多さを強調して「…も(多く)の」の意味。
He spent **as much as** a million yen in one night.
(彼は一晩で100万円も使った)

254 not so much A as B 「Aというよりは(むしろ)B」

[着眼] not so much がある

not so much A as B で「Aというよりは(むしろ)B」の意味を表す。

((ココも注目)) not so much A as B は **B rather than A** で書きかえ可能。

Ken is not so much *a scholar* as *a businessman.*
= Ken is *a businessman* rather than *a scholar.* ※AとBの位置に注意。

255 not so much as *do* 「…さえしない」

[着眼] cannot so, as に注目

not so much as *do* で「…さえしない」という意味を表す。

((ココも注目)) so shy that ~は **so ... that** ~「とても…なので~」の形。→ 361

[一緒に確認] 「…さえせずに」は **without so much as *doing*** で表す。これは not so much as *do* を副詞句にした形。

解答 251 ④ 252 ④ 253 ④ 254 ② 255 ②

Section 65

[動画]

STRATEGY 19　than の前は比較級

The population of Japan is (　　) Ⓐ than that of the United Kingdom.
① a little large　② more large　③ the largest　④ larger　（椙山女学院大）

[解き方]

[ア] 比較の構文を確認する：Ⓐ **than** がある。
➡ 〈比較級＋ **than ...**〉「…よりも～」の形。
[イ] 形容詞・副詞の変化形に注意する：large - larger - largest と変化。
➡ 比較級は④ **larger**。

訳：日本の人口は，英国の人口よりも多い。

[注目] **比較級を用いた比較の問題のポイント**

▶ 比較級＋ than ...「…よりも～」
比較級は原級に -(e)r をつけるものと，原級の前に more をつけるものとがある。
▶ 何と何を比較しているのかを意識する。
▶ 比較級を用いた慣用表現は頻出事項。

256 [動画] ニュージーランドでの車の価格は，ほかの多くの国々より高い。
Car prices in New Zealand (are / other countries / higher / in / many / than).　[並べかえ]（金沢工業大）

257 John is (　　) taller than me.　（関西学院大）
① more　② much　③ very　④ much more

258 He (he / mountains / less / often / than / climbs) used to.　（日本大）

259 シェイクスピア劇公演は我々の予想以上に多くの観客を集めた。（1 語不足）　（西南学院大）
The Shakespeare performance (audiences / had / larger / expected / attracted / we).

---

257 ジョンは私よりはるかに背が高い。
258 彼は以前ほど頻繁に山登りをしていない。

Section **65** 〈 比較級を用いた基本表現 〉

256 **比較級＋ than ...** 「…よりも～」

着眼 何と何を比較するのかを意識する

ア「～は…より高い」は〈比較級＋ than ...〉を用いて表す。**イ**語群には higher と than があるので，are higher than ... とする。**ウ**日本語は「ほかの多くの国々より」となっているが，「ほかの多くの国々での車の価格より」ということで，比較するものは，car prices in New Zealand と car prices in many other countries である。car prices は共通なので省略されるが，in は省略できない。

257 **比較級の強調** much ＋比較級「はるかに…」

着眼 後ろに比較級 taller がある

空所が比較級 taller の直前にあることと，選択肢の語句から，空所には比較級を強調する語(句)が入ると判断する。比較級を強調するには② much を用いる。

◎ **一緒に確認** 比較級の強調には much のほか，**far**, **a lot**, **still**, **even** なども用いられる。

258 **less ＋原級＋ than ...** 「…ほど～ない」

着眼 less, than に注目

ア less と than があるので，〈less ＋原級＋ than ...〉「…ほど～ない」を用いると判断する。原級の位置には副詞 often を置く。**イ** climbs mountains「山登りをする」の頻度を often で表していると考え，He climbs mountains less often than ...「彼は…ほど頻繁に山登りをしていない」という文にする。**ウ** 残った he は used to の主語にする。... than S used to は「以前よりも…」という意味 (→ 260)。

《 **ココも注目** 》〈less ＋原級＋ than ...〉は〈**not as[so]** ＋原級＋ **as ...**〉で書きかえられる。

= He does <u>not</u> climb mountains <u>as[so]</u> often <u>as</u> he used to.

259 **比較級＋ than S expect** 「S の予想以上に…」

着眼 expected に注目

ア「(人)を集める」は attract で表すので，「(…より) 多くの観客を集めた」は attracted larger audiences と表せる。**イ**「我々の予想以上に」は〈比較級＋ than S expect〉「S の予想以上に…」を使って表す。語群に than がないので，than を補う。**ウ** ただし，予想したのは観客を集めたときよりもさらに前のことだから，〈大過去〉を表す過去完了 (→ 20) を使って larger audiences than we **had expected** と表す。

《 **ココも注目** 》audience「観客」が「多い」「少ない」という場合には，**large**, **small** を用いて表す。→ 691

解答 **256** are higher than in many other countries **257** ② **258** climbs mountains less often than he **259** attracted larger audiences <u>than</u> we had expected（than 不足）

Field **1** 文法

Field **2** 語法

Field **3** イディオム

Field **4** 会話・表現

Field **5** ボキャブラリー

Field **6** 英文構造

260 彼の成績は以前よりもよい。　　　　　　　　　　　　　　　並べかえ （中央大）

His grades (better / used / they / to / than / are) be.

Section 66

261 I prefer staying at home (　　) going out on Sundays.　　　　（大妻女子大）

① in　　② than　　③ to　　④ for

262 This computer is technically (　　) to its competitors.　　　（中央大）

① quicker　　② superior　　③ more efficient　　④ faster

List 32　比較の相手の前に to を用いる表現

☐ **superior to** ...　　「…よりも優れている」→ 262
☐ **inferior to** ...　　「…よりも劣っている」
☐ **senior to** ...　　「…よりも年上［先輩／上位］である」
☐ **junior to** ...　　「…よりも年下［後輩／下位］である」
☐ **prefer** A **to** B　　「B よりも A を好む」→ 261

Section 67

263 太陽は地球の 100 万倍以上の大きさがあります。　　　　　　（松山大）

The sun is (of / the size / one million / times / more than) the earth.

264 5日もしないうちに，奇跡のように彼の病気は完治した。　　適語補充 （日本大）

In (　　　　　　) (　　　　　　) (　　　　　　) days, he miraculously
recovered from his illness.

---

261 日曜日には出かけるより家にいるほうが好きだ。
262 このコンピュータはライバル機種よりも技術的に優れている。

260 **比較級＋ than S used to (do)** 「以前よりも…」

[着眼] 比較級 better, than と used to に注目

㋐「…よりもよい」は are better than ... で表す。㋑「以前よりも」は used to be「以前は…だった」を用いて，〈than S used to be〉の形で表す。㋒used to be に対する主語は his grades なので代名詞 they を用いる。〈比較級＋ **than S used to (do)**〉は「以前よりも…」という意味を表す。

《ココも注目》used to do の do は省略できるが，do ＝ be の場合は省略しない。

He works harder than he <u>used to</u> (work). （彼は以前より熱心に働く）

Section 66 〈 **比較の相手の前に to を用いる表現** 〉

261 **prefer A to B** 「B よりも A を好む」

[着眼] prefer に注目

prefer A to B の形で「B よりも A を好む」という意味を表す。よって③が正解。ここでは A ＝ staying at home，B ＝ going out。

262 **superior to ...** 「…よりも優れている」

[着眼] to its competitors に注目

㋐選択肢に比較級が使われているので，比較の文だと判断する。This computer「このコンピュータ」と its competitors「そのライバル機種」を比べている。㋑しかし，比較の相手である its competitors の前に than ではなく to が置かれているので，**superior to ...**「…よりも優れている」を用いた文になると判断できる。

Section 67 〈 **数量を表す表現** 〉

263 **more than ＋数詞** 「…より多く」

[着眼] more than に注目

㋐「太陽は…の大きさがあります」は「太陽は…の大きさである」と考え，The sun is the size of ... と表す。㋑「…の X 倍の大きさ」は 249 の形を使って X times the size of ... と表す。「100 万倍」は one million times。㋒「…以上」は〈**more than ＋数詞**〉「…より多く」で表せるので，「100 万倍以上」は more than one million times とする。

《ココも注目》more than A は便宜上「A 以上」と訳すことが多いが，厳密には A は含まない。

<u>more than</u> 15 people「15 人より多く」＝「16 人以上」

264 **less than ＋数詞** 「…未満」

[着眼] 「…もしないうちに」に注目

「5 日もしないうちに」は「5 日未満で」と考え，〈**less than ＋数詞**〉「…未満」を用いて In less than five days と表す。

Field
2
語法

Field
3
イディオム

Field
4
会話・表現

Field
5
ボキャブラリー

Field
6
英文構造

解答 260 are better than they used to 261 ③ 262 ②
263 more than one million times the size of 264 less than five

265 その列車にはたった 8 人の乗客しかいなかった。(1 語不要) 【並べかえ】

There were (more / eight / than / no / only) passengers on the train.

(鶴見大)

266 A：What an excellent picture this is! It must be expensive. 【適語補充】

B：Yeah. It will probably cost no less (　　　　　) $10,000. (福島大)

List 33 no / not のあとに比較級を続ける表現のまとめ

- □ **no more** than ＋数詞「わずか…，…しかない」→ **265**　　=□ **only** ...
- □ **no less** than ＋数詞「…も (たくさん)」→ **266**　　=□ **as many as** ＋数詞
- 　　　　　　　　　　　　　　　　　　　　　　　=□ **as much as** ＋数詞
- □ **not more** than ＋数詞「多くても…，せいぜい…」　=□ **at most** ＋数詞
- □ **not less** than ＋数詞「少なくても…」　　　　　=□ **at least** ＋数詞

Section 68

267 My grandfather is (　　) than kind. (東京工芸大)

　① gentler　　② much gentle　　③ more gentler　　④ more gentle

268 I have never seen the report, much (　　) read it. (中央大)

　① better　　② less　　③ more　　④ worse

---

266 A：これは何とすばらしい絵でしょう！　それは高いに違いありません。

　　B：ええ。おそらく 1 万ドルはするでしょう。

267 祖父は親切というよりはむしろ温和だ。

268 その報告書は見たことがない。まして読んだことなどない。

265 **no more than ＋数詞** 「わずか…，…しかない」

着眼 no に注目

㋐「たった 8 人の」を表す語句をつくる。㋑〈no more than ＋数詞〉で「わずか…，…しかない」という意味を表すので，no more than eight とする。〈no more than ＋数詞〉は「…より多いということはまったくない」ということから，数量の少なさを強調する表現。only が不要。

266 **no less than ＋数詞** 「…も（たくさん）」

着眼 no less に注目

㋐A の It must be expensive.「それ（＝絵）は高いに違いない」という発言に対して B が Yeah. と答えているのだから，no less（　）$10,000 は高額であることを強調する表現になるはず。㋑数量の多さを強調する表現〈no less than ＋数詞〉「…も（たくさん）」にする。no less than は less than …「…より少ない」を強く否定している表現で，「…より少ないということはまったくない」ということから，数量の多さを強調する場合に用いる。

Section 68 比較級を用いた慣用表現

267 **more A than B** 「B というよりは（むしろ）A」

着眼 than kind に注目

㋐主語の My grandfather「祖父」と，than の後ろの kind「親切な」を比べるのはおかしいので，この文はふつうの〈比較級＋ than …〉の文ではないとわかる。㋑そこで，祖父の性格について「kind というよりは gentle だ」と言っていると判断し，more A than B「B というよりは（むしろ）A」の形である④を選ぶ。A が -er 型の形容詞でも〈more ＋原級〉の形をとることに注意。

《ココも注目》 more A than B ＝ A rather than B ＝ not so much B as A（→ **254**）
My grandfather is more *gentle* than *kind*.
＝ My grandfather is *gentle* rather than *kind*.
＝ My grandfather is not so much *kind* as *gentle*. ※ A と B の位置が変わることに注意。

268 **否定文 , much[still] less …** 「まして…ない」

着眼 否定文のあとに〈, much〉がある

㋐否定文に〈, much〉が続いていることに注目。㋑〈否定文, much less …〉「まして…ない」の形になると判断する。much の代わりに still が用いられることもある。

誤答 ③ more を使った much more … は，肯定的な内容の文に続いて「まして [なおさら] …だ」という意味を表す。

◎一緒に確認 〈否定文＋ let alone …〉「…はもちろん，…どころか」でも同じ意味を表せる。→ **719**

解答 **265** no more than eight（only 不要） **266** than **267** ④ **268** ②

269 あの川はあまりに汚染されてしまったので，もうその水を飲料水に使うことはできない。 (成城大)

That river has become so polluted that it can (　　) be used as a source of drinking water.

① no less ② much more ③ more or less ④ no longer

270 We couldn't afford to ①wait any ②long, or we ③would have missed our train. 誤文指摘 (西南学院大)

271 His excuse is (　　) believable than mine. (立命館大)

① as ② no less ③ not ④ so

272 I can (　　) play the violin than my sister can. Neither of us ever learned how to play. (畿央大)

① no more ② no much ③ not much ④ rather

273 You should know (　　) than to ask about that sensitive matter. (専修大)

① well ② better ③ more ④ worse

---

270 私たちはもはや待つ余裕はなかった。待っていたら電車に乗り損ねただろう。

271 彼の言い訳は私の言い訳と同様に真実味がある。

272 私は姉［妹］と同様にヴァイオリンが弾けない。私たちは弾き方を一度も習ったことがないのだ。

273 きみはそのデリケートな問題について尋ねたりするほど愚かではないはずだ。

Field **1** 文法

269 no longer ... 「もはや…ない」

着眼 「もう…できない」に注目

㋐この文は，so ... that ～「あまりに…なので～」の構文（→ **361**）。「もうその水を飲料水に使うことはできない」は that 以下に表されている。㋑can と be used の間に「もはや…ない」を表す④ no longer を入れる。

《ココも注目》 no longer ... は not ... any longer と同意。→ **270**
It can**not** be used as a source of drinking water <u>any longer</u>.

選択肢 ② much more ...「（肯定的内容のあとで）まして［なおさら］…だ」（→ **268**），③ more or less「多かれ少なかれ，ほぼ…」

270 not ... any longer 「もはや…ない」

着眼 couldn't, any に注目

㋐後半の意味「さもないと私たちは電車に乗り損ねただろう」と前半の〈not + any〉から，not ... any longer「もはや…ない」が用いられていると考える。㋑long は longer にすれば正しい。not ... any longer は no longer ...（→ **269**）と同意。

《ココも注目》 **cannot afford to *do*** は「…する（金銭的・時間的）余裕がない」の意味。→ **74**
would have missed は仮定法過去完了→ **83**。実際には，電車に乗り損ねてはいない。

271 no less ... than A 「A と同様に…である」

着眼 than に注目

than があるので，比較級 less が使われている② no less が正解。no less ... than A で，「A と同様に…である」という意味を表す。

注目 His excuse is **less** believable **than** mine.
(彼の言い訳は私の言い訳ほど真実味がない)
His excuse is 「no」 **less** believable **than** mine.
(彼の言い訳は私の言い訳と同様に真実味がある)
※ less を no で否定すると「『私の言い訳ほど真実味がない』などということはまったくない」となり「私の言い訳と同様に真実味がある」という意味になる。

272 no more ... than A 「A と同様に…でない」

着眼 than に注目

㋐2 文目に「私たちは弾き方を一度も習ったことがないのだ」とあるので，「私」も「姉［妹］」もヴァイオリンが弾けないことがわかる。㋑no more ... than A「A と同様に…でない」を用いれば，「私は姉［妹］が弾けないのと同様にヴァイオリンが弾けない」となる。

273 know better than to *do* 「…するほど愚かではない」

着眼 know, than, to ask に注目

know better than to *do*「…するほど愚かではない」という慣用表現。know better than to *do* は「…するよりも物事がよくわかっている」，つまり「…するほど愚かではない」という意味になる。

解答　**269** ④　**270** ②（long → longer）　**271** ②　**272** ①　**273** ②

274 I like her (　　) better for her shyness. （松山大）
① the very　　② the all　　③ all the　　④ very the

275 She spent a month in the hospital, but she is (　　) the better for it.
① even　　② by far　　③ none　　④ still　　（兵庫医療大）

276 The deeper we went into the cave, (　　) the path became. （近畿大）
① as narrow as ever　　② narrower
③ the narrower　　④ the narrowest

277 最近の研究成果によると，睡眠不足になればなるほど肥満になりやすい。
動画 According to recent findings, (you / you / more weight / the less / the / sleep, / gain). 並べかえ （愛知工業大）

278 This piano is (　　) better of the two. （関西学院大）
① a　　② the　　③ too　　④ very

---

274 彼女は内気なので，いっそう私は彼女が好きなのだ。
275 彼女は病院で1か月を過ごしたが，そうだからといって彼女は少しもよくなっていない。
276 洞窟の奥に行けば行くほど，道は狭くなった。
278 このピアノはその2台のうちのよりよいほうだ。

Section 69 〈the +比較級〉を用いた表現

274 all the +比較級+ for ... 「…なのでますます～」

[着眼] 空所のあとに〈比較級+ for ...〉がある

〈**all the +比較級+ for ...**〉で「…なのでますます～」の意味。shyness は「内気」の意味。「彼女は内気なので，いっそう私は彼女が好きなのだ」となる。

[ココも注目] 〈all the +比較級+ for ...〉は〈**all the +比較級+ because SV**〉で書きかえられる。
I like her all the better because she is shy.

275 none the +比較級+ for ... 「…だからといって少しも～ない」

[着眼] but に注目

[ア] 前半の「彼女は病院で1か月を過ごした」のあとに but があるので，後半は「彼女はよくなっていない」の意味になるはず。[イ] ③ none を入れれば，〈**none the +比較級+ for ...**〉「…だからといって少しも～ない」の形になる。

276 the +比較級 ..., the +比較級 ～ 「…すればするほど，ますます～」

[TOP 100]

[着眼] The deeper に注目

文頭に The deeper があることから〈**the +比較級 ..., the +比較級 ～**〉「…すればするほど，ますます～」の構文だと判断し，③ the narrower を選ぶ。

[一緒に確認] 比較級が〈more +原級〉の形をとる場合の語順に注意。
The more dangerous the mountain is, the more he wishes to conquer it.
（その山が危険であればあるほど，彼はそれを征服したくなる）

277 the +比較級 ..., the +比較級 ～ 〈the +比較級〉のあとは〈主語+動詞〉が続く

[着眼] the less と the more に注目

[ア] 〈the +比較級 ..., the +比較級 ～〉「…すればするほど，ますます～」の構文を用いる。[イ] 〈the +比較級〉のあとにはそれぞれ〈主語+動詞〉が続く。[ウ] 「睡眠不足になればなるほど」は the less に you sleep, を続ける。[エ] コンマのあとには「(ますます) 肥満になる」の部分を続けるので the more weight を置き，you gain を続ける。

278 the +比較級+ of the two 「2つ［2人］のうちのより…なほう」

[着眼] 空所のあとの better of the two に注目

比較級 better のあとに than ... ではなく of the two がきているので，〈**the +比較級+ of the two**〉「2つ［2人］のうちのより…なほう」の形だと判断する。ある範囲の中で最も程度の高いものを表すには最上級を用いるが，2つ［2人］のうちのより程度の高いものを表す場合には，〈the +比較級+ of the two〉を用いる。この表現では比較級の前に the を置くことに注意。

解答 274 ③ 275 ③ 276 ③ 277 the less you sleep, the more weight you gain 278 ②

STRATEGY 20 「〜の中で最も…」は最上級 　　　　　　　　　　　　　　　　　　　　　　 動画

Taro is ⒜the (　　) person ⒝in our class. 　　　　　　　　　　　（神奈川大）
① too tall　　② taller　　③ so tall　　④ tallest

(解き方) ⓐ 比較の構文を確認する：(　　) の前に⒜ **the** があり，文末に⒝ **in our class**
　　　がある。━━▶「〜の中で最も…」を表す〈**the** ＋最上級＋ **in** 〜〉の形。
　　　ⓑ 形容詞・副詞の変化形に注意する：tall - taller - tallest と変化。
　　　━━▶ 正解は④ **tallest**。

　　　　　　　　　　　　　　　　　　　　　　　　訳：タロウはうちのクラスで一番背が高い人だ。

(注目) 最上級を用いた比較の問題のポイント

　▶〈the ＋最上級＋ in[of] 〜〉「〜の中で最も…」
　　最上級は原級に -(e)st をつけるものと，原級の前に most をつけるものと
　　がある。
　▶ 最上級には基本的に the をつける。※副詞にはつけないこともある。
　▶〈in ＋集団・範囲〉と〈of ＋複数〉の使い分けに注意。

279 Of the three, Denis is (　　) student. 　　　　　　　　　　（畿央大）
　　① a more diligent　　　　　② a most diligent
　　③ the more diligent　　　　④ the most diligent

280 The last question was (　　) one for the students to answer. Only
　　Jennifer marked the correct answer. 　　　　　　　　　　　（日本大）
　　① easier　　② less easy　　③ the easiest　　④ the least easy

281 In terms of population, India is the second (　　) country in the world.
　　① large　　② larger　　③ largest　　④ largely 　　　　（中村学園大）

282 ナオミは私がこれまでに会った中で最も才能のある人だ。 　　　並べかえ
　　Naomi (have / I / is / most / person / talented / the) ever met. 　（京都女子大）

---

279 3人の中で，デニスがいちばん勤勉な生徒だ。
280 最後の問題は生徒にとって答えるのが最も易しくなかった。正しい答えにマークしたのは
　　ジェニファーだけだった。
281 人口の点で言えば，インドは世界で2番目に大きな国だ。

Section 70 ⟨ 最上級を用いた基本表現 ⟩

279 the ＋最上級＋ in[of] ～ 「～の中で最も…」

着眼 Of the three に注目

㋐文頭の Of the three と選択肢の内容から，「3人の中で，デニスがいちばん勤勉な生徒だ」という意味だと判断する。❶「～の中でいちばん…」は〈the ＋最上級＋ in[of] ～〉で表す。diligent「勤勉な」の最上級は most diligent だから，④が正解。

280 the least ＋原級 「最も…でない」

着眼 2 文目の文意に注目

㋐2 文目には「正しい答えにマークしたのはジェニファーだけだった」とあるので，最後の問題は難問だったはず。❶「最も易しくない」という意味になる④ the least easy が正解。〈the least ＋原級〉は「最も…でない」の意味。

◎ 一緒に確認 less ＋原級＋ than ... 「…ほど～ない」→ 258

《ココも注目》 空所のあとの one は question を受けた代名詞。→ 607

281 the second ＋最上級 「2 番目に…」

着眼 the second, in the world に注目

空所の直前に the second があり，空所のあとには比較の範囲を表す in the world があるので，最上級を用いた〈the second ＋最上級〉「2 番目に…」の形にする。

282 the ＋最上級＋名詞＋ (that) S have ever ＋過去分詞 「これまでに…した中で最も～な (名詞)」

着眼 「これまでに…した中で最も～な人」に注目

㋐「これまでに…した中で最も～な (名詞)」は，〈the ＋最上級＋名詞〉のあとに関係代名詞節を続けて表す。「最も才能のある人」は the most talented person。❶語群にthat がないので，関係代名詞は省略されていると考え，I have ever met「私がこれまでに会った」を続ける。

注目 Naomi is <u>the most talented person</u> <u>(that) I have ever met</u>.
関係代名詞節

解答 **279** ④ **280** ④ **281** ③ **282** is the most talented person I have

283 That was ( ) the worst meal I had ever had. （関西学院大）
① near by ② by far ③ more ④ very

Section 71

284 今まで観たすべての映画の中で，これほど感動したものはほかにはなかった。
Of all the movies I've ever seen so far, (me / has moved / other / so much / no) as this one. 並べかえ （日本大）

285 In physics no person is ( ) than Albert Einstein. （藤女子大）
① as important ② important
③ more important ④ so important

286 朝の浜辺の散歩よりも快適なものはない。 （東洋大）
Nothing (walking / pleasant / is / on the beach / than / more) in the morning.

List 34 原級や比較級を用いて最上級の意味を表す

・原級を用いる
☐ **No (other)** ＋単数名詞＋ **is as[so]** ＋原級＋ **as A.** 「A ほど…な(名詞)は(ほかに)ない」
→ 284

☐ **Nothing is as[so]** ＋原級＋ **as A.** 「A ほど…なのは何もない」

・比較級を用いる
☐ **No (other)** ＋単数名詞＋ **is** ＋比較級＋ **than A.** 「A よりも…な(名詞)は(ほかに)ない」
→ 285

☐ **Nothing is** ＋比較級＋ **than A.** 「A よりも…なのは何もない」 → 286
☐ **A is** ＋比較級＋ **than any other** ＋単数名詞. 「A はほかの(名詞)よりも…だ」→ 287
☐ **A is** ＋比較級＋ **than anything else.** 「A はほかのものよりも…だ」

---

283 あれは今までに食べた中でずばぬけて最悪の食事だった。
285 物理学の分野でアルバート・アインシュタインよりも重要な人物はいない。

[283] 最上級の強調 by far + the +最上級「ずばぬけて…」

[着眼] the worst に注目

[ア] the worst meal I have ever had は「これまでに…した中で最も～な（名詞）」（→ [282]）の形。[イ]〈the +最上級〉の前に **by far** を置くと，**最上級を強調**することができるので，②が正解。by far の代わりに much を使うこともできる。また，very を使う場合は，〈the very +最上級〉の語順になることに注意。

[ココも注目] worst は bad の最上級。bad － worse － worst と不規則に変化する。

[一緒に確認] 比較級を強調するときは far を使う（→ [257]）。by はつかないことに注意。

Section 71 原級や比較級を用いて最上級の意味を表す

[284] No (other) ＋単数名詞＋ is as[so] ＋原級＋ as A. 原級を用いて最上級の意味を表す

[着眼] Of all ... so far に注目

[ア]「これほど感動したものはほかにはなかった」の部分を並べかえる。[イ] 最上級の意味を表しているが，語群に最上級はなく，（　）のあとに as があることから，原級を用いて最上級の意味を表す **〈No (other) ＋単数名詞＋ is as[so] ＋原級＋ as A.〉「A ほど…な（名詞）は（ほかに）ない」**の形を使う。other は other movie のこと。

[ココも注目] **so far**「今までのところ」→ [963]，move「…を感動させる」

[285] No (other) ＋単数名詞＋ is ＋比較級＋ than A. 比較級を用いて最上級の意味を表す

[着眼] than に注目

[ア] than があるので比較級を用いる。[イ] important の比較級は more をつけるので③ more important が正解。**〈No (other) ＋単数名詞＋ is ＋比較級＋ than A.〉**で**「A よりも…な（名詞）は（ほかに）ない」**という意味になる。

[286] Nothing is ＋比較級＋ than A. 比較級を用いて最上級の意味を表す

[着眼] Nothing，more，than に注目

[ア] 語群に than，more があるので，比較級を用いて最上級の意味を表す。[イ] **〈Nothing is ＋比較級＋ than A.〉「A よりも…なのは何もない」**の形を用いる。[ウ] than のあとには walking on the beach in the morning「朝の浜辺の散歩」を続ける。

解答　[283] ②　[284] no other has moved me so much　[285] ③
[286] is more pleasant than walking on the beach

287 Mt. Fuji is higher than (   ) in Japan. （東洋大）
　　① no other mountain　　② no other mountains
　　③ any other mountain　　④ any other mountains

Section 72

288 One of (   ) about living abroad is being away from your friends and family. （中部大）
　　① the most challenging things　　② most challenging things
　　③ the most challenging thing　　④ most challenging thing

289 新しいコンピュータは以前のモデルに比べて少なくとも1キロ軽い。
The new computer is lighter than (one kilogram / at / least / the previous model / by).
並べかえ （広島国際大）

---

287 富士山は日本のほかのどの山よりも高い。
288 外国で暮らす上で最も大変なことの一つは，友人や家族と離れていることである。

287 A is ＋比較級＋ than any other ＋単数名詞． 比較級を用いて最上級の意味を表す

[着眼] other mountain に注目

[ア] 選択肢に other mountain(s)「ほかの山」が含まれていることから，富士山をほかの山と比べている文だとわかる。[イ] 富士山は「日本のほかのどの山」よりも高いのだから，③ any other mountain が正解。〈A is ＋比較級＋ than any other ＋単数名詞.〉で「A はほかのどの（名詞）よりも…だ」という意味を表す。

Section 72 最上級を用いた慣用表現

288 one of the ＋最上級＋複数名詞 「最も…な（名詞）のうちの一つ［一人］」

[着眼] One of，最上級に注目

[ア] one of ... は「…のうちの一つ［一人］」を表す言い方なので，〈...〉には複数名詞がくる。〈one of the ＋最上級＋複数名詞〉で「最も…な（名詞）のうちの一つ［一人］」を表す。[イ] 最上級の形容詞には the がつくので，正解は① the most challenging things。

《ココも注目》 is being の being は動名詞で，「…にいること」の意味。現在進行形ではない。

289 at least ＋数詞 「少なくとも…」

[着眼] at，least に注目

[ア] lighter than のあとには「以前のモデル」にあたる語句 the previous model を続ける。[イ] どのくらい軽いのか具体的な差は，前置詞 by を用いて表すことができる。（→ 327） [ウ]「少なくとも…」は〈at least ＋数詞〉と表す。

[一緒に確認] at least は文修飾の副詞句として「ともかく，せめて」の意味でも使われる。
I made a lot of mistakes, but at least I passed the exam.
（たくさん間違えたが，とにかく試験には合格した）

[一緒に確認] 〈at most ＋数詞〉は「多くても…」の意味。

▶ 用語解説（解説サイト）「文修飾の副詞句」

解答　287 ③　288 ①　289 the previous model by at least one kilogram

Section 73

290 He is supposed to arrive (　) the airport at 2:30.　　（亜細亜大）
① to　　② among　　③ with　　④ at

291 Prof. Larson's office is located (　) the fifth floor.　　（藤女子大）
① at　　② in　　③ of　　④ on

292 He looked at himself (　) the mirror.　　（北星学園大）
① for　　② in　　③ at　　④ about

at：点　　　　　　　on：面　　　　　　　in：空間

Section 74

293 They will visit us (　).　　（熊本県立大）
① seven o'clock　　　② in seven o'clock
③ at seven o'clock　　④ to seven o'clock

294 My family ①gathers together at a resort ②in the mountains ③every year ④in New Year's Day.　　誤文指摘　（早稲田大）

at：時の一点　　　on：曜日・日付　　　in：年・月・週

---

290 彼は 2 時 30 分に空港に到着することになっている。
291 ラーソン教授の研究室は 5 階にある。
292 彼は鏡の中の自分自身を見た。
293 彼らは 7 時に私たちを訪れるだろう。
294 私の家族は，毎年元日に，山あいにあるリゾートに集まる。

Section 73 ⟨ 場所を表す前置詞 (at / on / in) ⟩

290 ｜ **at** ｜ 広がりのない場所を表す at：場所を点としてイメージする

着眼 arrive に注目

㋐arrive は自動詞。㋑「…に到着する」は arrive at ... または arrive in ...で表すので，④ at が正解。at は場所を点としてイメージする場合に，in は広がりを持った空間としてイメージする場合に用いられる。ここでは the airport「空港」を到着する「点」ととらえているので，at が用いられている。

《ココも注目》 be supposed to *do* は「…することになっている」の意味。→ **911**

291 ｜ **on** ｜ 面としてとらえる on：接触している面をイメージする

着眼 floor に注目

㋐locate は「…を設置する」という意味の他動詞。be located の形で「位置している，ある」という意味を表す。㋑the fifth floor は「5 階」という意味。㋭「5 階に」を表すには，floor「階」という面のイメージから，④ on を用いるのが適切。前置詞 on は接触のイメージを持ち，水平面の上に乗っている状態だけでなく，水平面の下や垂直面にくっついている状態を表す場合にも用いられる。

（注目） There is a picture on the wall.（壁に 1 枚の絵が掛かっている）

292 ｜ **in** ｜ 場所を空間としてとらえる in：広がりのある空間をイメージする

着眼 「鏡の中」のとらえ方を考える

looked at himself （　　） the mirror は「鏡の中の自分自身を見た」という意味だと考え，「鏡の中」という広がりのある空間に存在する状態を表す② in を選ぶ。

Section 74 ⟨ 時を表す前置詞 (at / on / in) ⟩

293 ｜ **at** ｜ 時の一点を表す at：時を点としてイメージする

着眼 「7 時」のイメージに注目

seven o'clock「7 時」という時刻は，時間軸の中の「点」としてイメージされるので，時の一点を表す at を用いる。よって，③ at seven o'clock が正解。

294 ｜ **on** ｜ 曜日や日付を表す on

着眼 New Year's Day「元日」に注目

New Year's Day「元日」という特定の日付の前には in ではなく on をつけるので，④が誤り。on New Year's Day が正しい。

《ココも注目》 ③ every year「毎年」のような〈every ＋時を表す名詞〉は前置詞なしで副詞句としてはたらくので，この形が正しい。

295 I moved to Nagano Prefecture, Japan, (　) February 2008. 　(松本歯科大)
① at　　② in　　③ with　　④ on

296 The dental clinic is closed (　) Thursday afternoons. 　(近畿大)
① at　　② for　　③ in　　④ on

Section 75

297 I visited a lot of museums (　) my stay in France. 　(純真学園大)
① for　　② while　　③ till　　④ during

298 A : How long did you study last night, Jane? 　適語補充
B : I studied (　　　　　) three hours, from seven o'clock until ten.

(三重県立看護大)

☑ Check 27　during と for の違いを確認しよう！

- **during** のあとには **the** や **my** などで限定された特定の期間を表す語句がくる。

during the weekend　「週末の間に」
during the 1980s　　「1980 年代に」
during our vacation　「私たちの休暇中に」
during the trip　　　「旅行中に」

- **for** のあとには具体的な長さを持った期間を表す語句がくる。

for ten years　　　「10 年間」
for eight months　「8 か月間」
for five days　　　「5 日間」
for two minutes　「2 分間」

Section 76

299 Please get a credit card (　) the day of your departure from Japan.
① as　　② by　　③ since　　④ till　　(中央大)

---

295 私は 2008 年 2 月に日本の長野県に引っ越した。
296 その歯科医院は木曜日の午後は閉まっている。
297 フランスに滞在中，私はたくさんの美術館を訪れた。
298 A：ジェーン，昨夜はどのくらい勉強しましたか。
　　B：7 時から 10 時まで 3 時間勉強しました。
299 日本を出発する日までにクレジットカードを取得してください。

295 in 年，月，週などを表す in

着眼 February に注目

February「2月」のように幅のある時間を表す場合には，前置詞は in を用いるので，② in が正解。年，月，週，午前・午後などは「幅のある時間」と見なされるので，in を用いる。

296 on 特定の時間を表す on

着眼 Thursday afternoons に注目

「午後に」という場合は in the afternoon や in the afternoons となるが，「木曜日の午後」といった特定の日の朝・夕などには，on を用いて on Thursday afternoon(s) や on the morning of Thursday とする。

Section 75 期間を表す during と for

297 during 特定の期間を表す during

着眼 my stay に注目

㋐ 空所のあとに my stay in France があるので，「私のフランスでの滞在中に」という意味だと考える。㋑ my stay in France のような特定の期間を表す場合には，during を用いる。

誤答 ① for は単なる継続期間を表し，for のあとには two days などの具体的な長さを持った期間を表す語（句）がくるので不適切。② while は接続詞なので不適切。

298 for 〈継続期間〉を表す for

着眼 three hours に注目

㋐ A は How long ...?「どのくらいの間…」と継続期間を尋ねている。㋑ 空所のあとに three hours があるので，「3時間」となるように for を入れる。前置詞 for は継続する期間を表し，one hour や two days などの具体的な長さを持った期間を表す語が続く。

Section 76 「…まで」を表す by と until[till]

299 by 動作や状態の〈完了の期限〉を表す by

着眼 文意を考える

㋐ 空所以降が「日本を出発する日までに」という意味だと考えれば文意が通る。㋑ 完了の期限「…までに」は② by で表す。

誤答 ④ till は「…まで（ずっと）」という動作や状態の継続を表すので，ここでは文意が通らない。

Field 1 文法
Field 2 語法
Field 3 イディオム
Field 4 会話・表現
Field 5 ボキャブラリー
Field 6 英文構造

300 You must wait here (   ) 9 o'clock. （大阪産業大）
① by   ② in   ③ since   ④ until

by：期限

until：継続

Section 77

301 He promised me he'd be back (   ) an hour. （国士舘大）
① in   ② on   ③ over   ④ to

302 She needs to submit the document (   ) a week. （中央大）
① during   ② throughout   ③ until   ④ within

in：「これから…後に」

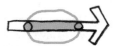

within：「…以内に」

Section 78

303 The sun rose (   ) the horizon. （京都光華女子大）
① above   ② below   ③ on   ④ out of

304 A new railway (   ) this area would bring great benefits to this city.）
① through   ② during   ③ by means of   ④ with （創価大）

above：接触しない高い位置

through：「…を通り抜けて」

---

300 あなたは9時までここで待たなければならない。
301 彼は，1時間で戻ってくると私に約束した。
302 彼女は1週間以内に書類を提出する必要がある。
303 太陽は水平線の上に昇った。
304 この地域を通る新しい鉄道は，この都市に大きな利益をもたらすだろう。

Field 1 文法
Field 2 語法
Field 3 イディオム
Field 4 会話・表現
Field 5 ボキャブラリー
Field 6 英文構造

300 until[till] 動作や状態の〈継続〉を表す until[till]

[着眼] 動詞 wait に注目

[ア]「あなたは9時までここで待たなければならない」という意味だと予想する。[イ]今から9時までの間,「待つ」という動作が継続することになるので,前置詞は④ **until**「…まで(ずっと)」を用いる。

Section 77 「…後に」「…以内に」を表す前置詞 (in / within)

301 in 〈時の経過〉を表す in:「これから…後に」

[TOP 100]

[着眼] 文の意味を考える

[ア]he'd は he would の短縮形なので, he'd be back (　　) an hour は, 約束した時点から「1時間後に戻るつもりだ」という意味だと予想できる。[イ]「これから1時間後に」は,時の経過を表す① **in** を用いる。この用法の in は, 未来を表す表現とともに用いられることが多い。

302 within 「…以内に」

[着眼] a week に注目

後ろに a week「1週間」という期間を表す語句が続き,「1週間以内に書類を提出する必要がある」という意味だと予想できるので, ④ within「…以内に」が正解。**within** は〈期間や距離〉を表し「…以内に」の意味を表す。

[誤答] ③ until「…まで(ずっと)」はその時までの〈継続〉を表す。→ 300

Section 78 above / through

303 above 「…よりも上に, …よりも高く」:接触しない高い位置

[着眼] 文の意味を考える

「太陽は水平線(　　)昇った」という意味なので, 空所には「…の上に」を意味する前置詞が入ると考え, ① above を選ぶ。**above は接触しない高い位置にあることを表す前置詞**。② below は「…よりも下に」の意味になる。

[誤答] ③ on は「面に接触した状態」を表すので, ここでは合わない。
④ out of A は「A の中から外へ」を表すので誤り。

304 through 「…を通り抜けて」

[着眼] this area に注目

[ア]this area「この地域」は場所を表す名詞句。[イ]「(場所) を通り抜けて」は **through** で表す。

[選択肢] ② during「(期間) の間中ずっと」(→ 297), ③ by means of ...「…を用いて」〈手段〉

☺ [一緒に確認] through のほかの重要な意味
〈場所〉「…のあちこちに」 through the country「国中に」
〈時間〉「…の間中」 through the night「一晩中」

解答 300 ④ 301 ① 302 ④ 303 ① 304 ①

305 According to the research, the gap ( ) the rich and the poor has increased recently. （大阪学院大）

① in　② of　③ with　④ between

306 We found a beautiful white lily ( ) the many flowers. （東京工芸大）

① during　② among　③ between　④ about

between：2つの間で　　　among：3つ以上の中で

Section **80**

307 Are you ( ) or against her plan? （名城大）

① on　② to　③ for　④ around

308 It is ( ) the law to cross the street while the walk signal is red.

① against　② before　③ behind　④ over （大阪経済大）

Section **81**

309 ①How ②long ③does it take you to commute to your company ④on train every morning? 誤文指摘 （東洋大）

---

305 調査によれば，最近，貧富の差が拡大した。
306 私たちはたくさんの花の中に美しい白いユリを見つけた。
307 あなたは彼女の計画に賛成ですか，それとも反対ですか。
308 歩行信号が赤の間に道路を横断するのは，法律違反だ。
309 毎朝，あなたの会社に電車で通勤するのにどのくらいかかりますか。

Section 79 「…の間で」「…の中で」を表す前置詞 (between / among)

305 **between** 「(2つ) の間で」

着眼 gap に注目

gap は「隔たり，すき間」という意味。後ろに the rich and the poor「裕福な者と貧しい者」があるので，「貧富の差」という意味だと考え，④ between を選ぶ。between は「2つ [2人] の間で」を表す前置詞。

306 **among** 「(3つ以上) の中で」

着眼 the many flowers に注目

( ) the many flowers で「たくさんの花の中に」という意味を表すと考え，② among を選ぶ。among は「3つ [3人] 以上の中で」を表すのに用いられ，③ between は「2つ [2人] の間で」を表す場合に用いられる。

Section 80 賛成・反対を表す前置詞 (for / against)

307 **for** 賛成・支持の for「…に賛成して」

着眼 or against に注目

㋐空所の直後に or against her plan とあるのに注目。❶against は「…に反対して」という意味を表すことができるので，これと逆の「…に賛成して」を表す③ for を入れれば，「彼女の計画に賛成ですか，それとも反対ですか」という意味になる。

308 **against** 反対・対立の against「…に反対して」

着眼 文の意味を考える

㋐形式主語 it を用いた文。真の主語は不定詞句 (to cross the street ...) で「歩行信号が赤の間に道路を横断するのは，法律( )だ」という意味。❶against「…に反して」を入れれば，「法律違反」の意味になる。

Section 81 手段を表す前置詞

309 **by** 交通手段を表す by

着眼 無冠詞の train に注目

㋐How long does it take A to *do*? は「A が…するのにどのくらい時間がかかりますか」という意味で，①〜③は正しい。❶commute は「通勤 [通学] する」という意味の動詞なので，commute 以下は「あなたの会社に電車で通勤する」という意味だと考えられる。㋑交通手段について「(交通機関) で」と言う場合には，〈by ＋無冠詞の単数名詞〉を用いるので，④の on は by でなければいけない。

◎ 一緒に確認 by は伝達手段を言う場合にも用いられる。by e-mail「E メールで」

解答 **305** ④ **306** ② **307** ③ **308** ① **309** ④ (on → by)

310 インターネットでこの記事を見つけたときには，彼女はとても驚いた様子だった。 （名城大）

She looked very surprised when she found this article (　　) the Internet.

① in　　② onto　　③ on　　④ throughout

311 I forgot my pen. Can you lend me something to write (　　)? （武蔵大）

① by　　② down　　③ on　　④ with

Section 82

312 In Japan, meat is usually sold (　　). （日本女子大）

① at the gram　　② by the gram　　③ for a gram　　④ in a gram

313 警官が男の子の腕をつかんだ。 並べかえ

A police officer (the / by / the boy / caught) arm. （東北芸術工科大）

List 35 〈by the ＋身体［衣服］の部位〉を使う表現を覚えよう！

〈catch＋部位〉という表現は「つかむ部位」に焦点があるが，「つかむ相手」に焦点がある場合は，catch の目的語に〈人〉を置き，そのあとに〈by the＋部位〉を置いて表す。

□ **catch** ＋人＋ **by the** ＋部位　　「(人) の…をつかむ」→**313**

□ **hold** ＋人＋ **by the** ＋部位　　「(人) の…をつかむ」

touch や hit の場合，by ではなく，on を用いる。

□ **touch** ＋人＋ **on the** ＋部位　　「(人) の…に触れる」

□ **hit** ＋人＋ **on the** ＋部位　　「(人) の…をたたく」

Section 83

314 My sister works (　　) a secretary for a big company. （広島国際大）

① on　　② about　　③ for　　④ as

---

310 on 電話・インターネットなどの手段を表す on

[着眼] the Internet に注目

㋐(　　) the Internet で「インターネットで」という意味になると考えられる。㋑電話，テレビ，インターネットといった**媒体の利用**を表すには③ **on** を用いる。

311 with 道具を表す with

[着眼]「ペン」は「それを使って書くもの」

㋐「ペンを忘れた」と言ったあとに「貸してもらえますか」と言っているので，something to write (　　) は「それを使って書くための何か」の意味だとわかる。㋑**道具**を表すには **with** を用いる。

[誤答] ③ on を入れると，「それに書きつける［それの上に書く］ための何か」という意味になるので，ペンではなく紙などを意味することになってしまう。

[注目] Can you lend me something [to write **with**]?

to write with は形容詞用法の不定詞。→ [113]

Section 82・by のあとに the を続ける表現

312 by the +単位 基準となる単位を表す by

[着眼] gram に注目

gram「グラム」は重さの単位。「グラム単位で売っている」という意味になるように，空所には② by the gram を入れる。by は〈**by the** +単位〉の形で，販売や支払いの基準となる単位を表すことができる。

313 catch +人+ by the +身体［衣服］の部位 catch +人+ by the arm「(人) の腕をつかむ」

[着眼] caught，by に注目

「(人) の…をつかむ」は catch someone's ... でも表せるが，語群に by があるので，〈**catch** +人+ **by the** +身体［衣服］の部位〉が用いられていると判断し，caught the boy by the arm と並べる。

Section 83・as / like / unlike

314 前置詞 as 「…として」

[着眼] a secretary に注目

空所の後ろには a secretary「秘書」が続いている。前置詞 **as** には「…として」の意味があり，work as A で「A として働く」の意味を表す。

解答　310 ③　311 ④　312 ②　313 caught the boy by the　314 ④

315 She cried (　) a little child. (神奈川工科大)
① like　② among　③ because　④ likely

316 (　) the previous generation, young people today spend more time indoors playing computer games. (大阪産業大)
① Different　② Unlike　③ Contrary　④ Despite

Section 84

317 そのドレス似合うね。 (駒澤大)
You look fine (　) the dress.
① in　② of　③ on　④ at

318 The boy came (　) a flashlight in his coat pocket. (摂南大)
① of　② around　③ with　④ on

---

315 彼女は小さな子どものように泣いた。
316 前の世代と違って，今日の若者はより多くの時間を室内でコンピュータゲームをして過ごす。
318 その少年はコートのポケットの中に懐中電灯を持ってやってきた。

315 前置詞 like 「…のように」

着眼 空所の後ろに注目

空所の後ろには a little child が続いている。前置詞 like には「…のように」の意味があり，cried like a little child で「小さな子どものように泣いた」という意味になる。

選択肢 ② among は「3つ [3人] 以上の間に [で]」を表す前置詞。→ **306** ③ because は理由を表す接続詞。④ likely は形容詞で「…しそうな」。

◎ 一緒に確認 この like は as if を使った仮定法 (→ **103**) で書きかえることができる。
She cried **as if** she were a little child.

316 unlike 「…と違って」

着眼 直後に名詞句が続いていることに注目

❼ the previous generation「前の世代」と young people today「今日の若者」は対比的な関係の語句だから，( ) には対比を表す語が入る。❶①，③は対比を表す形容詞だが，①は different from ...「…と異なって」，③は contrary to ...「…と反対の」という形で使うので，誤り。②の unlike は「…と違って」という意味を表す前置詞なので，これが正解。④も前置詞だが，「…にもかかわらず」という意味なので，文意が合わない。

《ココも注目》〈spend ＋時間＋ *doing*〉は「…するのに (時間) を費やす」→ **161**

Vocab indoors「室内で」

Section **84** 着用・携帯・付帯状況・従事を表す前置詞

317 in 「…を着て」〈着用〉

着眼 the dress に注目

「ドレスを着てすてきに見える」と考え，「…を着て」を表す前置詞① in を入れる。前置詞 in には「…を着て」という意味を表す用法がある。

◎ 一緒に確認 in the dress「そのドレスを着て」の意味は，with the dress on でも表せる。

318 with 「…を持って」〈携帯〉

着眼 文意を考える

came ( ) a flashlight で「懐中電灯を持ってやってきた」という意味だと考え，③ with を入れる。with は「…を持って」という携帯の意味を表す。

解答 **315** ① **316** ② **317** ① **318** ③

319 口いっぱいにほおばってしゃべるのは不作法ですよ。 並べかえ

It is (speak / rude / full / to / your mouth / with).

(純真学園大)

320 He always gives (with / in / his hands / lectures / his pockets).

(相模女子大)

321 Why don't we have a break now? Let's have a chat (　　) a cup of tea.

① in　　② for　　③ by　　④ over

(関西学院大)

Section 85

322 She is not only a brilliant actress but also a fine poet. 同意文

(　　) being a brilliant actress, she is also a fine poet.

(駒澤大)

① Apart　　② In addition　　③ Behind　　④ Besides

323 There will be eighteen people at the party, (　　) you and me. (青山学院大)

① exist　　② existing　　③ include　　④ including

320 彼はいつも両手をポケットに入れたまま講義をする。
321 休憩にしませんか。お茶を飲みながらおしゃべりしましょう。
322 彼女は才能豊かな女優であるばかりでなくすばらしい詩人でもある。
323 パーティーには，あなたと私を含めて 18 人が来るだろう。

[319] with ＋名詞＋形容詞 「(名詞) が…の状態で」〈付帯状況〉

[着眼] with に注目

㋐文頭の It is と，語群の to を見て，It is ... to *do* ～ .「～するのは…だ」の形式主語構文 (→ [109]) だと判断する。「不作法な」は rude で表すので，It is rude to speak と並べる。㋑「口いっぱいにほおばって」は「口が (食べ物で) いっぱいの状態で」ということだから，**〈with ＋名詞＋形容詞〉「(名詞) が…の状態で」**の構文を使って，with your mouth full と表す。この with は付帯状況を表す。

[一緒に確認] 〈with ＋名詞＋形容詞〉の形容詞の部分は，分詞 (→ [194], [195])，前置詞句 (→ [320])，副詞になることもある。

[320] with ＋名詞＋前置詞句 「(名詞) が…の状態で」〈付帯状況〉

[着眼] with に注目

㋐gives のあとには gives の直接目的語となる名詞がくるので，lectures「講義」を置き，「講義をする」とする。㋑残りの語句から in his pockets「ポケットの中に」という前置詞句ができる。㋒ポケットの中にあるのは his hands だと考えて「両手をポケットに入れた状態で」となるように with his hands in his pockets とする。**〈with ＋名詞＋前置詞句〉は「(名詞) が…の状態で」という〈付帯状況〉**を表す。

[321] over 「…しながら」〈従事〉

[着眼] 文の意味を考える

㋐1 文目は「休憩にしませんか」の意味。㋑2 文目の (　　) a cup of tea は「お茶を飲みながら」という意味だと考え，④ over を入れる。**over には「…しながら」**という意味がある。

[一緒に確認] over a book は「本を読みながら」，over dinner は「夕食をとりながら」という意味。

Section 85 論理関係を表す前置詞

[322] besides 「…に加えて」

[着眼] 〈追加〉の表現に注目

㋐上の文の not only A but also B は「A だけでなく B も」という意味で，追加を表す (→ [341])。㋑「…に加えて」という意味を表す前置詞は，④ **Besides**。besides には「そのうえ，さらに」という意味を表す副詞としての用法もある。

[選択肢] ① Apart from ... の形で「…を除いて」→ [1027]，② In addition to ... の形で「…に加えて」の意味。→ [1029]　③ Behind「…の後ろに」

[323] including 「…を含めて」

[着眼] コンマに注目

㋐コンマの前は「パーティーには 18 人が来るだろう」という意味で，これだけで完全な文なので，コンマのあとは副詞句。㋑you and me「あなたと私」が 18 人に含まれている，という文意だと考え，④ **including「…を含めて」**を選ぶ。

解答　[319] rude to speak with your mouth full　[320] lectures with his hands in his pockets　[321] ④
[322] ④　[323] ④

324 He can attend the meeting any day (　) Monday and Tuesday.
① apart　② despite　③ except　④ without (中央大)

325 All (　) Peter were able to get to class on time. (慶應義塾大)
① but　② not　③ that　④ without

326 He went to study abroad (　) his parents' opposition. (金沢工業大)
① aside　② despite　③ except　④ nevertheless

Section 86

327 Caught in a terrible traffic jam, we missed the ferry (　) just one minute. (東京理科大)
① at　② by　③ for　④ in

328 The Internet is useful because we can find information (　) almost any topic on it. (群馬大)
① on　② in　③ to　④ at

---

324 彼は月曜日と火曜日以外はいつでも，会議に出席できる。
325 ピーター以外は全員，時間通りに授業に出ることができた。
326 彼は両親の反対にもかかわらず留学した。
327 大渋滞につかまって，私たちはわずか1分の差でフェリーに乗り損なった。
328 ほとんどどんな話題に関する情報でもインターネット上に見つけることができるので，インターネットは便利だ。

324 **except** 「…を除いた，…以外の」

Field 1 文法

着眼 文の意味を考える

㋐「彼はいつでも，会議に出席できる。月曜日と火曜日（　　）」の意味。**㋑**③ except「…を除いた，…以外の」を入れれば「月曜日と火曜日以外はいつでも」という意味になる。

選択肢 ① apart from ... で「…を除いて」→ **1027**　② despite「…にもかかわらず」→ **326**，④ without「…なしで」

325 **but** 「…を除いて」

Field 2 語法

着眼 All に注目

㋐All（　　）Peter が主語。空所には前置詞が入る。**㋑**all but ... で「…以外は全部」という意味を表すので，① but が正解。この but「…を除いて」は前置詞。

326 **despite** 「…にもかかわらず」

TOP 100

Field 3 イディオム

着眼 文の意味を考える

㋐ 空所の前の He went to study abroad は「彼は留学した」の意味。空所のあとに「彼の両親の反対」という意味の名詞句が続いていることから，空所には前置詞が入ると推測できる。**㋑** 前置詞② despite「…にもかかわらず」を入れれば「彼は両親の反対にもかかわらず留学した」という意味になる。

◎ **一緒に確認** despite は in spite of と交換可能。→ **1055**
He went to study abroad in spite of his parents' opposition.

選択肢 ① aside「わきへ，離れて」（副詞），④ nevertheless「それにもかかわらず」（副詞）

Field 4 会話・表現

Section 86 · by / on / for

327 **by** 〈程度・差異〉を表す by

TOP 100

Field 5 ボキャブラリー

着眼 one minute が何を表すかを考える

㋐「大渋滞につかまって，私たちはわずか1分（　　）フェリーに乗り損なった」という文意から，one minute「1分」はフェリーの出発時刻と「私たち」の到着時刻との差を表していると考えられる。**㋑** 差は前置詞 by で表す。

◎ **一緒に確認** by で差を表す表現は比較級とともに用いられることもある。
He is older than me by three years.　（彼は私より3歳年上だ）

《**ココも注目**》Caught ... jam は受動態の分詞構文（→ **184**）で，〈理由〉を表している。

328 **on** 「…に関して」〈関連〉

Field 6 英文構造

着眼 information に注目

㋐information（　　）almost any topic で「ほとんどどんな話題に関する情報」という意味だと判断する。**㋑**「…に関して」という意味を表すのは① on。〈関連〉を表す on は about よりも専門的な内容について用いられることが多い。

解答　**324** ③　**325** ①　**326** ②　**327** ②　**328** ①

329 We enjoyed some delicious watermelon ( ) dessert. （藤女子大）
① by ② for ③ on ④ to

330 My son may only be two years old, but he is very smart ( ) his age.
① in ② between ③ for ④ within （東海大）

Section 87

STRATEGY 21 〈前置詞＋抽象名詞〉は形容詞や副詞の意味を表す [動画]

Ⓐ She accepted the engagement ring Ⓑ ( ) delight. （大阪薬科大）
① to ② of ③ under ④ with

[解き方] ㋐ 文の骨格をつかむ：Ⓐは主語・動詞・目的語のある完全な文だから，Ⓑは修飾要素。
㋑ 〈前置詞＋名詞〉が表す意味を考える：**with delight** で「喜びとともに」つまり「喜んで」という副詞の意味を表すので，④ **with** が正解。
訳：彼女は喜んで婚約指輪を受けとった。

[注目] **〈前置詞＋抽象名詞〉の問題のポイント**
▶ 抽象名詞とは，具体的な形を持たない概念などを表す名詞のこと。
（例）delight「喜び」，care「注意」，use「使用」など。
▶ 〈with ＋抽象名詞〉は副詞の意味を表す。（例）with care ＝ carefully
▶ 〈of ＋抽象名詞〉は形容詞の意味を表す。（例）of use ＝ useful

331 [ ] 内の語を適切な形にして，英文を完成させなさい。 [語形変化]
[easy] They solved the problem with ( ). （津田塾大）

332 The book provides the sort of information which is really valuable to teachers.
The book provides the sort of information which is ( ) real value to teachers. [同意文]
① by ② for ③ in ④ of （東京理科大）

---

329 私たちはデザートにおいしいスイカをいくらか味わった。
330 息子はまだ２歳だが，年のわりにとても賢い。
331 彼らはその問題をたやすく解決した。
332 その本は教師にとって本当に価値のある種類の情報を提供する。

329 **for** 〈用途〉を表す for

【着眼】 dessert に注目

㋐dessert は「デザート」という意味。㋑「デザートに，デザート用に」と考え，〈用途〉を表す② for を入れる。

330 **for** 〈基準〉を表す for

【着眼】 his age に注目

「2 歳という年齢のわりには」という文意だと考え，③ for を選ぶ。for は very, a little などの程度を表す表現とともに用いられて，「…のわりには」という意味を表すことがある。

◎【一緒に確認】 for は〈目的・目標〉も表す。
Study hard <u>for</u> the next exam. (次のテストのために一生懸命勉強しなさい)

〉 Section **87** 〈・ 前置詞＋抽象名詞 〉

331 **with ＋抽象名詞** with ease 「たやすく，容易に」

【着眼】 前置詞 with のあとの形を考える

㋐前置詞 with のあとなので，形容詞 easy を名詞 ease にする。㋑〈with ＋抽象名詞〉は副詞と同じはたらきをし，with ease は easily 「たやすく」の意味を表す。

List 36 〈with ＋抽象名詞〉を覚えよう！

☐ <u>with</u> <u>ease</u> = easily 「たやすく，容易に」 → **331**
☐ <u>with</u> <u>care</u> = carefully 「注意深く」
☐ <u>with</u> <u>kindness</u> = kindly 「親切に」

332 **of ＋抽象名詞** of value 「価値がある」

【着眼】 形容詞 valuable が名詞 value に変わっていることに注目

㋐上の文の形容詞 valuable が下の文では名詞 value に変わっていることに注目する。㋑形容詞の意味は〈of ＋抽象名詞〉の形で表すことができる。形容詞 valuable が名詞 value に変わったことに伴い，副詞 really が形容詞 real に変わっていることにも注目。前置詞と抽象名詞の間に形容詞が入り込むことがある。

List 37 〈of ＋抽象名詞〉を覚えよう！

☐ <u>of</u> <u>value</u> = valuable 「価値がある」 → **332**
☐ <u>of</u> <u>use</u> = useful 「役に立つ」
☐ <u>of</u> <u>importance</u> = important 「重要な」
☐ <u>of</u> <u>little</u> <u>importance</u> 「ほとんど重要でない」
☐ <u>of</u> <u>interest</u> = interesting 「興味深い」
☐ <u>of</u> <u>no</u> <u>use</u> 「むだだ」 = useless

解答 **329** ② **330** ③ **331** ease **332** ④

333 チーズとバターは牛乳から作られます。 並べかえ

Cheese (and / are / butter / from / made / milk). (静岡福祉大)

334 私たちの家の道路を隔てた向かいには病院がある。 (国士舘大)

There is a hospital ( ) our house.

① in front of ② behind ③ before ④ across from

335 ( ) our surprise, Father made a full-course meal for us. (福岡大)

① As much as ② So much ③ Much to ④ More than

336 Tonight we ate out together (time / at / for / the / first / in) a month.

(1 語不要) (畿央大)

List 38 〈to *one's* ＋感情を表す名詞〉の表現

☐ to *one's* surprise 「(人) が驚いたことに」→ 335
☐ to *one's* delight 「(人) が喜んだことに」
☐ to *one's* disappointment 「(人) が落胆したことに」

---

335 たいへん驚いたことに，父は私たちのためにフルコースの食事を作った。
336 今夜，私たちは1か月ぶりに一緒に食事に出かけた。

Section 88 前置詞を用いた表現

333 be made from ＋原料 「（原料）からつくられる」

着眼 milk は〈原料〉にあたる

㋐主語は「チーズとバター」なので cheese and butter とする。㋑「…は（原料）からつくられる」は〈be made from ＋原料〉を用いて表すので，are made from milk とする。液体から固体のように，形質が変わって製品の見た目から原料が判断できないような場合は，前置詞 from を用いて〈be made from ＋原料〉と表す。

◎ 一緒に確認 形質や見た目に大きな変化がない場合には，前置詞 of を用いて〈be made of ＋材料〉で「（材料）でできている」を表す。
The ball is made of natural leather. （このボールは天然皮革でできている）

334 across from ... 「…の向かいに」

着眼 間に道路があることに注目

㋐「道路を隔てた向かいに」は「道路の反対側に」ということ。㋑「（川・道路など）の反対側に」は across from ...で表す。

誤答 間に道路などがある場合は① in front of は用いない。

◎ 一緒に確認 across from は opposite で書きかえられる。
There is a hospital opposite our house.

335 to one's ＋感情を表す名詞 to one's surprise「（人）が驚いたことに」

着眼 one's surprise の形に注目

㋐空所のあとに our surprise があるので，to one's surprise「（人）が驚いたことに」の形だと考え，to のある③ Much to を選ぶ。㋑much to one's surprise「（人）がたいへん驚いたことに」は to one's surprise を強めた言い方で，to one's great surprise も同じ意味。〈to one's ＋感情を表す名詞〉で「（人）が…したことに」の意味。

336 for the first time in ... 「…ぶりに」

着眼 time, first, in に注目

㋐語群から for the first time「初めて」というかたまりをつくる。㋑（　）のあとに a month があるので，for the first time in a month「1か月ぶりに」とする。for the first time in ... は「（…の期間）で初めて」，つまり「…ぶりに」という意味を表す。at が不要。

誤答 at first「最初は，初めのうちは」（→ 969）と混同して，for the first time の for を at としないようにしよう。

解答 **333** and butter are made from milk **334** ④ **335** ③ **336** for the first time in

接続詞

動画・解説

Section 89

337 Takako's brother is very sweet ( ) is tight with money. （亜細亜大）
① nor ② so ③ then ④ but

338 A : I never have time to eat breakfast. （追手門学院大）
B : Get up earlier, ( ) you'll have plenty of time.
① and ② or ③ but ④ nor

339 Hurry up, ( ) you'll miss the last train. （明治大）
① or ② but ③ so ④ unless

Section 90

340 She is a journalist, and not a scholar. 同意文
She is ( ) a scholar, ( ) a journalist. （東京理科大）

341 Naomi has succeeded in business ( ) by hard work but also by luck.
① not all ② not as ③ not only ④ not so much （南山大）

---

337 タカコのお兄さん［弟さん］はとても優しいがお金を出し惜しみする。
338 A：私は朝食を食べる時間が全然ありません。
　　B：もっと早く起きなさい。そうすればあなたには十分な時間がありますよ。
339 急ぎなさい，そうしないと最終電車に乗り遅れますよ。
340 彼女はジャーナリストで，学者ではない。／彼女は学者ではなく，ジャーナリストだ。
341 ナオミが仕事で成功したのは，大変な努力によるだけではなく幸運にもよる。

Section 89・等位接続詞 (and/but/or)

337 but 「しかし」

[着眼] (　　) の前後の意味関係を考える

[ア] tight には「けちな，しまり屋の」の意味があり，tight with money では「お金を出し惜しみする」という意味になる。[イ] 空所の前後は「タカコのお兄さん [弟さん] はとても優しい」と「お金を出し惜しみする」という対立する内容になるので，④ **but**「しかし」が入る。

338 命令文＋ and ... 「～しなさい，そうすれば…」

[着眼] (　　) の前後の意味関係を考える

[ア] A は「私は朝食を食べる時間が全然ありません」と言っているのに対し，B は「もっと早く起きなさい。(　　) あなたには十分な時間があります」と言っている。[イ]「早く起きる→朝食を食べる時間がある」という関係なので，「そうすれば」の意味になるように① and を入れる。**〈命令文＋ and ...〉**で「～しなさい，そうすれば…」の意味。

《ココも注目》 〈命令文＋ and ...〉は **if** を用いて書きかえることができる。
If you get up earlier, you'll have plenty of time.

339 命令文＋ or ... 「～しなさい，そうしないと…」

[着眼] (　　) の前後の意味関係を考える

[ア]「急ぎなさい。(　　) あなたは最終電車に乗り遅れますよ」の意味。[イ]「急ぐ→最終電車に乗り遅れる」という関係なので，「そうしないと」の意味になるように① or を入れる。**〈命令文＋ or ...〉**で「～しなさい，そうしないと…」の意味。

《ココも注目》 〈命令文＋ or ...〉は **if** や **unless** を用いて書きかえることができる。
If you **don't** hurry up, you'll miss the last train.
Unless you hurry up, you'll miss the last train. → 370

Section 90・等位接続詞を用いた表現

340 not A but B 「A ではなく B」

[着眼] a scholar と a journalist の位置に注目

[ア] 最初の空所のあとに a scholar がある。1 文目から彼女は学者ではないことがわかるので，最初の空所には not が入る。[イ]「**A ではなく B**」は **not A but B** で表すので，2 つ目の空所には but を入れる。

341 not only A but (also) B 「A だけでなく B も」

[着眼] but also に注目

[ア] 空所のあとに by hard work と by luck という文法的に対等な要素が but also によって結ばれている。[イ] 空所に③ not only を入れれば，「ナオミが仕事で成功したのは，大変な努力によるだけではなく幸運にもよる」という意味になる。**not only A but (also) B** で「**A だけでなく B も**」の意味を表す。

解答　337 ④　338 ①　339 ①　340 not, but　341 ③

342 Mr. Yamada can communicate in ( ) English and German. (拓殖大)
① either   ② both   ③ so   ④ such

343 To get to the library, you can take ( ) a train or a bus. (福井工業大)
① neither   ② rather than   ③ either   ④ both

344 My grandfather had problems during his stay in Canada because he could speak neither English ( ) French. (東海大)
① and   ② but   ③ or   ④ nor

Section 91

345 Many shoppers use coupons ( ) they shop for groceries and household items at supermarkets. (名城大)
① unless   ② when   ③ where   ④ until

346 I fell asleep ( ) I was watching the movie. (甲南大)
① during   ② while   ③ because of   ④ in spite of

347 ( ) working in the customer call center, she received more than ten complaints about the new product. (東洋大)
① Upon   ② Into   ③ While   ④ During

---

342 山田さんは英語とドイツ語の両方でコミュニケーションが図れる。
343 図書館へ行くには，電車かバスのどちらかを使うことができます。
344 祖父は英語もフランス語も話せなかったので，カナダに滞在中，困ったことがあった。
345 多くの買い物客が，スーパーマーケットで食料や日用品を買うとき，クーポン券を使う。
346 私は映画を見ている間に眠ってしまった。
347 顧客コールセンターで働いている間に，彼女は新製品について 10 件以上の苦情を受けた。

342 both A and B 「A も B も，A と B の両方」

着眼 English and German に注目

㋐ 空所の後ろに English and German という〈A and B〉の形が続くことに注目。㋑ both A and B で「A と B の両方」の意味を表すので，空所には② both を入れる。「山田さんは英語とドイツ語の両方でコミュニケーションが図れる」という意味の文になる。

343 either A or B 「A か B のどちらか」

着眼 a train or a bus に注目

㋐ 空所の後ろに a train or a bus という〈A or B〉の形が続くことに注目。㋑ either A or B で「A か B のどちらか」の意味を表すので，空所には③ either を入れる。

344 neither A nor B 「A も B も（どちらも）…ない」

着眼 neither に注目

neither は neither A nor B の形で「A も B も（どちらも）…ない」という意味を表す。

《 ココも注目 》 neither A nor B は not ... either A or B で書きかえられる。
He could <u>not</u> speak <u>either</u> English <u>or</u> French.

Section 91 ◇ 時を表す接続詞

345 when when「…するとき」

着眼 （　）の前後の意味関係を考える

㋐ 空所の前は「多くの買い物客はクーポン券を使う」，空所の後ろは「スーパーマーケットで彼らは食料や日用品を買う」の意味。㋑② when「…するとき」を入れれば，「食料や日用品を買うとき，クーポン券を使う」となる。

346 while 「…している間に」

着眼 I was watching に注目

㋐ （　）の後ろに完全な文が続いているので，（　）には接続詞が入る。㋑選択肢のうち，接続詞は② while だけ。while は後ろに進行形を続けて「…している間に」という意味を表す。

◎ 一緒に確認 while には「…の間ずっと」の意味もある。〈譲歩〉や〈対比〉を表す用法も重要（→ 379, 380）。

347 〈主節と同じ主語＋ be 動詞〉の省略 while *doing*「…している間に」

着眼 working に注目

㋐ 文全体を見て，コンマの前が「顧客コールセンターで働いている間に」という意味になると判断する。㋑While she was working ... の she was が省略されたと考え，③を選ぶ。while や when などがつくる時を表す副詞節では，〈主節と同じ主語＋ be 動詞〉が省略されることがある。

誤答 during は後ろに動名詞をとることができないので，④は誤り。

Vocab complaint「不平，苦情」

注目 While working in the customer call center, she received ...
　　　　▲ she was の省略 ←

---

348 It has been years (　　) that car company came out with a new model.
① once　　② along　　③ since　　④ while　　（日本大）

349 If your headache gets worse, take this medicine and stay in bed (　　) the pain is relieved.　　（福岡大）
① until　　② by　　③ by the time　　④ in time

350 He will be back home (　　) the package is delivered.　　（名古屋学芸大）
① then　　② by the time　　③ until　　④ at times

351 Please don't forget to turn off the gas (　　) you go out.　　（南山大）
① during　　② before　　③ since　　④ until

352 私たちはその事件の真相をまもなく知るだろう。　　| 並べかえ |　（摂南大）
It (will / be / before / we / long / know / not / the truth) about the incident.

Section 92

353 私は家に帰るとすぐに料理を作り始めました。　　（東京家政学院大）
I (as / began / soon / came / cook / home / as / to / I).

---

348 その自動車会社が新型車を発表してから何年も経っている。
349 頭痛がひどくなったら，この薬を飲んで痛みが和らぐまでベッドで寝ていなさい。
350 彼は荷物が配達されるときまでには帰宅するだろう。
351 出かける前にガスを止めるのを忘れないでください。

348 | since 「…して以来（ずっと）」

着眼 It has been years に注目

It has been years は〈It has been ＋時間＋ since …〉「…してから（時間）になる」（→ 16）の一部と判断し、③ since を入れる。**since** は「…して以来（ずっと）」の意味を表す。

Vocab come out with … 「…を公表する、…を発表する」

349 | until 「…まで（ずっと）」〈継続〉

着眼 文意を考える

㋐（　　）の後ろの the pain is relieved「痛みが和らぐ」は完全な文なので、（　　）には接続詞が入る。㋑「痛みが和らぐまでベッドで寝ていなさい」という意味だと判断し、① until を選ぶ。**until**「…まで（ずっと）」は〈継続〉を表す接続詞。

350 | by the time 「…するまでに」〈期限〉

着眼 （　　）の前後の意味関係を考える

㋐（　　）の後ろの the package is delivered「荷物が配達される」は完全な文なので、（　　）には接続詞が入る。㋑「荷物が配達されるまでに彼は帰宅するだろう」の意味だと判断し、② by the time を選ぶ。**by the time**「…するまでに」は 3 語で 1 つの接続詞のようにはたらく。

351 | before 「…する前に、…しないうちに」

着眼 （　　）の前後の意味関係を考える

㋐（　　）の後ろの you go out「あなたが出かける」は完全な文なので、（　　）には接続詞が入る。㋑「あなたが出かける前にガスを止める」という意味になるように、② before を選ぶ。接続詞 **before** は「…する前に、…しないうちに」という意味を表す。

352 | It is not long before … 「まもなく…する」

着眼 It, before, long に注目

㋐It が主語で、語群に before と long があることから、It is not long before …「まもなく…する」を使うと判断する。㋑ここでは「…だろう」となっているので is を will be とする。㋒before の後ろには「私たちがその事件の真相を知る」がくるので、we know the truth about the incident を続ける。

《ココも注目》 before 以下は時を表す副詞節なので、未来の内容でも現在形 know を使う。→ 27

Section 92 • 「…するとすぐに」の表現

353 | as soon as 「…するとすぐに」

着眼 2 つの as と soon に注目

㋐「私は料理を作り始めました」のあとに「（私が）家に帰るとすぐに」という副詞節を続ける。㋑「料理を作り始めた」は began to cook。「私が家に帰るとすぐに」は **as soon as …**「…するとすぐに」を使って as soon as I came home と表す。

《ココも注目》 「…するとすぐに」は、on *doing* でも表すことができる。→ 165

解答 348 ③ 349 ① 350 ② 351 ② 352 will not be long before we know the truth
353 began to cook as soon as I came home

354 As soon as the professor entered his office, the phone rang. 同意選択
    ① The timing   ② The moment   (関東学院大)
    ③ As early as   ④ As busy as

List 39 「…するとすぐに」の表現を覚えよう！

☐ <u>as soon as</u> + S + V   → 353
☐ <u>the moment</u> + S + V   → 354
☐ <u>on</u> *doing* ...   → 165

---

355 私たちが駅に着いたらすぐに雨が降り出した。 並べかえ (龍谷大)
    We (arrived / the station / began to / had / hardly / it / at / when)
    rain.

356 演技が始まるのと同時に電気が消えた。   (龍谷大)
▶
動画   Hardly (performance / when / had / the lights / out / went / begun /
    the).

List 40 「…したらすぐに〜した」の表現を覚えよう！

☐ <u>hardly</u> ... <u>when</u> 〜   → 355
  〈倒置形〉<u>Hardly had</u> + S + 過去分詞 ... <u>when</u> 〜 → 356
☐ <u>no sooner</u> ... <u>than</u> 〜
  〈倒置形〉<u>No sooner had</u> + S + 過去分詞 ... <u>than</u> → 456
※ hardly や no sooner など，否定の意味をもつ語句を文頭に出すと，倒置が起こる。→ p.212,
  Section 120 を参照。

Section 93

357 As ( ) as I know, he has never done such a terrible thing. (関西学院大)
    ① soon   ② long   ③ far   ④ much

358 As ( ) we leave home by five o'clock, we should get there on time.
    ① long as   ② far as   ③ to   ④ if   (神奈川大)

---

354 教授が研究室に入るとすぐに電話が鳴った。
357 私の知る限りでは，彼がそんなひどいことをしたことはない。
358 5時までに家を出発しさえすれば，私たちは時間通りにそこに着くはずだ。

354　the moment　「…するとすぐに」

着眼 as soon as の意味を考える

㋐**as soon as ...**（→ 353）は「…するとすぐに」を表す。㋑② **The moment ...**「…するとすぐに」でも同じ意味を表すことができる。この the moment は接続詞として用いられる。

355　hardly ... when 〜　「…したらすぐに〜した」

着眼 hardly, when に注目

㋐hardly と when があるので，**hardly ... when** 〜「…したらすぐに〜した」を使うと判断する。㋑この構文では，主節に過去完了，when 節に過去形を使うので，「駅に着いたら」を had hardly arrived，「雨が降り出した」を it began to rain と表す。hardly の位置に注意。

◎**一緒に確認** hardly の代わりに **scarcely**，when の代わりに **before** を使うこともある。

《**ココも注目**》「…したらすぐに〜した」は **no sooner ... than** 〜でも表せる。
　　　　　　We had **no sooner** arrived at the station **than** it began to rain.

356　Hardly had + S +過去分詞 ... when 〜　「…したらすぐに〜した」

着眼 文頭の Hardly と when に注目

㋐Hardly と when から，**hardly ... when** 〜「…したらすぐに〜した」の構文だと判断する。㋑この構文では，主節に過去完了，when 節に過去形を使うが，hardly を文頭に出すと倒置が起こり，〈**Hardly had + S +過去分詞 ...**〉の語順になることに注意。ここでは，the performance had begun「演技が始まった」を **had** the performance begun と倒置する。㋒the lights went out「電気が消えた」を when のあとに続ける。

Vocab go out「(明かりが) 消える」

〉Section 93〈・〈 as far as ... / as long as ... 〉

357　as far as　「…する限りでは」〈範囲〉

着眼 2 つの as に注目

㋐ as far as は接続詞として使うと「…する限りでは」という意味を表す。㋑As far as I know で「私の知る限りでは」という意味になるので，③が正解。as far as は，元々は「…と同じくらい遠くまで」という意味で，そこから「…する範囲内に限っては」という範囲の制限を表すようになった。

選択肢 ① as soon as「…するとすぐに」(→ 353)，② as long as「…しさえすれば」(→ 358)，④ as much as は後ろに数詞を置いて「…も (多く) の」(→ 253)。

358　as long as　「…しさえすれば」〈条件〉

着眼 as を使う表現を考える

㋐as long as は接続詞として使うと「…しさえすれば」という意味を表す。㋑As long as we leave home by five o'clock で「私たちが 5 時までに家を出発しさえすれば」という意味になるので，①が正解。

選択肢 ③ as to ...「…について」は前置詞，④ as if ...「まるで…するかのように」(→ 103)。

解答　**354** ②　**355** had hardly arrived at the station when it began to
356 had the performance begun when the lights went out　**357** ③　**358** ①

359 私に関する限り，すべては順調だと思います。 　　並べかえ　（流通経済大）

Everything is going well as (am / as / far / concerned / I).

List 41 「…する限り」の表現を覚えよう！

☐ as far as S know 　　　　　　　「S が知る限りでは」→ 357
☐ as far as S is concerned 　　　「S に関する限り」→ 359
☐ as far as S can see[tell] 　　　「S がわかる限りでは」
☐ as far as S[the eye] can see 　「(S の) 見渡す限り」

Section 94

360 It started raining, ( ) they had to stop playing tennis. 　　（東京経済大）

① because ② in spite of ③ so ④ though

361 Your father was ( ) he jumped into the river and saved me from drowning. 　　（京都産業大）

① as brave as ② not a fool as
③ so brave that ④ too foolish to

362 That waiter was ( ) that we decided not to complain about the poor service. 　　（青山学院大）

① so kindness a man ② so kindness of a man
③ such nice a man ④ such a nice man

Section 95

363 She arranged the schedule ( ) everything would go well. 　　（藤女子大）

① as far as ② because ③ so as to ④ so that

---

360 雨が降り始めた。それで彼らはテニスをするのをやめなければならなかった。
361 あなたのお父さんはとても勇敢なので，川に飛び込んでおぼれかけた私を助けてくれた。
362 そのウェイターはとてもいい人だったので，私たちは粗末なサービスに文句を言わないことに決めた。
363 彼女はすべてがうまくいくようにそのスケジュールを調整した。

359 **as far as S is concerned** 「Sに関する限り」

[着眼] as, far, concerned に注目

「Sに関する限り」は **as far as S is concerned** で表す。

Section 94 結果・程度を表す接続詞

360 **so (that) ...** 「だから…，それで…」〈結果〉

[着眼]（　）の前後の意味関係を考える

[ア] 雨が降り始めた結果，テニスをするのをやめなければならなかった，という文意だと考えられるので，（　）には結果を表す③ **so** が入る。[イ]〈結果〉を表す so (that) ... の前にはコンマを置くことが多い。

361 **so ... that ～** 「とても…なので～〈結果〉／～なほど…〈程度〉」

[TOP 100]

[着眼] 文の意味を考える

[ア] 空所のあとの「彼（＝あなたのお父さん）は川に飛び込んでおぼれかけた私を助けてくれた」の意味から，「あなたのお父さん」は brave「勇敢な」人だとわかる。[イ] ③ so brave that を入れれば，「とても勇敢だったので，私を助けてくれた」という文になる。**so ... that ～**は「とても…なので～」という結果や，「～なほど…」という程度を表す表現。

362 **such ... that ～** 「とても…なので～〈結果〉／～なほど…〈程度〉」

[着眼] so, such に注目

[ア] 選択肢を見て，「ウェイターはとてもいい人だったので…」という意味になると判断する。[イ]「とても…なので～」の「…」の位置に「いい人」のような〈形容詞＋名詞〉がくる場合は，原則として〈**such (a[an]) ＋形容詞＋名詞＋ that ～**〉を使うので，④ such a nice man が正解。so ... that ～（→ [361]）の形を使う場合は，〈so ＋形容詞＋ a[an] ＋名詞〉の語順になる。

[ココも注目] not to complain は不定詞の否定形（→ [123]）。decide not to *do* で「…しないことに決める」。

Section 95 目的を表す接続詞

363 **so that ...** 「…するために，…するように」〈目的〉

[TOP 100]

[着眼]（　）の前後の意味関係を考える

[ア] 前半は「彼女はスケジュールを調整した」，後半は「すべてがうまくいくだろう」という意味。[イ]「すべてがうまくいくようにスケジュールを調整した」と考えれば文意が通るので，「…するために，…するように」を表す④ **so that** を選ぶ。目的を表す so that ... は，that 以下に can, will, may などの助動詞を伴うことが多い。また，〈結果〉を表す so (that) ...（→ [360]）と違って，前にコンマを置かないことが多い。

解答　[359] far as I am concerned　[360] ③　[361] ③　[362] ④　[363] ④

364 雨にはならないと思いますが，念のため傘を持っていきます。 [並べかえ] (東洋大)

I don't think it'll rain, but I'll (it / in / an / take / case / umbrella) does.

365 Even famous actors practice their lines all the time (fear / for / forget / might / that / they) them. (日本大)

Section 96

366 ( ) my train was delayed, I was late for school. (南山大)

① Although   ② Since   ③ So   ④ Due to

367 We decided not to go to London this year, ( ) it is too expensive. (芝浦工業大)

① as   ② due to   ③ so   ④ although

368 Do not despise them just ( ) they are poorly dressed. (近畿大)

① because   ② for   ③ that   ④ though

---

365 有名な俳優でさえ，忘れないようにいつも台詞を練習する。
366 私の乗った電車が遅れたので，私は学校に遅刻した。
367 お金がかかりすぎるので，私たちは今年はロンドンへ行かないことに決めた。
368 みすぼらしい身なりをしているからといって彼らをさげすんではいけない。

364 in case 「…するといけないから，…の場合に備えて」

[着眼] case に注目

[ア]「傘を持っていきます」は I'll take an umbrella。[イ]「念のため」は「雨が降る場合に備えて」ということだから，**in case**「…するといけないから，…の場合に備えて」を使って in case it does と表す。この does は rains の代わりをしている。

365 for fear (that) ... 「…しないように」

[着眼] fear に注目

[ア] practice their lines は「台詞を練習する」という意味。[イ]語群の fear, for を見て，**for fear (that) ...**「…しないように」を使うと判断し，for fear that they might forget them「彼らがそれら（＝台詞）を忘れないように」と並べる。for fear (that) ... は **not などを使わずに否定の意味を表すことに注意。** また，that 以下に might や should などの助動詞を伴うことが多い。

[一緒に確認] **for fear of A** の形で「A をしないように」の意味を表す。
He practiced his lines all the time **for fear of** forgetting them.
（彼は，忘れないようにいつも台詞を練習した）

Section 96 ・原因・理由を表す接続詞

366 since 「…だから，…なので」

[着眼] コンマ前後の意味関係を考える

[ア]コンマ前後は「私の乗った電車が遅れた」，「私は学校に遅刻した」の意味。[イ]「電車が遅れた」ことが原因で「遅刻した」のだから，空所には② **Since**「…だから，…なので」を入れる。since は相手がすでに知っている情報を理由とする場合に使うので，ふつうは文頭に置かれる。

[誤答] ④ Due to「…のために，…の原因で」は前置詞としてはたらくので，節は続けられない。

367 as 「…だから，…なので」

[着眼] コンマ前後の意味関係を考える

[ア]コンマの前後は「私たちは今年はロンドンへ行かないことに決めた」，「それはお金がかかりすぎる」の意味。[イ]「お金がかかりすぎる」のは「ロンドンへ行かないことに決めた」ことの理由に当たるので，空所には① **as**「…だから，…なので」を入れる。

368 because 「…だから，…なので」

[着眼] not, just に注目

not ... just because ～で「～だからといって…ない」の意味を表す。they are poorly dressed は「みすぼらしい身なりをしている」の意味。

Vocab despise「…をさげすむ」

解答 [364] take an umbrella in case it [365] for fear that they might forget [366] ② [367] ① [368] ①

369 (　　) you are retired, you can travel more.　　　　(広島国際大)
① Nevertheless　② Now that　③ Whether　④ So as

Section 97

370 I don't think I want to buy this jacket (　　) I can try it on first.　(専修大)
① because　② unless　③ when　④ if

371 Any color is fine, (　　) it looks stylish enough.　　(関西学院大)
① otherwise　② provided　③ as much as　④ unless

372 (　　) you start something, don't leave it unfinished.
① For fear　② Once　③ Unless　④ While　　(九州ルーテル学院大)

373 You can leave work early today on (　　) that you work late tomorrow.
① situation　② condition　③ requirement　④ promise　(南山大)

List 42　条件を表す接続詞

☐ if「もし…ならば」
☐ provided「もし…ならば」→ 371
☐ supposing (that) ...「もし…ならば」
☐ suppose (that) ...「もし…ならば」
☐ on[under] (the) condition (that) ...「…という条件で，もし…ならば」→ 373
☐ once「ひとたび…すれば，いったん…したら」→ 372
☐ unless「…しない限り，もし…でなければ」→ 370

---

369 もう引退しているのだから，あなたはもっと旅行ができます。
370 まず試着ができないのなら，私はこの上着を買いたいとは思わない。
371 十分おしゃれに見えるなら，どんな色でもいい。
372 ひとたび何かを始めたら，途中で放り出すな。
373 明日遅くまで働くなら，あなたは今日は早く仕事を終えてもかまわない。

369 | **now (that) ...** 「今や [もう] …だから」

着眼 コンマ前後の意味関係を考える

㋐コンマの前後は「あなたは引退している」,「あなたはもっと旅行ができる」の意味。㋑「引退している」のは「もっと旅行ができる」の理由を表しているので, 空所には② **Now that**「もう…だから」を入れる。

選択肢 ① Nevertheless「それにもかかわらず」(文修飾の副詞) → **731**, ③ Whether「…かどうか」(接続詞), ④ So as は so as to *do* の形で「…するために」。

Section 97 •⟨ 条件を表す接続詞 ⟩

370 | **unless** 「…しない限り, もし…でなければ」

着眼 ( ) の前後の意味関係を考える

㋐空所の前は「私はこの上着を買いたいとは思わない」の意味。㋑空所以降を「まず試着ができないのなら」とすれば意味が通るので, ② unless が正解。**unless** は「…しない限り, もし…でなければ」という条件を表す。

《ココも注目》 **try on A** で「A を試着する」の意味。ここでは代名詞 (it) が A にあたるので, **try it on** の語順になる。

371 | **provided** 「もし…ならば」

着眼 ( ) の前後の意味関係を考える

㋐空所の前は「どんな色でもいい」の意味。㋑空所以降を「それが十分おしゃれに見えるなら」とすれば意味が通るので, ② provided が正解。**provided** は, if と同様に「もし…ならば」という条件を表す。

選択肢 ① otherwise「さもなければ」(副詞), ③ as much as ...「…と同じくらい」

372 | **once** 「ひとたび…すれば, いったん…したら」

着眼 コンマの前後の意味関係を考える

㋐コンマのあとは「途中で放り出すな」の意味。㋑コンマの前を「何かを始めたなら」とすれば意味が通るので, ② Once が正解。**once** は「ひとたび…すれば, いったん…したら」の意味で条件を表す。

選択肢 ① For fear (that)「…しないように」 → **365**, ③ Unless「…しない限り, もし…でなければ」 → **370**, ④ While「…している間に」 → **346**

373 | **on (the) condition (that) ...** 「…という条件で, もし…ならば」

着眼 on, that に注目

㋐前半は「今日は早く仕事を終えてもかまわない」, 空所のあとは「明日遅くまで働く」の意味。㋑空所に② condition を入れれば, **on condition that ...**「…という条件で, もし…ならば」という意味になる。

《ココも注目》 「…という条件で」は **under (the) condition (that) ...** と言うこともある。

解答 369 ② 370 ② 371 ② 372 ② 373 ②

374 (　　) yesterday was a national holiday, the students still had to attend classes. (南山大)

① Nevertheless　② Despite　③ However　④ Although

375 (　　) we leave right now, we are still going to be late. (芝浦工業大)

① In spite of　② Even if　③ However　④ Because

376 I was interested in the conversation (　　) I didn't understand everything. (東邦大)

① if　② in spite of　③ even though　④ as soon as

377 Young (　　) he was, he was an experienced programmer. (日本大)

① as　② before　③ how　④ if

378 (　　) her parents agree or not, she won't change her mind. (拓殖大)

① Either　② Though　③ While　④ Whether

---

374 昨日は祝日だったにもかかわらず，生徒たちはそれでも授業に出席しなければならなかった。
375 今すぐ出発したとしても，それでも私たちは遅刻することになる。
376 すべてを理解したわけではなかったけれども，私はその会話に興味があった。
377 若かったが，彼は経験豊かなプログラマーだった。
378 彼女の両親が賛成してもしなくても，彼女は自分の考えを変えないだろう。

Section 98 譲歩・対比を表す接続詞

374 although[though] 「…だけれども，…にもかかわらず」

[TOP 100]

[着眼] (　　) のはたらきに注目

[ア] 前半は「昨日は祝日だった」，後半は「生徒たちはそれでも授業に出席しなければならなかった」という意味だから，(　　) には「…だけれども」という意味の語が入る。[イ] さらに，コンマの前が完全な文なので，(　　) には接続詞が入る。選択肢の中で接続詞は④ Although だけ。**although[though]** は「…だけれども，…にもかかわらず」という**譲歩**の副詞節をつくる。

[選択肢] ① Nevertheless「それにもかかわらず」(副詞) → [731]，② Despite「…にもかかわらず」(前置詞) → [326]，③ However「しかしながら」(副詞) → [726]

375 even if 「たとえ…しても」

[着眼] コンマの前後の意味関係を考える

[ア] 前半は「私たちは今すぐ出発する」，後半は「私たちはそれでも遅刻するだろう」という意味だから，(　　) には「たとえ…しても」という意味の語句が入る。[イ] さらに，コンマの前が完全な文なので，(　　) には接続詞が入る。この条件を満たすのは② Even if だけ。**even if** は「たとえ…しても」という**譲歩**の副詞節をつくる。

376 even though 「…ではあるけれども」

[着眼] (　　) の前後の意味関係を考える

[ア] 前半は「私はその会話に興味を持った」，後半は「私はすべてを理解したわけではなかった」という意味だから，(　　) には「…だけれども」という意味の語句が入る。[イ] さらに，(　　) の後ろに完全な文が続くので，(　　) には接続詞が入る。この条件を満たすのは③ even though だけ。**even though** は事実について「…ではあるけれども」という**譲歩**の副詞節をつくる。

377 as 〈譲歩〉 〈形容詞＋ as ＋ S ＋ V〉「…ではあるけれども」

[着眼] Young, he was に注目

[ア] 文がいきなり形容詞 young で始まっていることに注目。[イ] さらに，(　　) の後ろに he was という〈S＋V〉が続いているので，〈**形容詞＋ as ＋ S ＋ V**〉「**…ではあるけれども**」の形だと判断し，① as を選ぶ。

《ココも注目》 as の代わりに though を使うこともある。また，接続詞 although[though] (→ [374]) で書きかえることができる。
Young though he was, ... = Although[Though] he was young, ...

378 whether ... or not 「…であろうとなかろうと」

[着眼] or not に注目

[ア] or not に注目して，**whether ... or not**「…であろうとなかろうと」が使われていると判断する。④ Whether を入れれば，「彼女の両親が賛成してもしなくても」という意味になり，文意が通る。[イ] この whether は**譲歩**の副詞節をつくる接続詞。

《ココも注目》 名詞節をつくる whether (→ [389]) との違いに注意。
I don't know whether she will change her mind or not.
(彼女が考えを変えるかどうかは私にはわからない)

解答 [374] ④ [375] ② [376] ③ [377] ① [378] ④

379 (　　) he decided to eat all kinds of vegetables, he still has trouble eating carrots. (芝浦工業大)

① While　② Since　③ However　④ So

380 Usually, people in Osaka stand on the right side of an escalator, (　　) people in Tokyo stand on the left side. (敦賀市立看護大)

① for　② since　③ so　④ while

381 She is poor, (　　) her brothers are very rich. (松山大)

① whereas　② now　③ despite　④ which

Section 99

382 人は年をとるにつれて賢くなるとはかぎらない。 (成城大)

We do not necessarily grow wiser (　　) we grow older.

① than　② as　③ that　④ which

383 I wish my students had done (　　) they were told. (東北薬科大)

① as　② if　③ just　④ that

384 机にある書類には触らないで，そのままにしておいてください。 (大阪電気通信大)

Don't touch the papers on my desk; just (are / as / leave / them / they).

並べかえ

---

379 彼は全種類の野菜を食べようと決心したけれども，それでもニンジンを食べるのには苦労している。

380 ふつう，東京の人がエスカレーターの左側に立つのに対し，大阪の人は右側に立つ。

381 彼女は貧しい。ところが彼女の兄弟はとても裕福だ。

383 私の生徒たちが言われたようにしたらよかったのに。

379 while〈譲歩〉「…だけれども」

[着眼] コンマの前後の意味関係を考える

[ア]コンマの前は「彼はすべての種類の野菜を食べることに決めた」，コンマのあとは「彼はそれでもニンジンを食べるのに苦労している」という意味。[イ]「…に決めたけれども，それでも～」というつながり方になると判断し，① While を入れる。**while** には，「…している間に」という意味（→ 346）のほかに，「…だけれども」という**譲歩**の意味もある。

[選択肢] ② Since「…だから」，③ However「けれども」（副詞），④ So「だから…」

[ココも注目] **have trouble *doing***「…するのに苦労する」→ 164

380 while〈対比〉「…なのに対して，…である一方」

[着眼] コンマの前後の意味関係を考える

コンマの前後は「ふつう，大阪の人はエスカレーターの右側に立つ」と「東京の人は左側に立つ」で，大阪と東京の**対比**を述べているので，④ **while**「…なのに対して，…である一方」を選ぶ。

381 whereas「…なのに対して，…である一方」

[着眼]（　　）の前後のつながりを考える

（　　）の前には「彼女は貧しい」とあり，そのあとには「彼女の兄弟はとても裕福だ」と続くので，（　　）には「…なのに対して，…である一方」の意味を表す① **whereas** を入れる。

[選択肢] ② now「今では」，③ despite は前置詞で「…にもかかわらず」。

Section 99・接続詞 as の用法

382 as〈比例〉「…するにつれて」

[着眼]「…につれて」に注目

[ア]「年をとるにつれて」とあるので，「…するにつれて」を表す② **as** を選ぶ。[イ]as がこの意味を表す場合は，文中に比較級が使われることが多い。

[ココも注目] **not necessarily** は〈部分否定〉で「…するとはかぎらない」の意味になる。→ 431

383 as〈様態〉「…（する）ように」

[着眼] they were told に注目

空所のあとに they were told があるので，① as「…（する）ように」を入れれば，「言われたようにしたらよかったのに」となり，文意が通る。**as** には「…（する）ように」という**様態**を表す用法がある。

[ココも注目]〈**wish＋仮定法過去完了**〉「…したらよかったのに」は過去のことに関する願望を表す。→ 102

384 as＋S＋be 動詞「そのままに，ありのままに」

[着眼] as に注目

[ア]「（もの）を（状態）にしておく」は〈leave ＋（もの）＋（状態）〉で表す。[イ]（もの）に当たるのは them(= the papers)。[ウ]（状態）を表す「そのままに」は as they are とする。〈**as ＋ S ＋ be 動詞**〉で「そのままに，ありのままに」の意味を表す。

解答　379 ①　380 ④　381 ①　382 ②　383 ①　384 leave them as they are

385 Our company's biggest problem is ( ) some customers have switched
to our competitors. (南山大)
① while ② which ③ that ④ as

386 The rumor ( ) she left the city is untrue.
① but ② that ③ when ④ whether (畿央大)

動画

List 43 覚えておきたい〈同格〉の that 節を伴う名詞	
□ dream 「夢」	□ idea 「考え」
□ fact 「事実」	□ rumor 「うわさ」 → 386
□ decision 「決定，結論」	□ plan 「計画」

387 He is lucky ( ) that he has never experienced failure. (青山学院大)
① at ② on ③ of ④ in

388 He asked me ( ) I wanted to take a rest. (京都女子大)
① if ② that ③ unless ④ which

動画

389 The question is ( ) we can finish the project in time. (日本大)
① if ② until ③ whether ④ while

---

385 私たちの会社の最も大きな問題は，顧客の中に競合会社に乗り換えてしまった人たちがいるということだ。
386 彼女が町を去ったといううわさはうそだ。
387 彼は，失敗を経験したことがないという点で幸運だ。
388 彼は私に，休憩を取りたいかどうか尋ねた。
389 問題は，私たちが間に合うようにその研究課題を終わらせられるかどうかということだ。

Section 100・名詞節を導く接続詞

385 [TOP 100]
that 節 「…ということ」

[着眼] ( ) の後ろが完全な文であることに注目

[ア] ( ) の後ろに完全な文が続いているので, ( ) には接続詞が入る。[イ] 文全体は「私たちの会社の最も大きな問題は, …ということだ」という意味になるので,「…ということ」を表す接続詞の③ that を選ぶ。**that 節は名詞節としてはたらくので, 文の主語, 補語, 目的語になれる。**

[Vocab] switch to ...「…に切り替える, …に乗り換える」, competitor「競合会社, ライバル社」

386
that 節〈同格〉 名詞＋ that 節「…という (名詞)」

[着眼] ( ) の後ろが完全な文であることに注目

[ア] 文の骨格は The rumor(S) is(V) untrue(C)「そのうわさはうそだ」で, ( ) の後ろに she left the city という完全な文が続いている。[イ] she left the city「彼女が町を去った」は「うわさ」の中身にあたる。「…といううわさ」は **〈rumor ＋ that 節〉** で表すので, ② that が正解。名詞の具体的な「中身」を説明する that 節を **〈同格〉の that 節**と言う。

387
in that 「…という点で, …なので」

[着眼] 選択肢に注目

[ア] 空所の前は「彼は幸運だ」, 空所のあとは「彼は失敗を経験したことがない」の意味。[イ] that 節はふつうは前置詞の目的語になれないが, **in that ...**「…という点で, …なので」は例外。

388
if〈名詞節〉 「…かどうか」

[着眼] ask の文型を考える

[ア] ask は〈ask ＋人＋こと〉で「(人) に (こと) を尋ねる」という意味を表す。[イ] ( ) 以下は「私は休憩をとりたかった」という意味なので,「彼は私に, 私が休憩をとりたいかどうか尋ねた」という文意だと考え, ① **if**「…かどうか」を選ぶ。if は「もし…なら」〈条件〉を表す副詞節をつくるだけでなく,「…かどうか」という意味を表す**名詞節**をつくることもある。両者の見分け方については, p.28, Check 2 を参照。

389 [TOP 100]
whether ... (or not)〈名詞節〉 「…かどうか」

[着眼] ( ) 以下のはたらきを考える

[ア] ( ) 以下は補語にあたるので, ( ) には名詞節をつくる接続詞が入る。[イ] 補語になる名詞節をつくれるのは③ whether だけ。**名詞節をつくる whether ... (or not)** は「…かどうか」という意味を表す。① if も「…かどうか」という意味を表せる (→ [388]) が, **if がつくる名詞節は他動詞の目的語にしかなれない**という決まりがある。一方, **whether がつくる名詞節は, 主語・補語・目的語, および前置詞の目的語になれる。**

☺ [一緒に確認] 〈譲歩〉の副詞節をつくる whether「…であろうとなかろうと」(→ [378]) との見分け方は, if の場合と同様に考えればよい。

[Vocab] in time「間に合うように」→ [964]

解答 [385] ③ [386] ② [387] ④ [388] ① [389] ③

動画・解説

第12章 [Field 1] 文法　主語と動詞

Section 101

STRATEGY 22　主語が単数か複数かを考える　[動画]

ⒶThere (　　) Ⓑnumber of problems yet to be solved.
① are a　② are the　③ is a　④ is the　（武蔵大）

[解き方] ㋐ **文の骨格をつかむ**：Ⓐ There と選択肢から，この文は There is / are ...「…がある」の文だとわかる。
➡ **There is /are ...** の文では，**be 動詞のあとの名詞が主語**。
㋑ **主語が単数扱いか複数扱いかを考える**：Ⓑ **number of** を使った重要表現は２つ。**a number of ...**「たくさんの…」は複数扱い／ **the number of ...**「…の数」は単数扱い。
➡「たくさんの問題がある」とすれば意味が通るから，主語は a number of problems。複数扱いなので，動詞は are。正解は① **are a**。

訳：まだ解決されていない問題がたくさんある。

[注目] **主語と動詞に関する問題のポイント**
▶ 主語が単数扱いか複数扱いかを考える。
▶ either A or B や not A but B などが主語の場合，動詞を A と B のどちらに合わせるかを覚えておく。
▶ 主語と動詞は近くにあるとは限らない。動詞が出てきたらいつも「主語は何か」を考えるようにする。

390 The number of students who can swim (　　) rising.　（青山学院大）
① is　② are　③ to be　④ were

391 A number of university students (　　) invited to the party.　（近畿大）
① had　② have　③ was　④ were

Section 102

392 Both you and I (　　) suspected by the police.　（駒澤大）
① are　② am　③ is　④ be

393 Either you or I (　　) supposed to organize a welcoming party for our new boss.　（広島工業大）
① am　② be　③ will be　④ is

---

390 泳げる生徒の数は増加している。　**391** 多くの大学生がパーティーに招待された。
392 あなたも私も警察に疑いをかけられている。
393 あなたか私のどちらかが私たちの新しい上司の歓迎会を準備することになっている。

Section 101 〉 the number of ... と a number of ... の違い

390 **the number of ...** 「…の数」は単数扱い

着眼 The number of ... に注目

㋐文の主語は The number of students「生徒の数」。who can swim は students を修飾する関係代名詞節。また，選択肢を見て，（　）には be 動詞が入り，（　）rising で進行形になると判断する。**㋑**the number of ...「…の数」は単数扱いなので，be 動詞は① is が適切。

注目 The number of students who can swim is rising.
　　　　　単数扱い

391 **a number of ...** 「たくさんの…」は複数扱い

着眼 A number of ... に注目

㋐a number of ...「たくさんの…」は複数扱い。**㋑**invited の目的語がないので，「招待された」という受動態だと判断する。（　）には be 動詞が入るので，④ were が正解。

Section 102 〉 主語と動詞の関係

392 **both A and B** 「A も B も両方とも」は複数扱い

着眼 Both ... and ～に注目

Both you and I「あなたと私の両方」が主語なので，これを受ける be 動詞は① are。both A and B は複数扱いになることに注意。

Vocab suspect「…を疑う，（人）に疑惑を向ける」

393 **either A or B** 「A か B のどちらか」 動詞は B に合わせる

着眼 Either ... or に注目

either A or B「A か B のどちらか」が主語の場合，動詞の形は B に合わせるのが原則。ここでは I に合わせるので，① am が正解。

◎**一緒に確認** neither A nor B「A も B も…ない」が主語のときも動詞に近い B を主語と考える。

《ココも注目》 be supposed to *do*「…することになっている」→ 911

Vocab organize「（行事など）を準備する，…を手配する」

解答　390 ①　391 ④　392 ①　393 ①

394 Not suggestions but sympathy (　) now.　　　　　　　　（近畿大）
　① are needed　　② is needed　　③ need　　④ needs

395 Not only Rie but also her mother (　) to that chorus club.　　（大阪経済大）
　① belong　　　　② belongs
　③ is belonging　　④ are belonging

396 (　) of those boys was the winner of the first prize.　　（工学院大）
　① Both　　② Neither　　③ Half　　④ No

Section 103

397 One and ₁three-sevenths kilograms ₂of silver ₃are used ₄for the
process.　　　　　　　　　　　　　　　誤文指摘　（名古屋外国語大）

☑ Check 28　分数の表し方を確認しよう！

・分子は数字を基数（そのままの形）で表し，分母は序数で表す。
・分子が 2 以上の場合は分母に -s をつける。
□ **one-third**「3 分の 1」
□ **two-fifths**「5 分の 2」
□ **one and three-sevenths**「1 と 7 分の 3」
□ **two and five-eighths**　「2 と 8 分の 5」

---

398 See to it that the elderly (　) properly cared for.　　（玉川大）
　① has　　② have　　③ are　　④ is

List 44　〈the ＋形容詞〉「…な人々」の表現

□ **the poor**「貧しい人々」　　　　　　□ **the rich [wealthy]**「金持ち」
□ **the young**「若者」　　　　　　　　□ **the old [elderly]**「老人，お年寄り」
□ **the injured [wounded]**「負傷者」　　□ **the sick**「病人」

---

394 今必要とされているのは，忠告ではなく共感だ。
395 リエだけでなく彼女の母親もそのコーラスクラブに所属している。
396 その少年たちのどちらも優勝者ではなかった。
397 1 $\frac{3}{7}$ キログラムの銀がその工程で使用される。
398 お年寄りが適切に世話されるように取り計らってください。

394 not A but B 「A ではなく B」 動詞は B に合わせる

着眼 Not ... but ～ に注目

㋐not A but B「A ではなく B」は，話題の中心が B なので，動詞は B に合わせる。㋑ need は原則として他動詞で，ここでは空所は「…が必要とされている」の意味になるので，受動態にしなければならない。よって，② is needed が正解。

Vocab suggestion「忠告」，sympathy「共感，同情」

395 not only A but also B 「A だけでなく B も」 動詞は B に合わせる

着眼 Not only, but also に注目

㋐not only A but also B「A だけでなく B も」は，話題の中心が B なので，動詞は B (her mother) に合わせる。㋑belong to ... は「…に所属している」という状態を表す動詞なので，進行形にはしない。よって② belongs が正解。

◎**一緒に確認** A as well as B「B だけでなく A も」の場合は，動詞は A に合わせる。→ 976

396 neither of A 「A のどちらも…ない」は単数扱い

着眼 was に注目

㋐( ) of those boys を受ける be 動詞が was であることに注目。㋑単数扱いをするものは，ここでは neither of A「A のどちらも～ない」なので，② Neither が正解。

誤答 ① both of A「A の両方」は複数扱い。③ half of A「A の半分」は動詞を A に合わせる。④ No は代名詞 None に変える必要がある。

Section 103 単数扱い・複数扱いがまぎらわしいもの

397 分数＋ of A 〈分数＋ of A〉が主語なら動詞は A に合わせる

着眼 silver に注目

㋐「7 分の 3」の表し方は three-sevenths で合っている。㋑この文の主語は One and three-sevenths kilograms of silver「1 と 7 分の 3 キログラムの銀」。〈分数＋ of A〉が主語のとき，動詞は A に合わせる。㋒A に当たる silver「銀」は不可算名詞なので，これを受ける be 動詞は is になる。よって③が誤り。

398 〈the ＋形容詞〉 〈the ＋形容詞〉「…な人々」は複数扱い

着眼 the elderly に注目

㋐see to it that ... は「…するように取り計らう」という意味。㋑care for ... は「…の世話をする」の意味。that 節が cared for で終わっている（＝目的語がない）ことから，受動態だとわかるので，空所には be 動詞が入る。㋒〈the ＋形容詞〉「…な人々」の形の the elderly「お年寄り」は複数扱いなので，③ are が正解。

《ココも注目》 see to it that ...「…になるように取り計らう」 1108

Vocab properly「適切に」

399 Quite a few homeless people (　　) coping with the cold last night. (駒澤大)
　　① were　　② was　　③ are　　④ is

400 There (　　) a lot of snow in this area in winter. (京都光華女子大)
　　① are　　② has　　③ have　　④ is

Section 104

401 Knowing several (　　) helpful if you want to work for an international
company in the future. (立命館大)
　　① language are　　② language is
　　③ languages are　　④ languages is

402 Hotel reservations ①will be made for whoever ②send the ③required
payment by the deadline. 　誤文指摘　(西南学院大)

403 At the high school James and Anne attended, mathematics (　　) by
Ms. Owen. (駒澤大)
　　① are taught　　② taught　　③ were taught　　④ was taught

List 45　形は複数でも単数扱いの名詞

- [ ] **economics**　「経済学」
- [ ] **physics**　「物理学」
- [ ] **mathematics**　「数学」→ 403
- [ ] **electronics**　「電子工学」

---

399 昨夜はかなりの数の路上生活者が寒さに耐えていた。
400 この地域は冬に雪が多い。
401 将来国際企業で働きたいのなら，数か国語を知っていると役に立つ。
402 期日までに必要な支払額を送金した人なら誰でも，ホテルの予約をとることができる。
403 ジェームズとアンが通っていた高校では，数学はオーウェン先生によって教えられていた。

399 **quite a few ...** 「かなりの数の…」は複数扱い

着眼 quite a few に注目

㋐**quite a few ...** は「かなりの数の…」という意味で，複数扱い。㋑last night から過去の文だとわかるので，① were が正解。

《ココも注目》 **cope with A** 「A（困難・問題など）に対処する，に耐える」→ **751**

400 **不可算名詞** 不可算名詞は単数扱い

着眼 a lot of snow に注目

㋐〈There ＋ be 動詞＋ A ...〉の形では，主語は A なので，be 動詞は A に合わせる。㋑A にあたるのは a lot of snow「大量の雪」で，snow は不可算名詞なので，単数扱いとなる。よって，④ is が正解。

《ココも注目》 **a lot of** は可算名詞にも不可算名詞にも付けられる。

▶ **Section** **104** 単数扱いするもの

401 **動名詞句が主語の場合** 動名詞句は単数扱い

着眼 Knowing, several に注目

㋐several「いくつかの」のあとには複数名詞がくるので，①と②は×。㋑Knowing several languages「数か国語を知っていること」が主語にあたる。動名詞句は単数として扱うので，be 動詞が is になっている④ languages is が正解。

《ココも注目》 several は通例，3 〜 6 程度の数を指す。

402 **複合関係代名詞が主語の場合** whoever 「…する人は誰でも」は単数扱い

着眼 主語としてはたらく whoever に注目

複合関係代名詞 whoever は単数として扱うので，② send は誤り。sends が正しい。whatever や whichever も同様に，主語になる場合は単数扱い。

403 **学問名** 形は複数でも単数扱い

着眼 mathematics「数学」に注目

㋐mathematics は -s で終わっているが，「数学」という1つの概念を表す名詞なので，単数扱いする。㋑選択肢はすべて taught で終わっているが，後ろに目的語がないので，（　）には受動態が入ると判断する。以上より，④ was taught が正解。

解答 **399** ① **400** ④ **401** ④ **402** ②（send → sends） **403** ④

404 My friend ①<u>was late</u> for her flight ②<u>leaving from</u> Narita airport this morning, because ③<u>there were</u> a lot of traffic ④<u>on the way to</u> the airport.　　　　　　　　　　　　　　　　　　　　　　　　　誤文指摘 （南山大）

405 One of the most interesting facts about kangaroos (　　) that they cannot walk backwards.　　　　　　　　　　　　　　（阪南大）
① is　　② are　　③ were　　④ be

406 環境保護に関心のある人なら誰でも，この製品を使用することが環境によくないことを知っている。　　　　　　　　　　　　　　　　　（成城大）
Anyone interested in protecting the environment (　　) that using this product is not eco-friendly.
① know　　② knows　　③ are knowing　　④ have known

List 46　単数扱いをする代名詞
□ **everyone**「あらゆる人」　□ **someone**「誰か」　□ **anyone**「誰でも」→ **406**
□ **everybody**「あらゆる人」　□ **somebody**「誰か」　□ **anybody**「誰でも」
□ **everything**「何もかも」　□ **something**「何か」　□ **anything**「何でも」

407 I have two friends from high school who (　　) injured in the crash.
① was　② were　③ have　④ has　　　　　　　　　　　　　（帝京大）

---

404 私の友人が今朝，成田空港から出発する飛行機に乗り遅れたのは，空港への道の交通量がとても多かったためだ。

405 カンガルーについて最も興味深い事実の一つは，カンガルーは後ろの方向に歩けないということだ。

407 その衝突［墜落］事故でけがをした高校からの友人が2人いる。

Section 105 ⟨ There is[are] ... の文 ⟩

404 There + be 動詞 + A. be 動詞は A に合わせる

着眼 traffic に注目

㋐traffic は不可算名詞。㋑〈There + be 動詞 + A.〉「A がある」の文では, be 動詞は A に合わせるので, ③は there was が正しい。

《ココも注目》 leaving from Narita airport this morning は her flight を修飾する現在分詞句。→ 171

◎ **一緒に確認** A が複数名詞の場合は are や were を使う。
There **were** many passengers on the train. (電車の中には多くの乗客がいた)

Section 106 ⟨ 主語と動詞の位置が離れている場合 ⟩

405 one of + 複数名詞 〈one of + 複数名詞〉は単数扱い

着眼 選択肢はすべて be 動詞

㋐選択肢がすべて be 動詞なので, この文は SVC (動詞は be 動詞, 補語は that 節) の文だとわかる。空所の前の One of the most interesting facts about kangaroos が主部に当たる。㋑主語となる〈one of + 複数名詞〉は単数扱いなので, be 動詞は① is を選ぶ。

406 anyone anyone は単数扱い

着眼 Anyone に注目

㋐日本文から, Anyone「誰でも」が主語で,「知っている」が動詞だとわかる。㋑anyone や everyone など, -one で終わる代名詞は単数扱いするので, ② knows が正解。

注目 Anyone interested in protecting the environment knows that ...
　　　　　　S └───┘　　　　　　　　　　　　　　　　　V　　O

407 関係代名詞節内の動詞 関係代名詞節内の動詞は先行詞に合わせる

(TOP 100)

着眼 who の先行詞を考える

㋐who の先行詞は〈人〉だから, 直前の high school は先行詞ではない。two friends が先行詞。㋑主格の関係代名詞に続く動詞の形は先行詞に合わせる。㋒injure は「…にけがをさせる」という他動詞で,「けがをする」は受動態 be injured で表すので, ( ) には② were が入る。

注目 I have two friends from high school who were injured in the crash.
　　　　　　　↑────────────────┘ 先行詞は two friends

解答 **404** ③ (there were → there was) **405** ① **406** ② **407** ②

疑問詞

動画・解説

Section **107**

☑ **Check 29** 最初に疑問詞を確認しよう！

- **疑問代名詞**：「誰」「何」「どれ」などの意味を表し，文中で主語，補語，目的語，前置詞の目的語になる。

  □ **who**「誰」　　　　　　　　　　　□ **which**「（一定数の中から）どれ」

  □ **what**「何」

  ＊「何の（名詞），どんな（名詞）」「どちらの（名詞）」などの意味を表すことがある。

  □ **what** ＋名詞「何の（名詞）」　　　□ **which** ＋名詞「どちらの（名詞）」

  □ **whose** ＋名詞「誰の（名詞）」

- **疑問副詞**：時，場所，理由，方法などを尋ねる場合に用いる語。文中で主語，補語，目的語，前置詞の目的語にはならない。

  □ **when**「いつ」　　　　　　　　　□ **where**「どこ」

  □ **why**「なぜ」　　　　　　　　　　□ **how**「どのようにして」

  □ **how much**「どのくらい，いくら」　□ **how many**「いくつの，何人の」

---

408 ( ) are you going to visit your friend in London?　　　　(駒澤大)

① What　　② Who　　③ Whom　　④ When

409 A：How ( ) do you go to a sports gym?　　　　(青山学院大)

B：Twice a week.

① long　　② much　　③ often　　④ far

410 A：I ride my bike every day, rain or shine.　　　　(跡見学園女子大)

B：How ( ) do you normally ride?

① soon　　② much　　③ far　　④ many

411 How ( ) does it take to walk from here to the station?　　　　(椙山女学園大)

① far　　② much　　③ long　　④ many

412 "How ( ) will the train leave?" "In ten minutes."　　　　(東洋大)

① far　　② much　　③ often　　④ soon

---

408 あなたはいつロンドンの友達を訪ねるつもりですか。

409 A：どのくらいの頻度でスポーツジムに行きますか。　B：1週間に2回です。

410 A：私は雨でも晴れでも，毎日，自転車に乗ります。　B：ふつうどのくらい（の距離を）乗るんですか。

411 ここから駅まで歩いてどのくらい（時間が）かかりますか。

412 「あとどれくらいで電車は発車しますか」「10分後です」

Section 107 ◆ 疑問文の基本

408 疑問詞　疑問代名詞か疑問副詞か

着眼 文の要素を点検する

㋐疑問文の主語は you，動詞 are going to visit の目的語は your friend で，in London と場所を表す語句もある。㋑このように，この疑問文には文の要素に不足はないので，空所には疑問代名詞ではなく副詞としてはたらく疑問詞 (疑問副詞) が入るはず。よって，④ When「いつ」が適する。

注目 Who went to London?　主語を尋ねる場合
Whom[Who] did you meet in London?　会った相手を尋ねる場合
(whom はかたい言い方)
Where did you meet Mike?　場所を尋ねる場合

409 How often ...?　頻度を尋ねる

着眼 Twice「2 回」に注目

㋐Bが Twice a week「1 週間に 2 回」と答えているので，Aは頻度を尋ねたとわかる。㋑「どのくらい頻繁に…か」と頻度を尋ねる場合は How often ...? を用いるので，③ often が正解。

410 How far ...?　距離を尋ねる

着眼 文の意味を考える

㋐Aが「私は雨でも晴れでも毎日自転車に乗る」と言っているので，これに続けるのに適切な疑問文を考える。㋑③ far を入れれば，距離を尋ねる How far ...?「どのくらいの距離を…か」となる。

411 How long ...?　時間の長さ・物の長さを尋ねる

着眼 take に注目

It takes ＋時間＋ to *do*「…するのに (時間が) かかる」(→ 134) の疑問詞疑問文。「…するのにどのくらいかかりますか」と所要時間を尋ねるときは，How long ...? を使う。

誤答 ① How far ...? は「どのくらい (距離が) あるか」と距離を尋ねる表現。→ 410

412 How soon ...?　「あとどのくらいで…か」

着眼 in に注目

㋐In ten minutes. は「10 分後です」という意味だから，(　) を含む疑問文は，今からどのくらい後に電車が出発するかを尋ねる文だとわかる。㋑④ soon を入れれば，How soon ...? で「どのくらいすぐに」，つまり「あとどのくらいで…か」という表現になる。

解答　408 ④　409 ③　410 ③　411 ③　412 ④

413 (   ) is the population of this country?　　　　　　　　　（日本大）
　　① How much　　② What　　③ How many　　④ When

Section 108

STRATEGY 23　間接疑問の語順は〈疑問詞＋主語＋動詞〉

_ⒶTell me _Ⓑ(   ) to the United States.　　　　　　（名城大）
① when will you come　　　　② that when will you come
③ that when you will come　　④ when you will come

（解き方）
　㋐ **文の骨格をつかむ**：Ⓐ **Tell** で始まる命令文。tell は〈tell ＋人＋ O〉の形をとる。
　　➡ Ⓑは tell の目的語にあたる。さらに，選択肢に when が含まれているので，
　　　Ⓑは間接疑問だと判断する。
　㋑ **間接疑問の語順を確認する**：間接疑問は〈疑問詞＋主語＋動詞〉の語順だから，
　　when you will come となる。この語順になっているのは③と④。
　　➡ 疑問詞自体に名詞節をつくるはたらきがあるので，that は不要。④ **when**
　　　you will come が正解。
　　　　　　　　　　訳：あなたがいつアメリカ合衆国へ来るのか私に教えてください。

注目　**間接疑問の問題のポイント**
　▶ 疑問詞が主語以外のはたらきをする場合，〈疑問詞＋主語＋動詞〉の語順に
　　なる。
　　I know **where she is**. （私は彼女がどこにいるか知っている）
　▶ 疑問詞が主語のはたらきをする場合，〈疑問詞＋動詞〉の語順になる。
　　I wonder **who broke** the window. （誰がその窓を割ったのだろう）
　▶ what color や how much など，疑問詞がほかの語句を伴う場合は，〈疑
　　問詞＋語句〉を1つの疑問詞として扱う。

414　彼女の誕生日に何を買うつもりなのか，彼に尋ねた。　　並べかえ（龍谷大）
　　I (what / was / asked / buy / to / him / he / going) for her birthday.

415　配送料込みの価格を教えていただけますか。　　　　　　（広島修道大）
　▶ Could you (will / how / me / much / tell / it) cost, including delivery
　動画 charges?

416　どうして女性のほうが男性より長生きするのだろうか。　　（帝京大）
　　I (wonder / live / longer / men / than / why / women).

413 この国の人口はどのくらいですか。

413 **人口を尋ねる場合** 人口を尋ねる場合は what を用いる

〔着眼〕 population に注目

数を尋ねる場合は How many ...?，量を尋ねる場合は How much ...? を用いるが，population「人口」を尋ねる場合は，② **What** を用いる。

《ココも注目》 population「人口」が「多い」と言うときは，large を使って表すので，How large を用いても同じ意味を表せる。

How large is the population of this country?

〈 Section **108** 〉 間接疑問 〉

414 **間接疑問** 〈疑問詞＋主語＋動詞〉の語順

〔着眼〕 what のあとの語順を考える

㋐「（人）に…を尋ねる」は〈ask ＋人＋ ...〉で表す。〈...〉にあたるのは「彼女の誕生日に何を買うつもりなのか」という疑問文。㋑疑問文を他の文の一部として組み込むと，〈疑問詞＋主語＋動詞〉の語順になる。㋒買うのは「彼」だから，間接疑問の主語を he にして，what <u>he</u> was going to buy for her birthday とする。

〔注目〕 I asked him + What was he going to buy for her birthday?

→ I asked him **what** **he** **was** going to buy for her birthday.

　　　　　　疑問詞＋主語＋動詞

415 **〈how ＋形容詞［副詞］〉の間接疑問** how ＋形容詞［副詞］＋主語＋動詞

〔着眼〕 how much のあとの語順を考える

㋐「…を教えていただけますか」は Could you tell me ... と表す。㋑「配送料込みの価格」は「配送料を含めていくらかかるか」ということ。including delivery charges「配送料を含めて」は文末にあるので，「いくらかかるか」を間接疑問で表す。㋒疑問詞が〈how ＋形容詞［副詞］〉の場合も〈疑問詞＋主語＋動詞〉の語順になるので，how much it will cost と並べる。

〔注目〕 Could you tell me ...? + How much will it cost, including delivery charges?

→ Could you tell me **how** **much** **it** **will cost**, including delivery charges?

416 **I wonder ＋間接疑問** 「…だろうか」

〔着眼〕 wonder に注目

㋐wonder があるので，「…だろうか」は **I wonder ...** で表す。㋑wonder のあとに「なぜ…か」という間接疑問を続ける。間接疑問は〈疑問詞＋主語＋動詞〉の語順になるので，why women live longer than men と並べる。

〔注目〕 I wonder + Why do women live longer than men?

→ I wonder **why** **women** **live** longer than men.

▶ 用語解説（解説サイト）「間接疑問」

解答 **413** ② **414** asked him what he was going to buy **415** tell me how much it will
416 wonder why women live longer than men

▢
▨ **417** 彼らが誰をキャプテンに選んだか，あなたは知っていますか？　　　　　並べかえ
　　　　　(captain / do / elected / know / they / you / whom)?　　　　（東京家政学院大）

▢
▨ **418** トーナメントで優勝するのは誰だと思う？　　　　　　　　　　　　　（東京理科大）
　　　　　(do / the tournament / think / who / will / win / you)?

☑ Check 30 〈Do you know ＋疑問詞 ...?〉／〈疑問詞＋ do you think ...?〉

・Do you know **who** ...?「誰が…か知っていますか」
　―相手に求める答えは「はい／いいえ」
　□ Do you know **who wrote** this novel?（この小説を誰が書いたか知っていますか）
　　　　　　　　　疑問詞＋動詞　　※疑問詞が主語の場合

・**Who** do you think ...?「…は誰だと思いますか」
　―相手に求める答えは具体的な「人物名」
　□ **Who** do you think wrote this novel?（この小説を書いたのは誰だと思いますか）
　　※「誰」かを答えてほしいので，疑問詞が文頭に出る。

▢
▨ **419** You know a lot about computers, (　　)? I know nothing about it.
　　　　　① do you　　② don't you　　③ isn't it　　④ is it　　　（帝京大）

▢
▨ **420** You aren't interested in the sports, (　　)?　　　　　　　（東海大）
　　　　　① you aren't　　② aren't you　　③ you are　　④ are you

☑ Check 31 いろいろな付加疑問を確認しよう！

・助動詞を用いた肯定文の付加疑問：〈助動詞の否定形＋主語〉
　□ You <u>can</u> speak German, **can't you**?
　　（あなたはドイツ語が話せますよね）

・完了形の肯定文につく付加疑問：〈haven't[hasn't / hadn't] ＋主語〉
　□ Jane <u>has</u> been to the museum once, **hasn't she**?
　　（ジェーンはその博物館に一度行ったことがありますよね）

---

419 あなたはコンピュータについて多くを知っていますね。私はそれについて何も知りません。
420 あなたはスポーツに興味がないんですね。

Section 109 〈Do you know ＋疑問詞 …?〉／〈疑問詞＋ do you think …?〉

417 Do you know ＋間接疑問 …? 「…か，あなたは知っていますか」

着眼 相手に求める答えを考える

㋐「…か，あなたは知っていますか」と問われたら「はい／いいえ」で答えるので，この疑問文は，do で始まる疑問文になる。㋑まず Do you know で文を始め，know の目的語に「彼らは誰をキャプテンに選んだか」という疑問文を組み込む。文の中に疑問文を組み込むので，間接疑問の〈疑問詞＋主語＋動詞 …〉の語順になる。㋒「(人)を C に選ぶ」は〈elect ＋人＋ C〉で表す。C が役職や身分を表す時は無冠詞。

注目　　　　　　　　　They elected X captain.（彼らは X をキャプテンに選んだ）
　　　　　　　　　　　　　　　　└─── X は elected の目的語

　　　　Do you know ┃whom┃they elected┃captain?
　　　　　　　　　　　　疑問詞　主語　　動詞

418 疑問詞＋ do you think …? Who do you think …? 「…は誰だと思いますか」

着眼 相手に求める答えを考える

㋐「…は誰だと思う?」という疑問文は，相手に具体的な人物名を答えてもらうことを求めているので，間接疑問の疑問詞 who を文頭に置き，Who do you think … ? と表す。㋑think に続く部分は〈主語＋動詞〉の語順になる。ただし，この文では Who が主語にあたるので，(助)動詞以下の部分を続けて，will win the tournament とする。

◎**一緒に確認** 疑問詞が think に続く部分で主語以外のはたらきをする場合は〈疑問詞＋ do you think ＋主語＋動詞 … ?〉の語順になる。

　　　What do you think Lisa found in the box?
　　　疑問詞　　　　　　　主語　動詞
　　（リサがその箱の中に何を見つけたと思いますか）

Section 110 〈付加疑問〉

419 肯定文の付加疑問 肯定文＋否定形の付加疑問

着眼 You know に注目

㋐( ) の位置と選択肢の内容から，( ) には付加疑問が入ると判断する。㋑You know … は肯定文なので，否定形の付加疑問がつく。㋒また，一般動詞の文につく付加疑問には do[does / did] を使うので，② don't you が正解。

420 否定文の付加疑問 否定文＋肯定形の付加疑問

着眼 You aren't に注目

㋐適切な付加疑問を選ぶ問題。You aren't … は否定文なので，肯定形の付加疑問がつく。㋑be 動詞の否定文につく付加疑問は〈be 動詞＋主語〉の形をとるので，④ are you が正解。

▶ **用語解説**（解説サイト）「付加疑問」

解答　**417** Do you know whom they elected captain　**418** Who do you think will win the tournament
419 ②　**420** ④

421 Let's play tennis, (　　)? 　　　　　　　　　　　（関西学院大）
① will you 　　② are we 　　③ don't you 　　④ shall we

Section **111**

422 "Don't you like eggs?" "(　　)" 　　　　　　　　　　　（松山大）
① Yes. I don't like them. 　　　② No. I love to eat one every morning.
③ Sure. I don't have any. 　　　④ Yes, I do. I like fried eggs.

423 間違っているとわかっていることを，どうしてできるだろうか。 　（龍谷大）
(can / do / how / I know / is / what / wrong / I) ?　　　[並べかえ]

Section **112**

424 どうして昨日は会議に出席しなかったのですか。 　　　　　　（成蹊大）
(attend / how / you / why / come / didn't) the meeting yesterday?
(1 語不要)

---

421 テニスをしましょうよ。
422 「あなたは卵が好きじゃないのですか」 「好きですよ。私は目玉焼きが好きです」

421 Let's ... につく付加疑問 〉 Let's ..., shall we? 「…しましょうよ」

着眼 Let's に注目

㋐Let's ....「(一緒に) …しましょう」の内容を疑問文の形で表すと Shall we ...?「(一緒に) …しませんか」となる。㋑よって, **Let's ...** の文の付加疑問は④ **shall we** と表す。

〉 Section 〈 **111** 〉〈 いろいろな疑問文 〉

422 否定疑問文に対する応答 〉 答えが肯定なら Yes, 否定なら No

着眼 Don't you like に注目

㋐Don't you like...? のような否定形で始まる疑問文に答えるときは, 肯定の答えなら **Yes**, 否定の答えなら **No** を使う。㋑ここでは, 卵が好きなら Yes, 好きでないなら No で答えるので, ④が正解。日本語の「はい／いいえ」とは逆になるので, 十分に注意すること。

誤答 ① Yes.「好き」と答えているのに I don't like them(= eggs). と言っているのは誤り。② No.「好きではない」と答えているのに I love to eat ...「…を食べるのが大好きだ」と言っているのは誤り。③ Sure.「もちろん」は肯定の答えなのに「1つも食べない」が続くのはおかしい。

423 修辞疑問文 〉 How can S *do*? 「どうして S は…できるのか」

着眼 how に注目

㋐「どうしてできるだろうか」は, 「できない」ということを強調する言い方で, 理由を知りたいわけではない。このような疑問文を修辞疑問文と言う。㋑修辞疑問文の「どうして S は…できるのか」は **How can S *do*?** で表すので, How can I do ... と並べる。㋒do の目的語となる「…すること」は関係代名詞 what を使って表す。「私は X が間違っているとわかっている」は I know X is wrong. と表せるから, この X を what にすれば, what I know is wrong「(私が) 間違っているとわかっていること」という名詞節ができる。

《 ココも注目 》 How can I do? + I know X is wrong.

How can I do what I know is wrong? ※ what を使った連鎖関係代名詞節。→ **207**

〉 Section 〈 **112** 〉〈 慣用的な疑問文 〉

424 How come + S + V ...? 〉 「どうして…か」

着眼 how, come に注目

㋐「どうして…か」を why で表そうとすると, Why didn't you attend ... となり, how と come の 2 語が余ってしまう。㋑「どうして…か」は **How come ...?** と表すこともできるので, これを使えば why の 1 語が不要となる。㋒ただし, How come のあとは平叙文の語順なので, How come you didn't attend ...? となる。why が不要。

425 (　　) are they standing in line for? (名城大)
① How　　② What　　③ Why　　④ Where

426 How is the weather in Seattle now? (大阪教育大)
(　　) is the weather (　　) in Seattle now?　　同意文

427 "(　　) did you think of this movie?" "It was so romantic. I liked it."
① What　　② Who　　③ Why　　④ How　　(東京工芸大)

428 目を閉じて音楽を聴いたらどう。　(北海道工業大)
(the / don't / to / you / why / listen / music) with your eyes closed?
並べかえ

429 No one knows (　　) has become of him since then. (名城大)
① what　　② how　　③ where　　④ who

---

425 何のために彼らは一列になって立っているのか。
426 今のシアトルの天気はどうですか。
427 「この映画についてどう思いましたか」「すごくロマンチックでした。私は気に入りました」
429 それから彼がどうなってしまったのかは誰も知らない。

202

425 What ... for? 「何のために…か，なぜ…か」

着眼 文末の for に注目

文末に for があるので，**What ... for?**「何のために…か，なぜ…か」の形にすれば，「何のために彼らは行列を作っているのですか」となり，文意が通る。

Vocab stand in line「行列を作る，列になって待つ」

426 What is S like? 「S はどのようか，S はどんな人［もの］か」

着眼 文の意味を考える

㋐1文目は「今のシアトルの天気はどうですか」という意味。㋑「どのようであるか」と様子を尋ねるには，**What is S like?**「S はどのようか」を使うことができる。What is S like? は人やものの性質について「S はどんな人［もの］か」と尋ねる場合にも使われる。

427 What do you think of[about] ...? 「…についてどう思いますか」

着眼 think of に注目

think of があるので，**What do you think of[about] ...?**「…についてどう思いますか」を使った文だと判断する。

428 Why don't you *do* ...? 「…してはどうですか」〈提案〉

着眼 why に注目

「…したらどう」は疑問詞 why があるので，**Why don't you *do* ... ?**「…してはどうですか」という表現を用いる。Why don't you のあとは listen to the music とする。

((ココも注目)) with your eyes closed は〈with＋名詞＋過去分詞〉「（名詞）が…された状態で」の形で「目を閉じて」という付帯状況を表す。→ **195**

429 What has become of ...? 「…はどうなってしまったのか」

着眼 become of に注目

become of は what や whatever を主語にして「…はどうなるか」という意味を表すので，① what が正解。**What will become of ...?**「…はどうなるのだろう」，**What has become of ...?**「…はどうなってしまったのだろう」と覚えておこう。

〔誤答〕 空所は has become に対する主語としてはたらくので，疑問副詞である② how は使えない。

((ココも注目)) knows の目的語に疑問詞節がきているので，間接疑問。疑問詞節内では what が主語なので，〈疑問詞（＝主語）＋動詞 ...〉の語順になっていることを確認しよう。

◎〔一緒に確認〕 What has become of ...? と同じ意味は **What has happened to ...?** でも表せる。

第14章 Field 1 文法 否定

□ 430 ( ) all rainwater falling from a cloud reaches the ground. (近畿大)
① No ② None ③ Not ④ Nowhere

□ 431 They say that the poor are not ( ) unhappy. (日本大)
① always ② hardly ③ never ④ sometimes

☑ Check 32 全否定と部分否定

否定には，すべてを否定する全否定と，「全部が…というわけではない」という部分否定という表現がある。

□ 432 私は今日何もしなかった。 同意文 (山梨学院大)

(a) I didn't do ( ) today.
① nothing ② anything ③ something ④ everything

(b) I did ( ) today.
① nothing ② anything ③ something ④ everything

□ 433 A：Which shirt do you like better, the striped one or the check one?
B：To be honest, I don't really like ( ) of them. (学習院大)
① too ② either ③ neither ④ none

□ 434 This coat is too big and that one is too small. ( ) fits me. (東京工芸大)
① Neither ② Either ③ Both ④ They

□ 435 "I can't believe what he said." "I can't, ( )." (松山大)
① too ② either ③ neither ④ also

---

430 雲から落ちるすべての雨水が地面に到達するとは限らない。
431 貧しい人々が必ずしも不幸だとは限らないと言われている。
433 A：どっちのシャツが好き？ ストライプのシャツ？ それともチェックのシャツ？
B：正直言って，両方ともあまり好きじゃない。
434 このコートは大きすぎるし，あのコートは小さすぎる。どちらも私には合わない。
435 「彼が言ったことは信じられない」「私も信じられない」

Section 113 ・ 部分否定

430 not all ... 「すべての…が〜とは限らない」

着眼 否定語＋ all の形に注目

㋐ 選択肢がすべて否定語で，そのあとに all があるので，「すべての雨水が…とは限らない」という部分否定だと判断する。㋑ not all ...で「すべての…が〜とは限らない」を表すので，③ Not が正解。not every ...や not everything も部分否定を表す。

431 not always 「必ずしも…とは限らない」

着眼 文の意味を考える

not always「必ずしも…とは限らない」を使えば，「貧しい人々が必ずしも不幸だとは限らないと言われている」という意味になり，文意が通る。not のあとに always や necessarily などを置くと，部分否定になる。

《 ココも注目 》 **They say that ...**「…だと言われている」，the poor「貧しい人々」→ 398

Section 114 ・ 否定語と代名詞

432 not ... anything / nothing 「何も…ない」

着眼 (a) は否定文，(b) は肯定文であることに注目

㋐ (a) は否定文なので，「何も…ない」は not ... anything で表す。㋑ (b) は肯定文なので，（　）に否定語が入ると判断し，① nothing を選ぶ。not ... anything ＝ nothing という関係。

433 not ... either 「(2 つの) どちらも…ない」

着眼 don't に注目

㋐ To be honest「正直に言えば」(→ p.78, List 23) と言っているのだから，B は「どちらも好きではない」と思っているはず。㋑「(2 つの) どちらも…ない」は not ... either で表す。

《 ココも注目 》 not really は「あまり…ない」という意味。否定の意味を和らげるときに使う。

434 neither 「(2 つの) どちらも…ない」

着眼 fits に注目

㋐ 1 文目の意味を考えれば，2 文目は「どちらも私に合わない」という意味のはず。㋑動詞 fits が肯定形なので，（　）に否定語が入ると判断し，① Neither「(2 つの) どちらも…ない」を選ぶ。not ... either ＝ neither という関係。

◎ 一緒に確認 「(3 つ以上の) どれも…ない」は **none** を使って表す。

435 not ..., either 「〜もまた…ない」

着眼 省略を補って考える

㋐ 応答の I can't は I can't believe what he said を省略した形だから，応答文は「私も彼の言ったことが信じられない」という意味を表している。㋑否定の内容を繰り返して「〜もまた…ない」と言うときは either を使う。

Field 1 文法

Field 2 語法

Field 3 イディオム

Field 4 会話・表現

Field 5 ボキャブラリー

Field 6 英文構造

解答 430 ③ 431 ① 432 (a) ② (b) ① 433 ② 434 ① 435 ②

Section 115

436 No (what / one / will / knows) happen in the future. [並べかえ]
（大阪経済大）

437 I am not sleepy (　　) all. （東京歯科大）
① at　② quite　③ in　④ but

438 メアリーは，ヘビを少しも怖がらない。
Mary is (not / of / the / afraid / in / least) snakes. （中京大）

439 おもしろい小説を書くことは決して簡単ではない。 [適語補充]
It is (　　　　　) no means easy to write an interesting novel. （西南学院大）

Section 116

▶ [動画]

STRATEGY 24　否定語を使わずに否定の意味を表す

スティーブはうそをつくような人ではないだろう。 [適語補充]（高知大）
Steve Ⓐ would be Ⓑ the (　　　　　) person to tell a lie.

[解き方] ㋐ 否定表現に注目：日本文は「…ではないだろう」という否定文だが，英文の述語動詞はⒶ **would be** となっていて，否定語がない。
㋑ 否定語を使わない否定表現を使う：Ⓑ **the (　　) person to tell** という語の並びから，**the last person to *do***「最も…しそうにない人」を思い出す。
➡ **last** を入れる。

[注目] **否定語を使わない否定表現の問題のポイント**
▶ 否定語を使わない否定表現は,「なぜその意味になるのか」を理解して覚える。the last person to *do* は「…する最後の人」＝「ほかのすべての人がやっても，その人は最後までやらない」ということから,「最も…しそうにない人」の意味が生じる。

440 鈴木さんは決して約束を破るような人ではない。 （中京大）
Mr. Suzuki is (who / the / break / would / person / last) a promise.

---

436 将来，何が起こるかは誰にもわからない。
437 私は少しも眠くない。

Section 115 強い否定を表す表現

436 no＋名詞 「少しの…もない，ひとつの…もない」

[TOP 100]

[着眼] No に注目

[ア] no は〈no＋名詞〉の形で使うので，No one が主語になる。no one は単数扱いなので，動詞は knows。[イ] 助動詞 will は原形 happen の前にしか置けないので，what will happen in the future「将来何が起こるのか」という間接疑問（→ [414]）をつくり，knows のあとに置く。〈**no＋名詞**〉は，「少しの…もない，ひとつの…もない」という強い否定を表す。

437 not ... at all 「少しも…ない」

[着眼] not，all に注目

否定文で，空所のあとに all があることに注目。**not ... at all** で「少しも…ない」の意味を表す。

438 not in the least 「少しも…ない」

[着眼] not，least に注目

[ア]「…を怖がる」は be afraid of ... で表すので，「メアリーはヘビを怖がらない」は Mary is not afraid of snakes と表せる。[イ] 語群に least があるので，「少しも…ない」は **not in the least** で表すと判断し，not の直後に in the least を置く。

《ココも注目》 not in the least の in the least は文末に置くこともできる。
Mary is not afraid of snakes in the least.

439 by no means 「決して…ではない」

[着眼] no means に注目

no means があるので「決して…ではない」は **by no means** で表す。空所には by を入れる。

Section 116 no / not を使わない否定表現

440 the last person who ... 「最も…でない人」

[TOP 100]

[着眼] person，last に注目

[ア] person と last があるので，「決して約束を破るような人ではない」を「最も約束を破りそうにない人だ」と読みかえて，**the last person who ...**「最も…でない人」を使う。[イ]「約束を破る」は break a promise。実際には約束を破っていないのだから，would break a promise と仮定法で表す。

《ココも注目》 the last person to *do*（→ STRATEGY 24）で書きかえられる。
Mr. Suzuki is the last person to break a promise.

解答 [436] one knows what will [437] ① [438] not in the least afraid of [439] by
[440] the last person who would break

強調・倒置・省略

動画・解説

Section 118

STRATEGY 25 強調構文は It is と that の間に強調する語句を置く　[動画]

昨日泥棒を捕まえたのはこの男性です。　[並べかえ]（藤女子大）

Ⓐ It (man / caught / Ⓑ that / this / is) the robber yesterday.

[解き方] ㋐ 語群の中から特徴的な語を見つける：文頭にⒶ **It** があり，語群にⒷ **that** がある。

➡ 日本文が「この男性」を強調しているので，**It is ... that 〜.** の強調構文だと判断する。

㋑ 語群の語句を正しく並べる：「この男性」を It is と that の間に置き，the robber の直前に caught を置く。

➡ **It is this man that caught the robber yesterday.** が正しい語順。

[注目] **強調構文の問題のポイント**

▶ 強調構文〈It is ... that 〜.〉は，It is と that の間の語句が強調される。

▶ 強調構文で強調できるのは，名詞・代名詞と副詞句・副詞節。

▶ 強調される名詞・代名詞が〈人〉の場合は，that の代わりに who を使うことが多い。

[This man] caught the robber yesterday.（強調する前の文）

It is [this man] that caught the robber yesterday.（強調構文）

□□□ **447** 私が空港で彼に出会ったのはまったくの偶然でした。　[並べかえ]（桜美林大）

It was purely (chance / by / I / met / that) him at the airport.

□□□ **448** 仲のよい友達だからこそ，そのような問題も起こるのです。（1語不要）

(are / because / what / it / you / is) good friends that such problems come up.　（成蹊大）

□□□ **449** [動画] 多くの学生が卒業前にやりたいこととは何だろうか。　（近畿大）

(are / is / it / many students / that / what) interested in doing before graduation?

□□□ **450** 昨日になって初めて私たちはその悪い知らせを聞いた。　（実践女子大）

It (the bad news/ heard / not / that / until / was / we / yesterday).

Section 118 ◇ 強調構文

447 強調構文：副詞句の強調 ｜ 強調する語句を It is[was] と that の間に置く

着眼 It was と語群の that に注目

㋐日本文が「偶然だったこと」を強調していることや，It was と that があることから，**It is[was] ... that ～.** の強調構文だと判断する。㋑「偶然に」は by chance で表すので，purely by chance「まったく偶然に」を It was と that の間に置く。that のあとは I met を続ける。

注目 I met him at the airport | purely by chance |.

It was | purely by chance | **that** I met him at the airport.

448 強調構文：副詞節の強調 ｜ It is ＋副詞節＋ that ～.

着眼 「仲のよい友達だからこそ」に注目

㋐「…だからこそ」は「…だから」という理由を強調しているので，**It is ... that ～.** の強調構文で表す。㋑「仲のよい友達だから」を because you are good friends と表し，これを It is と that の間に置く。what が不要。強調構文は副詞節を強調することもできる。

注目 Such problems come up | because you are good friends |.

It is | because you are good friends | **that** such problems come up.

449 強調構文：疑問詞の強調 ｜ 疑問詞＋ is it that ...?

着眼 is, it, that に注目

㋐「何だろうか」という疑問文なので，文頭に What を置く。「やりたい」は be interested in doing「することに興味がある」で表せるが，is, it, that が余ってしまう。㋑そこで，**It is ... that ～.** の強調構文の疑問文だと考える。疑問文なので，What のあとは is it の語順。さらに that を続ける。that のあとに many students are interested in doing「多くの学生がやりたい」を続ける。㋒疑問詞を強調する強調構文は，〈疑問詞＋ is it that ...?〉の語順になる。

注目 Many students are interested in doing |X| before graduation. （強調していない文）

It is |X| **that** many students are interested in doing before graduation.
（X を強調した文）

|What| **is it** that many students are interested in doing before graduation?
（X を尋ねる疑問文）

450 **It was not until ... that ～** ｜ 「…になって初めて～した」

着眼 It, not, until に注目

㋐It, not, until を見て，**It was not until ... that ～**「…になって初めて～した」の形を使うと判断する。㋑〈...〉に yesterday を置き，〈～〉に we heard the bad news「私たちはその悪い知らせを聞いた」を置く。It was not until ... that ～は not until ... を強調した強調構文。

《ココも注目》 **It was not until ... that ～**の until のあとには節が続くこともある。
It was not until Mike lost his friend **that** he realized the importance of friendship. （マイクは友人を失って初めて友情の大切さに気づいた）

解答 **447** by chance that I met **448** It is because you are （what が不要）
449 What is it that many students are **450** was not until yesterday that we heard the bad news

Section 119

451 He (　　) come here yesterday, but he left very soon. （日本大）
① did　② has　③ may　④ should

452 Who in the world is that fellow? [同意文] （名城大）
Who on (　　　　) is that fellow?

Section 120

▶ [動画]

STRATEGY 26　否定語を文頭に出すと倒置が起こる

(　　) again (　　) (　　) (　　) to her. [並べかえ] （駒澤大）
(he / Ⓑ never / lie / Ⓐ did)

[解き方] ㋐ **肯定の平叙文で do[does, did] が出てきたら，強調か倒置を予想する**：ピリオドで終わっているのに，Ⓐ **did** がある。
㋑ **否定語が文頭にあると倒置が起こる**：Ⓑ **never** を文頭に置けば，否定語を文頭に置いた倒置文になる。
➡ 倒置＝疑問文の語順だから，**Never** again **did he lie** to her. とする。
訳：彼は彼女に二度とうそをつかなかった。

[注目] **否定語を文頭に置いた倒置文の問題のポイント**
▶ 否定語を強調して文頭に置くと倒置が起こる。 He [never again] lied to her.
→〈主語＋動詞〉が疑問文の語順になる。 [Never again] **did he lie** to her.
疑問文の語順

453 Never (　　) so many stars in the sky as I saw that night. （神奈川大）
① was I seen　② I had seen　③ I was seen　④ had I seen

454 Little (　　) that I would encounter the Hollywood actor on this backstreet of Tokyo. （東海大）
① I have thought　② didn't I think
③ I haven't thought　④ did I think

455 ごく最近になってやっと彼女は英語をちょっと話せるようになった。 [並べかえ]
Only (able / she / to / recently / become / has) speak some English. （天使大）

---

451 彼は昨日ここに来たことは来たのだが，すぐに立ち去った。
452 あいつはいったい誰なんだ。
453 あの夜に見たほどたくさんの空の星を，私は一度も見たことがなかった。
454 東京のこんな裏通りでハリウッド俳優に出会うなんて，まったく思ってもいなかった。

Section 119 ‹ いろいろな強調表現

451 do ＋動詞の原形 do で動詞を強調する

着眼 yesterday に注目

㋐yesterday があるので、現在形の② has や、現在のことについて使う助動詞の③ may、④ should は入らない。㋑① did を入れれば、動詞を強調する〈do ＋動詞の原形〉の形になるので、これが正解。do は主語や時制に応じて does や did にする。

《ココも注目》 名詞を強調する場合は、〈**the very** ＋名詞〉の形で「まさにその（名詞）」の意味を表す。
This is **the very thing** I want to buy for my wife.
（これがまさに私が妻に買ってやりたいものだ）

452 疑問詞＋ on earth Who on earth ...? 「いったい誰が…か」

着眼 Who in the world に注目

㋐Who in the world ...? は「いったい誰が…か」という意味で、in the world は Who を強調している。㋑同じように疑問詞を強調する表現に on earth がある。〈疑問詞＋ on earth〉で「いったい誰が［いつ，など］…か」という意味。

《ココも注目》〈疑問詞＋ **in the world**〉「いったい誰が［いつ，など］…か」

Section 120 ‹ 倒置

453 文頭の Never Never ＋疑問文の語順

着眼 文頭の Never に注目

㋐文頭に否定語 Never がある。否定語を強調のために文頭に出すと、倒置が起こり、疑問文の語順になる。㋑④ had I seen は過去完了の疑問文の語順なので、これが正解。

誤答（　）の後ろに seen の目的語（so many stars）があるので、受動態の①は不可。

注目 I had never seen so many stars in the sky as I saw that night.

 Never **had I seen** so many stars in the sky as I saw that night.

454 文頭の Little Little ＋疑問文の語順

着眼 文頭の Little に注目

㋐little は think や know の前に置くと、「まったく…ない」という否定の意味を表す。㋑文頭の否定語 Little のあとは疑問文の語順になるので、④ did I think が正解。②は否定語が重複しているので、誤り。

注目 I little thought that ... ⟶ Little **did I think** that ...

◎ **一緒に確認** seldom「ほとんど…ない」、hardly「ほとんど…ない」、rarely「めったに…ない」なども否定語。これらの語が文頭に出ても倒置が起きる。

455 文頭の Only Only ... ＋疑問文の語順

着眼 文頭の Only に注目

㋐「ごく最近になって」は only recently で表す。㋑only は、ほかを排除して「…だけ」「…しか（〜ない）」という否定的な意味をもつため、only が文頭に出ても倒置が起こる。㋒「彼女は…できるようになった」は現在完了で she has become able to ... となるが、倒置が起こるので、has she become able to ... の語順になる。

解答 **451** ①　**452** earth　**453** ④　**454** ④　**455** recently has she become able to

456 彼が家に着くとすぐに雨がやんだ。 並べかえ (龍谷大)

No (home / sooner / stopped / arrived / it / had / than / he) raining.

457 At no time ( ) about her private life in front of her students. (近畿大)
① did not the teacher talk   ② did the teacher talk
③ the teacher not talking   ④ the teacher talked

458 Not until doctors have completed their internships ( ) to practice medicine as a profession. (東海大)
① they begin   ② can they begin
③ did they begin   ④ they could begin

Section 121

459 The player hit ( ) powerful a smash that her opponent was unable to return the ball. (杏林大)
① very   ② such   ③ quite   ④ so

460 He is ( ) boy to tell a lie. (天使大)
① a too honest   ② too an honest
③ too honest a   ④ too honest

✔ Check 33 〈結果・程度〉を表す表現での語順を確認しよう！

・so ... that ～「とても…なので～」「～なほど…」
　□ Ms. Smith is **so** <u>kind</u> a <u>woman</u> **that** she is loved by everyone. → 459
　（スミスさんはとても親切な女性なので，皆から愛されている）

・such ... that ～「とても…なので～」「～なほど…」→ 362
　□ Ms. Smith is **such** <u>a</u> <u>kind</u> <u>woman</u> **that** she is loved by everyone.

---

457 先生は生徒の前では決して自分の私生活について話さなかった。
458 医者は研修期間が終わって初めて，専門職として医療に従事し始めることができる。
459 その選手はじつに強烈なスマッシュを打ったので，彼女の対戦相手はそのボールを返すことができなかった。
460 彼はうそをつくにはあまりにも正直すぎる少年だ［正直すぎる少年なのでうそをつけない］。

[456] No sooner + had S +過去分詞 ... than ～ 「…したらすぐに～した」

[着眼] No, sooner, than に注目

㋐語群に sooner と than があるので，no sooner ... than ～「…したらすぐに～した」を使うと判断する。〈...〉に「彼が家に着いた」，〈～〉に「雨がやんだ」が入る。[イ] **No sooner** が強調のために文頭に出ていると考え，he had arrived home「彼が家に着いた」を疑問文の語順 had he arrived home にして続ける。[ウ] than のあとに it stopped raining「雨がやんだ」を続ける。

[注目] He had [no sooner] arrived home than it stopped raining.

[No sooner] had he arrived home than it stopped raining.

[ココも注目] ほぼ同じ意味を表す **hardly ... when** ～（→ 355, 356）も確認しよう。

[457] 否定語を含む副詞句 At no time +疑問文の語順

[着眼] At no time に注目

㋐否定語を含む副詞句 **At no time**「決して…ない」が文頭にある。[イ] 否定語を含む副詞句が文頭に出ると倒置が起こり，疑問文の語順になるので，② did the teacher talk が正解。①は否定語が重複しているので，誤り。

[一緒に確認] 「決して…ない」は **under no circumstances** や **on no condition** でも表せる。

[458] 否定語を含む副詞節 Not until ... +疑問文の語順

[着眼] Not until に注目

㋐**Not until** が文頭にあるので，倒置が起こる。[イ] 文の中心の〈S + V〉は（　　）の部分なので，疑問文の語順になっている② can they begin が正解。

[注目] [Not until **doctors have completed** their internships] can they begin to practice ...

倒置しない　倒置

[ココも注目] 倒置されるのは文の中心の〈S + V〉で，until 節内の〈S' + V'〉は倒置されない。

Section 121 • so / too のあとの語順に注意すべきもの

[459] so +形容詞+ a[an] +名詞 「とても…な（名詞）」：語順に注意

[着眼] powerful a smash の語順に注目

㋐選択肢がどれも powerful を強調する副詞で，さらに that 節があるので，「とても…なので～」を表す so ... that ～か such ... that ～のどちらかだと予想する。[イ] so の直後に〈a[an] +形容詞+名詞〉がくると，〈**so +形容詞+ a[an] +名詞**〉の語順になる。powerful a smash はこの語順なので，④ so が正解。such の場合は，〈such + a[an] +形容詞+名詞〉となる（→ 362）。

[460] too +形容詞+ a[an] +名詞 「…すぎる（名詞）」：語順に注意

[着眼] too, to に注目

㋐選択肢に too が入っていて，文中に to tell があるので，too ... to *do*「…すぎて～できない」の形だと判断する。[イ] too の直後に〈a[an] +形容詞+名詞〉がくると，〈**too +形容詞+ a[an] +名詞**〉の語順になるので，③ too honest a が正解。

解答　456 sooner had he arrived home than it stopped　457 ②　458 ②　459 ④　460 ③

461 I have to work on Sundays, and (   ). (東邦大)
▶
動画
① my husband has, too   ② so does my husband
③ my husband either   ④ neither my husband does

462 My wife doesn't like jazz, and (   ). (岩手医科大)
▶
動画
① I don't, too   ② neither do I   ③ so do I   ④ as I do

463 彼は読書クラブに入るのも断っているし，図書館を利用することもない。
並べかえ (中京大)

He refuses to join a book club, (the / he / library / use / nor / does).

464 When (ask) about his life in Japan, Tom said that he was a little
homesick. 語形変化 (明治大)

List 47	副詞節を導く接続詞のあとに過去分詞が続く表現
□ **if** 「もし…ならば」 → **if seen** from a distance 「遠くから見ると」
□ **unless** 「…でない限り」 → **unless spoken to** 「話しかけられない限り」

465 There is little, if (   ), difference between the two computers. (成城大)
① any   ② some   ③ none   ④ few

466 Andy seldom, (   ), watches TV. (千葉工業大)
① as if   ② if ever   ③ if any   ④ by far

List 48	if を用いた慣用句
□ **if any**	「もしあれば」「(数量が) たとえあるにしても」→ 465
□ **if possible**	「もし可能なら」
□ **if necessary**	「もし必要なら」
□ **if ever**	「(頻度が) たとえあるにしても」→ 466
□ **if anything**	「どちらかといえば」「(否定的な内容のあとで) それどころか」
□ **A if not B**	「B とは言わないまでも A (とは言える)」

461 私は日曜日に働かなければならないし，私の夫も同様だ。
462 私の妻はジャズが好きではないし，私も好きではない。
464 日本での生活について尋ねられたとき，トムは少しホームシックだと言った。
465 たとえあるにしても，その2つのコンピュータの間に違いはほとんどない。
466 たとえ見ることはあるにしても，アンディはめったにテレビを見ない。

Section 122 〈・〉倒置になる表現 (so / neither / nor)

461 **so ＋助動詞 [be 動詞] ＋ S** 「S もそうだ」

着眼 コンマの前が肯定文であることに注目
ア選択肢から，(　)には「私の夫もそうだ」という内容が入ると予想する。**イ**肯定文の内容を受けて「S もそうだ」と言う場合は，〈so ＋助動詞 [be 動詞] ＋ S〉を使う。助動詞 have to を使った文を受ける場合は do[does] を使うので，② so does my husband が正解。

462 **neither[nor] ＋助動詞 [be 動詞] ＋ S** 「S もまた…ない」

着眼 コンマの前が否定文であることに注目
ア選択肢から，(　)には「私もそうだ」という内容が入ると予想する。**イ**否定文の内容を受けて「S もまた…ない」と言う場合は，〈neither[nor] ＋助動詞 [be 動詞] ＋ S〉を使う。一般動詞の文を受ける場合は do[does, did] を使うので，② neither do I が正解。

463 **nor ＋疑問文の語順** 「そしてまた…もない」

着眼 nor に注目
ア否定文に否定文を続けて「そしてまた…もない」と言うときは，接続詞として nor を使う。nor のあとは倒置が起こり，疑問文の語順になる。**イ**本問では「そしてまた彼は図書館も利用しない」ということだから，nor のあとに does he use the library を続ける。
《ココも注目》He refuses to join a book club は否定的な意味を表すので，nor を使ってつなぐことができる。

Section 123 〈・〉省略

464 **副詞節内の省略** 〈主節と同じ主語＋ be 動詞〉は省略できる

着眼 When に注目
アWhen S' ＋ be 動詞 ..., S ＋ V 〜 . という文で，S' ＝ S の場合は，S' と be 動詞は省略することができる。**イ**(　)の後ろに目的語がないので，ask は受動態になる。When Tom was asked about ...「トムが…について尋ねられたとき」の Tom と was を省略すると，When asked about ... となるので，正解は asked。

465 **if any** 「(数量が) たとえあるにしても」

着眼 if に注目
if any で「(数量が) たとえあるにしても」という意味を表すので，① any が正解。if any ＝ if there is any difference「たとえ違いがあるとしても」を省略した形。
◎一緒に確認 if any は「もしあれば」という意味も表す。
Correct the errors, if any.（もしあれば，間違いを直して）

466 **if ever** 「(頻度が) たとえあるにしても」

着眼 seldom に注目
アseldom「めったに…ない」があるので，if ever「(頻度が) たとえあるにしても」を入れれば文意が通る。**イ**if ever ＝ if Andy ever watches TV「たとえアンディがテレビを見ることがあるにしても」を省略した形。

解答 461 ② 462 ② 463 nor does he use the library 464 asked 465 ① 466 ②

第 01 章 時制
☐ be about to *do*   まさに…するところだ   10

第 02 章 受動態
☐ S is said to *do*   …と言われている   42
☐ It is said that ...   …と言われている   43
☐ be known as ...   …として知られている   44
☐ be caught in ...   (渋滞・嵐) にあう, 巻き込まれる   45
☐ be interested in ...   …に興味がある   46

第 03 章 助動詞
☐ can't[cannot] afford to *do*   …する余裕がない   74
☐ can't[cannot] help *doing*   …せずにはいられない   75
☐ can't[cannot] *do* too ...   いくら…してもしすぎることはない   76
☐ may[might] well *do*   たぶん…だろう   77
☐ may[might] as well *do* ... as *do* ~   ~するくらいなら…するほうがましだ   78
☐ may[might] as well *do*   …するほうがよい   79

第 04 章 仮定法
☐ if it were not for ...   …がなければ   91
☐ if it had not been for ...   …がなかったら   92
☐ if only ＋仮定法過去   …すればなあ   105
☐ would rather ＋仮定法過去   むしろ…だといいのだが   106
☐ It is time ＋仮定法過去   もう…してもよいころだ   107
☐ It is high time ＋仮定法過去   とっくに…する時だ   **List 15**

第 05 章 不定詞
☐ It takes (＋人) ＋時間＋ to *do*   ((人) が) …するのに (時間が) かかる   134
☐ It costs (＋人) ＋費用＋ to *do*   ((人) が) …するのに (費用が) かかる   135
☐ come to *do*   …するようになる   136
☐ to say nothing of A   Aは言うまでもなく, Aはもちろん   140
☐ so to speak   いわば   141
☐ to be frank (with you)   率直に言って   142
☐ to make matters worse   さらに悪いことに   143
☐ strange to say   不思議なことに   **List 23**
☐ to begin[start] with   まず最初に   **List 23**

第 06 章 動名詞
☐ look forward to *doing*   …するのを楽しみに待つ   152
☐ be used[accustomed] to *doing*   …するのに慣れている   153, 154
☐ object to *doing*   …することに反対する   155

☐ What do you say to *doing*?	…するのはどうですか	156
☐ it is no use[good] *doing*	…してもむだだ	157, 158
☐ There is no point (in) *doing*	…してもむだだ	159
☐ worth *doing*	…する価値がある	160
☐ spend ＋時間＋ (on) *doing*	…するのに（時間）を費やす	161
☐ be busy (in) *doing*	…するのに忙しい	162
☐ have difficulty[trouble] (in) *doing*	…するのに苦労する	163, 164
☐ on *doing*	…するとすぐに	165
☐ There is no *doing* ...	…できない	166
☐ It goes without saying that S' + V'...	…は言うまでもない	167

第07章　分詞

☐ judging from ...	…から判断すると	190
☐ frankly speaking	率直に言えば	191
☐ considering ...	…を考慮すれば	192
☐ all things considered	すべてのことを考慮すると	193
☐ speaking[talking] of ...	…と言えば	List 29
☐ strictly speaking	厳密に言えば	List 29
☐ weather permitting	天気がよければ	List 29

第08章　関係詞

☐ what S used to be / what S was	昔のS，以前のS	227
☐ what we call A / what is called A	いわゆる A	229
☐ A is to B what C is to D.	AのBに対する関係はCのDに対する関係と同じだ	230
☐ as is often the case	よくあることだが	242

第09章　比較

☐ as ... as *one* can / as ... as possible	できるだけ…	250, 251
☐ as ... as expected	期待されたほど…	252
☐ not so much A as B	A というよりは（むしろ）B	254
☐ not so much as *do*	…さえしない	255
☐ prefer A to B	B よりも A を好む	261
☐ superior to ...	…よりも優れている	262
☐ more than ＋数詞	…より多く	263
☐ less than ＋数詞	…未満	264
☐ no more than ＋数詞	わずか…，…しかない	265
☐ no less than ＋数詞	…も（たくさん）	266
☐ more A than B	B というよりは（むしろ）A	267
☐ no longer ...	もはや…ない	269
☐ not ... any longer	もはや…ない	270
☐ no less ... than A	A と同様に…である	271
☐ no more ... than A	A と同様に…でない	272
☐ know better than to *do*	…するほど愚かではない	273

Field 2

語法

第16章 | Field 2 語法　動詞の語法

Section 124

467 Jennifer got ① married ② to Ben ③ soon after she ④ graduated college.

誤文指摘 （拓殖大）

468 You should apologize (　　) for losing your temper.　　（西南学院大）
① him　　② to him　　③ as him　　④ at him

469 Sam can't (　　) the competition because he has broken his leg.
① participate　　　　　② participate to　　（東京電機大）
③ participate in　　　　④ participate on

Section 125

470 We should (　　) our plans for the future.　　（近畿大）
① be discussed　　② discuss　　③ discuss about　　④ discuss of

471 Robert (　　) his father in appearance but not in character.　　（佛教大）
① is being resembled　　② is resembled
③ is resembling　　　　④ resembles

472 (　　) the end of our vacation, we dreaded going home.　　（日本大）
① Approaching　　　　② Approaching at
③ Approaching into　　④ Approaching to

---

467 ジェニファーは，大学を卒業したあとすぐにベンと結婚した。
468 あなたはカッとなったことを彼にわびるべきだ。
469 サムは脚を折っているので競技会に参加できない。
470 私たちの将来の計画について話し合うべきだ。
471 ロバートは，彼の父親に見た目は似ているが性格は似ていない。
472 休暇の終わりに近づき，私たちは家に帰りたくなかった。

222

Section 124 ▷ 自動詞 (後ろに〈前置詞+目的語〉を続ける動詞)

467 graduate from A 「A を卒業する」

着眼 graduate に注目

graduate「卒業する」は自動詞なので、「…を卒業する」は graduate from ... と表す。

《ココも注目》 get married to A は「A と結婚する」の意味。→ 560

468 apologize to ＋人＋ for ... 「(人) に…のことをわびる」

着眼 apologize に注目

apologize「謝罪する」は自動詞なので、「(人) に謝罪する」は〈apologize to ＋人〉と表す。よって、② to him が正解。〈apologize to ＋人＋ for ...〉「(人) に…のことをわびる」の形で覚えておこう。

《ココも注目》 lose *one's* temper は「急に怒る、カッとなる」。→ 820

469 participate in A 「A に参加する」

着眼 participate に注目

participate「参加する」は自動詞なので、「…に参加する」は participate in ... と表す。

《ココも注目》 participate in A は take part in A で書きかえられる。→ 798

Sam can't <u>take part in</u> the competition.

Section 125 ▷ 他動詞 (後ろに目的語を続ける動詞)

470 discuss 「…について話し合う」

着眼 discuss に注目

discuss「…について話し合う」は他動詞なので、直後に目的語を続ける。

471 resemble 「…に似ている」

着眼 resemble に注目

resemble「…に似ている」は他動詞なので、直後に目的語を続ける。また resemble は状態動詞で、進行形にできない。よって、④ resembles が正解。

472 approach 「…に近づく」

着眼 approach に注目

選択肢の文頭に Approaching がきているので、分詞構文 (→ p.97, Check 15) だと考える。**approach**「…に近づく」は他動詞なので、直後に目的語 (the end of our vacation) を続ける。よって、① Approaching が正解。

《ココも注目》 この文の Approaching ... は「…に近づいたとき」〈時〉の意味。

Vocab approach the end of ... 「…の終わりに近づく」

dread *doing* 「…するのを恐れる、…したくない」

▶ **用語解説** (解説サイト) 「自動詞」「他動詞」「目的語」

解答 467 ④ (graduated college → graduated from college) 468 ② 469 ③ 470 ②
471 ④ 472 ①

473 The cat (　　) sleeping peacefully on the roof.　　（成城大）
　① lie　② lying　③ laid　④ lay

474 My father had kindly (　　) the book on my desk before I came home
yesterday.　　（立教大）
　① laid　② lain　③ lay　④ lied

475 With a shaky hand, the old man (　　) the cup to his mouth.　　（自治医科大）
　① arose　② aroused　③ raised　④ rose

476 ①The value of a currency ②declines ③as the rate of inflation ④raises.
　　　　　　　　　　　　　　　　　　　　　誤文指摘　（立教大）

☑ **Check 34**　lie と lay の覚え方（声に出して読んでみよう）

lie
[アイ]　lie [lái] ライは自動詞
「横たわる」も「ア」の音

lay
[エイ]　lay [léi] レイは他動詞
「…を横たえる」も「エ」の音

☑ **Check 35**　rise と raise の覚え方（声に出して読んでみよう）

rise
[アイ]　rise [ráiz] ライズは自動詞
「上がる」も「ア」の音

raise
[エイ]　raise [réiz] は他動詞
「…を上げる」も「エ」の音

477 Almost everybody has decided (　　) the test before graduation.　　（佛教大）
　① having taken　② taking　③ to take　④ to have taken

---

473 そのネコは屋根の上で横になって穏やかに眠っていた。
474 昨日，私が帰宅する前に，親切にも父が私の机の上にその本を置いてくれていた。
475 震える手で，その老人はカップを口へと運んだ。
476 インフレ率が上がるにつれて，通貨の価値は下がる。
477 ほとんど全員が卒業の前にその試験を受けることに決めている。

Section 126 ◆ 活用や形を混同しやすい動詞

473 lie 「横になる，横たわる」（自動詞）

着眼 意味に注目

空所のあとに「屋根の上で穏やかに眠って」と続くので，空所には「横になる，横たわる」を表す動詞が入ると予想する。「横になる，横たわる」を表す動詞は自動詞 lie。主語が The cat（三人称単数）なので，現在形なら lies になるが，選択肢にはないため，ここでは過去形が使われていると考える。lie は **lie-lay-lain** と活用する。

《ココも注目》 〈lie ＋現在分詞〉は「…しながら横になる，横になって…している」の意味。

474 lay 「…を置く」（他動詞）

着眼 空所のあとに注目

空所のあとに名詞（the book）が続くので，空所には「…を置いた」という意味の他動詞が入る。空所の前に had があるので，空所に過去分詞を入れて過去完了にする。他動詞「…を置く」は **lay** で，過去分詞は① laid になる。lay は **lay-laid-laid** と活用する。

Vocab kindly「親切にも」は，動詞の前に置くと文修飾になる。

475 raise 「…を上げる」（他動詞）

着眼 空所のあとに注目

空所のあとに名詞（the cup）が続くので，空所には「…を持ち上げる」という意味の他動詞が入る。ここでは過去形の③ raised が正解。raised は raise「…を上げる」の過去形。raise は **raise-raised-raised** と活用する。

選択肢 ① arose は arise「生じる，発生する」の過去形，② aroused は arouse「…を引き起こす，刺激する」の過去形・過去分詞，④ rose は自動詞 rise「上る，上がる」の過去形。

Vocab shaky 形「震える」

476 rise 「上る，上がる」（自動詞）

着眼 raise に注目

④ raises の原形 raise は他動詞で，目的語が必要。ここでは「インフレ率が上がる」となるので，他動詞ではなく自動詞 rises が正しい。rise は **rise-rose-risen**[rízn] と活用する。

《ココも注目》 as は「…するにつれて」という〈比例〉を表す。→ 382

Section 127 ◆ 目的語に不定詞をとる動詞

477 decide to *do* 「…することに決める」

着眼 decide に注目

decide は不定詞を目的語にとり，**decide to *do*** の形で「…することに決める」という意味を表すので，③ to take が正解。

誤答 ④の〈to have ＋過去分詞〉は述語動詞よりも前の〈時〉の出来事を表すので，ここには入らない。

▶ 用語解説（解説サイト） 「文修飾」

解答 473 ④ 474 ① 475 ③ 476 ④（raises → rises） 477 ③

478 Because the mailman ( ) to deliver the package on time, there was nothing to give the boss on her birthday. (法政大)
① failed ② missed ③ lost ④ quit

479 They managed ( ) to buy a house. (亜細亜大)
① saved enough money ② save money enough
③ to enough save money ④ to save enough money

480 The girl pretended ( ) a student. (福岡大)
① being ② to be ③ of being ④ to be no

481 We will ( ) to accept such an absurd proposal. (杏林大)
① deny ② object ③ refuse ④ dislike

List 49 不定詞を目的語にとる動詞を覚えよう！

不定詞は「まだ実現していないこと」を表すという特徴があるので，「これから何かを達成しようとする」という意味を表す動詞と結びつく傾向がある。
□ **afford** to *do* 「…する余裕がある」
□ **decide** to *do* 「…することに決める」→ **477**
□ **fail** to *do* 「…しそこなう，…できない」→ **478**
□ **manage** to *do* 「どうにか…する」→ **479**
□ **pretend** to *do* 「…するふりをする」→ **480**
□ **refuse** to *do* 「…することを拒む，断る」→ **481**

Section 128

482 May I ask ①if you ②have enjoyed ③to talk ④with my family? 誤文指摘 (関西外国語大)

483 As I don't like the noise of the city, I'm considering ( ) to a smaller town. (専修大)
① moved ② moving ③ to move ④ movement

---

478 郵便配達人が時間通りに荷物を配達できなかったので，上司の誕生日にあげるものが何もなかった。
479 彼らは家を買うのに十分なお金をどうにか貯めた。
480 その女の子は学生のふりをした。
481 私たちはそんなばかばかしい提案を受け入れることを拒否します。
482 私の家族との会話を楽しめたかどうか，お尋ねしてもいいですか。
483 都会の騒音が好きではないので，私はもっと小さな町に引っ越そうかと考えている。

478 **fail to *do*** 「…しそこなう，…できない」

着眼 空所のあとに不定詞 to deliver があることに注目

空所の直後に不定詞 to deliver が続いていることに注目。不定詞を目的語にとるのは① failed のみ。**fail to *do*** で「…しそこなう，…できない」の意味を表す。

選択肢 ② miss *doing* 「…しそこなう」，④ quit *doing* 「…することをやめる」→ **486**

◎**一緒に確認** **never fail to *do*** は「…しないことは決してない→必ず…する」という肯定の意味。→ **446**

479 **manage to *do*** 「どうにか…する」

着眼 空所の前の managed に注目

manage to *do* の形で「どうにか…する」の意味を表すので，④が正解。

480 **pretend to *do*** 「…するふりをする」

着眼 空所の前の pretended に注目

pretend to *do* の形で「…するふりをする」という意味を表すので，② to be が正解。

481 **refuse to *do*** 「…することを拒む，断る」

着眼 空所のあとの不定詞に注目

「私たちはそんなばかばかしい提案を受け入れることを（　　）」という意味。空所のあとは to accept と不定詞が続くことに注目。不定詞を目的語にとる動詞は③ refuse のみ。**refuse to *do*** で「…することを拒む，断る」の意味。

選択肢 ① deny *doing* で「…する[した]ことを否定する」→ **489**，② object to A で「A に反対する」，④ dislike *doing* で「…することを嫌だと思う」

Vocab absurd「ばかばかしい，常識に反した」

▶ **Section 128** ┤ 目的語に動名詞をとる動詞 ├

482 **enjoy *doing*** 「…して楽しむ」

着眼 enjoy に注目

enjoy は不定詞ではなく動名詞を目的語にとるので，③を talking に直す。**enjoy *doing*** で「…して楽しむ」の意味。

《**ココも注目**》①の if 節は ask の目的語。名詞節を導く if 節は「…かどうか」の意味を表す。→ **30**

483 **consider *doing*** 「…しようかと考える」

着眼 consider に注目

consider は動名詞を目的語にとり，**consider *doing*** の形で「…しようかと考える」という意味を表すので，② moving が正解。④ movement は「動くこと，動き，運動」という意味の名詞なので，文の意味が通らない。

解答 **478** ① **479** ④ **480** ② **481** ③ **482** ③（to talk → talking）**483** ②

484 He finished (　) his report. (芝浦工業大)
① written　② writing　③ write　④ to write

485 The doctor told John that he should (　) for the sake of his health.
① have stopped to smoke　② stop to smoke (明治大)
③ stop smoking　④ not smoking

486 Janet quit (　) tennis because she hurt her elbow. (南山大)
① to play　② played　③ playing　④ plays

487 Because of her back injury, Sandra had to give up (　) in the finals.
① played　② to playing　③ playing　④ to have played (獨協大)

488 You should avoid (　) just before you go to bed. (法政大)
① to eat　② eating　③ to have eaten　④ from eating

489 All the students (　) knowing anything about the matter. (法政大)
① apologized　② disagreed　③ refused　④ denied

---

484 彼は報告書を書き終えた。
485 医者はジョンに，健康のために禁煙するべきだと言った。
486 ジャネットはひじを痛めたので，テニスをやめた。
487 背中のけがのために，サンドラは決勝戦で戦うことをあきらめなければならなかった。
488 寝る直前に食べないようにすべきだ。
489 生徒たちは全員，その問題について何も知らないと言った。

484 finish *doing* 「…し終える」

着眼 finished に注目
finish は動名詞を目的語にとり，**finish *doing*** の形で「…し終える」という意味を表す。

485 stop *doing* 「…することをやめる」

着眼 意味に注目
that 節の意味は「健康のために喫煙をやめるべきだ」となると考えられる。「…することを
やめる」は **stop *doing*** で表す。
誤答 ② stop to smoke は「喫煙するために立ち止まる」という意味になる。
Vocab for the sake of ... 「…のために」

486 quit *doing* 「…することをやめる」

着眼 quit に注目
quit は動名詞を目的語にとり，**quit *doing*** の形で「…することをやめる」という意味を表
す。
《ココも注目》 quit は **quit － quit － quit** と活用する。この文の quit は過去形。
hurt も **hurt － hurt － hurt** と活用する。

487 give up *doing* 「…することをあきらめる」

着眼 句動詞 give up に注目
give up は動名詞を目的語にとり，**give up *doing*** の形で「…することをあきらめる」とい
う意味を表す。

488 avoid *doing* 「…しないようにする」

着眼 空所の前の avoid に注目
avoid は動名詞を目的語にとり，**avoid *doing*** の形で「…しないようにする」という意味を
表す。

489 deny *doing* 「…する［した］ことを否定する」

着眼 空所のあとの動名詞 knowing に注目
空所のあとには動名詞 knowing があるので，空所には動名詞を目的語にとる動詞を選ぶ。
④の原形 deny は動名詞を目的語にとり，**deny *doing*** の形で「…する［した］ことを否定
する」という意味を表す。
選択肢 ①の apologize と②の disagree は that 節を目的語にとる。③の refuse は不定詞を目的
語にとる。→ 481

490 Would you mind (　　) the window? 〈東洋大〉
① to close　　② that you close　　③ if you will close　　④ closing

491 My friend suggested (　　) to the park by car instead of by train.
① going　　② to go　　③ go　　④ gone 〈東京経済大〉

List 50 動名詞を目的語にとる動詞を覚えよう！

不定詞がまだ実現していないことを表すのに対し，動名詞は「事実」，つまり過去または現実に直面した事柄を表すという特徴がある。そのため動名詞は，「事実に対して…する」という意味を表す動詞と結びつく傾向がある。

- ☐ **appreciate** *doing*　　「…することをありがたく思う」
- ☐ **avoid** *doing*　　「…しないようにする」　　→ **488**
- ☐ **consider** *doing*　　「…しようかと考える」　　→ **483**
- ☐ **deny** *doing*　　「…する[した]ことを否定する」　　→ **489**
- ☐ **enjoy** *doing*　　「…して楽しむ」　　→ **482**
- ☐ **finish** *doing*　　「…し終える」　　→ **484**
- ☐ **give up** *doing*　　「…することをあきらめる」　　→ **487**
- ☐ **imagine** *doing*　　「…することを想像する」
- ☐ **mind** *doing*　　「…することを嫌だと思う」　　→ **490**
- ☐ **quit** *doing*　　「…することをやめる」　　→ **486**
- ☐ **stop** *doing*　　「…することをやめる」　　→ **485**
- ☐ **suggest** *doing*　　「…することを提案する」　　→ **491**

Section 129

492 Don't forget (　　) the dog out for a walk this evening. 〈大東文化大〉
① taking　　② take　　③ to take　　④ taken

493 Remember (　　) this letter on your way to school tomorrow. 〈愛知工業大〉
① to post　　② post　　③ posting　　④ posted

494 Do you remember (　　) to Alaska last year? 〈甲南大〉
① to go　　② going　　③ to have gone　　④ to be going

---

490 窓を閉めていただけませんか。
491 私の友人は電車の代わりに車で公園に行くことを提案した。
492 今日の夕方，犬を散歩に連れ出すのを忘れないで。
493 明日，学校へ行く途中で，この手紙を忘れずに投函してね。
494 昨年，アラスカに行ったことを覚えていますか。

490 mind *doing* 「…することを嫌だと思う」

着眼 mind に注目

mind は動名詞を目的語にとる動詞。**mind *doing*** 「…することを嫌だと思う」を用いた **Would you mind *doing* ...?** は「…していただけませんか」という依頼の表現。

◎ 一緒に確認 **Would you mind my[me] *doing* ...?** は「…してもいいですか」〈許可を求める表現〉

491 suggest *doing* 「…することを提案する」

着眼 suggested に注目

suggest は動名詞を目的語にとり, **suggest *doing*** の形で「…することを提案する」という意味を表す。

Vocab instead of A「Aの代わりに, Aではなくて」

Section 129 ◆ 目的語が不定詞と動名詞では意味が異なる動詞

492 forget to *do* 「…するのを忘れる」

着眼 「これからすること」か「すでにしたこと」か, 意味に注目

forget は目的語に不定詞をとるか動名詞をとるかで意味が変わる。**forget to *do*** はこれからすべきことについて「…するのを忘れる」という意味を表し, **forget *doing*** はすでにしたことについて「…したのを忘れる」という意味を表す。ここでは「…するのを忘れる」なので, 不定詞③ to take を選ぶ。

Vocab take ... out for a walk「…を散歩に連れ出す」

493 remember to *do* 「忘れずに…する」

着眼 「これからすること」か「すでにしたこと」か, 意味に注目

remember to *do* は「忘れずに…する」, **remember *doing*** は「…したことを覚えている」という意味。「明日この手紙を投函する」という「これからすべきこと」を忘れないように, という意味だと考え, 不定詞の① to post を選ぶ。

◎ 一緒に確認 Remember to *do* ... = **Don't forget to *do* ...**「忘れずに…してください」

Vocab on *one's* way to ...「…へ行く途中で」

494 remember *doing* 「…したことを覚えている」

着眼 「これからすること」か「すでにしたこと」か, 意味に注目

「昨年アラスカへ行った」という「すでにしたこと」について覚えているか, と尋ねていると考え, 動名詞の② going を選ぶ。**remember *doing*** で「…したことを覚えている」の意味を表す。

解答 490 ④ 491 ① 492 ③ 493 ① 494 ②

495 I'll never forget ( ) that beautiful mountain village in Switzerland when I was a college student. (北里大)

① to have visited　　② visiting　　③ to visit　　④ visited

496 I regret ( ) him my e-mail address. (九州国際大)

① to tell　　② to have told　　③ told　　④ telling

List 51 目的語が不定詞か動名詞かで意味が変わる動詞を覚えよう！

不定詞は〈未実現〉を，動名詞は〈事実〉を表すというのが原則。

☐ **forget to _do_**　　「…するのを忘れる」　　→ 492
☐ **forget _doing_**　　「…したのを忘れる」　　→ 495
☐ **remember to _do_**　「忘れずに…する」　　→ 493
☐ **remember _doing_**　「…したことを覚えている」→ 494
☐ **try to _do_**　　　「…しようとする」
☐ **try _doing_**　　　「試しに…してみる」
☐ **regret to _do_**　　「残念ながら…する」
☐ **regret _doing_**　　「…したことを後悔する」　→ 496

Section 130

497 Luckily, (to / we / didn't / in / need / wait) line because we had a special pass to enter the museum. 並べかえ (獨協大)

498 This letter needs ( ) before it is sent. (中京大)

① correct　　② correcting　　③ corrected　　④ be corrected

List 52 目的語が不定詞なら〈能動〉，動名詞なら〈受動〉を表す動詞を覚えよう！

☐ **need to _do_**　　「…する必要がある」　　→ 497
☐ **need _doing_**　　「…される必要がある」　→ 498
☐ **want to _do_**　　「…したい」
☐ **want _doing_**　　「…される必要がある」
☐ **deserve to _do_**　「…するに値する，…して当然だ」
☐ **deserve _doing_**　「…されるに値する」
※いずれも，_doing_ は **to be _done_** で書きかえることができる。

---

495 大学生のとき，スイスであの美しい山村を訪れたことを私は決して忘れません。
496 私は彼に自分のメールアドレスを教えたことを後悔している。
497 幸運にも，私たちは博物館に入る特別な入場証を持っていたので，列に並んで待つ必要がなかった。
498 この手紙は，発送される前に訂正される必要がある。

495 **forget** *doing* 「…したのを忘れる」

着眼 「これからすること」か「すでにしたこと」か，意味に注目
「大学生のときに…を訪れたこと」という「すでにしたこと」について「決して忘れません」と
言っていると考え，動名詞である② visiting を選ぶ。forget *doing* は「…したのを忘れる」
の意味。

496 **regret** *doing* 「…したことを後悔する」

着眼 「これからすること」か「すでにしたこと」か，意味に注目
regret to *do* は「残念ながら…する」，**regret *doing*** は「…したことを後悔する」という意
味を表す。ここでは「彼に私のメールアドレスを教えたこと」という「すでにしたこと」を後
悔している，と考えて，動名詞である④ telling を選ぶ。

誤答 ① regret to *do* は「残念ながら…する」となり，文意が通らない。
I regret to say that I cannot accept your invitation.
（残念ながら，お誘いをお受けすることができません）

〉 Section **130** ·〈 need to *do* / need *doing* 〉

497 **need to** *do* 「…する必要がある」

着眼 語群にある need に注目
need は不定詞を目的語にとり，**need to *do*** の形で「…する必要がある」という意味を表
すので，we didn't need to wait と並べる。wait in line で「列に並んで待つ」の意味を表
すので，wait のあとに in を置く。

498 **need** *doing* 「…される必要がある」

着眼 主語 This letter と correct の意味関係に注目
correct は「…を訂正する」という意味の他動詞。主語 This letter と correct との関係
を考えれば，「この手紙は訂正される必要がある」という意味を表すはず。動詞 need は
動名詞を目的語にとり，**need *doing*** の形で「…される必要がある」という意味を表すの
で，動名詞の② correcting が正解。

誤答 ④は to be corrected ならば正しい。

《ココも注目》 need *doing* = **need to be *done***

499 The boss let his assistant (　) charge of the trade show.　　　(東海大)

① take　　② has taken　　③ to take　　④ taking

500 If you change your plans, please (　) me know.　　　(法政大)

① get　　② give　　③ let　　④ tell

501 My mother made me (　) piano lessons when I was young.

① take　　② taken　　③ taking　　④ to take　　　(神戸松蔭女子学院大)

502 I don't know why he behaved like that.　　　同意文

I don't know (　) (　) him behave like that.　　　(東京理科大)

☑ Check 36　使役動詞の持つニュアンスを確認しよう！

make, let, have は使役動詞と呼ばれ、〈使役動詞＋O＋do〉の形で「Oに…させる」という意味を表す。この do を原形不定詞と言う。O と do の間には〈主語－述語〉の関係が成り立つ。

She makes me eat carrots.
「彼女は私ににんじんを食べ
させる」
make：無理やり…させる

Don't let your dog run in this
street.「この通りであなたの
犬を走らせないで」
let：したいように…させる

I had him cut my hair.
「私は彼に髪を切ってもらった」
have：業者・専門家・目下の
　　人に…してもらう

---

503 My wife wanted to have our son (　) dinner for us, but I ordered a pizza instead.　　　(センター試験)

① cook　　② cooked　　③ cooks　　④ to cook

---

499 上司はアシスタントに見本市の管理を任せた。

500 計画を変えるなら、私に知らせてください。

501 母は、私が子どものころに私にピアノのレッスンを受けさせた。

502 私はなぜ彼がそのようにふるまったかわからない。／私は何が彼にそのようにふるまわせたのかわからない。

503 妻は息子に私たちの夕食を作らせたかったが、私はその代わりにピザを注文した。

Section 131 使役動詞

499 let + O + do 「(したいように) O に…させる，…するのを許す」

TOP 100

着眼 let に注目

let は〈let + O + do〉の形で「(したいように) O に…させる，…するのを許す」という意味を表す。

Vocab take charge of ... 「…の管理を引き受ける，…の責任をもつ」

500 let me[us] + do 「私 [私たち] に…させてください」

着眼 原形 know に注目

空所に入る動詞の目的語として me が置かれているが，そのあとに動詞の原形 know があることに注目。〈O + do〉を続けることができるのは選択肢では使役動詞③ let だけ。命令文で〈let me[us] + do〉を使うと「私 [私たち] に…させてください」という意味を表す。

501 make + O + do 「(無理やり) O に…させる」

着眼 使役動詞 make に注目

make は〈make + O + do〉の形で「(無理やり) O に…させる」という意味を表す。動詞の原形の① take を選べば，「私にピアノのレッスンを受けさせた」という意味になる。

Vocab take lessons 「レッスンを受ける」

502 What makes + O + do? 「何が O に…させるのか」

着眼 him のあとの動詞の原形 behave に注目

目的格の him のあとに原形 behave が続いているので，〈使役動詞 + O + do〉の構文を考える。空所以下は know の目的語になる間接疑問（→ p.196, STRATEGY 23）。Why did S do ...? 「なぜ S は…したのか」は **What made O do ...?** 「何が O に…させたのか」で書きかえられるので，what made him behave ... とする。

《ココも注目》 why he behaved は間接疑問なので〈疑問詞 + 主語 + 動詞〉の語順になっている。→ **414**

503 have + 人 + do 「(業者・専門家・目下の人) に…させる，…してもらう」

着眼 空所の前の have our son に注目

空所の前に〈have + 人〉があることに注目。〈have + 人 + do〉で「(業者・専門家・目下の人) に…させる，…してもらう」の意味を表す。

▶ 用語解説 (解説サイト) 「使役動詞」

解答 **499** ① **500** ③ **501** ① **502** what made **503** ①

504 How can we get him (　　) his mind about going abroad? 〈中央大〉
　① change　　② changed　　③ have changed　　④ to change

505 There's something wrong with the engine. You should (　　). 〈高知大〉
　① make your car fix　　② get your car fixed
　③ have your car to fix　　④ let your car to be fixed

506 The owner of the watch wants to have (　　). 〈中央大〉
　① been repaired it　　② been repairing it
　③ it repaired　　④ it repairing

507 She had her purse (　　) at the airport. 〈広島修道大〉
　① steal　　② to steal　　③ stealing　　④ stolen

---

504 私たちはどうすれば，海外へ行くという彼の決心を変えさせることができるだろうか。
505 エンジンの調子が悪い。あなたの車を修理してもらったほうがいいよ。
506 その腕時計の持ち主はその時計を修理してもらいたいと思っている。
507 彼女は空港で財布を盗まれた。

504 get ＋人＋ to *do* 　「(頼んで[説得して])(人)に…させる，してもらう」

[着眼] 空所の前の get him に注目

空所の前に〈get ＋人〉があることに注目。〈get ＋人＋ to *do*〉で「(頼んで[説得して])(人)に…させる，…してもらう」の意味を表す。使役動詞 get はほかの使役動詞 (make, let, have) と異なり，原形不定詞[動詞の原形]ではなく to *do* を用いることに注意。

505 get ＋もの＋過去分詞 　「(もの)を…してもらう」〈使役〉

[着眼] 使役動詞の使い方に注目

選択肢から「あなたの車を修理してもらう」という意味を表すと判断する。「(もの)を…してもらう」は使役動詞 get を用いて〈get ＋もの＋過去分詞〉で表せる。この形は〈使役〉のほか〈被害〉や〈完了〉の意味を表す。

(注目) You should **get** your car fixed.
　　　　　　　　your car is fixed 「あなたの車は修理される」という受動関係が成り立つ

《ココも注目》 **There is something wrong with A.** 「Aの調子が悪い」

506 have ＋もの＋過去分詞 　「(もの)を…してもらう」〈使役〉

[着眼] 意味に注目

この文は「その腕時計の持ち主は…してもらいたいと思っている」の意味。wants の目的語は，選択肢から「それ(＝腕時計)を修理してもらうこと」だと判断する。have を使役動詞と考えたら〈have ＋もの＋過去分詞〉で「(もの)を…してもらう」という意味が表せる。

(注目) The owner of the watch wants to **have** it repaired.
　　　　　　　　　　　　it is repaired
　　　　　　　　　　　　「それは修理される」という受動関係が成り立つ

507 have[get] ＋もの＋過去分詞 　「(もの)を…される」〈被害〉

[着眼] had her purse に注目

空所の前に〈had ＋もの (her purse)〉があることに注目。〈have[get] ＋もの＋過去分詞〉で「(もの)を…される」という〈被害〉の意味を表せる。

(注目) She **had** her purse stolen at the airport.
　　　　　her purse was stolen 「彼女の財布が盗まれた」という受動関係が成り立つ

▶ 用語解説 (解説サイト) 「原形不定詞」

解答　504 ④　505 ②　506 ③　507 ④

Field 1 文法
Field 2 語法
Field 3 イディオム
Field 4 会話・表現
Field 5 ボキャブラリー
Field 6 英文構造

508 I want (　　) me a favor. （法政大）

① you did　　② you done　　③ that you do　　④ you to do

509 I didn't expect (　　) the work in January. （鹿児島大）

① his completing　　② him complete

③ he complete　　④ him to complete

510 Global warming is (melt / expected / to / polar ice) and raise sea levels. 並べかえ （西南学院大）

511 Taro's professor (　　) him to join the university's English Speaking Society. （南山大）

① proposed　　② argued　　③ advised　　④ suggested

512 The guide (the Prado Museum in / the tourists / encouraged / Madrid / to visit). （青山学院大）

---

508 私はあなたに私のお願いを聞いてもらいたい。

509 私は彼が 1 月中にその仕事を仕上げるとは思わなかった。

510 地球温暖化は極地の氷を解かして海の水位を上昇させると予想されている。

511 タロウの教授は彼に大学の英会話クラブに入るよう助言した。

512 ガイドは観光客にマドリッドのプラド美術館を訪れるように勧めた。

Section 132 ・ SVO to *do* の形をとる動詞

508 want + O + to *do*　「O に…してほしい」

着眼 want に注目

want は〈want + O + to *do*〉の形で「O に…してほしい」という意味を表す。

《ココも注目》〈do + 人 + a favor〉「(人) の願いを聞く」

509 expect + O + to *do*　「O が…するだろうと思う」

着眼 expect に注目

expect は〈expect + O + to *do*〉の形で「O が…するだろうと思う」という意味を表す。

510 be expected to *do*　〈expect + O + to *do*〉の受動態「…すると予想される」

着眼 be 動詞 is に注目

( ) の直前に is があり，語群の中に expected があるので〈expect + O + to *do*〉「O が…することを予想する」を受動態にした be expected to *do*「…すると予想される」の形だと考える。expected to melt polar ice と並べれば，「極地の氷を解かすと予想される」という意味になる。expect は良いことだけでなく悪いことを予想する場合にも用いることができる。

《ココも注目》raise は melt と並列の関係。is expected to melt ... and (to) raise ～「…を解かし，～を上昇させると予想される」

511 advise + O + to *do*　「O に…するように忠告 [助言] する」

着眼 空所のあとの him to join に注目

空所のあとに him to join が続いているので，空所には〈SVO + to *do*〉の形をとる動詞が入る。選択肢の中でこの形をとることができる動詞は，③ advised だけ。〈advise + O + to *do*〉で「O に…するように忠告 [助言] する」の意味を表す。

選択肢 ①の propose「…を提案する」は，動名詞・不定詞・that 節を目的語にとる。②は〈argue + that 節〉で「…だと主張する，論じる」。④は〈suggest to + 人 + that 節〉で「(人) に…することを提案する」を表す。

512 encourage + O + to *do*　「O に…するように励ます [勧める]」

着眼 encouraged に注目

encourage は〈encourage + O + to *do*〉の形で「O に…するように励ます [勧める]」という意味を表す。encouraged the tourists to visit と並べ，訪れる場所 the Prado Museum in Madrid を visit に続ける。

解答 508 ④　509 ④　510 expected to melt polar ice　511 ③
512 encouraged the tourists to visit the Prado Museum in Madrid

☐☒ **513** Last week, our English teacher reminded us (　　) the homework on time. 〈中部大〉

① submit 　　② submitting 　　③ submitted 　　④ to submit

☐☒ **514** 踊ることで彼女は人生の様々な問題を乗り越えてきた。 　　|並べかえ| 〈専修大〉

(overcome / enabled / her / dancing / to) her various problems in life.

☐☒ **515** Fifty years ago in this country, the (people / didn't / to / government / travel / allow) overseas. 〈獨協大〉

☐☒ **516** His illness (　　) him to stay in bed for a week. 〈広島国際大〉

① prevented 　　② spared 　　③ forced 　　④ made

☐☒ **517** The teacher tried to persuade him not (　　) school. 〈目白大〉

① quit 　　② quitted 　　③ to quit 　　④ quitting

✅ **Check 38** 〈SVO to *do*〉の形の４つのグループを覚えよう！

「O が…するのを許す」

☐ **allow** + **O** + **to** ***do*** 「O が…することを許す」→ **515**

☐ **permit** + **O** + **to** ***do*** 「O が…することを許す」

☐ **enable** + **O** + **to** ***do*** 「O が…することを可能にする」→ **514**

「O に…してもらう」

☐ **get** + **O** + **to** ***do*** 「(頼んで [説得して]) O に…してもらう」→ **504**

☐ **force** + **O** + **to** ***do*** 「O に（無理やり）…させる」→ **516**

☐ **order** + **O** + **to** ***do*** 「O に…するように命じる」

☐ **require** + **O** + **to** ***do*** 「O に…するように要求する」

「O に…してほしい」

☐ **expect** + **O** + **to** ***do*** 「O が…するだろうと思う」→ **509**

☐ **want** + **O** + **to** ***do*** 「O に…してほしい」→ **508**

「O に…するように言う」

☐ **advise** + **O** + **to** ***do*** 「O に…するように忠告 [助言] する」→ **511**

☐ **ask** + **O** + **to** ***do*** 「O に…してくれるように頼む」

☐ **tell** + **O** + **to** ***do*** 「O に…するように言う」

---

513 先週，私たちの英語の先生は，期限通りに宿題を提出するように私たちに念を押した。

515 この国では50年前には，政府は人々が海外に渡航するのを許さなかった。

516 病気のせいで彼は1週間寝ていなければならなかった。

517 その教師は学校をやめないように彼を説得しようとした。

513 remind + O + to do 「O に…することを気づかせる，思い出させる」

着眼 reminded に注目

〈remind + O〉のあとに動詞を続けるときの形に注意。〈remind + O + to *do*〉で「O に…することを気づかせる，思い出させる」を意味するので，不定詞の④ to submit が正解。

《ココも注目》 on time「時間通りに，遅れずに」 → 965

◎ 一緒に確認 〈remind + O + that 節〉「O に…ということを気づかせる，思い出させる」
Her phone call **reminded** Thomas **that** he had his homework to do.
（彼女からの電話で，トーマスはやらなければいけない宿題があったことを思い出した）

514 enable + O + to do 「O が…することを可能にする」

着眼 enabled, her に注目

日本語に「彼女は」とあるが，語群に she がないので，主語は dancing にする。「踊ることは彼女が…を乗り越えることを可能にした」と考える。〈enable + O + to *do*〉「O が…することを可能にする」を用いて，Dancing enabled her to overcome と並べる。

515 allow + O + to do 「O が…することを許す」

（TOP 100）

着眼 allow に注目

語群に allow があるので〈allow + O + to do〉「O が…することを許す」の形を考える。didn't allow people to travel と並べれば，「人々が旅行するのを許さなかった」となり，文意が通る。

516 force + O + to do 「O に（無理やり）…させる」

着眼 空所のあとの him to stay に注目

空所のあとに him to stay が続いているので，空所には〈SVO + to *do*〉の形をとる動詞が入る。選択肢の中でこの形をとることができるのは，③ forced だけ。〈force + O + to *do*〉は「O に（無理やり）…させる」という意味を表す。

選択肢 ①の prevent は〈prevent + O + from *doing*〉で「O が…するのを妨げる」を表す。→ 521
② spare「…を割く，分け与える」。④の make は使役動詞で〈make + O + *do*〉の形で「（無理やり）O に…させる」を表す。→ 501

517 persuade + O + to do 「O を説得して…させる」

着眼 空所の前の persuade him not に注目

persuade は〈persuade + O + to *do*〉の形で「O を説得して…させる」の意味を表す。ここでは不定詞が否定形になっていて，persuade him not to quit school で「彼を説得して学校をやめないようにさせる」の意味になる。なお〈persuade + O + to *do*〉は，説得が成功し，相手がその行為をしたことを示す。

◎ 一緒に確認 〈convince + O + to *do*〉も「O を説得して…させる」の意味。

解答 513 ④ 514 Dancing enabled her to overcome
515 government didn't allow people to travel 516 ③ 517 ③

518 Can you help me (　　) for my office key? I can't find it anywhere.
① look　　② looked　　③ to be looked　　④ to have looked　　(立命館大)

Section 133

519 どのようにして冷蔵庫を使わずに食べ物が傷まないようにできるだろうか。
How can (without / going bad / keep / using / from / we / food) a refrigerator?　　並べかえ　(日本大)

520 私が目標を達成するのを止めるものは何もありません。　　(立命館大)
Nothing (can / from / goals / me / meeting / stop / my).

521 The new medicine (　　) the disease from spreading in a short time.
① suspended　　② interrupted　　(日本大)
③ prevented　　④ interfered

522 ヘレンの両親は彼女が9時以降に外出するのを禁じた。　　適語補充　(西南学院大)
Helen's parents prohibited her (　　　　　　) going out after nine o'clock.

List 54 〈SVO from *doing*〉の構文をとる動詞

☐ **prohibit** + **O** + **from** *doing*　　「O が…するのを禁じる」→ 522
☐ **keep** + **O** + **from** *doing*　　「O が…するのを防ぐ」→ 519
☐ **prevent** + **O** + **from** *doing*　　「O が…するのを妨げる」→ 521
☐ **stop** + **O** + **from** *doing*　　「O が…するのを妨げる，止める」→ 520

---

518 事務所のかぎを探すのを手伝ってくれますか。どこにも見つからないんです。
521 新薬のおかげで，病気が短い期間のうちにまん延するのを防ぐことができた。

518 help + O + (to) *do* 「O が…するのを助ける，手伝う」

着眼 空所の前の help me に注目

help は〈help + O + (to) *do*〉で「O が…するのを助ける，手伝う」という意味を表す。
to *do* が原形不定詞 *do* になることもあるので，① look を入れれば「事務所のかぎを探す
のを手伝ってくれますか」となる。look for ... は「…を探す」の意味。

◎ **一緒に確認** 〈help + O + with A〉「O の A を手伝う」
He <u>helped</u> me <u>with</u> my homework. (彼は私の宿題を手伝ってくれた)

Section 133 〈 SVO from *doing* の形をとる動詞 〉

519 keep + O + from *doing* 「O が…するのを防ぐ」

着眼 keep, from に注目

語群に keep, from があるので，〈keep + O + from *doing*〉「O が…するのを防ぐ」を
用いる。keep food from going bad と並べれば「食べ物が傷むのを防ぐ」＝「食べ物が傷
まないようにする」の意味になる。「冷蔵庫を使わずに」は without using (a refrigerator)。
疑問文なので，主語 we は can の直後に置く。

520 stop + O + from *doing* 「O が…するのを妨げる，止める」

着眼 from, stop に注目

語群に stop, from があるので，〈stop + O + from *doing*〉「O が…するのを妨げる，
止める」の形を用いる。「何ものも私が目標を達成するのを止めることができない」と考える
と，述語動詞は can stop に決まる。「私が目標を達成するのを止める」は，stop me
from meeting my goals となる。
Vocab meet a goal「目標を達成する」

521 prevent + O + from *doing* 「O が…するのを妨げる」

(TOP 100)

着眼 空所のあとの語順に注目

空所のあとに the disease from spreading と続いているので，〈SVO + from *doing*〉の
形をとる動詞を選べばよい。選択肢の中でこの形をとるのは，③ prevented だけ。〈prevent
+ O + from *doing*〉で「O が…するのを妨げる」の意味。

522 prohibit + O + from *doing* 「O が…するのを禁じる」

着眼 prohibited に注目

prohibit は〈prohibit + O + from *doing*〉の形で「O が…するのを禁じる」という意
味を表すので，空所には from が入る。

解答 **518** ① **519** we keep food from going bad without using
520 can stop me from meeting my goals **521** ③ **522** from

Section 134

523 この歌を聞くと，彼女はカナダに住んでいたころのことを思い出す。 [並べかえ]

(of / she / reminds / lived / the / this song / time / her) in Canada.

（東北学院大）

524 He informed his parents (　　) his safe arrival. 　　　　（青山学院大）

① in 　　② to 　　③ of 　　④ with

List 55 informを使って「（人）に…を知らせる」を表す表現

☐ **inform** ＋人＋ **of** A 　「（人）にAを知らせる」→ **524**

☐ **inform** ＋人＋ **that** 節 　「（人）に…ということを知らせる」

Section 135

525 I don't think I'll ever forgive David (　　) the way he treated her.

① about 　　② at 　　③ for 　　④ in

（東京理科大）

526 Please excuse me (　　) your birthday. 　　　　（岩手医科大）

① forget 　　　　　② that I forgot

③ for forgetting 　④ to have forgotten

List 56 〈SVO for A〉の形をとる動詞

☐ **forgive** ＋人＋ **for** A 　「Aのことで（人）を許す」→ **525**

☐ **excuse** ＋人＋ **for** A 　「Aのことで（人）を許す」→ **526**

☐ **blame** ＋人＋ **for** A 　「Aのことで（人）を非難する，責める」→ **550**

☐ **thank** ＋人＋ **for** A 　「Aのことで（人）に感謝する」

---

524 彼は彼の両親に無事に到着したことを知らせた。

525 彼女に対する態度について私はデイビッドを決して許さないと思う。

526 あなたの誕生日を忘れていたことを許してください。

244

Section **134** ･〈 SVO of A の形をとる動詞 〉

523 remind ＋人＋ of A 「(人) に A を思い出させる」

(TOP 100)

着眼 reminds に注目

remind「…を思い出させる」があることに注目し,「この歌は彼女に, カナダに住んでいたころのことを思い出させる」という文をつくることを考える。「(人) に A を思い出させる」は〈remind ＋人＋ of A〉の形で表せるので, this song を主語にし, This song reminds her of the time she lived (in Canada.) と並べる。

《ココも注目》the time のあとに関係副詞 when[that] が省略されている。

This song reminds her of the time **(when[that])** she lived in Canada.

◎〈一緒に確認〉〈remind ＋人＋ to *do*〉「(人) に…することを気づかせる」→ 513

524 inform ＋人＋ of A 「(人) に A を知らせる」

着眼 inform に注目

inform「…を知らせる」は〈inform ＋人＋ of A〉の形で「(人) に A を知らせる」を表すので, 空所には③ of を入れる。of の代わりに about を用いることもある。

Section **135** ･〈 SVO for A の形をとる動詞 〉

525 forgive ＋人＋ for A 「A のことで (人) を許す」

着眼 forgive に注目

forgive「…を許す」は〈forgive ＋人＋ for A〉の形で「A のことで (人) を許す」を表す。

《ココも注目》the way he treated her は〈the way ＋ S ＋ V〉「S が V する仕方」の形。→ 216

526 excuse ＋人＋ for A 「A のことで (人) を許す」

着眼 excuse に注目

excuse「…を許す」は〈excuse ＋人＋ for A〉の形で「A のことで (人) を許す」を表す。excuse は forgive よりも軽度の過失などを許す場合に用いられる。

解答　523 This song reminds her of the time she lived　524 ③　525 ③　526 ③

Section 136

527 After the meal, the table was (　) of the dishes. (学習院大)
① cleaned　　② cleared　　③ removed　　④ taken

528 A plant will die if you deprive it (　) light. (日本大)
① at　　② away　　③ of　　④ with

List 57 〈分離・はく奪〉の of が続く動詞を覚えよう！

□ **clear** A **of** B ／ **rid** A **of** B 「AからBを取り除く」→ 527
□ **deprive** A **of** B 「AからBを奪う」→ 528
□ **rob** A **of** B 「AからBを奪う」→ 569

Section 137

529 We (　) her as the best violinist in Japan. (神戸学院大)
① regard　　② feel　　③ try　　④ relieve

530 I regard Janet as a great writer. 同意文 (東京理科大)
I (l　　　　) upon Janet as a great writer.

Section 138

531 Not knowing what to say, Mr. Oliphant (　) silent all through the meeting. (東邦大)
① remained　　② decided　　③ chose　　④ pointed

532 Don't give up on your idea. It might (　) useful after all. (北星学園大)
① prove　　② remain　　③ seem　　④ sound

List 58 SVC の形をとる動詞

□ **become**「…になる」
□ **get**「…の状態になる」
□ **lie**「…の状態にある，…のままである」
□ **remain[stay]**「…のままである」→ 531
□ **turn**「…になる」

□ **feel**「…と感じる」
□ **go**「(悪い状態)になる」
□ **look**「…に見える」
□ **sound**「…に聞こえる[思われる]」
□ **prove**「…だとわかる」→ 532
---

527 食事のあと，テーブルから食器が片づけられた。
528 植物から光を奪えば，植物は枯れてしまう。
529 私たちは彼女を日本で一番のバイオリニストと考えている。
530 私はジャネットを偉大な作家と考えている。
531 何を言うべきかわからなかったので，オリファント氏は会議の間ずっと黙っていた。
532 あなたのアイデアに見切りをつけてはいけない。それは結局は役に立つとわかるかもしれないのだから。

Section **136** 〈分離・はく奪〉の of が続く動詞

527 **clear A of B** 「A から B を取り除く，片づける」

着眼 of に注目

選択肢から，was ( ) が受動態だと判断する。空所のあとに of the dishes と続いていることから，「テーブルから食器が片づけられた」という意味だと考える。「A から B を取り除く，片づける」は **clear A of B** で表す。clear A of B「A から B を取り除く」では，A が〈場所〉，B が〈取り除く物〉になることに注意。この of は〈分離・はく奪〉を表し，A という場所から B を引き離すことを意味している。

528 **deprive A of B** 「A から B を奪う」

着眼 deprive に注目

deprive は **deprive A of B** の形で「A から B を奪う」という意味を表す。

Section **137** SV A as B の形をとる動詞

529 **regard A as B** 「A を B とみなす」

着眼 as に注目

空所のあとに〈人＋ as〉が続いていることから **regard A as B**「A を B とみなす」の形だと考える。A ＝ B という関係が成り立つことに注意。

530 **look on[upon] A as B** 「A を B とみなす」

着眼 upon に注目

regard A as B と同じ意味を表すのは **look on[upon] A as B**「A を B とみなす」。

Section **138** SVC の形をとる動詞

531 **remain + C** 「C のままである」

着眼 空所のあとの形容詞 silent に注目

空所のあとに形容詞 silent があるので，SVC の文型をつくる動詞① remained が入る。〈**remain + C**〉は「C のままである」の意味なので，remain silent は「ずっと黙っている」の意味。

《ココも注目》 Not knowing ... は否定形の分詞構文（→ 185）。ここでは「…がわからなかったので」という〈理由〉の意味になる。

532 **prove + (to be) C** 「C とわかる」

着眼 after all に注目

after all は「（予想に反して）結局は」の意味なので，「（役に立たないという予想に反して）結局は役に立つかもしれない」という文意だと考えられる。これに合うのは，「（あとになって）…とわかる」を表す① prove だけ。〈**prove + (to be) C**〉で「C とわかる」の意味。

Vocab give up on ... 「…に見切りをつける，…を見捨てる」

▶ 用語解説 （解説サイト） 「SVC」

解答 527 ② 528 ③ 529 ① 530 look 531 ① 532 ①

533 The doctor (a / against / gave / him / warning) working too hard.

並べかえ （津田塾大）

534 小さなミスが，会社にとっては何百万ドルもの損失につながることもある。

（摂南大）

(could / dollars / cost / small mistake / the company / millions / a / of).

535 Machines ( ) us much time and trouble. （天使大）
① save   ② protect   ③ spend   ④ omit

List 59 SVOO の形をとる動詞

- □ **give** A B   「A に B を与える」→ **533**
- □ **cause** A B   「A に B をもたらす」
- □ **cost** A B   「A に B（金額・費用など）がかかる，A に B（損失）をもたらす」→ **534**
- □ **offer** A B   「A に B を提供する」
- □ **owe** A B   「B は A のおかげだ」→ **536**
                「A に B（お金）を借りている，A に B（恩義など）を負っている」
- □ **save** A B   「A の B（手間など）を省く」→ **535**

---

536 私がその試験に合格したのはすべて彼のおかげです。 （神戸学院大）

I (was / him / owe it / entirely to / that / successful / I) in the examination.

537 Missing a morning meal will ( ) you hungry for the rest of the day.
① leave   ② let   ③ cause   ④ help （東京都市大）

---

533 医師は彼に働き過ぎに対する警告を与えた。
535 機械が私たちの多くの時間と手間を省いてくれる。
537 朝食をとらないと，一日の残りの時間をずっと空腹で過ごすことになりますよ。

Section 139 ⟨・SVOO の形をとる動詞 ⟩

533 give A B 「A に B を与える」

着眼 gave に注目

動詞は gave しかない。 give は目的語を 2 つとり，give A B で「A に B を与える」の意味を表す。ここでは「彼に警告を与えた」と考え，gave him a warning とする。a warning のあとに against を置いて working too hard を続ければ，「働き過ぎに対する警告」となる。

534 cost A B 「A に B (損失) をもたらす」

着眼 cost に注目

主語「小さなミス」は a small mistake で，動詞は could cost しかない。cost A B「A に B (損失) をもたらす」を用いて「小さなミスは，会社に何百万ドルもの損失をもたらすこともある」とする。目的語は「会社に」「何百万ドルを」の語順になるので，the company millions of dollars とする。

◎ ⟨一緒に確認⟩ cost A B は「A に B (金額・費用など) がかかる」という意味でも用いられる。

535 save A B 「A の B (手間など) を省く」

着眼 us much time and trouble の並びに注目

us と much time and trouble という 2 つの名詞 (句) が並んでいるので，SVOO の文型だと判断する。選択肢の中で SVOO の形をとれるのは ① save だけ。save A B で「A の B (手間など) を省く」を表す。

選択肢 ② protect「…を保護する」，③ spend「…を費やす」，④ omit「…を除外する」

536 owe A B [owe B to A] 「B は A のおかげだ」

着眼 owe, to に注目

「B は A のおかげだ」は owe を用いて表す場合は，owe A B か owe B to A で表す。A には〈人〉，B には〈事・物〉がくる。ここでは to があるので，owe B to A で表す。B にあたる「私がその試験に合格したこと」は that 節で表す。that 節が目的語になる場合は，形式目的語の it を用いて，that 節は後ろに置く。

Section 140 ⟨・SVOC の形をとる動詞 ⟩

537 leave + O + C 「O を C (の状態) にしておく」

着眼 空所のあとの you hungry の並びに注目

空所のあとに代名詞 you と形容詞 hungry が並び，この 2 語に「あなたは空腹だ」という主述関係が成り立つことから，SVOC の文だと判断する。SVOC の形がとれる動詞には ① leave がある。〈leave + O + C〉は「O を C (の状態) にしておく」を表し，ここでは「あなたを空腹のままにしておくだろう」という意味になる。

▶ 用語解説 (解説サイト) 「SVOC」

解答 **533** gave him a warning against
534 A small mistake could cost the company millions of dollars　**535** ①
536 owe it entirely to him that I was successful　**537** ①

538 The Internet has ( ) it easier to communicate with people living in other countries. (名城大)
① given ② used ③ allowed ④ made

539 Did you enjoy that book? I didn't ( ) it particularly interesting.
① find ② discover ③ buy ④ read (大東文化大)

List 60 SVOC の形をとる動詞

使役動詞，知覚動詞以外では次のようなものがある。
□ **make** + O + C 「O を C の状態にする」→ 538
□ **keep** + O + C 「O を C の状態に保つ」
□ **leave** + O + C 「O を C（の状態）にしておく」→ 537
□ **elect** + O + C 「O を C に選ぶ」
□ **find** + O + C 「O が C だとわかる，思う」→ 539

Section 141

540 The professor recommends ( ) to expand your horizons. (東京医科大)
① to go abroad ② you go abroad
③ your go abroad ④ for you going abroad

541 私は彼に，医者に診てもらってはどうかと言った。 並べかえ
I suggested (he / him / see / that / to) a doctor. (佛教大)

List 61 〈SV + that + S' (should) *do*〉の形をとる動詞

要求や提案を表す動詞に続く that 節内では，その内容が未実現であるため，仮定法現在
（＝動詞の原形）または（主にイギリス英語で）should *do* の形を用いる。
□ **advise** that S' (should) *do* 「S' に…するように忠告［助言］する」
□ **demand** that S' (should) *do* 「S' に…するように要求する」 → 542
□ **insist** that S' (should) *do* 「S' に…するように（強く）要求する」 → 543
□ **require** that S' (should) *do* 「S' に…するように要求する」
□ **order** that S' (should) *do* 「S' に…するように命令する」 → 544
□ **recommend** that S' (should) *do* 「S' に…するように勧める」 → 540
□ **suggest** that S' (should) *do* 「S' に…してはどうかと提案する」 → 541

---

538 インターネットは他の国に住んでいる人々とコミュニケーションをとることをより容易にした。
539 その本を楽しみましたか。私はそれが特別興味深いとは思いませんでした。
540 教授は，視野を広げるためにあなたに海外へ行くように勧めている。

538 make + O + C 「O を C の状態にする」

着眼 空所のあとの it easier の並びに注目

空所のあとの it easier を見て，SVOC の O に形式目的語 it が，C に形容詞 easier が用いられている文だと考える。 真の目的語は to communicate 以下。 SVOC の形がとれる動詞は④ made。〈make + O + C〉は「O を C の状態にする」を表す。

539 find + O + C 「O が C だとわかる，思う」

着眼 空所のあとの it ... interesting の並びに注目

空所のあとに代名詞 it があり，さらに形容詞 interesting が続いていることから，SVOC の形だと考える。SVOC の形をとる動詞は① find。〈find + O + C〉で「O が C だとわかる，思う」の意味を表す。it と interesting の間に副詞 particularly が入っているが，それに惑わされずに SVOC の形を見極められるようにしよう。

Section 141 ‹・ SV + that + S' (should) *do* の形をとる動詞 ›

540 recommend that S' (should) *do* 「…するように勧める」
(TOP 100)

着眼 recommends に注目

〈recommend + that 節〉で「…するように勧める」という意味を表す。② you go abroad を入れると〈recommend + that 節〉の接続詞 that が省略された形になる。recommend に続く that 節内では，動詞は原形または **should** *do* の形をとることに注意。

Vocab expand *one's* horizons「…の視野を広げる」

541 suggest (to +人) that S' (should) *do* 「(人に) …してはどうかと提案する」
(TOP 100)

着眼 suggested に注目

動詞が suggested なので，「彼に…してはどうかと言った」は〈**suggest to** +人+ **that** 節〉の形で表す。suggested のあとに to him that と続ける。suggest が「…を提案する」という意味の場合，that 節内の動詞は時制や主語の人称にかかわらず原形または **should** *do* の形をとるので，that のあとに he see と続ける。

◎ **一緒に確認** suggest が「…を示唆する［それとなく言う］」という意味を表す場合は，that 節内の動詞は時制や主語の人称に合わせた形になる。
Her attitude **suggests** that she **hates** him.
（彼女の態度は，彼女が彼を嫌っているということを示唆している）

解答 538 ④ 539 ① 540 ② 541 to him that he see

542 社長はすべてのアイデアを紙に書いて自分に提出するよう求めた。 　並べかえ

The president (to / submitted / demanded / him / be / all ideas / that) on paper. 　(日本大)

543 My parents insist that I (　　) home by eleven, at the latest.

① am coming 　② can come 　③ come 　④ will come 　(京都産業大)

544 The court ordered that the company (　　) a large fine. 　(神奈川大)

① will pay 　② pays 　③ pay 　④ paying

Section 142

545 Any rope will (　　) if it is strong. 　(東洋大)

① make 　② be 　③ do 　④ get

546 It will (　　) you more harm than good to stay up all night studying.

① do 　② make 　③ provide 　④ become 　(専修大)

List 62 〈do + O + O〉の形をとる表現を覚えよう！

□ **do** + 人 + **good** 　「(人) に益をもたらす」 → 547

□ **do** + 人 + **harm** 　「(人) に害をもたらす」 → 546

※〈人〉にあたるものが文脈上明らかなときは, do good[harm] という形にすることもできる。

□ **do me a favor** 　「私に親切をもたらす→私の頼みを聞く」

---

543 両親は，私が遅くとも 11 時までに帰宅するよう要求する。

544 法廷はその会社に多額の罰金を支払うことを命じた。

545 丈夫であれば，どんなロープでもかまわない。

546 徹夜をして勉強することは益よりも害をもたらすだろう。

542 **demand that S' (should) *do*** 「…するように要求する」

着眼 demanded に注目

語群に demanded と that があるので、「…するよう求めた」は〈demand＋that 節〉の形で表す。求めた内容は「すべてのアイデアを紙に書いて自分に提出する」ことだが、主語になる名詞が all ideas しかないので「すべてのアイデアが紙に書かれて自分に提出される」という受動態の文をつくる。demand に続く that 節内の動詞は、原形または **should *do*** の形をとるので、<u>be</u> submitted となることに注意。「自分に」は「彼（＝社長）に」と考え、to him で表す。

543 **insist that S' (should) *do*** 「…するように（強く）要求する」

着眼 insist に注目

「私の両親は、私が遅くとも 11 時までに…」という意味から、この insist は「…を要求する」の意味だと判断する。〈要求〉を表す **insist** に続く that 節内の動詞は、原形または **should *do*** の形をとる。

◎ **一緒に確認** 〈**insist＋that 節**〉が「…だと主張する」の意味を表す場合には、that 節内の動詞は、時制や主語の人称に合わせた形になる。
He <u>insisted</u> that I <u>was</u> wrong. (彼は私が間違っていると主張した)

Vocab at the latest「遅くとも」

544 **order that S' (should) *do*** 「…するように命令する」

着眼 ordered に注目

order「…を命じる」に続く that 節内の動詞は原形または **should *do*** の形になる。

Vocab court「法廷」, fine「罰金」

Section 142 **do の用法**

545 **自動詞 do** 自動詞 do には「間に合う, 用が足りる」の意味がある

着眼 will に注目

自動詞 **do** には, will[would] などを伴って「間に合う, 用が足りる」の意味がある。

546 **do ＋人＋ harm** 「(人) に害をもたらす」

着眼 名詞 harm に注目

more harm の harm は「害」を意味する名詞。空所のあとに目的語が 2 つ〈you＋harm〉が続くので、空所には、目的語を 2 つ続けられる動詞① do が入る。〈**do ＋人＋ harm**〉で「(人) に害をもたらす」という意味を表す。

《ココも注目》主語の It は形式主語で, 後ろの to stay ... が真の主語である。→ **109**

《ココも注目》**more A than B** で「B よりむしろ A」を表す。ここでは A が harm で B が good。

解答 **542** demanded that all ideas be submitted to him **543** ③ **544** ③ **545** ③ **546** ①

一週間いなかで過ごすと体によいでしょう。 並べかえ

(the countryside / good / in / do / a week / will / you). (中央大)

Section 143

548 When I don't feel (　), I often listen to music. (亜細亜大)
① like to study　　② like studying
③ likely to study　④ likely studying

549 My brother said he (　) to go to Paris, but he doesn't have enough
money. (神奈川大)
① would like　　② will like
③ must have liked　④ will be liked

Section 144

550 They (　) politicians for the high unemployment rate. (立命館大)
① absorb　② blame　③ repeat　④ satisfy

551 "Peter! You left the window open!" shouted Donna. 同意文
Donna (　) the window open. (駒澤大)
① accused of Peter leaving　　② accused Peter of leaving
③ blamed for Peter leaving　　④ blamed Peter of leaving

☑ Check 39 「…を責める」を表す表現を確認しよう！

□ **blame** ＋人＋ **for** A 「Aのことで（人）を非難する，責める」　→ 550
□ **accuse** ＋人＋ **of** A 「Aのことで（人）を非難する，告発する」　→ 551

---

547 私は勉強したい気分でないときは，よく音楽を聴く。
549 兄［弟］はパリに行きたいと言ったが，彼には十分なお金がない。
550 彼らは高い失業率のことで政治家を責めている。
551 「ピーター！ 窓を開けたままにしたでしょう！」とドナは叫んだ。
　　ドナは窓を開けたままにしたことでピーターを責めた。

547 | **do ＋人＋ good** 「(人) に益をもたらす」

着眼 do に注目

動詞は do しかないので, will の直後に置く動詞は do に決まる。 do を使って「体によい」を表すことを考える。 do は〈do ＋人＋ good〉の形で「(人) に益をもたらす」という意味を表すので, これを使う。主語は a week in the countryside「いなかでの一週間」とし, will do you good を続ける。

Section 143 〈 「…したい気がする」「…したい」の表現 〉

548 | **feel like** *doing* 「…したい気がする」

着眼 feel に注目

feel like で「…がほしい, …がしたい」という意味を表す。この like は前置詞なので, あとには名詞または動名詞が続く。よって② like studying が正解。**feel like** *doing* で「…したい気がする」の意味を表す。likely は be likely to *do*「…しそうである」(→ **912**) の形で用いられる。

549 | **would like to** *do* 「…したい」

着眼 空所のあとに不定詞 (to go) が続くことに注目

空所のあとに不定詞 (to go) が続くので, **would like to** *do*「…したい」とすればよい。①を選べば「兄 [弟] はパリに行きたいと言ったが, 十分なお金がない」という意味になる。

Section 144 〈 「A のことで (人) を非難する」の表現 〉

550 | **blame ＋人＋ for A** 「A のことで (人) を非難する, 責める」

着眼 意味に注目

「彼らは高い失業率のことで政治家を (　　)」の意味。空所に入る意味として適切なのは② blame「…を責める」。〈blame ＋人＋ for A〉で「A のことで (人) を非難する, 責める」の意味を表す。

選択肢 ① absorb「…を吸収する」, ③ repeat「…を繰り返す」, ④ satisfy「…を満足させる」

Vocab politician「政治家」, unemployment rate「失業率」

551 | **accuse ＋人＋ of A** 「A のことで (人) を非難する, 告発する」

着眼 動詞の語法に注目

選択肢には accuse と blame の 2 つが使われている。accuse は〈accuse ＋人＋ of A〉で「A のことで (人) を非難する, 告発する」, blame は〈blame ＋人＋ for A〉で「A のことで (人) を非難する, 責める」という意味になる。これらの形に当てはまるのは②の accused Peter of leaving だけ。accuse と blame は意味が似ているが構文で用いる前置詞が異なるので, 区別して覚えよう。

《ココも注目》 left the window open は〈**leave ＋ O ＋ C**〉「O を C (の状態) にしておく」の形。→ **537**

解答 **547** A week in the countryside will do you good **548** ② **549** ① **550** ② **551** ②

552 ガス管が破裂し，大きな損害を与えた。 並べかえ （専修大）

The gas pipes exploded (a / and / caused / damage / lot / of).

553 The energy crisis a few years ago (　　) prices of everything to rise.
① watched　　② caused　　③ surprised　　④ arose （西南学院大）

✓ Check 40 他動詞 cause の用法を確認しよう！

☐ cause A 　　　　　「A（よくない出来事）の原因となる，A を引き起こす」→ 552
☐ cause A B 　　　　「A に B をもたらす」= cause B to[for] A
☐ cause ＋ O ＋ to do 　「O に…させる」→ 553

---

554 Not following the instructions (in / serious / can / injury / result).
（四日市看護医療大）

555 The new rule resulted in fewer traffic accidents. 同意選択 （日本大）
① came down　　② came out
③ gave in　　　④ led to

556 His passion for (art / him / led / to / start) collecting paintings. （畿央大）

---

553 数年前のエネルギー危機は，あらゆるものの値段を上昇させた。
554 指示［取扱説明書］に従わないことが大けがにつながることがある。
555 新しい規則によって交通事故が減った。
556 彼の芸術への情熱が，彼に絵画の収集を始めさせた。

Section 145 「…の原因になる」「…につながる」「…をもたらす」

552 **cause A** 「A の原因となる，A を引き起こす」

着眼 caused に注目
and に続けて後半部分を作る。caused があるので，「大きな損害を与えた」は，caused a lot of damage とする。**cause A** で「A の原因となる，A を引き起こす」の意味。

553 **cause ＋ O ＋ to do** 「O に…させる」

着眼 prices of everything と to rise の「主述関係」に注目
「数年前のエネルギー危機は，あらゆるものの値段が上がる（　　　）」の意味。空所のあとの prices of everything と不定詞 to rise の間には「あらゆるものの値段が上がる」という〈主語－述語〉の関係があるので，〈SVO ＋ to do〉の構文だと判断できる。この構文をとれるのは，② caused だけ。〈**cause ＋ O ＋ to do**〉で「O に…させる」の意味。
選択肢 ① watched「…を見た」，③ surprised「…を驚かせた」，④ arose(<arise) 自「起こった」

554 **result in A** 「A をもたらす，A という結果に終わる」

着眼 result に注目
動名詞の否定形 Not following the instructions が主語。動詞は result しかないので，助動詞 can と result を主語に続ける。result は **result in A** の形で「A をもたらす，A という結果に終わる」の意味を表す。in のあとに serious injury「大けが」を続ける。
◎ 一緒に確認 **result from A**「A に起因する」は，主語が〈結果〉で A が〈原因〉にあたる。

555 **lead to A** 「(…という) 結果になる，(ある結果) を引き起こす」

着眼 意味に注目
この文の resulted in A は「A をもたらした」という意味を表している。これと同じ意味は ④ led to で表すことができる。**lead to A** は，「A に導く」ということから「(…という) 結果になる，(ある結果) を引き起こす」という意味を表すことができる。活 lead-led-led
選択肢 ① come down「降りてくる」，②〈come out ＋形容詞 [副詞]〉「…な結果になる」，③ give in ...「…を提出する」

556 **lead ＋人＋ to do** 「(人) を…する気にさせる，(人) に…させる」

着眼 led に注目
主語は His passion for art「彼の芸術への情熱」。led は lead の過去形。〈**lead ＋人＋ to do**〉で「(人) を…する気にさせる，(人) に…させる」という意味を表すので，led him to start と並べる。
Vocab passion「情熱」

解答 **552** and caused a lot of damage　**553** ②　**554** can result in serious injury　**555** ④
556 art led him to start

557 This new project is designed to provide young people (　　) work.
① for　　② to　　③ with　　④ without
（学習院大）

558 私たちの感謝を伝えるためにこのささやかな贈り物を差し上げたいと思います。
We would like to (this / you / small / present / with) gift to express
our appreciation.　　　　　　　　　　　　　　 並べかえ 〈武蔵大〉

Section 147

559 He is (　　).　　　　　　　　　　　　　　　　（熊本県立大）
① married　　② a married　　③ a marriage man　　④ marriage

560 The man sitting next to Ellen is getting (　　) her next spring.　（近畿大）
① married to　　② marry　　③ marry with　　④ marrying

561 What has made Kazuo decide (　　) that woman?　　（日本大）
① to marry　　② to marry with
③ marrying　　④ marrying with

☑ Check 41 「結婚している，結婚する」の表し方を確認しよう！

□ **be married**
「結婚している」〈状態〉

□ **get married**
「結婚する」〈動作〉
「結婚する」という行為に焦点がある

□ **get married to** A
□ **marry** A
「A と結婚する」〈動作〉
「結婚する相手」に焦点がある

---

557 この新しいプロジェクトは若い人に仕事を与えることを目的とするものである。
559 彼は結婚している。
560 エレンの隣に座っている男性は次の春に彼女と結婚します。
561 どうしてカズオはその女性と結婚することに決めたのですか。

Field 1 文法

Field 2 語法

Field 3 イディオム

Field 4 会話・表現

Field 5 ボキャブラリー

Field 6 英文構造

Section 146 ⟨「A に B を与える, 贈る」⟩

557 provide A with B 「A に B を与える」

着眼 provide に注目

provide は〈**provide ＋人＋ with ＋物**〉＝〈**provide ＋物＋ for[to] ＋人**〉で「(人) に (物) を与える」という意味を表す。ここでは people (　) work という語順になっているので, ③ with が適する。

Vocab be designed to *do*「…するようにつくられている, …することを目的とするものである」

558 present A with B 「A に B を贈る」

着眼 would like to に注目

would like to の直後に置ける動詞の原形は present しかない。 動詞 present は,〈**present ＋人＋ with ＋物**〉＝〈**present ＋物＋ to ＋人**〉で「(人) に (物) を贈る」という意味を表す。 語群には with があるので, present you with this small (gift) の語順で並べる。

Section 147 ⟨「結婚している, 結婚する」を表す⟩

559 be married (to A) 「(A と) 結婚している」

着眼 空所の前の be 動詞 is に注目

空所の前に is があることに注目する。**be married** で「結婚している」の意味になる。

誤答 ②は a married man ならば「結婚している男性」という意味で, 合う。③④ marriage は名詞で「結婚 (生活), 結婚式」という意味なので, 合わない。

560 get married to A 「A と結婚する」

着眼 getting に注目

空所のあとに her があるので「彼女と結婚する」という意味を表すようにする。「A と結婚する」は**marry A** または **get married to A**で表す。ここでは空所の直前に getting があるので, ①を入れて be getting married to A の形にする。前置詞は to を使うことに注意する。

《ココも注目》 sitting next to Ellen は前の The man を修飾し,「エレンの隣に座っている男性」の意味を表す。→ 171

561 marry A 「A と結婚する」

着眼 marry に注目

decide は不定詞を目的語にとる動詞。**marry A**「A と結婚する」の marry は他動詞なので, ① to marry が正解。**marry A ＝ get married to A** に注意。

《ココも注目》 **decide to *do***「…することに決める」→ 477

---

562 Carl, who is over 50 years old, likes to dress like a teenager, but those kinds of clothes ( ) him. (明治大)
① aren't suitable　　② don't suit
③ mismatch　　④ not appropriate

563 I wouldn't buy that sweater if I were you. It's too big and the colors don't ( ) your jacket. (南山大)
① match　　② fit　　③ go　　④ correspond

564 A : Mary, does this bag ( ) well with my dress? (法政大)
B : Yes. They look very nice together.
① see　　② suit　　③ go　　④ meet

☑ Check 42 「似合う，合う」の表し方を確認しよう！

□ **suit** ＋人　　「〈服装などが〉（人）に似合う」→ 562
□ **fit** ＋人　　「〈大きさ・形が〉（人）に合っている」
□ **match** ＋もの　「（もの）に合う，調和する」→ 563
□ **go with** ＋ A　「A と合う，A に似合う」→ 564　※ match A ＝ go with A

---

565 I ( ) Peter lied about what he had seen because he is such an honest man. (学習院大)
① doubt　　② imagine　　③ suspect　　④ think

☑ Check 43 「疑う」を表す動詞の使い分けを確認しよう！

□ **doubt** ＋ that 節　　「…ではないと思う」→ 565
□ **doubt** ＋ whether[if] 節　「…かどうか疑問に思う」
□ **suspect** ＋ that 節　「（どうも）…らしいと思う」→ 566　※〈think ＋ that 節〉とほぼ同意。

---

562 カールは50歳を超えているが，ティーンエージャーのような恰好をするのが好きだ。けれどそういう服は彼には似合わない。
563 私があなたならそのセーターは買いません。それは大きすぎるし，その色はあなたの上着には合いませんよ。
564 A：メアリー，このバッグは私の洋服にうまく合いますか。
　　B：ええ。それらはとてもよく合っています。
565 ピーターはあんなに正直な人なのだから，彼が見たものについてうそをついていないと思う。

Section 148 「似合う，合う」を表す

562 suit ＋人 「(人) に似合う」

着眼 空所の直後の him に注目

選択肢から「カールは 50 歳を超えているが，ティーンエージャーのような恰好をするのが好きだ。けれどそういう服は」のあとには「似合わない」という意味の語句が入るとわかる。空所のあとに him があるので，空所には他動詞② don't suit を入れる。〈suit ＋人〉で服装などが「(人) に似合う」という意味を表す。

選択肢 ①の suitable「ふさわしい」は形容詞で後ろに for が必要。③ mismatch「…を不釣り合いに組み合わせる」，④の appropriate は「ふさわしい」という意味の形容詞。

563 match ＋もの 「(もの) に合う，調和する」

着眼 主語＝ the colors，目的語＝ your jacket に注目

主語が the colors「(セーターの) 色」，目的語が your jacket「あなたの上着」であることに注目する。ものを目的語にとり，ものが「(もの) に合う」という意味を表すのは，① match。〈match ＋もの〉で「(もの) に合う，調和する」という意味を表す。

選択肢 ② fit は〈人〉を目的語にして「(大きさ・形が) (人) に合っている」という意味。③は go with A で「A と合う，A に似合う」。④ correspond「一致する，調和する」は自動詞。

《ココも注目》 1 文目には仮定法過去が用いられている。**if I were you** は「もし私があなたなら」。→ 82

564 go with A 「A と合う，A に似合う」

着眼 with に注目

They look very nice together.「それら (＝バッグと洋服) はとてもよく合っています」という B の応答から，A は「このバッグは私の洋服に合っていますか」と尋ねていると考えられる。with my dress とあるので，go with A「A と合う，A に似合う」の形に副詞 well が加えられた形だと判断する。

誤答 ② suit は他動詞で，〈人〉を目的語にとるので，ここでは不適切。→ 562

《ココも注目》 **look nice** も「格好よく見える，似合う」の意味。

Section 149 「疑う」を表す動詞の使い分け

565 doubt ＋ that 節 「…ではないと思う」

着眼 because 節が表す〈根拠〉に注目

主節 I ... seen は，「私は，ピーターは彼が見たものについてうそをついたと ( )」という意味。この内容の根拠としては，because 節に「彼 (＝ピーター) はあんなに正直な人なのだから」とあるのだから，空所には「…ではないと思う」という意味を表す語が入るはず。この意味を表すのは① doubt。doubt は「…を疑う」という意味を表すが，目的語に that 節をとり〈doubt ＋ that 節〉の形にすると「…ではないと思う」という意味を表す。ここでは接続詞 that が省略されている。

解答 562 ② 563 ① 564 ③ 565 ①

566 スミスは執事がスパイだと思っている。（1語不要） 並べかえ

(suspects / is / Smith / spy / a / doubts / that / butler / his). （高知大）

並べかえ

Section 150

567 I need a red pen. Can I (　) yours for a while? （芝浦工業大）

① lend　② rent　③ loan　④ borrow

✓ Check 44 「借りる／貸す」を表す動詞の使い分けを確認しよう！

- □ **borrow** ：「(無料で) …を借りる」→ 567
- □ **hire** ：「(有料で) …を借りる」　※「(人) を雇う」の意味もある。
- □ **rent** ：「(有料で) …を借りる [貸す]」
- □ **lend** ：「(物・金) を貸す」→ 568
- □ **loan** ：「(物) を貸す，(利子を取って) (金) を貸す」

※「電話を借りる」「トイレを借りる」は use を使って表す。

---

568 I left my wallet in my room. Can you (　) me some money for lunch?

① lend　② borrow　③ pay　④ spend （広島修道大）

Section 151

569 Joel (　) me of my money. （津田塾大）

① robbed　② stole　③ was robbed　④ was stolen

570 Someone entered John's room at the hotel and (　) his watch. （駒澤大）

① stolen of　② robbed of　③ stole　④ robs

---

567 私は赤ペンが必要です。しばらくあなたのペンを借りてもいいですか。

568 私は自分の部屋に財布を忘れました。昼食を食べるのにお金をいくらか貸してもらえますか。

569 ジョエルは私からお金を奪った。

570 誰かがホテルのジョンの部屋に入って彼の腕時計を盗んだ。

566 suspect + that 節 「(どうも) …らしいと思う」

着眼 動詞に注目

「…だと思っている」の目的語にあたるのは「執事がスパイだということ」なので, that his butler is a spy と並べる。 語群には suspects と doubts があるが, suspect は「…だと思う」, doubt は「…ではないと思う」の意味を表すので, ここでは suspects を用いる。〈suspect + that 節〉で「(どうも) …らしいと思う」の意味を表す。doubts が不要。

Section 150 「借りる / 貸す」を表す動詞の使い分け

567 borrow 「(無料で) …を借りる」

着眼 主語は I であることに注目

主語は I で, 空所のあとの目的語が yours (= your pen) なので, 空所には「…を借りる」を表す動詞が入ることがわかる。選択肢のうち「(無料で) …を借りる」を意味するのは④ borrow。

選択肢 ① lend「…を貸す」→ 568, ② rent「(有料で) …を借りる [貸す]」, ③ loan「(物) を貸す,(利子を取って) (金) を貸す」

568 lend 「…を貸す」

着眼 主語に注目

1 文目に「私は部屋に財布を忘れた」とあるので, 2 文目は「昼食代を貸してくれますか」という意味だと推測できる。主語が you なので「…を貸す」を表す① lend が正解。**lend A B** の形で「**A に B を貸す**」の意味を表す。

選択肢 ② borrow は「(無料で) …を借りる」, ③ pay A B の形で「A (人) に B (代金) を払う」, ④〈spend + O + on ...〉で「O (お金など) を…に費やす」の意味。

Section 151 「盗む」を表す動詞の使い分け

569 rob A of B 「A から B を奪う」

着眼 空所のあとの me of my money に注目

空所の直後の me of my money に注目。動詞のあとに A of B を続けて「A から B を奪う」という意味を表せるのは rob なので, ① robbed が正解。**rob A of B** で「**A から B を奪う**」の意味。

選択肢 空所の直後に目的語 me があるので, ③や④のような受動態にはならない。また, steal は目的語に「盗むもの」がくる。**rob A of B = steal B from A**

570 steal 「…を盗む」

着眼 空所のあとの his watch に注目

空所のあとに「盗まれたもの」である his watch が続くので, 空所には他動詞が入る。entered より時制は過去だとわかるので, steal「…を盗む」の過去形③ stole が正解。

一緒に確認 steal B from A「A から B を盗む」, be stolen「(主語) が盗まれる」

解答 **566** Smith suspects that his butler is a spy **567** ④ **568** ① **569** ① **570** ③

Field 1 文法
Field 2 語法
Field 3 イディオム
Field 4 会話・表現
Field 5 ボキャブラリー
Field 6 英文構造

571 My friend (   ) in Tokyo today.　　　　　　　　　　　　　　(成蹊大)
　　① reached　　② transported　　③ arrived　　④ got

572 The traffic accident happened when he (   ) the corner of the street.
　　① arrived　　② reached　　③ got　　④ came　　　　　　　　(摂南大)

☑ Check 45 「A に着く」を表す動詞の使い分けを確認しよう！

□ **arrive in[at]** A　　arrive は自動詞なので前置詞 in か at が必要。→ 571
□ **reach** A　　　　　 reach は他動詞なので目的語を続ける。　　→ 572
□ **get to** A　　　　　 get に続く前置詞は to であることに注意。

---

573 The weather forecast (   ) that it will be sunny tomorrow.　　(法政大)
　　① tells　　② says　　③ hears　　④ teaches

574 The agricultural report (   ) that the rice crop is a little worse this year
　　than last year.　　　　　　　　　　　　　　　　　　(敦賀市立看護大)
　　① says　　② speaks　　③ talks　　④ tells

575 Could you (   ) me who is planning Dan's birthday party?　(センター試験)
　　① say to　　② talk to　　③ teach　　④ tell

576 Sally (   ) about all the wonderful experiences she had during the
　　vacation.　　　　　　　　　　　　　　　　　　　　　　(甲南大)
　　① told me　　② told to me　　③ said me　　④ said me to

---

571 私の友達が今日，東京に到着した。
572 彼が通りの角に着いたときに，交通事故が起きた。
573 天気予報は，明日は晴れるだろうと言っている。
574 農業に関する報告書には，今年は昨年より米がやや不作だろうと書いてある。
575 誰がダンの誕生日のパーティーを企画しているのか私に教えてくれますか。
576 サリーは，休暇の間にしたすばらしい経験すべてについて私に話してくれた。

Section 152◆〈「A に着く」を表す動詞の使い分け〉

571 **arrive in[at] A** 〉「A に到着する」

着眼 空所のあとの in に注目

空所のあとに前置詞 in が続くので, **arrive in[at] A**「A に到着する」を用いる。ここでは Tokyo を広い場所としてとらえているので in が使われている。

選択肢 ① reached は他動詞「…に着いた」→ 572, ④ got は got to A で「A に到着した」。

◎**一緒に確認** 場所を〈点〉としてとらえる場合は at を用いる。
We **arrived at** the hotel. (私たちはホテルに到着した)

572 **reach A** 〉「A に着く, A に到着する」

着眼 空所のあとの the corner に注目

空所の直後に名詞 the corner があるので, 空所には他動詞が入る。「…に着く」を表す他動詞 **reach** の過去形② reached を入れる。

Section 153◆〈「話す, 言う」を表す動詞の使い分け〉

573 **say** 〉「…と言う」

着眼 主語に注目

主語は the weather forecast「天気予報」。天気予報やラジオが「…と言っている」は〈**say** + **that** 節〉で表す。

誤答 ① tell は「話す」の意味のとき, 直後に that 節をとることはできず, that 節の前に「伝える相手」が入る。

574 **say** 〉「(印刷物に) …と書いてある」

着眼 空所のあとの that 節に注目

空所の直後に that 節があるので, ① says を選ぶ。その他の動詞は that 節を直後に続けることはできない。**say** は印刷物などを主語にして「…と書いてある」という意味を表すことができる。

575 **tell + 人 + that 節 [wh- 節]** 〉「(人) に…ということ […か] を話す」

着眼 me と who ... の 2 つの目的語に注目

空所のあとに代名詞 me と疑問詞節 who ... が続いているので, SVOO の文型だと判断する。SVOO の文型がとれて,「話す」の意味を表すのは④ tell。〈**tell + 人 + that 節 [wh-節]**〉で「(人) に…ということ […か] を話す」の意味を表す。

誤答 ③ teach は「(人) に教える, 悟らせる」の意味になるので誤り。

576 **tell + 人 + about A** 〉「A について (人) に話す」

着眼 動詞に注目

選択肢に用いられている動詞 tell と say は原則として他動詞として用いられるが, say は目的語に〈人〉をとることができない。tell は〈**tell + 人 + about A**〉で「A について (人) に話す」という意味を表すので, ① told me が正解。

《ココも注目》 she ... vacation は experiences を修飾する関係代名詞節。→ 202

▶ 用語解説 (解説サイト) 「SVOO」

解答 571 ③ 572 ② 573 ② 574 ① 575 ④ 576 ①

577 The teacher ( ) his students to open their textbooks. (名城大)
① spoke　② talked　③ said　④ told

578 We ( ) about the plan yesterday. (大阪経済法科大)
① discussed　② said　③ talked　④ told

579 She ( ) me out of selling the painting. (早稲田大)
① advised　② talked　③ urged　④ warned

580 You can use Ms. to ( ) a woman when you don't know if she is married. (東京歯科大)
① address　② speak　③ talk　④ listen

581 あなたがたびたび学校を欠席する理由を，私に説明してください。 [並べかえ]
Please explain (to / for your / the reason / frequent / me) absences from school. (山陽学園大)

✓ Check 46 「話す・言う・説得する」を表す動詞の使い分けを確認しよう！

- **say**　原則として他動詞。目的語に〈人〉はとれない。
　　　　　　目的語は that 節，wh- 節，実際に発話された言葉 (yes, hello, " " など)。

- **tell**　原則として他動詞。目的語は〈人〉。
　　　　　　SVOO では目的語は〈人〉〈情報〉の順。
　　　　　　□ **tell** ＋人＋ **that** 節[**wh-** 節]　「(人) に…ということ […か] を話す」→ 575
　　　　　　□ **tell** ＋人＋ **to** *do*　　　　「(人) に…するように言う」→ 577
　　　　　　□ **tell** ＋人＋ **about** A　　　「A について (人) に話す」→ 576
　　　　　　※自動詞では「わかる，判断できる」の意味。
　　　　　　e.g. How can you tell?（どうしてわかるの？）

- **speak**　原則として自動詞。
　　　　　　□ **speak to** ＋人＋ **about** A　「A について (人) に話す」
　　　　　　他動詞として用いる場合は，目的語は「言語」。
　　　　　　□ **speak** English　　　　　「英語を話す」

- **talk**　原則として自動詞。
　　　　　　□ **talk[speak] about** A　　　「A について話す」→ 578
　　　　　　他動詞の用法では以下の 2 つに注意。
　　　　　　□ **talk** ＋人＋ **into** *doing*　「(人) を説得して…させる」
　　　　　　□ **talk** ＋人＋ **out of** *doing*　「(人) を説得して…するのをやめさせる」→ 579

---

577 先生は生徒たちに教科書を開くように言った。
578 私たちは昨日，その計画について話し合った。
579 彼女は私を説得してその絵を売ることをやめさせた。
580 女性に話しかけるとき，その女性が結婚しているかどうかを知らないときは，Ms. を使うことができる。

577 tell ＋人＋ to *do* 　「(人) に…するように言う」

着眼 his students to open に注目

選択肢に用いられている動詞のうち、〈SVO ＋ to *do*〉の構文をとることができるのは④ told だけ。tell は〈tell ＋人＋ to *do*〉の形で「(人) に…するように言う」の意味を表す。

578 talk[speak] about A 　「A について話す」

着眼 about に注目

「A (ある話題) について話す」という場合には、talk[speak] about A を用いる。

誤答 ① discuss「…を話し合う」は他動詞なので、前置詞 about の前には入れられない。→ 470

579 talk ＋人＋ out of *doing* 　「(人) を説得して…するのをやめさせる」

着眼 out of selling に注目

〈動詞＋人＋ out of *doing*〉の形をとれるのは② talked だけ。〈talk ＋人＋ out of *doing*〉で「(人) を説得して…するのをやめさせる」という意味を表す。advise, urge, warn で同様の意味を表すには、〈動詞＋人＋ not to *do*〉「(人) に…しないよう忠告 [説得, 警告] する」と、不定詞を使う。

◎ **一緒に確認** 〈talk ＋人＋ into *doing*〉「(人) を説得して…させる」
He talked her into buying the car.
(彼は彼女を説得してその車を買わせた)

580 address 　「…に話しかける，…に呼びかける」

着眼 a woman に注目

空所の直後に a woman があるので、空所には〈人〉を目的語にとる他動詞が入る。選択肢のうち他動詞のはたらきをするのは① address だけ。他動詞 address には「…に話しかける，…に呼びかける」の意味がある。

581 explain to ＋人＋内容 / explain ＋内容＋ to ＋人 　「(内容) を (人) に説明する」

着眼 explain に注目

「(内容) を (人) に説明する」は〈explain to ＋人＋内容〉か〈explain ＋内容＋ to ＋人〉で表す。文末に absences from school があり、説明する内容を後ろに置くことがわかるので、〈explain to ＋人＋内容〉の形で表す。説明する内容の部分が長い場合には、この形を使う。「あなたがたびたび学校を欠席する理由」は the reason for your frequent absences from school。

第 17 章 | Field 2 語法 名詞の語法

Section 154

582 Please ( ) another person. 　(長浜バイオ大)
　① room open for 　　　② make room for
　③ make a room for 　　④ give a room for

583 This room ①would look ②much better if you ③put ④a furniture over here. 　誤文指摘 (拓殖大)

584 Our university has a lot of great ( ) for exercising. 　(熊本県立大)
　① equipment 　　　② an equipment
　③ equipments 　　　④ some equipments

585 Computers and the Internet can help us get ( ) quickly. 　(熊本県立大)
　① more informations 　　② a lot of information
　③ many informations 　　④ many information

586 My friend gave me ( ) on how to keep fit. 　(中部大)
　① an advice 　② advices 　③ some advices 　④ some advice

587 Few people have ( ) of world history. 　(国士舘大)
　① a much knowledge 　　② a lot of knowledges
　③ enough knowledge 　　④ good knowledges

List 63 不可算名詞

英語の単語には，可算名詞 (数えられる名詞) と不可算名詞 (数えられない名詞) がある。可算名詞には a / an をつけることができ，複数形があるが，不可算名詞には a / an はつけられず，複数形もない。

□ **information**「情報」→ 585 　　□ **advice**「アドバイス，助言」→ 586
□ **knowledge**「知識」→ 587 　　　□ **evidence**「証拠」
□ **progress**「進歩，進行」 　　　　□ **traffic**「交通 (量)」
□ **news**「ニュース」 　　　　　　　□ **room**「場所，空間」→ 582
□ **furniture**「家具，調度品」→ 583 □ **equipment**「設備」→ 584
□ **homework**「宿題」 　　　　　　　□ **luggage[baggage]**「手荷物」→ 588

---

582 もう一人入れるように場所を空けてください。
583 こちらに家具を1つ置いたら，この部屋はもっとよく見えるだろう。
584 私たちの大学には運動のためのすばらしい設備がたくさんある。
585 コンピュータとインターネットは私たちが素早くたくさんの情報を見つける手助けになりうる。
586 友達が私に健康を保つ方法についていくらかアドバイスしてくれた。
587 世界史の十分な知識がある人はほとんどいない。

Field
1
文法

Field
2
語法

Field
3
イディオム

Field
4
会話・表現

Field
5
ボキャブラリー

Field
6
英文構造

Section 154 〈 不可算名詞 〉

582　room　「場所，空間」

着眼 room の意味に注目

make room for A で「A のために場所・空間を空ける」の意味。この room は「場所，空間」を意味し，不可算名詞（数えられない名詞）なので，不定冠詞 a はつかない。

583　furniture　「家具，調度品」

着眼 furniture に注目

furniture は「家具，調度品」と訳すが，いすやテーブル，食器棚など，いろいろな種類のものの集合を表す。このように集合を表す集合名詞は数えることができない。「1 つの家具」と言うときには a piece of furniture（→ 597）と表すので，④が誤り。

584　equipment　「設備」

着眼 equipment に注目

equipment「設備」はいろいろな種類のものの集合を表す不可算名詞。不可算名詞には複数形がなく，a / an もつけられない。

585　information　「情報」

着眼 information に注目

information「情報」は不可算名詞なので複数形にならない。不可算名詞を修飾できるのは a lot of，または much。

586　advice　「アドバイス，助言」

着眼 advice に注目

advice「アドバイス，助言」は不可算名詞なので複数形はなく，a / an もつけられない。some「いくつかの，いくらかの」は，可算名詞の複数形と不可算名詞の両方を修飾する。
Vocab keep fit「健康を保つ」

587　knowledge　「知識」

着眼 knowledge に注目

knowledge「知識」は不可算名詞で，複数形がなく，①のように a もつけられない。enough「十分な」は，可算名詞の複数形・不可算名詞の両方を修飾できる。

▶ **用語解説**（解説サイト）「可算名詞」「不可算名詞」「集合名詞」

解答　582 ②　583 ④ (a furniture → a piece of furniture)　584 ①　585 ②　586 ④　587 ③

588 When I flew back from San Francisco, I had a lot of (　　). （岐阜聖徳学園大）
① carriage　　② carriages　　③ luggage　　④ luggages

Section 155

589 He was fortunate enough to make (　　) with such a famous writer.
① friend　　② a friend　　③ friends　　④ some friends （東洋大）

590 If they take ①turn ②driving, they will not be so ③tired when they get to
Sapporo. 誤文訂正 （西南学院大）

591 I have been on very good (　　) with Arthur since our school days.
① terms　　② connection　　③ relationship　　④ friendship （北里大）

Section 156

592 Be sure to remember to lock (　　) front door when you leave the
house. （京都産業大）
① a　　② any　　③ it　　④ the

593 They elected her (　　) of the team. （自治医科大）
① a captain　　② captain　　③ captains　　④ our captain

☑ **Check 47** 不定冠詞 a/an と定冠詞 the の意味と使い方を確認しよう！

☐ **a/an**：あとに数えられる名詞を続け，特定のものではないことを示す。
語源 one だったものが a になった。〈a/an ＋名詞〉「1つの…」

☐ **the**：話している人の間で，話題にあがっているもの，何のことだかわかっているもの（特
定のもの）につく。
語源 that だったものが the になった。〈the ＋名詞〉「その…」→ 592

---

588 サンフランシスコから飛行機で戻ったとき，私はたくさんの手荷物があった。
589 そんな有名な作家と友達になれるなんて，彼はまったく運がよかった。
590 もし彼らが交代で運転すれば，札幌に着いたときそんなには疲れていないだろう。
591 学生時代から私はアーサーととても仲がいい。
592 家を出るとき，くれぐれも玄関にかぎをかけるのを忘れないで。
593 彼らは彼女をチームのキャプテンに選んだ。

588 luggage[baggage] 「手荷物」

着眼 「手荷物」を表す語
carriage は可算名詞では「馬車」，不可算名詞では「輸送 (費)」を表すので，どちらも文脈に合わない。**luggage[baggage]**「手荷物」は不可算名詞なので，複数形にできない。

Section 155 複数形を使う表現

589 make friends with A 「A と友達になる」

着眼 make, with に注目
空所の前に make が，後ろに with があることと選択肢から，「…と友達になる」という意味にすることがわかる。「**A と友達になる**」は **make friends with A** と表す。友達は一人ではなれないので，必ず複数形にすること。

590 take turns (in[at]) *doing* / take turns to *do* 「…を交代でする」

着眼 turn に注目
take turns (in[at]) *doing* または **take turns to** *do* で「…を交代でする」の意味になる。「交代で，代わるがわるする」ことなので take turns と複数形になる。

591 be on good terms with A 「A と仲がよい」

着眼 on, good に注目
be on good terms with A で「A と仲がよい」の意味になる。

Section 156 名詞と冠詞

592 定冠詞 the：どれのことかわかる [特定の] 名詞につく冠詞

着眼 特定のものを指しているかどうか
「家を出るとき，くれぐれも玄関にかぎをかけるのを忘れないで」の意味。話している人の間で共通認識のある「玄関」は特定のものなので定冠詞 the をつける。

593 無冠詞 名詞に冠詞をつけない場合

着眼 elected に注目
elect O (as[to be]) C「O を C (役職・身分) に選ぶ」というときの役職名には冠詞をつけない (無冠詞)。

◎ 一緒に確認 無冠詞にする名詞
- 特定のものではない複数形の名詞。
- 役職や身分を表す名詞が補語になる場合。
- nature「自然」，history「歴史」など，事物全体を表す不可算名詞。
- go to bed や go to school, be in hospital など，機能に重点が置かれる名詞。

解答 588 ③ 589 ③ 590 ① turn → turns 591 ① 592 ④ 593 ②

594 There are many books, and ( ) of them are English books. (東洋大)
　① second-three　② second-threes　③ two-third　④ two-thirds

595 I like to sleep at least seven hours ( ) night. (青山学院大)
　① per a　② per　③ each a　④ every a

596 The manakin bird was knocking its wings together ( ). (芝浦工業大)
　① a second 107 times　　② a second times 107
　③ 107 times a second　　④ 107 second times a

597 She wrote her name on a ( ) of paper and gave it to me. (亜細亜大)
　① loaf　② link　③ slice　④ piece

List 64　**a piece of を使って数を表す不可算名詞**

☐ a piece of **advice**　　　　　　「1つの助言」　　　→ 586
☐ two pieces of **furniture**　　　　「2つの家具」　　　→ 583
☐ three pieces of **news**　　　　　「3つのニュース」
☐ many pieces of **luggage**[**baggage**]　「たくさんの荷物」→ 588

---

598 Professor Smith is so busy this week that students can only see her by
　( ). (南山大)
　① reservation　　　② schedule
　③ appointment　　　④ engagement

599 We made ( ) for three nights at the hotel. (南山大)
　① an appointment　　② an arrangement
　③ a package　　　　④ a reservation

List 65　**約束・予約を表す名詞**

☐ **appointment**「(面会の) 約束，(病院などの) 予約」→ 598
☐ **reservation**「(ホテルや乗り物などの) 予約」　　→ 599
☐ **engagement**「(結婚の) 約束，(会合などへの出席の) 約束」

---

594 本がたくさんあるが，3分の2は英語の本だ。
595 私は少なくとも一晩に7時間は眠ることにしている。
596 マイコドリは1秒に107回，両方の翼と翼を打ち合わせていた。
597 彼女は1枚の紙に自分の名前を書いて，それを私にくれた。
598 スミス教授は今週とても忙しいので，学生は面会の約束をしなければ彼女に会えない。
599 私たちはそのホテルに3泊予約した。

Section 157 ◆ 数の表し方

594 分数の表し方 〈分子（基数）＋分母（序数）〉

着眼 選択肢から「3分の2」を表す表現を選ぶと推測する

分数は〈分子（基数）＋分母（序数）〉で表す。「3分の2」は「3分の1が2つ」ということで，分母を表す序数を複数形にするので，④ two-thirds が正解。(p.126, Check 26)

595 per ＋無冠詞の名詞 「…につき」

着眼 空所の前に at least seven hours，あとに night がある

空所の前に at least seven hours「少なくとも7時間」，あとに night があるので，「少なくとも一晩に7時間」という意味にすることがわかる。「一晩に」は〈per ＋無冠詞の名詞〉を用いて per night となる。〈基準〉を表す per のあとは無冠詞になることに注意。

596 a/an ＋単位を表す名詞の単数形 a = per「…につき」

着眼 選択肢に注目

選択肢から「1秒につき107回」という意味だと推測する。「…回」と回数を表す場合は〈数字＋times〉で表す。「1秒につき」は a second で表す。回数などの表現のあとに〈a/an ＋単位を表す名詞の単数形〉をつけて「…につき」の意味を表せる。(a = per)

597 不可算名詞の数え方 a piece[sheet] of …

着眼 paper は不可算名詞

paper「紙」は不可算名詞で，1枚を表すときは **a piece [sheet] of …** を用いて表す。ただし「新聞，書類，論文」の意味の paper は数えられるので，複数形にできる。

◎ 一緒に確認 **a loaf of** bread は「パンのひとかたまり」，それを切った一切れは **a slice of** bread「パンの一切れ」という。

Section 158 ◆ 使い分けに注意すべき名詞

598 appointment 「（面会の）約束，（病院などの）予約」

着眼 面会の「約束」を表す単語は？

選択肢から「約束をしなければ彼女（＝教授）に会えない」という内容であると推測できるので，空所に入るのは③ appointment。面会の約束は **appointment** で表す。

選択肢 ① reservation「（ホテルや乗り物などの）予約」→ 599，② schedule「予定，予定表」，④ engagement「（結婚の）約束，（会合などへの出席の）約束」

599 reservation 「（ホテルや乗り物などの）予約」

着眼 at the hotel に注目

ホテル，列車，飛行機，劇場などの「予約」は reservation を使う。**make a reservation for A** で「Aの予約をする」を表す。

誤答 ① an appointment は「（面会の）約束，（病院などの）予約」を表す。→ 598

▶ 用語解説（解説サイト） 「基数」「序数」

解答 594 ④ 595 ② 596 ③ 597 ④ 598 ③ 599 ④

600 My brother's wife had a baby boy today. He is my first ( ). 〈立命館大〉
① fellow ② nephew ③ niece ④ widow

Section 159

601 The names of two ( ) were announced in the final call for the flight.
① audience ② guests ③ patients ④ passengers 〈日本大〉

602 The able lawyer is said to have a lot of ( ). 〈西武文理大〉
① customers ② clients ③ guests ④ visitors

List 66 「客」を表す名詞

□ **passenger**「乗客」→ 601 　　　□ **visitor**「訪問客」
□ **customer**「顧客，買い物客」
□ **client**「(弁護士や会計士などの) 依頼人」→ 602
□ **audience**「(映画，演劇の) 観客」 □ **spectator**「(スポーツの試合の) 観客」
□ **guest**「(ホテルやレストランなどの) 客，招待客」

Section 160

603 My father must think about the ( ) of maintaining our house.
① cash ② fee ③ cost ④ rent 〈千歳科学技術大〉

604 Bus companies will raise their ( ) by an average of 15% next year.
① bills ② charge ③ cost ④ fares 〈国士舘大〉

605 On weekends, the City Museum reduces the entrance ( ) for children.
① fee ② fare ③ price ④ cost 〈南山大〉

List 67 お金に関係するものを表す名詞

□ **currency**「通貨」　　　　　　　　□ **finance**「財政」
□ **credit**「信用取引，クレジット」　□ **payment**「支払い，納付金」
□ **price**「値段」　　　　　　　　　　□ **cost**「費用，経費」→ 603
□ **income**「収入，所得」　　　　　　□ **bill**「請求書」
□ **debt**「借金，負債」　　　　　　　□ **fine**「罰金」

---

600 今日，兄 [弟] の妻が男の子を生んだ。彼は私の初めての甥だ。
601 その便の最終呼び出しに 2 人の乗客の名前がアナウンスされた。
602 有能なその弁護士には多くの依頼人があるそうだ。
603 父は私たちの家を維持する費用について考えなければならない。
604 バス会社は，来年，平均 15% 料金を上げるだろう。
605 週末は，市立博物館は子どもの入場料を下げる。

600 **nephew / niece** 「甥」/「姪」

着眼 「甥」を表す単語は？
自分の兄弟姉妹の息子は **nephew**「甥（おい）」と言う。**niece**「姪（めい）」とセットで覚えよう。
選択肢 ① fellow「（親しみ・軽蔑の気持ちで）男，男の子」，④ widow「夫を亡くした人」

Section 159 〈・「客」を表す名詞 〉

601 **passenger** 「乗客」

着眼 the flight に注目
flight は「（飛行機の）便」のこと。the final call for the flight で「その便の最終呼び出し」の意味。飛行機の乗客は **passenger** と表すので④が正解。
選択肢 ① audience「観客」，② guest「（ホテルやレストランの）客，招待客」，③ patient「患者」

602 **client** 「（弁護士や会計士などの）依頼人」

着眼 lawyer に注目
弁護士の客は，**client**「依頼人」を用いる。
選択肢 ① customer「顧客」，③ guest「招待客」，④ visitor「訪問客，観光客」

Section 160 〈・「お金」「料金」を表す名詞 〉

603 **cost** 「費用，経費」

着眼 maintaining our house に注目
「私たちの家を維持する」ためのお金は **cost**「費用，経費」を用いる。
選択肢 ① cash「現金」，② fee「（参加，入場，受験の）料金，報酬，謝礼」，④ rent「賃貸使用料」

604 **fare** 「（交通機関の）運賃，料金」

着眼 Bus companies に注目
バスの「運賃，料金」は **fare** を用いる。料金がどのくらい上がるのかは by を用いて表すことに注意。
選択肢 ① bill「請求書」，② charge「使用料，手数料」，③ cost「費用」

605 **fee** 「（参加，入場，受験の）料金，（弁護士，医者などに対する）報酬，謝礼」

着眼 entrance に注目
entrance fee で「入場料」。**fee** は「入場や参加のための料金」と「専門家に対する報酬」の2つの意味で用いられる。

List 68 料金を表す名詞

□ **rent**「賃貸使用料」　　　　□ **fare**「（交通機関の）運賃，料金」→ 604
□ **admission**「入場料」　　　□ **charge**「使用料，手数料」
□ **fee**「（参加，入場，受験の）料金，（弁護士，医者などに対する）報酬，謝礼」→ 605
□ **wage**「（労働者に払う）賃金」

解答 600 ② 601 ④ 602 ② 603 ③ 604 ④ 605 ①

代名詞の語法

Section 161

606 I will give the money to Bob if he really needs (　　). 〔東邦大〕
① one　　② the one　　③ it　　④ them

607 I'd like to have a cup of tea. Are you going to have (　　), too? 〔東京医科大〕
① any　　② it　　③ one　　④ same

608 This bag is out of fashion, so I want to buy (　　). 〔天理大〕
① a new one　　② my new one
③ new one　　④ some new one

609 The new designs are much better than the old (　　). 〔國學院大〕
① it　　② ones　　③ that　　④ these

610 He's a completely different person from (　　) I met five years ago.
① one　　② the one　　③ that　　④ who 〔工学院大〕

---

606 ボブが本当にそのお金を必要としているのなら，私は彼にそれをあげよう。
607 紅茶を一杯いただきたいです。あなたもいかがですか。
608 このバッグは流行遅れだから，私は新しいのを買いたい。
609 新しいデザインは古いデザインよりも格段にいい。
610 彼は，私が5年前に会った人とはまったく別人だ。

Section 161 ✦ it / one の用法

606 **it** **it はすでに話題に出ている特定の名詞や句, 節の内容を指す**

着眼 the money を受ける代名詞は?

「ボブが本当に (　　) を必要としているなら, 私は彼にそのお金をあげよう」という文意。選択肢と文意から, 空所には the money を受ける代名詞が入ると判断する。すでに話題に出ている特定の名詞を指す場合は, 単数なら it, 複数なら they で受ける。money は不可算名詞なので, ③ it が正解。

607 **one** **one は名詞 (可算名詞で不特定なもの) の繰り返しを避けるために用いる**

着眼 a cup of tea を受ける代名詞は?

1 文目の「紅茶を一杯いただきたいです」という文意から, 2 文目は「あなたも紅茶を一杯いかがですか」という文意だと判断する。a cup of tea「一杯の紅茶」の代わりに用いることができるのは, ③ one。代名詞 one はすでに話題に出ている単数の不特定な可算名詞の繰り返しを避けるためにに用いられる。

608 **a/an ＋形容詞＋ one** **one の前に形容詞をつけることもできる**

着眼 〈形容詞＋ one〉には冠詞が必要

new one のように〈形容詞＋ one〉という形をとる場合には, 冠詞または所有格の代名詞が必要。ここでは new one (＝ bag) はこれと決まったものではない不特定なものであるから, 冠詞 a をつける。〈a/an ＋形容詞＋ one〉の形の① a new one が正解。

（ココも注目） **out of fashion**「流行遅れの」

609 **形容詞＋ ones** **不特定な複数形の名詞を表す場合には ones を使う**

着眼 one は複数形をとる

The new designs と the old (　　) が比較されているのだから, 空所には designs の代わりになる代名詞が入る。不特定な複数形の名詞を表す場合には ones を使うので, ②が正解。it や this/that, these/those の前に形容詞を置くことはできないので, ①, ③, ④はすべて誤り。ones は one のように単独で使うことはできず, 〈形容詞＋ ones〉の形で用いる。

610 **the one ＋形容詞句 [節]** **あとに形容詞句や節を続けて the one を特定する**

着眼 空所の後ろに関係代名詞節が続くことに注目

「彼は, 私が 5 年前に会った (　　) とはまったくの別人だ」という文意から, 空所には the person〈人〉の意味を表す語がくると判断する。空所に入る〈人〉は I met ... ago という目的格の関係代名詞節によって特定されるので, one〈人〉に定冠詞 the をつけた② the one が正解。〈the one ＋関係代名詞節〉の形。

解答 **606** ③ **607** ③ **608** ① **609** ② **610** ②

☑ Check 48 形式主語と形式目的語

形式主語

that 節や不定詞, 動名詞が主語になるとき, 主語が長くなることを避けるために, 代名詞 it を形式的な主語にする。真の主語である that 節, 不定詞, 動名詞は後ろにまわす。→ 611

$\underset{S}{\underline{It}}\ \underset{V}{is}\ \underset{C}{important}\ \underline{that\ we\ have\ a\ dream}$. (私たちが夢を持つことは大切だ)

形式目的語

形式主語と同様に, it を目的語の位置に入れることもある。真の目的語である that 節, 不定詞, 動名詞は後ろにまわす。　　　　　　　　　　　　　　→ 612, 613

$\underset{S}{I}\ \underset{V}{think}\ \underset{O}{it}\ \underset{C}{important}\ \underline{that\ we\ have\ a\ dream}$. (私たちが夢を持つことは大切だと思う)

611　UFO が現れたとき, 彼は自分の部屋にいたはずだ。　　　　　並べかえ　(拓殖大)

It is (his room / was / in / he / that / certain) when the UFO appeared.

612　私は, 彼女がうそをついたことを変だと思う。　　　　　　(熊本保健科学大)

I think (she / strange / told / it / that) a lie.

613　彼女は同意していないことをはっきりさせた。　　　　　　　(昭和大)

(clear / disagreed / it / made / she / she / that).

614　The climate here is similar to (　　) of Japan.　　　　(東洋大)

① this　　② that　　③ these　　④ those

---

614 ここの気候は日本の気候と似ている。

Section 162 ⟨•⟩ 形式主語 / 形式目的語

611 **形式主語** that 節を主語にするとバランスが悪いので，it を形式的な主語にする

着眼 certain に注目

語群に certain があることから，「…はずだ」は It is certain that .... で表す。that 以下には「彼は自分の部屋にいた」を表す he was in his room を置く。主語が長すぎる場合，形式的に it を主語として用い，真の主語（ここでは that 節）は文の後半にまわすことがある。このような **it** を形式主語と言う。

（**注目**）It is certain that he was in his room.
　　　　S V　C　　＝

612 **形式目的語** it を目的語の位置に入れて that 節を後ろにまわす

着眼 語群の it, that に注目

「…を変だと思う」という文は，⟨think ＋ O ＋ C(strange)⟩ で表す。変だと思った内容は「彼女がうそをついたこと」で，これを that 節で表すと that she told a lie となる。SVOC の O の位置に that 節がくる場合，it を形式的な目的語にして，真の目的語である that 節は後ろへまわす。このような **it** を形式目的語と言う。

（**注目**）I think it strange that she told a lie.
　　　　S　V　　O　C　　　＝

613 **形式目的語** SVOC の文で that 節が O のとき，it を形式的な目的語にする

着眼 語群の it, that に注目

「…をはっきりさせる」は ⟨make ＋ O ＋ C (clear)⟩ で表す。O にあたるのは「同意していないこと」だが，語群に it と that があるので，it を形式的な目的語にして，真の目的語の that 節を後ろにまわす。that 以下は「彼女が同意していないこと」と主語を補って考え，that she disagreed とする。SVOC の文で，that 節が目的語になる場合，**it** を形式目的語にして，真の目的語 (that 節) を後ろにまわす。

（**注目**）She made it clear that she disagreed.
　　　　S　　V　　O　C　　　＝

Section 163 ⟨•⟩ that / those の用法

614 **that** ⟨the ＋単数名詞⟩ の意味を that で表す

(TOP 100)

着眼 The climate here と（　　）of Japan を比べている

The climate here 「ここの気候」と（　　）of Japan 「日本の（　　）」が似ていると言っているのだから，（　　）of Japan は the climate of Japan 「日本の気候」を意味するはず。前に出てきた ⟨the ＋単数名詞⟩ を反復するときに，その代用として用いるのは② **that**。

《ココも注目》**be similar to A** 「A に似ている」→ 940

解答　**611** certain that he was in his room　**612** it strange that she told
613 She made it clear that she disagreed　**614** ②

615 Let's compare this year's results with (　　) from last year. （東北学院大）
　① one　　② that　　③ those　　④ which

616 Famous British actors and singers were among (　　) present at the
celebration of Queen Victoria's birthday. （近畿大）
　① that　　② these　　③ this　　④ those

617 Good friends are (　　) you can truly rely on. （立命館大）
　① that　　② those　　③ where　　④ whom

Section 164

618 参加者全員，その提案に反対であった。 　並べかえ
(participants / against / were / of / all / the) the proposal. （活水女子大）

619 (　　) students took the exam. （関西学院大）
　① Every　　② Almost　　③ All the　　④ All of

☑ Check 49 all の 2 つの用法を確認しよう！

all には，代名詞の用法と形容詞の用法がある。
□代名詞の用法：〈**all of** A〉　　　　　　　　　　　　→ **618**
　※ A には，the のほかに人称代名詞の所有格, this, that などがつく。
□形容詞の用法：〈**all** + **the** A〉　　　　　　　　　　→ **619**
　※most / some / both / either / neither / each などにも all と同様に代名詞と形容詞の
　用法がある。

---

615 今年の成果を昨年の成果と比べよう。
616 ビクトリア女王の誕生日の式典に出席していた人々の中に，英国の有名な俳優たちや歌手た
ちがいた。
617 よい友達とは，本当に頼りにすることができる人たちのことだ。
619 生徒全員がその試験を受けた。

615 those 〈the ＋複数名詞〉の意味を those で表す

着眼 this year's results を (　　) from last year と比べようとしている

比べるのは this year's results「今年の成果」と (　　) from last year「昨年の(　　)」なので，空所には the results の代わりをする代名詞が入る。〈the ＋複数名詞〉の代わりに用いるのは③ those。

616 those ＋形容詞 those present「出席者」

着眼 空所のあとに形容詞 present がある

S is among A. は「A の中に S がいる」の意味なので，この文は「…の中に英国の有名な俳優と歌手がいた」の意味になる。空所のあとには形容詞 present があることに注目。〈those ＋形容詞〉で「…な人々」の意味を表すので，④ those が正解。those present で「出席者」の意味だと覚えておこう。

誤答 ② these にこの用法はないことに注意。

617 those ＋関係代名詞節 「(…な) 人々」

着眼 「人々」を表す代名詞

空所のあとに続く you can ... rely on には前置詞 on の目的語が欠けていることから，you ... on は関係代名詞節だと判断する。空所に入るのは 1 語なので，関係代名詞が省略されていると考える。「よい友達とは本当に頼れる (　　) である」という意味から，空所には「…な人々」を表す② those を入れる。「…な人々」を表す those は，しばしば関係代名詞節を伴って用いられる。

注目 Good friends are <u>those</u> [(who(m)) you can truly rely on].
　　　　　　　　　　　　　↑_____｜目的格の関係代名詞の省略

Section **164** all の用法

618 all of A 「A (特定の集団) のすべて」

着眼 「…の全員」の表し方

「(特定の集団) の全員」は all of A で表せるので，「参加者全員」は all of the participants と表せばよい。「(特定の集団) のすべて，全員」なので，all of のあとは〈the ＋名詞〉になることに注意。「…に反対であった」は were against ...。→ 308

619 all the A 「A (特定の集団) のすべて」

着眼 空所のあとの複数形 (students) に注目

空所のあとが students と複数形になっているので，複数形の名詞を続けられる③ All the が正解。この all は形容詞で，all the A の形で「A (特定の集団) のすべて」の意味を表す。

誤答 ① Every のあとにくる名詞は単数形。② Almost は副詞なので，名詞 students を修飾できない。④ All of の後ろには the students と the が必要。

解答 **615** ③　**616** ④　**617** ②　**618** All of the participants were against　**619** ③

281

☒
☐
☐
620 You have only to wait here. 同意文 （国士舘大）
( ) you have to do is to wait here.
① All ② More ③ Nothing ④ How

Section 165

☐
☐
☐
621 ( ) of the members agreed with the leader's decision. （芝浦工業大）
① Almost ② Mostly ③ Most ④ Nearly

☒
☐
☐
622 ( ) students remembered to bring their umbrellas with them.
① Most of ② Majority ③ Almost ④ Most （藤田保健衛生大）

☐
☐
☐
623 ( ) her clothes were made in France. （立教大）
① Almost ② Almost all ③ Almost of ④ Most

┌─ ✔ **Check** 50 most と almost の用法を確認しよう！─────────────┐
most	形容詞の用法	<u>most</u>＋名詞 （可算名詞の複数形／不可算名詞）
		「…のほとんど，…の大部分」 → 622
	名詞の用法	<u>most of</u> A （A の名詞の前には <u>the</u> や所有格，限定詞が必要）
		「A のほとんど，A の大部分」 → 621
almost	副詞	<u>almost all</u> A / <u>almost all of</u> A 「A のほとんど，A の大部分」
		almost は副詞で，形容詞 all を修飾する。 → 623

620 あなたはここで待ってさえいればよい。
621 メンバーのほとんどはリーダーの決定に同意した。
622 生徒のほとんどは忘れずに傘を持ってきた。
623 彼女の洋服のほとんどはフランス製だった。

620 **all ＋関係代名詞節** 「…唯一のこと」

着眼 have only to *do*「…しさえすればよい」と同じ意味を表す表現を考える

1文目は have only to *do*「…しさえすればよい」が用いられており,「あなたはここで待ってさえいればよい」という意味。2文目は,動詞は is で「…はここで待つことだ」という意味。空所のあと (is の前) の you have to do は関係代名詞節であることに注目する。関係代名詞節を伴う代名詞 all は「唯一のこと」の意味なので,「あなたがしなければならない唯一のことは…だ」となり,1文目と同じ意味を表せる。〈all ＋関係代名詞節〉で「…唯一のこと」と覚えよう。

注目 All (that) you have to do is to wait here.
S V

◎ **一緒に確認** **All you have to do is (to) *do* ….**「あなたは…しさえすればよい」という表現では,補語にあたる不定詞の to はしばしば省略される。

Section 165 • **most / almost の用法**

621 **most of A** 「Aのほとんど,Aの大部分」

TOP100

着眼 ( ) of the members が文の主語

動詞は agreed なので,その前までが主語。空所のあとには of A が続くので,空所には名詞が入るはず。選択肢の中で名詞の用法があるのは③ Most のみ。**most of A** は「Aのほとんど,Aの大部分」という意味を表す。A は the や所有格の代名詞などで限定された名詞,または代名詞。

622 **most ＋名詞** 「…のほとんど,…の大部分」

着眼 students に注目

直後に複数形の名詞 students があるので,空所には形容詞を入れる。形容詞は④ Most のみ。〈most ＋名詞〉で「…のほとんど,…の大部分」の意味を表すので,Most students は「ほとんどの生徒」という意味になる。

誤答 ① Most of のあとが the students なら正しいが,the がないので誤り。名詞の前には,② Majority (名詞) ③ Almost (副詞) は置けない。

623 **almost all (of) A** 「Aのほとんど,Aの大部分」

着眼 空所のあとの her clothes に注目

空所のあとには her clothes という〈所有格＋名詞〉の形が続くことに注目。〈所有格＋名詞〉を後ろに続けられるのは② Almost all のみ。**almost all (of) A** で「Aのほとんど,Aの大部分」の意味を表す。

誤答 ① Almost は副詞なので,her clothes (名詞) を修飾できない。③ Almost (副詞) には前置詞句を続けられない。④ Most は Most of her clothes となるように of が必要。

✔ Check 51 最初に another / other の使い分けを確認しよう！

● ● ● ● ●
one この中のどれか「1つ」は another。どれなのかは特定しない。

● ●
one　the other　2つのうちの「残りの一方」は the other。特定されるので the がつく。

● ● ● ● ●
some　the others　some 以外の「残り全部」は the others。特定されるので the がつく。

● ● ● ● ● ● ●
some　others[some]　some と同様の，別の集団は others[some] で表す。

---

624 I have lost my dictionary, so I have to buy (　　). 〔摂南大〕
① it　② some　③ another　④ the other

625 The typhoon is still around here, so I'll be staying here for (　　) three days. 〔立命館大〕
① another　② more　③ other　④ the other

626 I have several foreign friends. Some are Canadian, and (　　) are American. 〔天使大〕
① the other　② other　③ anothers　④ others

627 The couple agreed that one would work and (　　) would stay home.
① each other　② other　③ the other　④ one another 〔福岡大〕

628 A : May I borrow one of your books? 〔大東文化大〕
B : Sure. Here are five. Two of them are detective stories and (　　) are historical novels. Take whatever you like.
① another　② the others　③ other　④ the ones

---

624 私は辞書をなくしてしまったので，別のものを買わなければならない。
625 台風がまだこの近くにとどまっているので，私はここにさらに3日滞在することになるだろう。
626 私には外国人の友達が数人いる。カナダ人もいればアメリカ人もいる。
627 その夫婦は一人が働き，もう一人が家にいることで合意した。
628 A：あなたの本の1冊をお借りしてもいいですか。／B：もちろん。ここに5冊あるよ。その中の2冊は推理小説で，残りは歴史小説だよ。好きなものは何でも持っていって。

Section **166** ・ another / other の用法

624 **another** 「もう一つ，別のもの」

着眼 「もう一つ，別のもの」は another で表す

「私は辞書をなくしてしまったので，（　　）を買わなければならない」の意味。前出の名詞を受けて不特定の「もう一つ，別のもの」の意味を表す代名詞は **another**。

誤答 ① it = my dictionary なので「なくした自分の辞書を買う」になる。② some では，辞書を数冊買うことになる。④ the other は「2 つのうちのもう一方，複数のうちの残り1つ」。

Field 1 文法

625 **another ＋数詞＋ A** 「さらに…の A，あと…の A」

着眼 three days に注目

「さらに3日」という意味にするためには，another three days とする。another は「時間，距離，お金」などを追加する場合に用いる。〈数詞＋A〉を1つのセットとみなして，〈**another ＋数詞＋A**〉の形になる。

《ココも注目》 will be staying は未来進行形で，未来の予定を表す。→ **9**

Field 2 語法

626 **some ..., (and) others ～** 「…のものもいれば，～のものもいる」

着眼 some ... に注目

some ..., and others ～で「…のものもいれば，～のものもいる」の意味を表す。数人いる外国人の友達のうち，何人かはカナダ人で，残りのうちの何人かはアメリカ人だという意味になる。

誤答 空所のあとの be 動詞が are なので，単数形①，②は入らない。③は another = an + other なので，another に複数形はない。

Field 3 イディオム

627 **the other** 「もう一方」

着眼 the couple 「夫婦」のうちの「もう一方」の表し方

文中の one は The couple 「夫婦」のうちの一方を表しているので，空所には one 以外の「もう一方」を指す代名詞が入る。2 人のうちの「もう一方」は特定できるので，other に冠詞 the をつけた③ the other で表すのが正しい。

《ココも注目》 〈**agree + that 節**〉で「（複数の人が）…ということで意見が一致する」の意味。

Field 4 会話・表現

628 **the others** 「残り全部」

着眼 「残り全部」の表し方

本が5冊あり，そのうちの2冊は推理小説だと言ったあとに「（　　）は歴史小説だ」と言い，その他のジャンルについては述べていないことから，空所には「残り全部」にあたる表現が入ると判断する。「複数のうちの残り全部」は特定することができるので，others に冠詞 the をつけた② the others で表すのが正しい。

Vocab detective 「探偵(の)」／ historical 「歴史に関する」

《ココも注目》 この文の **whatever** は名詞節を導き「…するものは何でも」の意味。→ p.118, Check 20

Field 5 ボキャブラリー

Field 6 英文構造

解答 **624** ③ **625** ① **626** ④ **627** ③ **628** ②

629 To know is one thing and to teach is (　　). 　　　　(中部大)
① another 　　② other 　　③ others 　　④ the others

630 図書館にはその本が2冊あるが，どちらも貸出中だ。 　　(成城大)
The library has two copies of that book, (　　) are out on loan.
① each of which 　　② neither of which
③ but which 　　④ both of which

631 (　　) of my sisters wanted the cake, so I was able to eat most of it.
① All 　　② Neither 　　③ Both 　　④ Either 　　(日本大)

632 生徒全員が精いっぱいやってみたが，誰もその質問に答えられなかった。 適語補充
All the students tried hard, but (　　　　　) of them could answer
the question. 　　(西南学院大)

☑ Check 52 both / neither / none の用法を確認しよう！

・2つのもの，2人の人を指して
□ both of A 　　「Aの両方」 　　→ 630
□ neither of A 　　「Aのどちらも…ない」 → 631

・3つ以上のもの，3人以上の人を指して
□ none of A 　　「Aのどれ[誰]も…ない」 → 632

633 (　　) of those companies has its own room in that building. 　　(東洋大)
① Each 　　② All 　　③ Every 　　④ Both

629 知っていることと教えることは別物だ。
631 私の姉妹のどちらもそのケーキを欲しがらなかったので，私はそのほとんどを食べることが
できた。
633 それらの各企業は，その建物内に個室を持っている。

286

629 **A is one thing and B is another.** 「AとBとは別物だ」

着眼 one thing に注目
... is one thing and ~ is という形から，**A is one thing and B is another.** 「AとB とは別物だ」という表現が用いられていると判断する。

Section **167** ▸ both / neither / none の用法

630 **both of A** 「Aの両方」

着眼 「両方」の表し方
「どちらも」とは「2冊とも」という意味なので，「両方」を表す both を用いる。**both of A** で 「Aの両方」の意味。which は two copies を先行詞とする非制限用法の関係代名詞。

誤答 ① each of A「Aのそれぞれ」(→ **633**) は単数扱いなので，動詞 are に合わない。② neither of A (→ **631**) は「Aのどちらも…ない」の意味で「どちらも貸し出し中ではない」になってしまう。③ which は関係代名詞なので，接続詞 but の直後には用いない。

631 **neither of A** 「Aのどちらも…ない」

(TOP 100) **着眼** so 以下の文意に注目
so 以下の「それで，私はそのほとんどを食べることができた」から，前半は「私の姉妹のど ちらもケーキを欲しがらなかった」という意味だと判断する。「Aのどちらも…ない」は， **neither of A** で表す。空所に肯定の意味の語句を入れてしまうと文の意味が通らないこと に注意しよう。

632 **none of A** 「Aのどれ [誰] も…ない」

着眼 「誰も…ない」の表し方
「誰も…答えられなかった」という日本語に対応する表現を考える。空所以下には否定語が ないので，空所に否定語が入ると判断し，none を入れる。3つ [3人] 以上について「A のどれ [誰] も…ない」という意味を表すには，**none of A** を用いる。

◎ **一緒に確認** 2つ [2人] について「Aのどちらも…ない」を表すのは **neither of A**。→ **631**

Section **168** ▸ each / either / every の用法

633 **each of A** 「Aのそれぞれ」

着眼 has に注目
述語動詞が has で所有格が its なので，空所には単数扱いの代名詞が入る。選択肢のう ち単数扱いになるのは① Each と③ Every だが，every はあとに〈of ...〉を続けることが できないので， ① Each が正解。**each of A** は 2つ [2人] 以上について「Aのそれぞれ」 という意味を表し，単数扱いをする。

《 **ココも注目** 》 ② **all of A** で A が複数名詞の場合は，通例複数扱い。A が不可算名詞の場合は，通例 単数扱い。

---

634 This medicine should be taken after ( ). 〔二松学舎大〕
① every meals ② every of meal
③ each meal ④ each meals

635 We can see tall buildings on ( ) side of the river. 〔関西学院大〕
① other ② such ③ either ④ both

636 Every ( ) was happy to hear the news. 〔北星学園大〕
① children ② men ③ people ④ student

637 The Olympic Games are held ( ) four years. 〔中部大〕
① some ② another ③ other ④ every

638 私は1週間おきに病院に通っている。 並べかえ
I (go / the hospital / week / to / other / every). 〔東洋大〕

✓ Check 53 each / either / every の用法を確認しよう！

☐ <u>each</u> of A	「Aのそれぞれ」	→ 633
☐ <u>each</u>＋単数名詞	「それぞれの…」	→ 634
☐ <u>either</u> of A	「Aのどちらか一方」	
	※ Aは2つの要素を表す特定された名詞か代名詞。	
☐ <u>either</u>＋単数名詞	「どちらか一方の…」「どちらの…も」	→ 635
☐ <u>every</u>＋単数名詞	「どの…も」	→ 636
☐ <u>every</u>＋数詞＋複数名詞	「…ごとに，…に一度」	→ 637
☐ <u>every other</u>＋単数名詞	「1…おきに」	→ 638

every ＋ four ＋複数名詞

every other ＋単数名詞

---

634 この薬は毎食後に飲まなければならない。
635 川の両側に高い建物が見えます。
636 その知らせを聞いてどの生徒も喜んでいた。
637 オリンピックは4年に一度，開催される。

---

634 | **each ＋単数名詞** 「それぞれの…」

着眼 every / each の用法を考える

every も each も後ろに単数形の名詞を続ける形容詞。each は〈each ＋単数名詞〉で「それぞれの…」の意味を表す。each meal で「毎食」の意味になるので, ③が正解。

誤答 ① every <u>meal</u> なら正しい。② every には代名詞の用法がないので every のあとに of は続かない。

---

635 | **either ＋単数名詞** 「どちらか一方の…」「どちらの…も」

着眼 直後の side (単数形の名詞) に注目

空所の直後に side という単数形の名詞があることに注目。あとに単数形の名詞を続けられるのは, ③ either のみ。〈either ＋単数名詞〉は「どちらか一方の…」の意味を表すが, either を side や hand など「2 つで 1 組」になっている名詞とともに用いると, 「どちらの…も」という意味になる。

誤答 ① other は前に the があれば「川の反対側」の意味になる。② such は〈such a ＋単数名詞〉の形になる。④ both はあとに複数形の名詞がくるので, 誤り。

---

636 | **every ＋単数名詞** 「どの…も」

着眼 every に注目

〈every ＋単数名詞〉で「どの…も」という意味を表すので, ④ student を選ぶ。

---

637 | **every ＋数詞＋複数名詞** 「…ごとに, …に一度」

着眼 「4 年ごとに」の表し方

「オリンピックは 4 年 (   ) 開かれる」という意味。(   ) four years で「4 年に一度, 4 年ごとに」の意味を表すと判断する。「…ごとに, …に一度」は〈every ＋数詞＋複数名詞〉で表す。

◎ 一緒に確認 〈every ＋数詞＋複数名詞〉は〈every ＋序数詞＋単数名詞〉に書きかえられる。
every four years ＝ every <u>fourth</u> year (4 年ごとに)
※ fourth のあとは単数形 year になることに注意。

---

638 | **every other ＋単数名詞** 「1 …おきに」

着眼 「1 週間おきに」の表し方

「私は病院に通っている」は (I) go to the hospital。そのあとに「1 週間おきに」を表す語句を置くが, 「1 …おきに」は〈every other ＋単数名詞〉で表すので, every other week とする。

解答 **634** ③   **635** ③   **636** ④   **637** ④   **638** go to the hospital every other week

Field 1 文法
Field 2 語法
Field 3 イディオム
Field 4 会話・表現
Field 5 ボキャブラリー
Field 6 英文構造

639 David and Eve have been keeping in touch with ( ) other since they met at the concert last year. （東洋大）
① all ② each ③ one ④ any

Section 169

640 A : Is she very ill? （芝浦工業大）
B : I'm afraid ( ).
① is ② her ③ that ④ so

641 A : Is it going to rain? （獨協医科大）
B : ( ). If it rains, the sports festival will be cancelled and we'll have to take a math exam instead.
① Yes, I'm going to ② I hope not
③ No, it doesn't ④ I'm afraid not

Section 170

642 ( ) happened to my mother. （法政大）
① Something wonderful has ② Wonderful something has
③ Wonderful something have ④ Something wonderful have

---

639 デイビッドとイブは，昨年コンサートで出会ってからお互いに連絡を取り合っている。
640 A：彼女は重い病気ですか。／B：残念ながらそうです。
641 A：雨が降るのでしょうか。／B：そうならないといいですね。もし雨が降ったら，体育祭は中止になって，代わりに私たちは数学の試験を受けなければなりません。
642 何かすばらしいことが母に起こった。

639 **each other** 「お互い」

着眼 other に注目
keep in touch with ... は「…と連絡を取り合う」の意味。主語が David and Eve なので，「お互いに連絡を取っている」の意味になると考え，each other「お互い」となるよう，② each を入れる。each other は名詞句なので，「お互いに」と副詞的に用いる場合は前置詞が必要。

注目 We talked <u>with</u> **each other** about our school.
「私たちは私たちの学校についてお互いに話し合った」

◎**一緒に確認** **one another**「お互い」

Section 169 **that 節の代わりに用いる so / not**

640 **that 節の代わりに用いる so** I'm afraid so.「残念ながらそうです」

着眼 I'm afraid に注目
選択肢に否定語はないので，I'm afraid のあとは she is very ill という内容が続くと考えられる。肯定の内容の that 節の代わりには so を用いる。**I'm afraid so.** で「残念ながらそうです」と覚えよう。

◎**一緒に確認** 否定の内容を表す場合は，I'm afraid **not**.「残念ながらそうではありません」

641 **that 節の代わりに用いる not** I hope not.「そうならないといいですね」

着眼 否定の内容になることに注目
雨が降ったら，体育祭が中止になって，数学の試験を受けなければならないので，B は雨が降らないことを望んでいると考えられる。**I hope not.** で「そうならないといいですね」という意味を表す。**not** は否定の内容の **that** 節の代わりに用い，ここでは，I hope (that) it is <u>not</u> going to rain. の意味を表している。

◎**一緒に確認** 肯定の内容を表す場合は，so を用いて I hope **so**.「そうなるといいな」

Section 170 **語順に注意するもの**

642 **something を形容詞で修飾する場合** something ＋形容詞

着眼 something と形容詞の語順に注意
something を形容詞で修飾する場合は，〈**something ＋形容詞**〉の語順になる。something は単数扱いなので，① Something wonderful has が正解。something, everything などの代名詞を形容詞で修飾する場合は，〈**something など＋形容詞**〉の語順をとることに注意。

解答 **639** ② **640** ④ **641** ② **642** ①

643 I'm ₁tied up right now, but please let me ₂have your number, and I will call ₃back you ₄in an hour. 誤文指摘 (國學院大)

Section 171

644 The blue jacket belongs to Jane, but the black one is not ( ). (奥羽大)
① she ② her ③ hers ④ her's

645 Can you lend me that red bike of ( )? (畿央大)
① you ② your ③ yours ④ your one

Section 172

646 There is ( ) strange about that company. (玉川大)
① something ② everything ③ one ④ anywhere

List 69 〈There is something ＋形容詞〉を用いた表現

☐ there is something ＋形容詞＋ about A 「A にはどこか…なところがある」→ 646
There is something different **about** John today. (今日のジョンはいつもと違う)
☐ there is something wrong with A 「A はどこか具合が悪い」
There is something wrong with my dog. (私の犬はどこか具合が悪い)
※ something に続く形容詞が wrong のときは，前置詞は with を用いる。

647 あなたの英語の作文は，その主題とまったく無関係です。 並べかえ (実践女子大)
Your (do / with / English composition / has / nothing / to / the topic).

List 70 「関係がある／関係がない」のバリエーション

☐ have **much** to do with A 「A と大いに関係がある」
☐ have **something** to do with A 「A と (何らかの) 関係がある」
☐ have **little** to do with A 「A とほとんど関係がない」
☐ have **nothing** to do with A 「A と無関係だ」→ 647

---

643 今ちょうど手が離せないのですが，あなたの電話番号を教えてください。1 時間後にかけ直します。
644 青い上着はジェーンのものだが，黒い上着は彼女のものではない。
645 あなたのあの赤い自転車を私に貸してもらえますか。
646 あの会社にはどこかおかしなところがある。

643 **群動詞の目的語が代名詞の場合** **動詞のあとに代名詞を置く**

着眼 群動詞の目的語の位置に注意
〈動詞＋副詞〉で構成される群動詞の目的語が代名詞の場合は，〈動詞＋代名詞＋副詞〉の語順になる。call back ...「…に電話をかけ直す」は，このケースにあたるので，③は you back としなければならない。

◎ 一緒に確認 〈自動詞＋前置詞〉で構成される群動詞の場合は，目的語が代名詞であっても前置詞のあとに置く。 Look at them.「それらを見なさい」 ※ look は自動詞。

Vocab be tied up「手が離せない」

Section 171 ・ 所有代名詞

644 **所有代名詞** hers

「青い上着はジェーンのものだが，黒い上着は…ではない」という意味なので，空所には「彼女のもの」を表す1語③ hers が入る。所有代名詞は〈所有格＋名詞〉の代わりに用いる。

◎ 一緒に確認 mine「私のもの」，yours「あなた（たち）のもの」，his「彼のもの」，hers「彼女のもの」，theirs「彼らのもの」，ours「私たちのもの」

645 **this/that ＋名詞＋ of ＋所有代名詞** **所有代名詞と this や that は並べて使えない**

着眼 空所の前に that red bike of がある
that はここでは「あの」という意味の形容詞。形容詞の this や that と所有格の代名詞を名詞の前に並べることはできないので，「あなたのあの自転車」と言うときには〈that ＋名詞〉のあとに〈of ＋所有代名詞〉をつけて表す。よって③ yours が正解。

◎ 一緒に確認 a/an, some/any, no なども所有格の代名詞と同時に名詞の前に並べることができないので，〈a/an など＋名詞＋ of ＋所有代名詞〉の形をとる。
a friend of mine「私の友達の1人」

◎ 一緒に確認 代名詞だけでなく，名詞の所有格の場合も同様。
some cameras of Mary's「数台のメアリーのカメラ」

Section 172 ・ something / nothing を用いた表現

646 **there is something ＋形容詞＋ about A** **「A にはどこか…なところがある」**

着眼 There is に注目
〈there is something ＋形容詞＋ about A〉で「A にはどこか…なところがある」という意味になるので，① something を入れれば「あの会社にはどこかおかしなところがある」となる。

647 **have nothing to do with A** **「A と何の関係もない」**

着眼 nothing に注目
nothing を用いて，「A とまったく無関係だ」は have nothing to do with A で表す。

◎ 一緒に確認 **have something to do with A** で「A と（何らかの）関係がある」

解答 643 ③ (back you → you back) 644 ③ 645 ③ 646 ①
647 English composition has nothing to do with the topic

648 In the fridge there was ( ) but a piece of cheese. (畿央大)
① few ② nothing ③ anything ④ something

Section 173

649 I've had so much housework to do since I started living ( ). (京都産業大)
① by myself ② by one ③ one person ④ only me

650 Please help ( ); there's plenty of it. (南山大)
① more food to yourself ② yourself to more food
③ food to yourself more ④ to food yourself more

651 A : Welcome to our house. Please make ( ) at home. (追手門学院大)
B : Thank you for your generosity.
① you ② your ③ yours ④ yourself

652 When I passed the entrance examination, I was ( ) myself with joy.
① above ② beside ③ outside ④ over (西南学院大)

☑ Check 54 　再帰代名詞の種類

	単数	複数
1人称	myself	ourselves
2人称	yourself	yourselves
3人称	himself / herself / itself	themselves

List 71 　再帰代名詞を用いたその他の表現

□ ask *oneself*	「自問する」
□ behave *oneself*	「行儀よくする」
□ enjoy *oneself*	「楽しむ，楽しく過ごす」
□ in *oneself*	「それ自体で」
□ to *oneself*	「自分だけに，独占して」

648 冷蔵庫の中にあるのは，チーズ1切れだけだった。
649 ひとり暮らしを始めてから，私にはしなければならない家事がとてもたくさんある。
650 お代わりはご自由にどうぞ，十分にありますので。
651 A：わが家へようこそ。どうぞごゆっくりなさって。／B：あなたの寛大さに感謝します。
652 入学試験に合格したとき，私は喜びで我を忘れた。

648 | nothing but A 「A だけ，A のみ」

着眼 but に注目

but には「…を除いて」という意味を表す前置詞の用法がある。**nothing but A** は「A を除いて何もない」，つまり「**A だけ，A のみ**」という意味を表す。anything but A は「A を除けば何でも」という意味だが，「チーズ以外は何でも入っている冷蔵庫」はありえないので，誤り。

◎ 一緒に確認　**anything but A** には「A を除けば何でも」のほかに「まったく A ではない，A どころではない」という意味もある。
　　　　　　　The exam was **anything but** easy.　（その試験はまったく簡単ではなかった）

Section 173 〉 再帰代名詞を用いた表現

649 | (all) by *oneself* 「独力で，ひとりで」

着眼 「ひとり暮らしをする」の表し方

選択肢に「ひとりで」を意味する語（句）があることから，started living（　　）で「ひとりで暮らし始めた」という意味だと考える。「独力で，ひとりで」は**再帰代名詞**を用いた **(all) by *oneself*** で表すので，① by myself が正解。

650 | help *oneself* to A 「A を自分で（自由に）とって食べる［飲む］」

着眼 help, yourself に注目

help *oneself* to A は「**A を自分で（自由に）とって食べる［飲む］**」という意味を表す。

651 | Make yourself at home. 「くつろいでください，どうぞごゆっくり」

着眼 at home に注目

at home は「くつろいで，気楽に」という意味。(Please) **Make yourself at home.** で「あなた自身をくつろがせてください」，つまり「**くつろいでください，どうぞごゆっくり**」という意味を表す。

Vocab generosity「寛大さ，気前のよさ」

652 | be beside *oneself* (with ...) 「(…で) 我を忘れる」

着眼 myself に注目

「入学試験に合格したとき，私は喜びで…」という意味から，「我を忘れる」を表す be beside *oneself* を用いると判断する。**be beside *oneself* (with ...)** は「**(…で) 我を忘れる**」の意味のほか「取り乱す，逆上する」という意味にもなる。

解答　648 ②　649 ①　650 ②　651 ④　652 ②

第 19 章 | Field 2 語法　形容詞の語法

Section 174

653 We spent ①<u>much</u> hours ②<u>doing</u> the math homework. It then ③<u>turned out</u> that the teacher had given us the ④<u>wrong problems</u> to answer.　誤文指摘 （南山大）

654 I couldn't find (　　) information about the college in the handbook.
① an　　② many　　③ much　　④ some　　　　　　　　（東北学院大）

List 72 「たくさんの…」の意味を表す語句

☐ <u>many</u> ＋可算名詞　　「たくさんの…」→ 653
☐ <u>much</u> ＋不可算名詞　「たくさんの…」→ 654
☐ <u>a lot of</u> A / <u>lots of</u> A　「たくさんの A」→ 664
※ A には可算名詞・不可算名詞のどちらも可。

Section 175

655 I wanted to buy a new smartphone, but I didn't have (　　) money.
① enough　　② little　　③ few　　④ no　　　　　（岐阜聖徳学園大）

656 If there's (　　) soup left, would you put it in the refrigerator?　（西南学院大）
① few　　② some　　③ bit　　④ many

657 It doesn't matter which train you catch.　同意文 （国士舘大）
You can catch (　　) train.
① any　　② some　　③ the　　④ your

---

653 私たちは数学の宿題をするのに多くの時間を費やした。そのあとで，先生が私たちに解くべき問題を間違えて与えていたということがわかった。
654 そのガイドブックの中には，その大学についての情報があまり見つからなかった。
655 私は新しいスマートフォンを買いたかったが，十分なお金がなかった。
656 スープがいくらか残っていたら，冷蔵庫に入れてもらえますか。
657 あなたはどの列車に乗ってもかまいません。／あなたはどの列車に乗ってもいいですよ。

Section **174** ‹ many / much ›

653 many ＋可算名詞 ›「たくさんの…」

着眼 hour は可算名詞

hour「時間」は可算名詞（数えられる名詞）なので、「多くの時間」は many hours と表す。よって① much を many にしなければならない。**many**「たくさんの…」は可算名詞を修飾し、much は不可算名詞（数えられない名詞）を修飾する。

《ココも注目》 〈**spend ＋時間＋ *doing***〉は「…するのに（時間）を費やす」→ 161

it turns out that ... は「…だとわかる、判明する」。

654 much ＋不可算名詞 ›「たくさんの…」

着眼 information は数えられるかどうか

information「情報」は不可算名詞なので、不可算名詞を修飾できる③ **much**「たくさんの」が正解。

誤答 不可算名詞に① an や② many はつかない。④ some は可算名詞にも不可算名詞にもつくが、否定文なので any にしなければならない。

Section **175** ‹ enough / some / any ›

655 enough A 「十分な A」

着眼 money ／ didn't に注目

money は不可算名詞なので、空所には不可算名詞を修飾する形容詞が入る。didn't があり、「新しいスマートフォンが買いたかったが、（　　　）なお金がなかった」という意味から、「十分な」の意味を表す① **enough** が正解。

誤答 ③ few は可算名詞を修飾する。否定文なので、② little「ほとんど…ない」や④ no「…がない」を入れると、意味が通らない。

656 some ＋可算名詞・不可算名詞 ›「いくらかの」

着眼 soup は不可算名詞

soup「スープ」は不可算名詞なので、空所には不可算名詞を修飾する形容詞が入る。② **some**「いくらかの」は可算名詞・不可算名詞のどちらも修飾することができるので、これが正解。

誤答 ① few や④ many は可算名詞を修飾する形容詞。③ bit は a bit of A の形で「少しの A」の意味を表す。

657 any ＋名詞 「どんな…でも」

着眼 文の意味を考える

上の文の〈It doesn't matter ＋疑問詞節〉は「…でもかまわない」の意味を表す。空所に any を入れれば「どの列車でも」の意味になる。主に肯定文で **any** を名詞の前に置くと「どんな…でも」の意味を表す。

▶ 用語解説 (解説サイト)「可算名詞」「不可算名詞」

解答　653 ①（much → many）　654 ③　655 ①　656 ②　657 ①

658 There were still (　　) people left at the party when I went home.
① a few　　② little　　③ few　　④ a little
（芝浦工業大）

659 I need (　　) time to decide which university to apply to.
① any　　② many　　③ a little　　④ a few
（南山大）

660 I am glad to hear that my son made (　　) mistakes in the examination.
① quite a few　　② little　　③ few　　④ a few
（名城大）

661 The house had (　　) furniture when we saw it.
（日本大）
① a couple of　　② few　　③ little　　④ not many

662 There are <u>quite a few</u> suspicious-looking people around Central Station late at night.
同意選択　（亜細亜大）
① an extremely small number of　　② a fairly large number of
③ increasingly more　　④ very few

List 73 「少しの…」「ほとんど…ない」の意味を表す形容詞

☐ **a few** ＋可算名詞	「少しの…」	→ 658
※ **quite a few** ＋可算名詞	「かなり多くの…」	→ 662
☐ **a little** ＋不可算名詞	「少しの…」	→ 659
☐ **few** ＋可算名詞	「ほとんど…ない」	→ 660
☐ **little** ＋不可算名詞	「ほとんど…ない」	→ 661

---

658 私が家に帰るとき，パーティーにはまだ少し人が残っていた。
659 どの大学に出願すべきか決めるには，少し時間が必要だ。
660 私は，息子がその試験でほとんどミスをしなかったと聞いてうれしい。
661 私たちが見たとき，その家にはほとんど家具がなかった。
662 深夜の中央駅の周りにはかなり多くの不審な様子の人々がいる。

Section 176 ▸ { few / little }

658 **a few ＋可算名詞** 「少しの…」

着眼 people, still に注目

people は複数扱いの名詞なので，① a few「少しの…」か③ few「ほとんど…ない」のどちらかが入る。still「まだ」があるので，「まだ少しの人々が残っていた」という意味になると考えられる。〈a few ＋可算名詞〉で「少しの…」という肯定的な意味になる。

《ココも注目》 〈There is[are] ＋名詞＋過去分詞〉「(名詞) が…されている」→ **196**

659 **a little ＋不可算名詞** 「少しの…」

着眼 time は不可算名詞

time は不可算名詞。不可算名詞を修飾できるのは，① any「どんな…でも」か③ a little「少しの…」。「…を決めるには少し時間が必要だ」という意味になるように③を選ぶ。〈a little ＋不可算名詞〉で「少しの…」という肯定的な意味になる。

《ココも注目》 apply to A「A に出願する」

660 **few ＋可算名詞** 「ほとんど…ない」

着眼 文意を考える

「息子が試験で（　　）のミスをしたと聞いてうれしい」という文意から，① quite a few「かなり多くの…」や④ a few「少しの…」では「ミスをしたことがうれしい」という文意になり，おかしい。「ほとんどミスをしなかった」という文脈になるはずだと考え，③ few「ほとんど…ない」を選ぶ。

661 **little ＋不可算名詞** 「ほとんど…ない」

着眼 furniture は数えられるか

furniture「家具」は不可算名詞なので，③ little 以外は入らない。little は不可算名詞を修飾して「ほとんど…ない」という意味を表す。

選択肢 ① a couple of ...「2, 3 の…，いくつかの…」→ **663**，② few は可算名詞の前に用いて「ほとんど…ない」。→ **660**，④ many も可算名詞につく。→ **653**

662 **quite a few ＋可算名詞** 「かなり多くの…」

着眼 quite a few は数が多いことを表す

quite a few は「かなり多くの…」という意味で，可算名詞を修飾する。①は「非常に数が少ない…」，②は「かなり多数の…」，③は「ますます多くの…」，④は「ほとんど…ない」の意味なので，②が正解。

Vocab suspicious は「不審な」，-looking は「…に見える」。

Field 1 文法

Field 2 語法

Field 3 イディオム

Field 4 会話・表現

Field 5 ボキャブラリー

Field 6 英文構造

解答 **658** ① **659** ③ **660** ③ **661** ③ **662** ②

□ 663 I have been living in New York for (   ) of months. （芝浦工業大）
□
□   ① several   ② some   ③ a couple   ④ a few

□ 664 I have (   ) to do today. （大阪産業大）
□
□   ① a lot of work   ② a few work
    ③ little works   ④ much works

□ 665 Don't worry, we have (   ) of time. （芝浦工業大）
□
□   ① plenty   ② much   ③ many   ④ more

□ 666 In some countries, a large (   ) of older cars still don't have air bags.
□
□   ① amount   ② member   ③ number   ④ total （愛知学院大）

□ 667 The company spent a great (   ) of money trying to fix the
□   air-conditioning system. （南山大）
□   ① deal   ② figure   ③ total   ④ number

List 74 　数や量を表す表現

□ <u>a couple of</u> ＋名詞の複数形	「2，3の…，いくつかの…」→ 663
□ <u>a lot of</u> A / <u>lots of</u> A	「たくさんのA」→ 664
□ <u>plenty of</u> A	「たくさんのA，十分なA」→ 665

※ Aには可算名詞・不可算名詞のどちらも可。

□ <u>a large number of</u> ＋名詞の複数形	「多くの…，多数の…」→ 666
□ <u>a small number of</u> ＋名詞の複数形	「少しの…」
□ <u>a great [good] deal of</u> ＋不可算名詞	「たくさんの…，大量の…」→ 667
□ <u>a large amount of</u> ＋不可算名詞	「大量の…」
□ <u>a small amount of</u> ＋不可算名詞	「微量の…，わずかの…」→ 668

---

663 私はこの 2，3 か月，ニューヨークに住んでいる。
664 私には今日，するべき仕事がたくさんある。
665 心配しないで。私たちには時間がたっぷりある。
666 国によっては，古い車の多くにまだエアバッグがついていない。
667 その会社は空調システムを修理しようとして大金を費やした。

Section 177 ⟨ **数や量の表し方** ⟩

663 ⟨ **a couple of ＋名詞の複数形** ⟩ 「**2, 3の…, いくつかの…**」

[着眼] months の前に of があることに注目

選択肢から，（　）of months は「数か月」の意味だと判断する。空所の直後に of があり，そのあとに名詞の複数形 (months) が続くので，③を入れて a couple of months とすれば「2, 3か月，数か月」になる。**a couple of A** には「**2, 3の…, いくつかの…**」以外に，「**2つ[2人]の…**」の意味もある。

[誤答] ① several of ..., ② some of ..., ④ a few of ... のあとには，特定された名詞（the[*one's*] などのついた複数名詞や them[us] など）がくる。

664 ⟨ **a lot of A / lots of A** ⟩ 「**たくさんの A**」

[着眼] 「仕事」の意味の work は不可算名詞

work「仕事」は不可算名詞。不可算名詞は複数形をとらず，a few で修飾できないので，① a lot of work が正解。**a lot of / lots of**「**たくさんの…**」は可算名詞・不可算名詞のどちらも修飾できる。

[Vocab] work「作品」は可算名詞。Picasso's earlier works「ピカソの初期の作品」

665 ⟨ **plenty of A** ⟩ 「**たくさんの A, 十分な A**」

[着眼] time の前に of があることに注目

選択肢から，（　）of time で「多くの時間」の意味になると判断する。空所の直後に of があるので，**plenty of A**「**たくさんの A, 十分な A**」の形にする。plenty of は，可算名詞・不可算名詞のどちらも修飾できる。

[選択肢] ② much や④ more ならば，much[more] of <u>your</u> time のように，of のあとには *one's* や the などで特定された名詞がくる。また，time は不可算名詞なので③ many は不可。

666 ⟨ **a large number of ＋名詞の複数形** ⟩ 「**多くの…, 多数の…**」

[着眼] large に注目

a large（　）of ... の形なので **a large number of ...**「**多くの…, 多数の…**」にする。large の代わりに good や great が用いられることもある。of のあとには名詞の複数形がくる。

[⊚一緒に確認] 「少数の…」は **a small number of ...** と表す。

[選択肢] ① a large amount of ... は，物質・時間・金額などの数えられない名詞を続け「大量の…，多額の…」の意味を表す。④の a total of ... は「合計[総計]…」。

667 ⟨ **a great [good] deal of ＋不可算名詞** ⟩ 「**たくさんの…, 大量の…**」

[着眼] of money に注目

of のあとに money があるので，不可算名詞を続けられる **a great deal of ...**「**たくさんの…，大量の…**」にする。**a good deal of** とすることもある。

[誤答] ④ number は〈**a number of ＋可算名詞の複数形**〉の形で用いられるので，不可。

《ココも注目》 〈spend ＋費用＋ *doing*〉「(費用)を…するのに使う」

解答　**663** ③　**664** ①　**665** ①　**666** ③　**667** ①

668 驚いたことに，その工場で消費される電力はごくわずかだった。 (獨協医科大)
To our surprise, the factory only consumed a small (　　) of electricity.
① part　　② amount　　③ sum　　④ deal

Section 178

669 He is (　　) of playing every kind of music from classical to pop. (中央大)
① able　　② capable　　③ competent　　④ possible

670 チケットをもらっていたが，病気になったのでコンサートに行けなかった。
I got sick and (the / to / was / concert / go to), even though I had
been given a ticket. (1 語不足) 並べかえ (西南学院大)

671 Is it (　　) for you to come to my office at 4 p.m.? (摂南大)
① stable　　② capable　　③ possible　　④ enable

Section 179

672 Please come and see me when (　　). (杏林大)
① you are convenient　　② it is convenient for you
③ you are convenience　　④ it is convenience for you

List 75 〈人〉を主語にとらない形容詞を覚えよう！

□ **convenient**	「便利な，都合のよい」→ 672	□ **inconvenient**	「不便な」
□ **necessary**	「必要な」→ 673	□ **unnecessary**	「不必要な」
□ **possible**	「可能な」→ 671	□ **impossible**	「不可能な」

---

669 彼はクラシックからポップまであらゆる種類の音楽を演奏することができる。
671 あなたは午後 4 時に私のオフィスに来ることができますか。
672 あなたの都合のいいときに私に会いに来てください。

Field 1 文法

Field 2 語法

Field 3 イディオム

Field 4 会話・表現

Field 5 ボキャブラリー

Field 6 英文構造

668 〔**a small amount of ＋不可算名詞**〕 「微量の…，わずかの…」

〔着眼〕 electricity に注目

a small (　) of electricity で「わずかな電力」を表す。electricity は不可算名詞なので，② amount「量」を用いて **a small amount of ...**「わずかな量の…」とする。

◎〔一緒に確認〕 **a large amount of ...** は「大量の…」の意味。

《ココも注目》 **to** *one's* **surprise**「(人) が驚いたことに」→ 335

〔**Section** 178〕〈「…できる」「…できない」を表す形容詞〉

669 〔**be capable of** *doing*〕 「…する能力がある，…できる」

〔着眼〕 of playing に注目

選択肢はすべて「…できる」という意味を表す形容詞なので，be (　) of *doing* の形で「…できる」という意味を表すものを選ぶ。capable は人を主語にして **be capable of** *doing* の形で「…する能力がある，…できる」という意味を表す。

〔選択肢〕 ①は be able to *do*「…することができる」，③は be competent to *do*「…する能力がある」，④ possible は it is possible (for ＋人) to *do*「(人が) …することができる」の形。

670 〔**be unable to** *do*〕 「…することができない」

〔着眼〕 was に注目

was を動詞として用いて「…することができなかった」を表す。was not able to *do* が考えられるが，それでは not と able の 2 語不足することになってしまう。not able の意味を 1 語で表せるのは unable なので，**be unable to** *do*「…することができない」とする。「コンサートに行けなかった」なので to go to the concert を unable のあとに続ける。

◎〔一緒に確認〕 **be able to** *do*「…することができる」

671 〔**it is possible (for 人) to** *do*〕 「((人) が) …することが可能である」

〔着眼〕〈it is ＋形容詞＋ for ＋人＋ to *do*〉の形に注目

この文は〈it is ＋形容詞＋ for ＋人＋ to *do*〉の疑問文。この形をとることができる形容詞は，③ possible。**it is possible (for 人) to** *do* で「((人) が) …することが可能である」の意味を表す。

〔選択肢〕 ① stable は「安定した」，② capable「能力がある」は〈人〉を主語にする形容詞。④ enable は〈enable ＋人＋ to *do*〉の形で「(人) が…することを可能にする」の意味を表す。

〔**Section** 179〕〈人が主語の場合には用いない形容詞〉

672 〔**convenient**〕 「便利な，都合のよい」

〔着眼〕 convenient に注目

形容詞 convenient「便利な，都合のよい」は〈人〉を主語にすることはできない。〈**be convenient for ＋人**〉の形で「(人) にとって都合がよい，便利だ」の意味。

〔誤答〕 convenience は「便利，便利なもの」の意味の名詞。

解答 668 ② 669 ② 670 was <u>unable</u> to go to the concert（unable 不足） 671 ③ 672 ②

673 (   ) to work hard to succeed. (中村学園大)
① You are necessary   ② You are needed
③ It is necessary for you   ④ It is necessary of you

Section 180

674 My grandfather is still ①live and ②well. He will ③turn ninety ④next week.
誤文指摘 (群馬大)

675 The personality test shows that you and I are really (   ). (芝浦工業大)
① alike   ② like   ③ likelihood   ④ likely

List 76 補語としてのみ用いられる形容詞

補語としてのみ用いられる形容詞は，a で始まるものが多い。
□ **afraid**「恐れている」　　　　　　□ **alike**「よく似た」→ **675**
□ **alive**「生きて」→ **674**　　　　　□ **alone**「ただひとりの」
□ **asleep**「眠っている」　　　　　　□ **aware**「気づいている」
□ **awake**「目が覚めて」　　　　　　□ **content**「満足して」

Section 181

676 (A) We are not (   ) whether we ought to go to the party. 共通語選択
(B) Hearing that song always reminds me of a (   ) night in Paris.
① certain   ② determined   ③ definite   ④ sure （専修大）

677 Despite their name, some rare earth metals are (   ) in large quantities
in the Earth's crust. （関西学院大）
① present   ② presented   ③ represent   ④ represented

List 77 補語の場合と名詞修飾の場合で意味が大きく異なる形容詞を覚えよう！

	補語	名詞修飾
□ **able**	「…することができる」	「有能な…」
□ **certain**	「確信している」→ **676**	「ある…，例の…」→ **676**
□ **late**	「遅れた，遅い」→ **695**	「後期の…，故…」
□ **present**	「出席［存在］している」→ **677**	「現在の…」

---

673 成功するためにはあなたは熱心に働く必要がある。
674 祖父は今もなお健在です。彼は来週 90 歳になります。
675 性格検査は，あなたと私は本当によく似ているということを示している。
676 (A) 私たちは，パーティーに行くべきかわからない。／ (B) その歌を聞くと，パリでのある夜をいつも思い出す。
677 その名前に反して，いくつかのレアアースメタル［希土類金属］は地殻の中に大量に存在している。

---

673 **It is necessary for you to _do_ ...** 「あなたは…する必要がある」

着眼 necessary に注目
「成功するためにはあなたは熱心に働く必要がある」という意味の文にする。「あなたは…する必要がある」は〈It is necessary for you to _do_ ...〉か〈You need to _do_ ...〉で表すので、③が正解。形容詞 **necessary**「必要な」は〈人〉を主語にすることはできないことに注意。

Section 180 補語として用いる形容詞（名詞の前には置かない形容詞）

674 **alive** 「生きて」

着眼 is に注目
be 動詞 is があるので、live[láɪv] は形容詞。live は限定用法（名詞の前に置く）でしか使われないので、① live を alive にする。**alive** は補語として用いる形容詞。

675 **alike** 「よく似た」

着眼 文意を考える
① **alike**「よく似た」は補語として用いる形容詞。その他の選択肢では文意が通らない。
選択肢 ② like はふつう動詞「…が好きだ」か前置詞「…のような」なので、あてはまらない。③ likelihood「可能性」、④ likely「ありそうな、…しそうな」

Section 181 位置によって意味が異なる形容詞

676 **certain** 「確信している」「ある…、例の…」

着眼 (A) は補語、(B) は名詞修飾であることに注目
(A) We are not ( ) の空所には補語が入る。
(B) a ( ) night の空所には後ろの名詞を修飾する形容詞が入る。
certain は、補語として「確信している」、名詞修飾で「ある…、例の…」の意味を表すので、①が正解。形容詞の中には **certain** のように、補語の場合と名詞修飾の場合で意味が大きく異なるものがあるので注意する。
選択肢 ② determined「意志の固い」、③ definite「明確な」、④ sure「確信している」
《ココも注目》 **be not certain whether ...**「…か（はっきり）わからない」
remind ＋人＋ of A「（人）に A を思い出させる」→ 523

677 **present** 「存在している」「現在の」

着眼 空所の前に are があることに注目
some rare earth metals are ( ) は SVC の文。文頭に Despite their name「その名前に反して」の「その名前」とは rare earth metals のことで、空所以降は rare「珍しい」に反する意味になる。① **present** は補語で用いると「存在している」の意味になるので、これが正解。**present** を名詞修飾で用いると「現在の」の意味になる。
Vocab in quantity[in large quantities]「大量に」／crust「地殻、パンの耳」

▶ **用語解説**（解説サイト）「補語」「限定用法」「名詞修飾」

解答 **673** ③ **674** ① (live → alive) **675** ① **676** ① **677** ①

☑ **Check 55** 最初に分詞形容詞とは何かを確認しよう！

surprise「(人)を驚かす」など，感情に関する動詞の現在分詞や過去分詞が形容詞として用いられるようになったものを**分詞形容詞**と言う。**現在分詞型の分詞形容詞は〈事・物〉が主語になって「(人を)…させる」という意味を持ち，過去分詞型の分詞形容詞は〈人〉が主語になって「…させられる」**という意味を持つ。
- surprising「驚くべき (←人を驚かせるような)」
  <u>The results</u> were **surprising** to me. (その結果は私にとって驚くべきものだった)
- surprised「驚いて (←人が驚かされて)」
  <u>I</u> was **surprised** at the results. (私はその結果に驚いた)

---

678 When our team won the soccer game, I was (　　)!　　　　　(鹿児島大)
　　　① more exciting　　② so excite　　③ so excited　　④ so exciting

679 A : We're moving into a bigger house next week.　　　　　(防衛大)
　　　B : Sounds (　　)!
　　　① excited　　② exciting　　③ to excite　　④ like you excite

680 Almost everyone thought that Mike's idea was terrible, but our boss
　　　found it (　　).　　　　　(明治大)
　　　① interested　　② interests　　③ interest　　④ interesting

681 The movie was so (　　) that I couldn't stay awake.　　　　　(摂南大)
　　　① bore　　② bored　　③ boring　　④ boredom

682 Kate felt (　　) with the lecture, since the professor was speaking too
　　　slowly.　　　　　(福岡大)
　　　① interesting　　② bored　　③ boring　　④ interested

List 78 主な分詞形容詞を覚えよう！(1)

☐ **exciting**	「(事・物が) 興奮させるような，わくわくする」	→ 679
☐ **excited**	「(人が) 興奮した」	→ 678
☐ **interesting**	「(事・物が) 興味深い，おもしろい」	→ 680
☐ **interested**	「(人が) 興味をもっている」	→ 46
☐ **boring**	「(事・物が) 退屈な，うんざりするような」	→ 681
☐ **bored**	「(人が) 退屈して」	→ 682

---

678 私たちのチームがサッカーの試合に勝ったとき，私はとても興奮した！
679 A：私たちは来週，もっと大きい家に引っ越します。／B：それはわくわくするね！
680 ほとんど全員がマイクの考えはひどいと思ったが，私たちの上司はそれをおもしろいと思った。
681 その映画はとても退屈だったので，私は起きていられなかった。
682 ケイトはその講義を退屈に感じた。というのも教授があまりにもゆっくり話していたからだ。

Section 182 〈 分詞形容詞 〉

678 **excited** 「(人が) 興奮した」

着眼 主語が人であることに注目
主語が〈人〉なので，過去分詞型の形容詞 excited「(人が) 興奮した」を用いる。

679 **exciting** 「(事・物が) 興奮させるような，わくわくする」

着眼 <u>That sounds (   )!</u> と主語を補って考える
sound は〈sound ＋形容詞〉で「…に聞こえる，…のように思われる」の意味。ここでは sounds の主語にあたる That が省略されている。この that は A の発言を指し，「それはわくわくするね」という意味になるので，現在分詞型の② exciting が正解。exciting は「(事・物が) 興奮させるような，わくわくする」の意味。

《ココも注目》 We're moving という現在進行形は，近い将来の予定・計画を表す用法。→ **8**

680 **interesting** 「(事・物が) 興味深い，おもしろい」

着眼 〈find ＋ O ＋ C〉の O と C は〈O ＝ C〉
found it (   ) は〈find ＋ O ＋ C〉「O を C と思う」の形なので，it(＝ Mike's idea) と空所の語の間には〈O ＝ C〉の関係が成り立つ。つまり，〈Mike's idea is (   ).〉という文が成り立つのだから，空所には〈事・物〉を主語にとる現在分詞型の④ interesting「興味深い，おもしろい」が適する。

注目 <u>Our boss</u> <u>found</u> <u>it</u> <u>interesting</u>.
　　　　 S　　　 V　　O　　 C　　　O ＝ C It is interesting. の意味関係が成り立つ

681 **boring** 「(事・物が) 退屈な，うんざりするような」

着眼 主語が The movie であることに注目
so (   ) that ... は〈so ＋形容詞［副詞］＋ that ...〉「とても～なので…」の構文なので，空所には形容詞が入る。主語が The movie「映画」なので，現在分詞型の③ boring「退屈な，うんざりするような」が正解。stay awake は「起きている」の意味。

682 **bored** bored with A 「A に退屈して，うんざりして」

着眼 〈feel ＋形容詞〉「…に感じる」は SVC
Kate felt (   ) は第 2 文型 (SVC) なので，空所に現在分詞型・過去分詞型のどちらが入るかは，動詞が be 動詞の場合と同様に考えればよい。ここでは主語が Kate なので，過去分詞型の② bored か④ interested が入る。since 以下にある「教授があまりにもゆっくり話していたので」から，② bored「退屈して」が正解。

683 The news that the event will be cancelled is really (　) to us all. （福岡大）
① disappoint　　　　　　② disappointing
③ disappointed　　　　　④ to disappoint

684 Alice was (　) to find out that she had passed the test. （愛知学院大）
① pleasant　② pleased　③ pleasing　④ pleasure

685 私は後ろ前にTシャツを着ているのがわかって恥ずかしかった。 （成城大）
I (　) because I put my T-shirt on backward.
① embarrassed　　　　② have embarrassed
③ was embarrassed　　④ was embarrassing

686 It's quite (　) that you have already finished your assignment. （亜細亜大）
① to be surprising　　② to be surprised
③ surprising　　　　　④ surprised

687 The manager didn't look (　) the performance of the players. （国士舘大）
① satisfying　　　　　② satisfying at
③ satisfied with　　　④ satisfied of

688 We apologize that some expressions in our advertisement were (　)
to the readers. （福岡大）
① confuse　　② to confuse　　③ confusing　　④ confused

List 79　主な分詞形容詞を覚えよう！(2)

□ **surprising**	「(事・物が) 驚くべき」→ 686
□ **surprised**	「(人が) 驚いて」
□ **satisfying**	「(人を) 満足させる」
□ **satisfied**	「(人が) 満足している」→ 687
□ **disappointing**	「(事・物が) がっかりさせる」→ 683
□ **disappointed**	「(人が) がっかりする」
□ **embarrassing**	「(人を) 恥ずかしい気持ちにさせる」
□ **embarrassed**	「(人が) 恥ずかしい，ばつが悪い」→ 685
□ **confusing**	「(人を) 混乱させる，わかりにくい」→ 688
□ **confused**	「(人が) 混乱した」
□ **pleasing**	「(人に) 喜びを与える」
□ **pleased**	「(人が) うれしい，喜んで」→ 684

---

683 そのイベントが中止になるだろうというニュースは，私たちみんなを本当にがっかりさせる。
684 アリスは試験に通ったとわかってうれしかった。
686 あなたがもう宿題を終わらせたなんて，本当に驚きだ。
687 監督は選手たちのプレーに満足しているようには見えなかった。
688 私たちの広告の中のいくつかの表現が読者を混乱させましたことをおわびいたします。

Field 1 文法
Field 2 語法
Field 3 イディオム
Field 4 会話・表現
Field 5 ボキャブラリー
Field 6 英文構造

---

683 disappointing 「(事・物が) がっかりさせる」

着眼 主語が The news であることに注目

主語が The news「ニュース」なので，現在分詞型の形容詞② disappointing「がっかりさせる」が適する。③ **disappointed** は「(人が) がっかりする」という意味で，〈人〉が主語になる。

---

684 pleased 「うれしい，喜んで」

着眼 主語が Alice であることに注目

主語が〈人〉なので，過去分詞型の形容詞② pleased「(人が) うれしい」が正解。③の **pleasing** は主語が「(人) に喜びを与える」の意味。

---

685 embarrassed 「(人が) 恥ずかしい，ばつが悪い」

着眼 主語が I であることに注目

「私は恥ずかしかった」という意味になるので，主語 I のあとには be 動詞が必要。主語が〈人〉なので，過去分詞型の embarrassed「恥ずかしい，ばつが悪い」を用いるので③が正解。④の **embarrassing** は「(事・物が) 恥ずかしい」の意味。

---

686 surprising 「(事・物が) 驚くべき」

着眼 主語が It であることに注目

文全体は It is ... that 〜 . の形式主語構文。真の主語は that 以下「あなたがもう宿題を終わらせたこと」なので，現在分詞型の形容詞③ surprising「驚くべき」が適する。④ **surprised** は「(人が) 驚いて」の意味を表す。

---

687 satisfied satisfied with A「(人が) A に満足している」

着眼 〈look ＋形容詞〉は SVC

look は自動詞で第 2 文型 (SVC) をとるので，空所に入る形容詞が現在分詞型か過去分詞型かは be 動詞の場合と同様に考えればよい。ここでは主語が The manager「監督」で〈人〉なので，過去分詞型の satisfied「満足している」が適する。「…に満足している」は **be satisfied with ...** で表すので，③が正解。現在分詞型の **satisfying** は「満足な」という意味で，〈事・物〉が主語になる。

---

688 confusing 「(人を) 混乱させる，わかりにくい」

着眼 主語に注目

were の主語である some expressions「いくつかの表現」は〈事・物〉で，空所のあとに to the readers「読者を」と〈人〉が続いているので，空所には③ confusing「(人を) 混乱させる，わかりにくい」が入る。〈人〉が主語のとき「(人が) 混乱した」は **confused** を用いる。

解答 683 ② 684 ② 685 ③ 686 ③ 687 ③ 688 ③

Section 183

689 He is the (　　) person we want to talk with about this matter.　(宮崎大)
① last　　② latter　　③ least　　④ most

690 テレビでニュースを見るまでそんな大事故があったなんて知らなかった。
I did not know there had (accident / been / such / a / terrible) until I
watched the TV news.　　並べかえ（専修大）

Section 184

691 The population of Yokohama is (　　) than that of Nagoya.　（日本大）
① many more　　② more many　　③ larger　　④ farther

List 80　「多い／少ない」を large / small で表す名詞

□ **number**「数」　　　　　　　□ **amount**「量」
□ **quantity**「量」　　　　　　□ **audience**「観客」
□ **population**「人口」→ **691**　□ **crowd**「群衆」

---

692 Jeff didn't accept the job offer because of the (　　) salary.　（大学入試センター）
① cheap　　② inexpensive　　③ low　　④ weak

693 Feel free to call me if you need (　　) information.　（日本大）
① as far　　② further　　③ the farthest　　④ the most

---

689 彼は，この問題について私たちが最も話し合いたくない人物だ。
691 横浜の人口は名古屋の人口よりも多い。
692 ジェフは給料が安いのでその仕事の申し出を受けなかった。
693 さらに情報が必要なら遠慮なく私に電話してください。

Section 183 · 意味や語順に注意する形容詞

689 **the last person ＋関係代名詞節 [to do]** 「最も…しそうにない人」

着眼 空所の前後にある the, person に注目

the last person のあとに関係代名詞節または不定詞句を続けると、「最も…しそうにない人」という意味になる。「話し合いたい最後の人だ」とは「最も話し合いたくない人物だ」ということ。

選択肢 ② latter は late の比較級で「後者の，後半の」→ **697**，③ least は little の最上級で「最も少ない」，④ most は many[much] の最上級で「最も多い」の意味。

690 **such ＋ a/an ＋形容詞＋名詞** 「そのような…」

着眼 such に注目

「そんな大事故」を such を用いて表す。such は〈such ＋ a/an ＋形容詞＋名詞〉の語順をとるので，such a terrible accident と並べる。been は had の直後に置く。

◎ **一緒に確認** so を用いて「そのような大きな事故」を表すと，〈so ＋形容詞＋ a/an ＋名詞〉の語順 so terrible an accident となる。→ **459**

Section 184 · 使い分けに注意する形容詞

691 **large** 「(形や数量などが) 大きい，多い」

着眼 population に注目

population「人口」が「多い」と言うときは，many ではなく large を用いるので，③が正解。that は the population のこと。population「人口」が「少ない」は **small** で表す。

692 **low** 「(金額が) 安い，少ない」

着眼 salary に注目

because of A は「A の理由で」を表す。仕事を断る理由としては給料が「安い」ことが考えられる。salary が安いことを表す形容詞は low。「高い」は **high** を用いる。

◎ **一緒に確認** ① cheap は「物」の安さを表す。

693 **further** 「さらなる，それ以上の」

着眼 information に注目

information「情報」を修飾する形容詞を選ぶ。② **further** には「さらなる，それ以上の」を意味する形容詞の用法があるので，これが正解。

《ココも注目》 far（形容詞・副詞）の比較級は farther と further がある。

farther は距離について「もっと遠い，もっと遠く」
further は程度について「さらに，それ以上の」

解答 **689** ① **690** been such a terrible accident **691** ③ **692** ③ **693** ②

694 Most (　) creatures in the sea are affected by pollution. （東北芸術工科大）
　　① lived　　② alive　　③ livable　　④ living

695 Hurry up, or we'll be (　) for our daughter's wedding ceremony.
The author wrote his most successful novel (　) in his life. 共通語補充
　　　　　　　　　　　　　　　　　　　　　　　　　　　　（日本大）

696 Thomas is a smart dresser and always wears the (　) fashions. （学習院大）
　　① earliest　　② fastest　　③ latest　　④ most

697 The (　) half of the symphony was more beautiful than the former.
　　① later　　② late　　③ latter　　④ latest　　　　　（関西学院大）

List 81 late の変化と意味を覚えよう！

形容詞 late には，意味によって2種類の変化形があり，それぞれ意味が異なる。
・late「(時間的に) 遅い」：比較級＝ <u>later</u>「より遅い，より最近の，晩年の」
　　　　　　　　　　　　　最上級＝ <u>latest</u>「最近の，最新の」→ 696
・late「(順序が) 遅い」：　比較級＝ <u>latter</u> [lǽtər]「後者の，後半の」→ 697
　　　　　　　　　　　　　最上級＝ <u>last</u>「最後の，この前の」

---

698 Jack was always kind and (　) to his servants, and taught his children
always to address them with "please" and "thank you." （中央大）
　　① considerate　　② consider　　③ considering　　④ considerable

---

694 海の中で生きているほとんどの生物は汚染の影響を受けている。
695 急いで。さもないと私たちの娘の結婚式に遅れてしまう。／晩年になって，その作家は最も
成功した小説を書いた。
696 トーマスはおしゃれな人で，いつも最新のファッションを身につけている。
697 その交響曲の後半は，前半よりも美しかった。
698 ジャックはいつも親切で使用人に対して思いやりがあった。そして自分の子どもたちに，い
つも「お願いします」や「ありがとう」をつけて彼らに話しかけるようにと教えた。

Field 1 文法

694 **living** 「生きている」

着眼 直後に creatures があることに注目

living creatures で「生物」。④ **living** は名詞を修飾して「生きている」を表す形容詞。② **alive**「生きて，生存して」→ **674** は補語として用いる形容詞で，名詞の前に置くことはできない。

選択肢 ①動詞 live の過去形・過去分詞，③ livable「住みやすい，暮らせる」

Field 2 語法

695 **late** 形「遅れた，遅い」/ 副「遅く，終わり近くに」

着眼 ( ) in his life に注目

1 文目は「急いで，さもないと私たちは…に（ ）だろう」という意味なので，空所には「遅れた」を表す形容詞 late が入ると推測できる。2 文目の（ ）in his life から late in *one's* life「…の晩年に」という表現が想起できるので，共通して入る語は late。late in *one's* life の **late** は「終わり近くに」という意味の副詞。

Field 3 イディオム

696 **latest** 「最近の，最新の」

着眼 「最新の」の表し方

「トーマスはおしゃれな人」という意味から，「いつも最新のファッションを身につけている」という意味だと判断する。「最新の」は③ **latest**。

選択肢 ① earliest「最も早い」，② fastest「最も速い」，④ most「最も多い」

Field 4 会話・表現

697 **latter** 「後者の，後半の」

着眼 the former half と対になる表現を考える

The ( ) half of the symphony と the former (half of the symphony) が比べられていることに注目。the former half「前半」と対になる表現は the latter half「後半」。③ **latter**「後者の，後半の」が正解。

Field 5 ボキャブラリー

698 **be considerate to[toward/of] ...** 「…に対して思いやりがある」

着眼 considerate と considerable の使い分けに注意

kind and ( ) なので，空所には kind「親切な」と並列の関係にある形容詞が入る。kind と同じく形容詞で，意味的にもつながるのは，① considerate「思いやりのある，優しい」。**be considerate to[toward/of] ...** で「…に対して思いやりがある」という意味を表す。④ **considerable** も形容詞だが，「（数量・大きさなどが）かなりの，相当の」「重要な，考慮すべき」の意味。

選択肢 ② consider は動詞「よく考える」，③ considering は前置詞または接続詞「…であることを考えれば」。

《 ココも注目 》 **address**「…に話しかける」→ **580**

Field 6 英文構造

解答 **694** ④ **695** late **696** ③ **697** ③ **698** ①

699 These days gasoline prices remain very high, and so (　　) cars are getting more and more popular. （鎌倉女子大）

① economic　　② economical　　③ explosive　　④ expensive

700 上の文を参考にして，下の文を完成させなさい。 （駒澤大）

No one has ever come across a unicorn.

A unicorn is an (　　) animal.

① imaginable　　② imaginary　　③ imaginative　　④ image

701 上の文を参考にして，下の文を完成させなさい。 （駒澤大）

He has spent ten hours a day trying to find a cure for cancer.

He is (　　) in finding a cure for cancer.

① industrial　　② indecent　　③ industrious　　④ incredible

702 Although "Titanic" was very expensive to make, it is one of the most (　　) films ever made. （名城大）

① successful　　② succeeding　　③ successive　　④ successional

List 82　品詞や意味に注意すべき単語

□ economy	名「経済」	□ succeed	動「成功する」
□ economic	形「経済の」	□ success	名「成功」
□ economical	形「経済的な」→ 699	□ successful	形「成功した」→ 702
□ economics	名「経済学」	□ successfully	副「首尾よく」
□ economist	名「経済学者」	□ succession	名「続くこと」
		□ successive	形「連続的な」
□ industry	名「産業，工業」		
□ industrial	形「産業の」		
□ industrious	形「勤勉な」→ 701		
□ industriously	副「勤勉に」		

---

699 近頃，ガソリン価格が非常に高いままだ。それで燃費のよい車がますます人気になってきている。

700 ユニコーンに遭遇した人は誰もいない。／ユニコーンは想像上の動物だ。

701 彼はガンの治療法を探すことに1日10時間費やしている。／彼はガンの治療法を探すことに勤勉だ。

702 『タイタニック』は制作にとても費用がかかったが，これまで制作された映画の中で最も成功した映画の一つだ。

699 **economical** 「経済的な，徳用の」

着眼 economic と economical の使い分けに注意
and so は「それで」の意味。その前にある「ガソリン価格が非常に高い」を受けて「それで（　　）な車が人気になってきている」のだから，「経済的な，徳用の」の意味の形容詞② **economical** が正解。an economical car で「燃費のよい車」の意味になる。① **economic** では「経済の，経済学の」の意味になってしまう。
選択肢 ③ explosive「爆発しやすい」，④ expensive「高価な」
《ココも注目》 more and more「ますます」

700 **imaginary** 「想像上の，架空の」

着眼 imagine から派生した形容詞の使い分けに注意
上の文は「ユニコーンに遭遇した人は誰もいない」，下の文は「ユニコーンは（　　）の動物だ」という意味。名詞 animal の前には「想像上の，架空の」の意味になる② **imaginary** を入れる。① **imaginable** は「想像できる，考えられる限りの」，③ **imaginative** は「想像力に富んだ，独創的な」の意味。④ image は「像・印象」の意味の名詞。
《ココも注目》 come across A「A に出くわす，A を偶然見つける」→ **743**

701 **industrious** 「勤勉な」

着眼 industry から派生した形容詞の使い分けに注意
下の文は「彼はガンの治療法を探すことに（　　）だ」の意味。「彼はガンの治療法を探すことに1日10時間費やしている」と上の文にあるのだから，空所には「勤勉な」の意味を表す③ **industrious** が入る。① **industrial** は「産業の，工業の」の意味になる。
選択肢 ② indecent「不作法な，下品な」，④ incredible「信じられない」

702 **successful** 「成功した，うまくいった」

着眼 succeed から派生した形容詞の使い分けに注意
「『タイタニック』は制作にとても費用がかかったが，これまで制作された映画の中で最も（　　）映画の一つだ」という意味。空所には「成功した，うまくいった」の意味の① **successful** を入れる。② succeeding は「続いて起こる，次の」，③ **successive** は「連続的な，一連の」，④ successional は「連続的な」の意味。
◎《一緒に確認》 動詞 succeed には「成功する」「あとを継ぐ」という意味がある。

解答　**699** ②　**700** ②　**701** ③　**702** ①

副詞の語法

Section 185

703 I bought that book three weeks ( ).　　　（東北芸術工科大）
① before　② ago　③ since　④ previous

704 The lady was not really a stranger to me. I had met her once ( ).
① before　② ago　③ all　④ again　　　（明治大）

☑ **Check 56** **ago** と **before** の用法を確認しよう！

「…前に」「以前」を表す副詞	過去の文	現在完了の文	過去完了の文
… ago 「(今から)…前に」	○	×	×
… before 「(過去のある時点から)…前に」	×	×	○
before 「以前」	○	○	○

※ … ago は過去時制でのみ用いられる。

Section 186

705 I'm afraid I'm not hungry. I've ( ) eaten lunch.　　　（日本福祉大）
① already　② never　③ often　④ still

706 You're leaving next month. Have you written to your homestay family
( )?　　　（摂南大）
① yet　② right now　③ so soon　④ still

707 I'd like to buy my own car, but I don't have enough money ( ).　（南山大）
① already　② yet　③ then　④ although

---

703 私は 3 週間前にその本を買った。
704 その女性は，実は見知らぬ人ではなかった。私は以前，彼女に会ったことがあった。
705 あいにく私はおなかがすいていません。昼食をもう食べてしまったんです。
706 あなたは来月には出発するのね。もうホームステイ先の家族に手紙を書きましたか。
707 私は自分の車が買いたいが，まだ十分なお金を持っていない。

{Section 185}⟨ ago / before ⟩

703 | ... ago | 「(今から)…前に」

着眼 空所の前にある three weeks に注目

今からさかのぼって「…前に」は **... ago** を使って表す。... ago は過去時制で用いる。

誤答 ① ... before は過去完了とともに用いて，ある過去の時点よりも前の時点を指す。

704 | before | 「(今よりも)前に，(過去のある時点よりも)前に」

着眼 空所の前にある動詞は had met と過去完了形になっている

1 文目に「その女性は，実は見知らぬ人ではなかった」とある。2 文目では，過去完了が用いられ，前文が表す過去の時よりも前のことを表している。過去のある時点よりも「前に」は① before で表す。**before** は過去完了の文で用いることができる。

{Section 186}⟨ already / still / yet ⟩

705 | already | 「もう」

着眼 文意を考える

1 文目に「あいにく私はおなかがすいていません」と言っているので，2 文目は「もう昼食を食べてしまった」という内容だと判断できる。現在完了の肯定文で「もう」は，① **already** で表す。

選択肢 ② never「これまで…したことがない」，③ often「しばしば」，④ still「まだ」

706 | yet | 「もう」

着眼 肯定疑問文であることに注目

現在完了を使った肯定疑問文なので，「もう…に手紙を書きましたか」という意味になるよう① yet「もう」を入れる。疑問文で用いる yet は「もう…しましたか」の意味。

選択肢 ② right now「今すぐに」，③ so soon「そんなにすぐに」，④ still「まだ」は完了形で用いる場合，否定文と否定疑問文に限られる。

707 | not ... yet | 「まだ…ない」

着眼 否定文であることに注目

I don't have ... と否定文なので，「まだ十分なお金を持っていない」となるよう② yet を入れる。**not ... yet** で「まだ…ない」の意味。

解答 **703** ② **704** ① **705** ① **706** ① **707** ②

Field 1 文法
Field 2 語法
Field 3 イディオム
Field 4 会話・表現
Field 5 ボキャブラリー
Field 6 英文構造

708 It's ( ) dark; the sun hasn't risen yet. (東邦大)
① getting ② still ③ already ④ finally

Section 187

709 I'm sleepy because I could ( ) sleep last night. (目白大)
① always ② usually ③ often ④ hardly

710 I don't know anything about him because he ( ) talks about himself.
① always ② frequently ③ seldom ④ usually (金沢工業大)

711 A : I wouldn't say I don't watch TV, but I prefer listening to music. (学習院大)
B : Me too. I hardly ( ) watch TV these days.
① always ② ever ③ often ④ sometimes

712 When we visited the river, it was dry and there was ( ) any water in it.
① almost ② hardly ③ little ④ mostly (東京経済大)

List 83 〈程度〉や〈頻度〉を表す副詞をまとめよう！	
〈程度〉を表す	
□ **almost** ＋形容詞［副詞］	「ほとんど」
□ **almost** ＋動詞	「…しそうになる」→ 713
□ **hardly**	「ほとんど…ない」→ 709
□ **scarcely**	「ほとんど…ない」
□ **barely**	「かろうじて，ほとんど…ない」→ 714
〈頻度〉を表す	
□ **hardly ever**	「ほとんど…ない，めったに…ない」→ 711
□ **seldom**	「めったに…ない」→ 710
□ **rarely**	「めったに…ない」

---

708 まだ暗い。太陽はまだ昇っていない。
709 昨夜ほとんど眠れなかったので，私は眠い。
710 私は彼のことを何も知らない。それというのも彼は自分のことをめったに話さないからだ。
711 A：テレビを見ないとは言いませんが，私は音楽を聴くほうが好きです。
　　B：私もです。このごろはテレビをほとんど見ません。
712 私たちが川を訪れたとき，それは干上がっていて，川に水はほとんどなかった。

708 | **still** 「まだ，今でも」

着眼 文意に注意する

セミコロン以下に「太陽はまだ昇っていない」とあるので，時間帯は日の出の前だとわかる。つまり「暗い」状態がずっと続いているので，空所には② still「まだ」を入れる。**still** は「まだ，今でも」という〈継続〉の意味を表す。

誤答 ① getting を入れると現在進行形になり，「暗くなりつつある」という意味になってしまう。③ already「すでに」や④ finally「ついに，とうとう」では日の出前の時間帯に合わない。

Section 187 ⟨ **hardly / seldom / almost / barely** ⟩

709 | **hardly [scarcely]** 「ほとんど…ない」〈程度〉

着眼 否定の意味になることに注目

文意を考えれば，could（　）sleep で「眠れなかった」という否定の意味になるはず。④ **hardly**「ほとんど…ない」が適する。

710 | **seldom** 「めったに…ない」〈頻度〉

着眼 文意に注目

because 以下「彼は自分のことを（　）話す」は「私は彼のことを何も知らない」の理由を表すはず。空所には否定的な意味を表す語を入れなければならないので，③ **seldom**「めったに…ない」が正解。

選択肢 ① always「いつも」，② frequently「しばしば」，④ usually「ふつうは」

711 | **hardly[scarcely] ever** 「ほとんど…ない，めったに…ない」〈頻度〉

着眼 空所の前の hardly に注目

hardly ever で「ほとんど…ない，めったに…ない」の意味で頻度を表す。

712 | **hardly[scarcely] any ＋名詞** 「(名詞) がほとんどない」

着眼 it was dry に注目

it(＝ the river) was dry から，and 以下は「水がなかった」という否定文になると判断し，② **hardly**「ほとんど…ない」を入れる。〈**hardly any ＋名詞**〉で「(名詞) がほとんどない」という意味。なお〈**few[little] ＋名詞**〉や〈**almost no ＋名詞**〉でも同じ意味を表せる。

解答　**708** ②　**709** ④　**710** ③　**711** ②　**712** ②

713 A : I ( ) missed the train. (鹿児島大)
B : I am glad you made it.
① finally ② most ③ indeed ④ almost

714 My muscles hurt so much that I could ( ) get out of bed. (立命館大)
① barely ② comfortably ③ plainly ④ surely

Section 188

715 I can't go to the meeting tomorrow. Susan told me you can't ( ).
① too ② neither ③ either ④ also
(芝浦工業大)

716 A : Michael, I don't want to go shopping in this heat. (南山大)
B : Me ( ).
① either ② neither ③ too ④ also

Section 189

717 As it is old, I can't wear this sweater ( ). (九州産業大)
① any more ② some more ③ any ④ less than

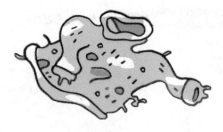

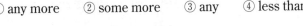

713 A：私は電車に乗り遅れそうになりました。／B：あなたが間に合ってよかったです。
714 筋肉がひどく痛んだので，私はベッドから出るのがやっとだった。
715 私は明日の会議に行けない。スーザンが，君も行けないと言っていた。
716 A：マイケル，この暑い中私は買い物に行きたくないわ。／B：僕もだよ。
717 古いので，私はこのセーターをもう着られない。

713　almost ＋動詞　「…しそうになる」

着眼 状況に注目

B が you made it「あなたは間に合った」と言っているので，A は電車に乗り遅れなかったとわかる。〈almost ＋動詞〉で「…しそうになる」を表すので，④が正解。

《ココも注目》 make it「間に合う」→ 794

714　barely　「かろうじて，ほとんど…ない」〈程度〉

着眼 so ... that ～に注目

so ... that ～は「非常に…なので～」の意味。「私の筋肉がひどく痛んだので，私はベッドから…」となることから，空所には否定的な語が入ることがわかる。barely は「かろうじて，ほとんど…ない」という意味を表すので，①が正解。barely は，hardly や scarcely よりも否定の意味は弱く，この文で言えば，「ほとんどベッドから出られない状態だったが，かろうじてベッドから出ることはできた」といったニュアンス。

選択肢 ② comfortably「楽に」，③ plainly「はっきりと」，④ surely「確かに」

Section 188 ・ either / neither

715　either　否定文で「…もまた（～ない）」

着眼 空所の前の can't に注目

1 文目が I can't go to the meeting tomorrow.「私は明日の会議に行けない」と否定文になっていることに注目。前述の否定的な内容を受けて，同じく否定文で「…もまた（～ない）」と言うときは either を用いる。

◎ 〔一緒に確認〕 肯定文の場合は as well や too を用いる。

I <u>can</u> go to the meeting tomorrow. Susan told me you can <u>as well</u>.

716　Me neither.　「私もそうではない」

着眼 A の発言が否定文になっていることに注目

A は「マイケル，この暑い中私は買い物に行きたくない」と言っている。選択肢から，B は「私もです」と言っていると判断できる。否定の内容を受けて「私もそうではない」という場合には Me neither. を用いる。

◎ 〔一緒に確認〕 肯定の内容について「私もそうだ」と言う場合は Me too. を用いる。

Section 189 ・ 否定文や疑問文で用いる副詞

717　any more　否定文で「もう（…ない），これ以上（…ない）」

着眼 否定文であることに注目

前半に「それは古いので」と理由が述べられているので，「私はこのセーターをもう着られない」という意味になると判断する。否定文で用いられ，数量，程度，時間の点で「もう（…ない），これ以上（…ない）」を表すのは，① any more。

解答　713 ④　714 ①　715 ③　716 ②　717 ①

Field 1 文法

Field 2 語法

Field 3 イディオム

Field 4 会話・表現

Field 5 ボキャブラリー

Field 6 英文構造

718 The service is unique and has no counterpart ( ) in the world. (専修大)
① what ② anywhere ③ everywhere ④ where

719 その赤ちゃんは歩くことどころか, 座ることさえできない。 | 並べかえ |
The baby can't even (alone / sit / , / walk / up / let). (松山大)

Section **190**

720 He got ( ) from work late at night. (駒澤大)
① house ② to home ③ home ④ to house

721 I want to ①make ②as many friends as ③I can when I study ④to abroad.
| 誤文指摘 | (佛教大)

List 84 名詞と間違えやすい副詞

□ **abroad** 「海外で, 海外へ」→ 721   □ **overseas** 「海外で, 海外へ」
□ **upstairs** 「階上へ」   □ **downtown** 「繁華街へ」
□ **home** 「家へ」→ 720   □ **next door** 「隣に」

Section **191**

722 The construction of the new shopping mall is ( ) finished. (大阪大谷大)
① seldom ② usually ③ nearly ④ near

---

718 そのサービスは独特で世界のどこにも同じようなものはない。
720 彼は夜遅くに仕事から帰宅した。
721 留学するときはできるだけ多くの友達をつくりたい。
722 新しいショッピングモールの建設はほぼ完成している。

718 | anywhere 「どこにも（…ない）」

着眼 no counterpart に注目

counterpart は「同等のもの」の意味。has no counterpart なので「同等のものはない」の意味になる。空所のあとの in the world と組んで「世界のどこにも（…ない）」の意味にするには，② anywhere を用いる。否定的な文脈で「どこにも（…ない）」は **anywhere** を用いて表す。

誤答 ③ everywhere は「あらゆるところで」の意味。

719 | 否定文＋, let alone ... 「…はもちろん，…どころか」

着眼 alone, let に注目

「座ることさえできない」なので，can't even のあとに sit up「座る」を続ける。否定的な文脈のあとで「…はもちろん，…どころか」を表すのは , let alone ...。「歩くどころか」なので , let alone walk とする。

Vocab sit up「きちんと座る，（赤ん坊が）お座りする」

Section 190 ᐳ·〈 名詞と間違えやすい副詞 〉

720 | home 「家に，家へ」

着眼 空所の前の got に注目

get は自動詞なので，直後に名詞を続けることができない。③ **home** には副詞「家に，家へ」の用法があるので，③が正解。**get home** で「帰宅する」の意味。

誤答 数えられる名詞の単数形は単独で用いられないので，名詞 home の②は to his home，④は to his house と his が必要。

721 | abroad 「海外で，海外へ」

着眼 abroad に注目

abroad「海外で，海外へ」は副詞なので，前に前置詞 to は必要ない。④の to abroad を abroad にすれば正しい文になる。場所を表す副詞は自動詞 study のあとに直接続ける。

Section 191 ᐳ·〈 形が似ている副詞 〉

722 | near / nearly 「近くに」/「ほとんど，もう少しで」

着眼 文の意味を考える

空所には，動詞 is finished「完成している」を修飾する副詞が入る。③ **nearly** は「ほとんど，もう少しで」という〈程度〉を表すので，これが正解。④ **near** は「近くに」の意味。

誤答 ① seldom は「めったに…ない」の意味で〈頻度〉が低いことを示す。→ 710

解答 **718** ② **719** sit up, let alone walk **720** ③ **721** ④（to abroad → abroad） **722** ③

723 My boss has been too busy ( ) to deal with the problem. （東京工芸大）
① lately ② later ③ of lately ④ late

724 His lecture was so difficult that we ( ) understand it. （獨協医科大）
① could hard ② couldn't hard
③ could hardly ④ couldn't hardly

List 85 形が似ている副詞

□ **hard**「熱心に」→ **724**　　□ **hardly**「ほとんど…ない」→ **724**
□ **high**「高く」　　　　　　　□ **highly**「非常に」
□ **sharp**「ちょうど」　　　　　□ **sharply**「急に」
□ **near**「近くに」→ **722**　　□ **nearly**「ほとんど，もう少しで」→ **722**
□ **late**「遅く」→ **723**　　　　□ **lately**「最近」→ **723**
　　　　　　　　　　　　　　　　□ **later**「あとで」→ **723**

Section 192

725 ( ), he did not pass the examination in spite of his efforts.
① Uneasily ② Unfortunately （九州ルーテル学院大）
③ Uniquely ④ Unwillingly

List 86 文修飾の副詞

□ **fortunately**「幸いにも」　　□ **unfortunately**「不運にも，残念ながら」→ **725**

Section 193

726 Kate loves candy. ( ), she was told not to eat any sweets for a while.
① Additionally ② Besides ③ However ④ Moreover （武蔵大）

727 I have to charge my mobile phone. ( ), it will go dead in ten minutes.
① Besides ② Consequently ③ Otherwise ④ Then （専修大）

---

723 私の上司は，ここ最近ずっと忙しすぎて，その問題に対処できていない。
724 彼の講義はとても難しかったので，私たちはそれをほとんど理解できなかった。
725 残念ながら，彼は努力をしたにもかかわらずその試験に合格しなかった。
726 ケイトはキャンディーが大好きだ。しかしながら彼女はしばらくの間，甘いものは何も食べないように言われた。
727 私の携帯電話を充電しなければならない。さもないとあと10分で電池が切れてしまうだろう。

723 **lately / of late / late / later** 「最近」/「最近」/「遅く」/「あとで」

着眼 文の意味を考える

too ... to *do* は「〜するには…すぎる，…すぎて〜できない」の構文。「私の上司は，（　　）ずっと忙しすぎて，その問題に対処できていない」の意味。空所に入れて，文意が通るのは① lately「最近」のみ。② later は「あとで」，③は of late なら「最近」，④ late は「遅く」の意味。

724 **hard / hardly** 「熱心に」/「ほとんど…ない」

着眼 文の意味を考える

so ... that 〜「とても…なので〜」の構文。「彼の講義はとても難しかった」のだから，「私たちは理解できなかった」という内容にする。副詞の hard は「熱心に」，hardly は「ほとんど…ない」(→ **709**) の意味なので，hardly を用いる。hardly は not とともには用いられないので，③が正解。

Section 192 ◆ 文全体を修飾する副詞

725 **unfortunately** 「不運にも，残念ながら」

着眼 文の意味を考える

空所のあとには「彼は努力をしたにもかかわらずその試験に合格しなかった」と続くので，「不運にも，残念ながら」の意味の② Unfortunately を入れる。unfortunately は通例文頭におき，文全体を修飾するはたらき（**文修飾**）をする。

選択肢 ① Uneasily「不安そうに」，③ Uniquely「比類なく」，④ Unwillingly「嫌々ながら」

Section 193 ◆ 文と文をつなぐ副詞

726 **however** 「しかしながら」

着眼 空所の前後の意味関係を考える

空所の前後は「ケイトはキャンディーが大好きだ」と「彼女は甘いものは何も食べないように言われた」の意味。空所の前後が逆接の関係になっているので，③ However「しかしながら」が正解。

選択肢 ① Additionally，② Besides，④ Moreover はいずれも「さらに，そのうえ」の意味。

727 **otherwise** 「さもないと」（= if not）

着眼 空所前後のつながりを考える

空所の前後は「私の携帯電話を充電しなければならない」と「あと 10 分で電池が切れてしまうだろう」の意味なので，空所には③ Otherwise「さもないと」を入れる。なお，otherwise には「その他の点では（= **in every other way**）」の意味もある。

選択肢 ① Besides「さらに」，② Consequently「その結果」，④ Then「それから」

解答　**723** ①　**724** ③　**725** ②　**726** ③　**727** ③

728 Don't cling to old-fashioned concepts. (　　), adopt new ideas. 〈福岡大〉
　① Otherwise　　② Instead　　③ In spite　　④ Except

729 Yesterday I had a bad headache and a runny nose. <u>Therefore</u>, I didn't go shopping. 〔同意選択〕〈秋田県立大〉
　① By accident　　② However　　③ Surprisingly　　④ So

730 Last summer was not very hot. (　　), the number of people visiting the swimming pool decreased. 〈芝浦工業大〉
　① Consequently　　② In addition　　③ Instead　　④ Nevertheless

731 What you said was true; (　　), it was unkind. 〈大阪経済大〉
　① forever　　② nevertheless　　③ fortunately　　④ instantly

List 87　文と文をつなぐ副詞を覚えよう！

前後の文の意味から，2文がどういう意味関係にあるかを考えよう。

逆接
□ **however**　　「しかしながら」→ 726
□ **nevertheless**　　「それにもかかわらず，とは言っても」→ 731

結果
□ **therefore**　　「だから，その結果」→ 729
□ **thus**　　「したがって」
□ **accordingly**　　「したがって，その結果」
□ **consequently**　　「その結果」→ 730

追加
□ **additionally**　　「さらに，そのうえ」
□ **besides**　　「さらに，そのうえ」
□ **moreover**　　「さらに，そのうえ」

代用
□ **instead**　　「その代わりに，そうではなく」→ 728

---

728 古めかしい概念に固執してはいけない。そうではなく新しい考えを採用しなさい。
729 昨日，私はひどい頭痛がして鼻水が出た。だから私は買い物に行かなかった。
730 この前の夏はそんなに暑くなかった。その結果，スイミングプールを訪れた人の数は減った。
731 あなたの言ったことは真実だった。とは言っても，それは思いやりがなかった。

728 instead 「その代わりに, そうではなく」

着眼 空所前後のつながりを考える

1文目には「古めかしい概念に固執してはいけない」とあり, 2文目の空所のあとには「新しい考えを採用しなさい」と続くので, 空所には「その代わりに, そうではなく」の意味を表す② Instead を入れる。

選択肢 ① Otherwise「さもないと」→ **727**, ③は In spite of ... で「…にもかかわらず」, ④ Except は前置詞で「…を除いて」の意味。

◎ **一緒に確認** instead of A は「Aの代わりに, Aではなくて」の意味。
　　　　　　　You should go by train <u>instead</u> of by car.「車ではなく電車で行くべきだ」

Vocab cling to ...「…に固執する」, adopt「…を採用する」

729 therefore 「だから, その結果」

着眼 因果関係に注目

Therefore「だから, その結果」は因果関係を表すので, ④ So で書きかえられる。

選択肢 ① by accident「偶然に」→ **981**, ② however「しかしながら」→ **726**, ③ surprisingly「驚いたことに, 意外にも」

Vocab have a runny nose「鼻水が出る」

730 consequently 「その結果」

着眼 空所前後のつながりを考える

空所の前には「この前の夏はそんなに暑くなかった」とあり, 空所のあとには「スイミングプールを訪れた人の数は減った」と続くので, 空所には「その結果」を表す① Consequently を入れる。

選択肢 ② In addition「さらに加えて」, ③ Instead (副詞)「その代わりに」→ **728**, ④ Nevertheless (副詞)「それにもかかわらず, それでも」→ **731**

◎ **一緒に確認** consequently「その結果」は **as a result** と同意。

731 nevertheless 「それにもかかわらず, とは言っても」

着眼 空所前後のつながりを考える

空所の前には「あなたが言ったことは真実だった」とあり, 空所のあとには「それは思いやりがなかった」と続くので, 空所には「それにもかかわらず, とは言っても」を表す② nevertheless を入れる。

《**ココも注目**》what you said は関係代名詞節で「あなたが言ったこと」の意味。

選択肢 ① forever「永遠に」, ③ fortunately「幸いにも」, ④ instantly「すぐに」

解答　**728** ②　**729** ④　**730** ①　**731** ②

第 16 章　動詞の語法

☐ graduate from A	A を卒業する	467
☐ apologize to ＋人＋ for ...	（人）に…のことをわびる	468
☐ participate in A	A に参加する	469
☐ decide to *do*	…することに決める	477
☐ fail to *do*	…しそこなう，…できない	478
☐ manage to *do*	どうにか…する	479
☐ pretend to *do*	…するふりをする	480
☐ refuse to *do*	…することを拒む，断る	481
☐ afford to *do*	…する余裕がある	**List 49**
☐ enjoy *doing*	…して楽しむ	482
☐ consider *doing*	…しようかと考える	483
☐ finish *doing*	…し終える	484
☐ stop *doing*	…することをやめる	485
☐ quit *doing*	…することをやめる	486
☐ give up *doing*	…することをあきらめる	487
☐ avoid *doing*	…することを避ける	488
☐ deny *doing*	…する［した］ことを否定する	489
☐ mind *doing*	…することを嫌だと思う	490
☐ suggest *doing*	…することを提案する	491
☐ forget to *do*	…するのを忘れる	492
☐ remember to *do*	忘れずに…する	493
☐ remember *doing*	…したことを覚えている	494
☐ forget *doing*	…したのを忘れる	495
☐ try to *do*	…しようとする	**List 51**
☐ try *doing*	試しに…してみる	**List 51**
☐ regret *doing*	…したことを後悔する	496
☐ regret to *do*	残念ながら…する	**List 51**
☐ need to *do*	…する必要がある	497
☐ need *doing*	…される必要がある	498
☐ want to *do*	…したい	**List 52**
☐ want *doing*	…される必要がある	**List 52**
☐ deserve to *do*	…するに値する，…して当然だ	**List 52**
☐ deserve *doing*	…されるに値する	**List 52**
☐ let ＋ O ＋ *do*	O に…させる，…するのを許す	499
☐ let me[us] ＋ *do*	私［私たち］に…させてください	500
☐ make ＋ O ＋ *do*	（無理やり）O に…させる	501
☐ What makes ＋ O ＋ *do*?	何が O に…させるのか	502
☐ have ＋人＋ *do*	（人）に…させる，…してもらう	503
☐ get ＋人＋ to *do*	（人）に…させる，してもらう	504
☐ get ＋もの＋過去分詞	（もの）を…してもらう〈使役〉	505
☐ have ＋もの＋過去分詞	（もの）を…してもらう〈使役〉	506

☐ have[get] ＋もの＋過去分詞	（もの）を…される〈被害〉	507
☐ want ＋ O ＋ to *do*	O に…してほしい	508
☐ expect ＋ O ＋ to *do*	O が…するだろうと思う	509
☐ be expected to *do*	…すると予想される	510
☐ advise ＋ O ＋ to *do*	O に…するように忠告 [助言] する	511
☐ ask ＋ O ＋ to *do*	O に…してくれるように頼む	Check 38
☐ tell ＋ O ＋ to *do*	O に…するように言う	Check 38
☐ encourage ＋ O ＋ to *do*	O に…するように励ます [勧める]	512
☐ remind ＋ O ＋ to do	O に…することを気づかせる, 思い出させる	513
☐ enable ＋ O ＋ to *do*	O が…することを可能にする	514
☐ allow ＋ O ＋ to *do*	O が…することを許す	515
☐ permit ＋ O ＋ to *do*	O が…することを許す	Check 38
☐ force ＋ O ＋ to *do*	O に（無理やり）…させる	516
☐ order ＋ O ＋ to *do*	O に…するように命じる	Check 38
☐ require ＋ O ＋ to *do*	O に…するように要求する	Check 38
☐ persuade ＋ O ＋ to *do*	O を説得して…させる	517
☐ help ＋ O ＋ (to) *do*	O が…するのを助ける, 手伝う	518
☐ keep ＋ O ＋ from *doing*	O が…するのを防ぐ	519
☐ stop ＋ O ＋ from *doing*	O が…するのを妨げる, 止める	520
☐ prevent ＋ O ＋ from *doing*	O が…するのを妨げる	521
☐ prohibit ＋ O ＋ from *doing*	O が…するのを禁じる	522
☐ remind ＋人＋ of A	（人）に A を思い出させる	523
☐ inform ＋人＋ of A	（人）に A を知らせる	524
☐ inform ＋人＋ that 節	（人）に…ということを知らせる	List 55
☐ forgive ＋人＋ for A	A のことで（人）を許す	525
☐ excuse ＋人＋ for A	A のことで（人）を許す	526
☐ thank ＋人＋ for A	A のことで（人）に感謝する	List 56
☐ clear A of B	A から B を取り除く, 片づける	527
☐ deprive A of B	A から B を奪う	528
☐ regard A as B	A を B とみなす	529
☐ look on[upon] A as B	A を B とみなす	530
☐ recommend that S' (should) *do*	S' に…するように勧める	540
☐ suggest (to ＋人) that S' (should) *do*	S' に…してはどうかと提案する	541
☐ demand that S' (should) *do*	S' に…するように要求する	542
☐ insist that S' (should) *do*	S' に…するように（強く）要求する	543
☐ order that S' (should) *do*	S' に…するように命令する	544
☐ advise that S' (should) *do*	S' に…するように忠告 [助言] する	List 61
☐ require that S' (should) *do*	S' に…するように要求する	List 61
☐ do ＋人＋ harm	（人）に害をもたらす	546
☐ do ＋人＋ good	（人）に益をもたらす	547
☐ do me a favor	私の頼みを聞く	List 62
☐ feel like *doing*	…したい気がする	548
☐ would like to *do*	…したい	549
☐ blame ＋人＋ for A	A のことで（人）を非難する, 責める	550

Field 1 文法

Field 2 語法

Field 3 イディオム

Field 4 会話・表現

Field 5 ボキャブラリー

Field 6 英文構造

☐ accuse ＋ 人 ＋ of A	A のことで (人) を非難する, 告発する	551
☐ cause ＋ O ＋ to *do*	O に…させる	553
☐ result in A	A をもたらす, A という結果に終わる	554
☐ lead to A	(…という) 結果になる, …を引き起こす	555
☐ lead ＋ 人 ＋ to *do*	(人) を…する気にさせる	556
☐ provide A with B	A に B を与える	557
☐ present A with B	A に B を贈る	558
☐ be married (to A)	(A と) 結婚している	559
☐ get married to A	A と結婚する	560
☐ go with A	A と合う, A に似合う	564
☐ doubt ＋ that 節	…ではないと思う	565
☐ suspect ＋ that 節	(どうも) …らしいと思う	566
☐ doubt ＋ whether[if] 節	…かどうか疑問に思う	Check 43
☐ rob A of B	A から B を奪う	569
☐ arrive in[at] A	A に到着する	571
☐ get to A	A に到着する	Check 45
☐ tell ＋ 人 ＋ that 節[wh- 節]	(人) に…ということ […か] を話す	575
☐ tell ＋ 人 ＋ about A	A について (人) に話す	576
☐ tell ＋ 人 ＋ to *do*	(人) に…するように言う	577
☐ talk[speak] about A	A について話す	578
☐ talk ＋ 人 ＋ out of *doing*	(人) を説得して…するのをやめさせる	579
☐ talk ＋ 人 ＋ into *doing*	(人) を説得して…させる	Check 46

第 17 章　名詞の語法

☐ make friends with A	A と友達になる	589
☐ take turns (in[at]) *doing*	…を交代でする	590
☐ take turns to *do*	…を交代でする	590
☐ be on good terms with A	A と仲がよい	591

第 18 章　代名詞の語法

☐ all of A	A (特定の集団) のすべて	618
☐ all the A	A (特定の集団) のすべて	619
☐ most of A	A のほとんど, A の大部分	621
☐ most ＋ 名詞	…のほとんど, …の大部分	622
☐ almost all (of) A	A のほとんど, A の大部分	623
☐ another ＋ 数詞 ＋ A	さらに…の A, あと…の A	625
☐ some ..., (and) others 〜	…のものもいれば, 〜のものもいる	626
☐ A is one thing and B is another.	A と B とは別物だ	629
☐ both of A	A の両方	630
☐ neither of A	A のどちらも…ない	631
☐ none of A	A のどれ [誰] も…ない	632
☐ each of A	A のそれぞれ	633
☐ either ＋ 単数名詞	どちらか一方の…, どちらの…も	635
☐ every ＋ 数詞 ＋ 複数名詞	…ごとに, …に一度	637
☐ every other ＋ 単数名詞	1 …おきに	638

☐ each other	お互い	639
☐ I'm afraid so.	残念ながらそうです。	640
☐ I hope not.	そうならないといいですね。	641
☐ there is something ＋形容詞＋ about A	A にはどこか…なところがある	646
☐ there is something wrong with A	A はどこか具合が悪い	**List 69**
☐ have nothing to do with A	A と無関係だ	647
☐ nothing but A	A だけ，A のみ	648
☐ (all) by *oneself*	独力で，ひとりで	649
☐ help *oneself* to A	A を自分で(自由に)とって食べる[飲む]	650
☐ Make yourself at home.	くつろいでください，どうぞごゆっくり	651
☐ be beside *oneself* (with ...)	(…で) 我を忘れる	652
☐ ask *oneself*	自問する	**List 71**
☐ behave *oneself*	行儀よくする	**List 71**
☐ enjoy *oneself*	楽しむ，楽しく過ごす	**List 71**
☐ in *oneself*	それ自体で	**List 71**
☐ to *oneself*	自分だけに，独占して	**List 71**

第 19 章　形容詞の語法

☐ a few ＋可算名詞	少しの…	658
☐ a little ＋不可算名詞	少しの…	659
☐ few ＋可算名詞	ほとんど…ない	660
☐ little ＋不可算名詞	ほとんど…ない	661
☐ quite a few ＋可算名詞	かなり多くの…	662
☐ a couple of ＋名詞の複数形	2，3の…，いくつかの…	663
☐ a lot of A / lots of A	たくさんの A	664
☐ plenty of A	たくさんの A，十分な A	665
☐ a large number of ＋名詞の複数形	多くの…，多数の	666
☐ a small number of ＋名詞の複数形	少しの…	**List 74**
☐ a great[good] deal of ＋不可算名詞	たくさんの…，大量の	667
☐ a large amount of ＋不可算名詞	大量の…	**List 74**
☐ a small amount of ＋不可算名詞	微量の…，わずかの…	668
☐ be capable of *doing*	…する能力がある，…できる	669
☐ be unable to *do*	…することができない	670
☐ it is possible (for 人) to *do*	((人) が) …することが可能である	671
☐ It is necessary for you to *do* ...	あなたは…する必要がある	673
☐ bored with A	A に退屈して，うんざりして	682
☐ satisfied with A	(人) が A に満足している	687
☐ the last person ＋関係代名詞節[to *do*]	最も…しそうにない人	689
☐ be considerate to[toward / of] ...	…に対して思いやりがある	698

第 20 章　副詞の語法

☐ Me neither.	私もそうではない。	716
☐ 否定文＋ any more	もう (…ない)，これ以上 (…ない)	717
☐ 否定文＋ , let alone ...	…はもちろん，…どころか	719

Field 3

イディオム

Section 194

☐☐☐ 732 You are walking too fast. I can't (　　) with you. 　　　　　(亜細亜大)
　　　① keep up　　② follow　　③ live up　　④ stand

☐☐☐ 733 犬は飼い主に追いつこうと速く走った。 　　　　　(中央大)
　　　The dog ran fast to (　　) up with its master.
　　　① dwell　　② arrest　　③ look　　④ catch

☐☐☐ 734 Suddenly he (　　) up with a great idea. 　　　　　(國學院大)
　　　① gave　　② came　　③ put　　④ kept

List 88 〈動詞 + up with A〉の形のイディオム

☐ **keep up with** A「Aに遅れずについていく」→ 732
☐ **catch up with** A「Aに追いつく」→ 733
☐ **come up with** A「Aを思いつく」→ 734
☐ **put up with** A「Aを我慢する」→ 766

☐☐☐ 735 I had never thought (　　) that possibility until Adam mentioned it.
　　　① in　　② of　　③ at　　④ into 　　　　　(神奈川大)

☐☐☐ 736 It (　　) me that I had met the woman before somewhere. 　　(日本女子大)
　　　① brought to　　　　② happened to
　　　③ occurred to　　　　④ reminded to

---

732 歩くのが速すぎるわ。ついていけないわよ。
734 突然，彼はすばらしいアイデアを思いついた。
735 アダムに言われるまで，私はその可能性をまったく思いつかなかった。
736 私はふと，その女性には以前どこかで会ったという気がした。

Section **194** ⟨ 一緒に覚えるイディオム ⟩

732 **keep up with A** 「A に遅れずについていく」

「歩くのが速すぎて，…できない」という意味から，**keep up with A**「A に遅れずについていく」を用いる。keep up with A には「A（流行など）に遅れない」の意味もある。

〔誤答〕② follow にも「…のあとをついていく」の意味があるが，他動詞なので前置詞が不要。

733 **catch up with A** 「A に追いつく」

「A に追いつく」は **catch up with A** で表す。「飼い主」は master。

keep up with A
「A に遅れずについていく」

catch up with A
「A に追いつく」

※ keep「…のままでいる」と catch「…をとらえる」の違いを意識しよう。

734 (TOP 100) **come up with A** 「A を思いつく」

come up with A で「A を思いつく」の意味を表す。

〔選択肢〕③ put up with A「A を我慢する」→ **766**，④ keep up with A「A に遅れずについていく」→ **732**

735 **think of A** 「A を思いつく」

think of A で「A を思いつく」という意味。think of A には「A を思い出す」という意味もある。

◎ 〔一緒に確認〕 **think of A as B** は「A を B だと思う，みなす」の意味。

736 **It occurs to ＋人＋ that ...** 「…という考えが（人）の心に浮かぶ」

⟨**It occurs to ＋人＋ that ...**⟩ の形にすれば「…という考えが（人）の心に浮かぶ」という意味になる。

〔選択肢〕② ⟨happen to ＋人⟩「（出来事が）（人）に起こる，ふりかかる」

解答 **732** ① **733** ④ **734** ② **735** ② **736** ③

737 I couldn't <u>figure out</u> what the math teacher had said. 同意選択
① hear　② say　③ resist　④ understand (日本大)

738 They didn't have enough time to work (　) a solution to the problem.
① out　② under　③ off　④ by (日本大)

out は〈出現〉を表す。　　work out A「A を考え出す，(苦労して) つくり出す」

739 This (　) to be a very easy task. (法政大)
① looked up　② turned out　③ dropped in　④ took off

740 Whenever I talk with my father, we (　) having an argument. (名城大)
① finish in　② end up　③ finish out　④ end out

741 You must <u>take into account</u> what everybody else thinks. (女子栄養大)
① answer to　② consider　③ explain　④ listen to

742 In such a situation, many factors (taken / must / consideration / be / into). 並べかえ (西南学院大)

into は「…の中に」という〈移動〉を表す。　　take A into account「A を考慮に入れる」

---

737 私は数学の教師が何を言ったのか理解できなかった。
738 彼らはその問題の解決策を考え出すための時間が足りなかった。
739 これはとても簡単な課題だとわかった。
740 私は父と話すときはいつでも，最後には口論になる。
741 あなたは，ほかのみんなが考えていることを考慮に入れなければならない。
742 そのような状況では，多くの要因を考慮に入れなければならない。

737 ▶ **figure out A** ▶ 「A がわかる，A を理解する」

figure out は wh- 節や how to *do* を目的語にとって「A がわかる，A を理解する」の意味を表すので，④ understand が同意。

《ココも注目》 **figure out A** には「A（解決策など）を見つける」「A を計算する」の意味もある。

738 ▶ **work out A** ▶ 「A を考え出す，（苦心して）つくり出す」

目的語は a solution「解決策」なので，**work out A**「A を考え出す，（苦心して）つくり出す」とする。**work out A** には，ほかに「A を計算する」の意味もある。また，自動詞として用いられるときは「（物事が）うまくいく」などの意味になる。

739 ▶ **turn out (to be) C** ▶ 「（結局）C だとわかる，判明する」

空所のあとの to be に注目。to be を続けて意味を成すのは②の turn out だけ。**turn out (to be) C** で「（結局）C だとわかる，判明する」という意味を表す。

[選択肢] ① look up「見上げる」，③ drop in「立ち寄る」，④ take off「離陸する」→ **903**

◎ 一緒に確認 「…だとわかる」は，形式主語の it を用いた **It turns out that ...** や **prove (to be) C**（→ **532**）でも表せる。

It turned out that this was a very easy task.

740 ▶ **end up *doing*** ▶ 「結局…になる，最後には…になる」

end up *doing* で「結局…になる，最後には…になる」の意味になる。

《ココも注目》 whenever「…するときはいつでも」→ **235**，have an argument「口論になる」

741 ▶ **take A into account / take into account A** ▶ 「A を考慮に入れる」

take A into account は「A を考慮に入れる」という意味で② consider とほぼ同意。本問のように take の目的語が長い句や節の場合には，**take into account A** の形になる。

742 ▶ **take A into consideration** ▶ 「A を考慮に入れる」

文の主語は many factors。助動詞 must があるので，主語に続け，直後に動詞の原形 be を置く。さらに過去分詞 taken を置いて受動態の文にする。残った 2 語 into consideration から，**take A into consideration**「A を考慮に入れる」の受動態だと判断する。

（注目） In such a situation, many factors must be taken into consideration.
主語　　　　　　　　take A into consideration の受動態

743 If you ( ) across any nice fruit in the market, please buy some for me.
① come ② go ③ meet ④ look　　(成城大)

744 While I was shopping at the mall yesterday, I ( ) a colleague from work.　　(大阪学院大)
① ran into ② ran off ③ got off ④ got along

745 She <u>happened to meet</u> one of her elementary school classmates for the first time in 30 years.　　同意選択 (國學院大)
① looked after ② looked over ③ ran over ④ ran across

746 The attack will be carried ( ) by a multi-national force.　　(亜細亜大)
① in ② to ③ out ④ under

747 If you put these ideas into ( ), you can greatly improve the quality of your speeches.　　(学習院女子大)
① practical ② practice ③ practiced ④ practicing

List 89 〈動詞＋ A ＋ into ...〉の形のイディオム

- □ <u>take</u> A <u>into account</u>「Aを考慮に入れる」→ 741
- □ <u>take</u> A <u>into consideration</u>「Aを考慮に入れる」→ 742
- □ <u>put</u> A <u>into practice</u>「Aを実行する」→ 747
- □ <u>turn</u> A <u>into</u> B「AをBに変える」

---

748 There was a long pause while he decided ( ) the right words to explain his thought.　　(福岡大)
① that ② whether ③ to ④ on

749 彼女はホノルルマラソンに参加することを決心した。　　並べかえ (埼玉工業大)
She (up / her / to / run / made / mind) a full marathon in Honolulu.

---

743 市場で何かよい果物を見つけたら，私にいくつか買ってください。
744 昨日，モールで買い物をしているときに，私は会社の同僚に偶然に会った。
745 彼女は偶然，小学校のクラスメートの1人に30年ぶりに出会った。
746 攻撃は多国籍軍によって行われるだろう。
747 これらのアイデアを実行したら，きみのスピーチの質は大幅に改善できる。
748 彼が自分の考えを説明するのに適した言葉を選ぶ間，長い沈黙があった。

743 **come across A** 「(偶然) A に出くわす，A を見つける」

come across A は「(偶然) A に出くわす，A を見つける」の意味。
◎ (一緒に確認) come on[upon] A, run across A も同じ意味。

744 **run into A** 「A に偶然会う」

run into A は「A に偶然会う」の意味を表す。
(選択肢) ② run off「走り去る」，③ get off A「A (乗り物など) から降りる」，④ get along「(なんとか) やっていく」

745 **happen to** *do* 「偶然…する」

happen to *do* は「偶然…する」の意味。happen to meet で「偶然会う」という意味になるので，run across A「A に出くわす，A を偶然見つける」が同意表現。
(選択肢) ① look after A「A の世話をする」，② look over A「A にざっと目を通す」，③ run over A「A を車でひく」
《ココも注目》 for the first time in ... 「…ぶりに」→ **336**

746 **carry out A / carry A out** 「A を実行する」

carry out A / carry A out は「A を実行する，行う」の意味。
Vocab multi- は「多い，多数の」を表す接頭辞。multi-national force で「多国籍軍」。

747 **put A into practice** 「A を実行する」

名詞 practice「実践，実行」を用いた put A into practice は「A を実行する」の意味を表す。

748 **decide on A** 「(多くの選択肢の中から) A を決める，選ぶ」

decide on A は「(多くの選択肢の中から) A を決める，選ぶ」という意味を表す。
(誤答) 空所のあとが節ではないので，接続詞である① that と② whether は当てはまらない。③ decided to ならば to は不定詞の to なので，直後は動詞の原形でなければならない。

749 **make up** *one's* **mind to** *do* 「…しようと決心する」

make up *one's* mind「決心する」のあとに to *do* を続けると「…しようと決心する」という意味を表す。
◎ (一緒に確認) make a decision では「決心する，決定する」の意味。
She has <u>made</u> the right <u>decision</u>. (彼女は正しい決断をした)

750 Katy has some problems she needs to <u>deal with</u>. 　　　　同意選択

① discuss　　② escape　　③ confess　　④ handle

（東海大）

751 Although she tried hard, she could not (　　) the work. 　（福山大）

① cope up　　② crop with　　③ cope with　　④ cope up with

752 Brenda and Donna have tried to (　　) after graduating from university, but it's been hard because they are both busy at work. 　（獨協大）

① make way　　　　② fall apart

③ keep in touch　　④ piece together

753 Please <u>contact</u> me as soon as you return from abroad. 　（東京理科大）

① be in connection with　　② be out of contact with

③ get in touch with　　　　④ get through with

754 X : Did you know that Roy got married? 　（北海学園大）

Y : No, I haven't (　　) from him for over three years.

① heard　　② recovered　　③ retired　　④ suffered

755 困ったときは，いつでもナンシーに頼ることができますよ。 　（中央大）

You can always count (　　) Nancy when you are in trouble.

① with　　② on　　③ by　　④ out

756 You've got to understand that we can't <u>count on</u> that lawyer any more.

① impose on　　② rely on　　③ reflect on　　④ comment on 　（日本大）

---

750 ケイティにはいくつか処理しなければならない問題がある。

751 彼女は一生懸命やったが，その仕事に対処できなかった。

752 ブレンダとドナは大学卒業後も連絡を取り合おうとしてきたが，2人とも仕事で忙しいので，それは難しかった。

753 外国から戻り次第，私に連絡してください。

754 X：ロイが結婚したって知ってた？／Y：いや，3年以上彼から連絡をもらっていないんだ。

756 私たちはもうその弁護士には頼ることはできないということを，あなたは理解しなければならない。

750 ▶ **deal with A** 「A（問題など）を処理する」

some problems が先行詞で，she needs to deal with は関係代名詞節なので「彼女が処理しなければならないいくつかの問題」の意味。deal with A は「A（問題など）を処理する」の意味を表すので，同意表現は，④ handle。

(選択肢) ① discuss「…を論じる」，② escape「…を逃れる」，③ confess「…を白状する」

751 ▶ **cope with A** 「A（困難・問題など）に対処する」

cope は自動詞。cope with A で「A（困難・問題など）に対処する」の意味。

752 ▶ **keep in touch** 「連絡を取り合う」

「ブレンダとドナは大学卒業後（　　）しようとしてきたが，2 人とも仕事で忙しいので，それは難しかった」の意味。仕事で忙しいから③ keep in touch「連絡を取り合う」ことが難しい，と考える。

(選択肢) ① make way「道を譲る」，② fall apart「ばらばらになる」，④ piece together「断片をつなぎ合わせる」

753 ▶ **get in touch with A** 「A と連絡を取る」

contact A と同じ意味を表すのは get in touch with A「A と連絡を取る」。

《ココも注目》 **as soon as**「…するとすぐに」→ **353**

(選択肢) ① in connection with A「A に関連して」，② out of contact with A「A と連絡を取り合っていない」，④ get through with A「A（仕事など）を終える」→ **829**

754 ▶ **hear from A** 「A から連絡をもらう，便りをもらう」

hear from A で「A から連絡をもらう，便りをもらう」の意味になる。

(選択肢) ② recover from A「A（病気など）から回復する」→ **764**，③ retire from A「A から引退する」，④ suffer from A「A に苦しむ」→ **765**

755 ▶ **count on A** 「A を頼りにする，あてにする」

「A を頼りにする，あてにする」は count on A で表す。

《ココも注目》 **be in trouble** は「困っている」の意味。

756 ▶ **rely on A** 「A を頼りにする，あてにする」

count on A（→ **755**）は「A を頼りにする，あてにする」の意味。rely on A が同意表現。

《ココも注目》 **have got to** *do* は「…しなければならない」。**not ... any more** は「もう…ない」。→ **717**

(選択肢) ① impose on A「A に押しつける」，③ reflect on A「A を熟考する」，④ comment on A「A について見解を述べる」

解答 **750** ④ **751** ③ **752** ③ **753** ③ **754** ① **755** ② **756** ②

757 Time's up. Please (　) in your answer sheet as you leave. (明治大)
① hand　② head　③ hold　④ home

758 The students must turn (　) their assignments before the holiday break. (金城学院大)
① around　② in　③ on　④ up

759 The president called (　) the development of a new product to replace the current model. (西南学院大)
① on　② in　③ out　④ for

760 Her friend (　) on giving her a ride to the station. (東北学院大)
① insisted　② offered　③ promised　④ suggested

List 90　**insist を用いた表現のまとめ**

☐ insist that S' (should) do　「S が…することを要求する」→ 543
☐ insist on doing　　　　　　　「…すると強く主張する，要求する」→ 760

---

761 It's difficult to continue our experiment any longer. 同意選択
① do with　② keep out　③ stay at　④ carry on (東京理科大)

762 She kept (　) chatting with her friend while eating lunch. (国士舘大)
① for　② in　③ on　④ under

---

757 時間です。退出時に答案用紙を提出してください。
758 学生は休暇の前に課題を提出しなければならない。
759 社長は現行モデルに取って代わる新製品の開発を要求した。
760 彼女の友人は彼女を駅まで乗せていくと言い張った。
761 私たちの実験をこれ以上続けるのは難しい。
762 彼女は昼食を食べている間，友人とおしゃべりをし続けた。

757 **hand in A** 「A を手渡す，提出する」

hand in A で「A を手渡す，提出する」の意味になるので，①が正解。
Vocab Time's up.「時間です，時間切れです」

758 **turn in A** 「A（課題など）を提出する」

主語が The students なので，assignment は「課題，宿題」の意味。**turn in A**「A を提出する」を用いる。「（課題など）を提出する」は，**hand in A** や **submit A** でも表せる。
選択肢 ① turn around A「A を回転させる」，③ turn on A「A（電化製品のスイッチ）を入れる」，④ turn up A「A（テレビの音など）を上げる」

759 **call for A** 「A を要求する」

call for A で「A を要求する」の意味。
Vocab president「社長，大統領」，replace「…に取って代わる」，current「現在の」
選択肢 ① call on A「A を訪ねる」，② call in A「（医者など）を呼ぶ」，③ call out A「（軍隊・消防隊など）を出動させる」

760 **insist on** *doing* 「…すると強く主張する，要求する」

insist on *doing* で「…すると強く主張する，要求する」の意味を表す。〈give ＋人＋ a ride〉は「（人）を（乗り物に）乗せてやる」。
選択肢 ② offer to *do*「…しようと申し出る」，③ promise to *do*「…すると約束する」，④ suggest *doing*「…することを提案する」

761 **carry on A** 「A を続ける」

continue は「…を続ける」の意味。**carry on A**「A を続ける」で同じ意味を表す。この on は副詞で「続けて，続いて」という〈継続〉を表す。any longer は「これ以上」の意味。

762 **keep (on)** *doing* 「…し続ける」

keep (on) *doing* で「…し続ける」の意味を表す。chat は「おしゃべりをする」の意味。*doing* には状態動詞を用いることもできる。
《ココも注目》 while 節の主語が主節の主語と同じ場合，〈主語＋ be 動詞〉は省略できる。→ 464

解答 **757** ① **758** ② **759** ④ **760** ① **761** ④ **762** ③

文法

語法

Field 3 イディオム

会話・表現

ボキャブラリー

英文構造

763 You must <u>get over</u> many difficulties to survive in this society. 同意選択
① live ② lose ③ overlook ④ conquer （国士舘大）

764 My father is just <u>getting over</u> a bad cold. （東海大）
① handing down ② recovering from
③ taking off ④ putting out

765 Some people in the world ( ) from famine and disease. （名城大）
① offer ② result ③ differ ④ suffer

766 Our neighbor is having a big party. I can't ( ) up with the noise. （亜細亜大）
① end ② have ③ cover ④ put

767 The government ( ) out to resolve the food problem. （名古屋市立大）
① cut ② held ③ kept ④ set

768 My doctor said that I must ( ) a sport to keep fit. （武庫川女子大）
① get up ② sit up ③ stand up ④ take up

List 91 「私は我慢ができない」の表現

☐ I can't **put up with** it. → 766
☐ I can't **bear** it.
☐ I can't **help myself**.

---

763 この社会で生き抜くには，多くの困難を乗り越えなければならない。
764 父はひどい風邪から回復に向かっているところだ。
765 世界には飢饉と病気に苦しむ人々がいる。
766 お隣が盛大なパーティーをやっている。私はその騒音が我慢できない。
767 政府は食料問題の解決に乗り出した。
768 健康を維持するために私はスポーツを始めなければならないと主治医が言った。

763 ┃ **get over A** 「A を乗り越える」

get over A は「A を乗り越える」の意味で, ④ conquer「…を克服する」が同意語。なお, get over A には「A (病気など) から回復する」という意味もある。

選択肢 ③ overlook「…を見落とす」

764 ┃ **recover from A** 「A (病気など) から回復する, A が治る」

get over A「A (病気など) から回復する」と同意表現は, **recover from A**。

選択肢 ① hand down A「A を後世に伝える」, ③ take off A「A を脱ぐ」, ④ put out A「A (明かり・火など) を消す」→ **858**

765 ┃ **suffer from A** 「A に苦しむ」

( ) from という句動詞の目的語が「飢饉と病気」なので, ④ suffer を入れて **suffer from A**「A に苦しむ」とする。このイディオムは苦しんでいる状態がある程度続く場合に用いられる。

《**ココも注目**》一時的な発作や苦痛に苦しむことを言う場合は, suffer を他動詞として用いる。**suffer an injury**「けがを負う」

選択肢 ① offer (他動詞)「…を提供する」, ② result from A「A に起因する」, ③ differ from A「A と異なる」

766 ┃ **put up with A** 「A を我慢する」

with のあとに the noise「騒音」が続くので, 「騒音が我慢できない」となるよう **put up with A**「A を我慢する」を用いる。

選択肢 ① end up with A「(結局) A で終わる」

767 ┃ **set out** 「始める, 取りかかる」

set out で「始める, 取りかかる」の意味。to do を続けると「…し始める, …しようと決心する」の意味になる。set out には, ほかに「(旅, 仕事に) 出発する」という意味もある。→ **904**

768 ┃ **take up A / take A up** 「A (趣味・仕事など) を始める」

to keep fit「健康を維持するために」とあるので, 「スポーツを始めなければならない」となるように④ take up を入れる。**take up A** には「A (趣味・仕事など) を始める」の意味がある。そのほかに, 「A (空間) を占める」の意味もある。

《**ココも注目**》keep fit の **fit** は形容詞で「体の調子がよい」の意味。

選択肢 ① get up A「A を起こす」, ② sit up「体を起こす, 寝ずに起きている」, ③ stand up「立ち上がる」

解答 **763** ④ **764** ② **765** ④ **766** ④ **767** ④ **768** ④

345

769 They <u>put aside</u> at least $80 a month for children's education. 同意選択 （日本大）
① earn ② spend ③ estimate ④ save

770 このお金はとっておいて，あとで使おう。 適語補充 （西南学院大）
We will set (　　　　　　　) this money for future use.

771 George takes (　　) his father. They both have blue eyes. （愛知学院大）
① after ② by ③ in ④ on

772 My aunt <u>looks like</u> the actress in that Korean film. （名城大）
① discovers ② resembles ③ likes ④ follows

773 A：Beth, which one do you like the most? （金沢医科大）
B：I can't tell them (　　). They all look the same to me.
① separate ② apart ③ alone ④ difference

774 Can you (　　) the copy from the original? （成城大）
① tell ② speak ③ talk ④ say

775 He finally showed (　　) when the reception was almost over. （専修大）
① to ② up ③ in ④ on

776 Don't worry about Andy. He will <u>turn up</u> soon. （東海大）
① exist ② appear ③ stand ④ walk

List 92「A に似ている」の表現

☐ **take after** A …年長の親族に外見やしぐさなどが似ている→ **771**
☐ **look like** A …外見が似ている→ **772**
☐ **resemble** A …外見や表面的なことが似ている
☐ **be similar to** A …性質が似ている→ **940**

---

769 彼らは子どもたちの教育のために毎月少なくとも 80 ドルを貯金する。
771 ジョージはお父さんに似ている。彼らは二人とも青い目をしている。
772 私のおばはその韓国映画の女優に似ている。
773 A：ベス，どれがいちばん気に入った？ ／ B：それらの違いがわからないわ。私にはどれも同じに見えるわ。
774 あなたは複製と原本とを見分けられますか。
775 宴会が終わりかけたころに彼はようやく姿を見せた。
776 アンディーのことなら心配ないよ。彼はすぐに現れるさ。

769 **put aside A / put A aside**　「A（お金）を貯める」

put aside の目的語にお金を表す語や数字がくると，「（お金）を貯める」という意味を表す。よって④ save と同意。

《ココも注目》put aside A には「A を無視する，棚上げにする」という意味もある。

〔選択肢〕① earn「（お金）をかせぐ」，③ estimate「…を見積もる，推定する」

770 **set aside A / set A aside**　「A をとっておく」

「A をとっておく」は set aside A で表す。

aside は「脇へ；別にして」という意味を表す副詞。

771 **take after A**　「A（親など）に似ている」

take after A は「A（親など）に似ている」という意味。resemble で書きかえられることもある。

772 **look like A**　「A に似ている」

look like A は「A に似ている」という意味。② resembles が同意語。

〔選択肢〕① discover「…を発見する」，④ follow「…についていく」

773 **tell A apart**　「A の違いを見分ける」

空所のあとの「どれも同じに見える」という発言内容から，can't tell them（　　）で「それらを見分けられない」という意味になるはず。よって，② apart を選ぶ。tell A apart は「A の違いを見分ける」という意味を表す。A は複数名詞。

《ココも注目》tell A apart は distinguish A とほぼ同意。

774 **tell A from B**　「A を B と見分ける」

空所のあとに the copy があるので他動詞が入る。tell A from B で「A を B と見分ける」。

775 **show up**　「現れる，姿を見せる」

show up で「現れる，姿を見せる」という意味を表す。

776 **turn up**　「（人が）現れる」

turn up は「（人が）現れる」という意味で，② appear と同意。

解答　769 ④　770 aside　771 ①　772 ②　773 ②　774 ①　775 ②　776 ②

文法

語法

Field 3 イディオム

会話・表現

ボキャブラリー

英文構造

777 The couple suddenly announced their decision to (　) off their wedding.

① carry　② set　③ call　④ take

（大阪産業大）

778 The chairperson (　) off the meeting until next month.

（関西学院大）

① got　② hit　③ locked　④ put

779 Parents need to stand (　) for their children.

（大阪経済大）

① up　② from　③ of　④ at

780 Your boss is going to <u>defend</u> you.

同意選択

① sit for　② sit by　③ stand in　④ stand by

（駒澤大）

Section 195

781 I look up (　) my mother because of her honesty and sense of justice.

① for　② over　③ to　④ with

（関西学院大）

782 貧しいからといって，人を軽蔑してはいけません。

並べかえ　（森ノ宮医療大）

You should (on / not / down / look) a man because he is poor.

look down on A「Aを軽蔑する」　look up to A「Aを尊敬する」

783 She <u>spoke highly of</u> the movie, but I thought it was boring.

（東海大）

① hated　② enjoyed　③ criticized　④ praised

784 John is a nice person and I never heard him speak (　) of others.

① ill　② rude　③ well　④ wrong

（学習院大）

---

777 そのカップルは突然，結婚式の中止の決定を発表した。
778 議長は来月まで会議を延期した。
779 親は自分の子どもの味方をする必要がある。
780 あなたの上司はあなたを擁護しようとしている。
781 その正直さと正義感ゆえに，私は母を尊敬している。
783 彼女はその映画を称賛したが，私はそれは退屈だと思った。
784 ジョンは善人で，彼が他人を悪く言うのを私は一度も聞いたことがない。

777 call off A / call A off 「A を中止する」

decision to *do* は「…するという決定」の意味。call off A で「A を中止する」という意味を表す。announce は「…を公表する」の意味。

選択肢 ① carry off A「A を難なくやり遂げる」, ② set off A「A を爆発させる」, ④ take off A「A を脱ぐ」

778 put off A / put A off 「A を延期する」

(TOP 100)

「来月まで会議を…した」という文の意味から, **put off A**「A を延期する」を用いる。postpone「…を延期する」と (→ 1147) と同じ意味。

779 stand up for A 「A の味方をする, A を擁護する」

stand up for A は「A のために立ち上がる」, つまり「A の味方をする, A を擁護する」という意味になる。

《ココも注目》 stand up for ... は, **defend**「…を擁護する, 守る」とほぼ同意。

780 stand by A 「A を支持する, A の力になる」

ここの defend は「…を擁護する」の意味。これとほぼ同じ意味を表す句動詞は, ④の **stand by A**「A を支持する, A の力になる」。

選択肢 ② sit by (自動詞)「傍観する, 黙って見ている」, ③ stand in for A「A の代役を務める」

Section 195 · 対で覚えるイディオム

781 look up to A 「A を尊敬する」

「彼女の正直さと正義感ゆえに」とあるので, **look up to A** で「A を尊敬する」を用いる。

782 look down on A 「A を軽蔑する」

「A を軽蔑する」は **look down on A** で表す。「A を見下ろす」の意味もある。

783 speak highly of A 「A を称賛する, ほめる」

speak highly of A は「A を称賛する, ほめる」の意味で, praise が同意。

◎ **一緒に確認** **speak well of A**「A のことをよく言う, ほめる」

784 speak ill of A 「A を悪く言う」

「ジョンは善人だ」とあるので,「彼が他人を悪く言うのを私は一度も聞いたことがない」という意味にするために, **speak ill of A**「A を悪く言う」を用いる。この ill は「悪く, 悪意を持って」という意味の副詞。speak ill of A と speak highly[well] of A は反意語の関係。

解答 777 ③ 778 ④ 779 ① 780 ④ 781 ③ 782 not look down on 783 ④ 784 ①

785 The secrets of the seabed are being looked (　　) companies drilling for
oil and minerals.　　　　　　　　　　　　　　　　　　　（亜細亜大）
① up to　　② under from　　③ at by　　④ at it

786 If you leave the file with me, I'll be sure to look (　　) the matter
tomorrow.　　　　　　　　　　　　　　　　　　　（甲南大）
① for　　② down　　③ out　　④ into

787 Did you (　　) this word in your dictionary?　　　　（東北学院大）
① look up　　② read up　　③ take up　　④ turn up

788 I'm looking (　　) my wallet. Have you seen it anywhere?　（青山学院大）
① for　　② in　　③ to　　④ with

789 Look out (　　) cars when you cross the street.　　　（武蔵大）
① against　　② for　　③ on　　④ to

790 While her mother was out, Mary was taking care of her little brothers.
① looking after　　② seeing over　　③ sitting on　　④ going with
同意選択　（国士舘大）

785 海底の神秘は，石油や鉱石の採掘会社によって調査されている。
786 そのファイルを私に預けていってくれれば，明日必ず問題を調べましょう。
787 あなたはこの単語を辞書で調べましたか。
788 私は自分の財布を探しているんです。それをどこかで見ましたか。
789 通りを渡るときには車に気をつけなさい。
790 母親が外出している間，メアリーは彼女の幼い弟たちの世話をしていた。

Section 196 ▸ **look を用いたイディオム**

785 look at A　「Aを調査する」

look at A「Aを見る」は対象を意図的に見ることを表すので,「Aを調査する」という意味にもなる。are being looked は現在進行形の受動態。受動態の動作主は by で表すので,companies drilling for oil and minerals「石油や鉱石の採掘会社」の前に by を置く③が正解。

選択肢 ① look up to A「Aを尊敬する」→ 781

786 look into A　「A（問題など）を調べる」

look を含む句動詞の目的語が the matter「問題」であることに注目。look into A で「A（問題など）を調べる」という意味になる。

《ココも注目》 leave A with B「BにAを預ける」, be sure to *do*「必ず…する」→ 913

選択肢 ① look for A「Aを探す」→ 788, ② look down（自動詞）「見下ろす」, ③ look out（自動詞）「気をつける」

787 look up A / look A up　「A（言葉など）を調べる」

空所のあとに this word「この単語」が続いていることに注目。look up A は辞書などで「A（言葉など）を調べる」という意味を表す。

選択肢 ② read up A「Aについて読んで勉強する」, ③ take up A「A（趣味・仕事など）を始める」→ 768, ④ turn up A「A（音など）を上げる」

788 look for A　「Aを探す」

look for A で「Aを探す」の意味。Have you seen ... ? は現在完了の疑問文で,「…を見ましたか」の意味。anywhere は疑問文では「どこかに,どこかで」の意味になる。

789 look out for A　「Aに気をつける」

look out for A で「Aに気をつける」という意味を表す。

790 look after A / take care of A　「Aの世話をする」

take care of A は「Aの世話をする」の意味で, look after A と同意表現。

解答 785 ③　786 ④　787 ①　788 ①　789 ②　790 ①

791 His hard life in America <u>made for</u> a good story.　同意選択　(日本大)
　① composed　　② produced　　③ published　　④ resolved

792 Although I knew there was a clear sign there, I couldn't (　　) what it said.　(法政大)
　① look up　　② make out　　③ see off　　④ come from

793 You will <u>make it</u> in the future.　(国士舘大)
　① appear　　② fail　　③ succeed　　④ understand

794 The train was delayed, so Thomas couldn't (　　) it to school on time.
　① go　　② make　　③ have　　④ do　(日本大)

795 空港についたら必ず電話してね。　並べかえ　(法政大)
　Make (call / that / me / you / sure) when you arrive at the airport.

796 ロンドンには一日しかいないから，その日を最大限に楽しまないと。　適語補充
　We have only one day in London, so we'd better make the (　　　　) of it.
　(日本赤十字豊田看護大)

797 He <u>made believe</u> that he was her husband for a joke.　(天理大)
　① remembered　　② pretended　　③ promised　　④ imagined

---

791 彼のアメリカでのつらい生活はよい物語を生み出した。
792 そこにはっきりとした標識があるのはわかったのだが，そこに何と書いてあるかわからなかった。
793 あなたは将来，成功するでしょう。
794 電車が遅れたので，トーマスは時間通りに学校にたどり着けなかった。
797 彼はふざけて彼女の夫のふりをした。

Section 197 ⟨ make を用いたイディオム ⟩

791 **make for A** 「A を生み出す，A に役立つ」

make for A は「A を生み出す，A に役立つ」という意味で，②の produce「…を生み出す」とほぼ同じ意味。make for A の目的語 A には通例，好ましい事柄がくる。

選択肢 ① compose「…を構成する」，③ publish「…を出版する」，④ resolve「…を解決する」

792 **make out A** 「A を理解する，判読する」

what it said は「それ（＝標識）に何と書いてあるか」の意味。make out A「A を理解する，判読する」を用いて「それに何と書いてあるのかわからなかった」の意味にする。この make out は can, could を伴う。make out A の目的語に〈人〉がくると，「(人の性格など) を理解する」という意味になる。

《ココも注目》 **say** は「(本や掲示物などに) …と書いてある」の意味。→ **574**

選択肢 ① look up A「A (言葉) を調べる」→ **787**，③ see off A「A を見送る」，④ come from A「A に由来する」→ **876**

793 **make it** 「成功する，うまくいく」

make it は「成功する，うまくいく」の意味を表すので，③ succeed と同じ意味。make it の it は，漠然とした状況を指している。

794 **make it** 「たどり着く，間に合う」

「電車が遅れた」のだから，「時間通りに学校に行けなかった」と考える。**make it** には「たどり着く，間に合う」の意味もある。

795 **make sure that ...** 「必ず…する」

「必ず…する」は **make sure that ...** で表す。この that 節内の動詞は，未来のことであっても現在形で表すのが原則。

◎ **一緒に確認** **make sure to *do*** 「必ず…する」＝ <u>Make sure to call</u> me when ...

796 **make the most of A** 「A を最大限利用する，A を存分に楽しむ」

「A を最大限に楽しむ」は **make the most of A** を用いて表す。

◎ **一緒に確認** had better は主語が 1 人称のときに「…しなければ」の意味になる。→ **55**

797 **make believe + that 節** 「…であるふりをする，…と見せかける」

〈**make believe + that** 節〉で「…であるふりをする，…と見せかける」の意味。〈pretend + that 節〉と同じ意味。for a joke は「ふざけて」の意味。

解答 **791** ② **792** ② **793** ③ **794** ② **795** sure that you call me **796** most **797** ②

798 Due to other commitments, the prime minister cannot take ( ) in the international conference next Monday. 　(芝浦工業大)
① care 　② part 　③ note 　④ control

799 Ralph ( ) advantage of the sale to buy some new shoes. 　(日本大)
① had 　② made 　③ ran 　④ took

800 ヘザーがその賞を取ったことを誇るのも当然だ。　並べかえ (龍谷大)
Heather (prize / in / may / pride / winning / take / the / well).

801 The most popular sports event is ( ) place now in New York.
① taking 　② happening 　③ in 　④ being 　(名古屋学院大)

802 He thinks that solar-powered cars will take the place of gasoline cars in the future. 　同意選択 (日本大)
① happen 　② invent 　③ replace 　④ run

803 ( ) attention to what he says. He is very reliable. 　(名城大)
① Make 　② Do 　③ Pay 　④ Feel

804 A : Can you ( ) my suitcase while I go to the restroom? 　(明治大)
B : Sure.
① use an eye with 　　② keep an eye on
③ open your eyes to 　④ take your eyes off

805 His diligent research will ( ) fruit in due time. 　(東洋大)
① hang 　② bear 　③ tie 　④ put

---

798 ほかの用事のため，首相は今度の月曜の国際会議に参加できない。
799 ラルフはバーゲンセールを利用して新しい靴を買った。
801 最も人気のあるスポーツのイベントが今，ニューヨークで行われています。
802 太陽光発電の自動車は将来ガソリン車に取って代わると彼は思っている。
803 彼の言うことに注意を払いなさい。彼はとても頼りになる。
804 A：トイレに行っている間，スーツケースを見張っていてくれる？／B：いいよ。
805 彼の熱心な調査はやがて実を結ぶだろう。

Section 198 ‹ 特定の名詞を用いたイディオム ›

798 **take part in A** 「A に参加する」

take part in A で「A に参加する」の意味。participate in A と同じ意味。

選択肢 ① take care「気をつける」, ③ take note (of A)「(A に) 気づく, 注意を払う」, ④ take control (of A)「(A を) 制御する」

799 **take advantage of A** 「A をうまく利用する」

take advantage of A で「A をうまく利用する」の意味。後ろに不定詞を続けて, take advantage of A to *do* になると「A をうまく利用して…する」の意味になる。

◎ 一緒に確認 have the advantage of A は「A という強み [利点] を持っている」。

800 **take pride in A** 「A を誇る」

「…するのも当然だ」は may well *do* (→ 77) で表す。「…を誇る」は **take pride in A** で表す。A にあたる「その賞を取ったこと」は winning the prize という動名詞句にする。

801 **take place** 「(行事などが) 行われる, (事が) 起こる, 発生する」

主語が The most poplar sports event なので, **take place**「(行事などが) 行なわれる」を用いる。ここでは, is があるので① taking を用いて現在進行形にする。take place には「(事が) 起こる, 発生する」の意味もある。

802 **take the place of A** 「A に取って代わる」

take the place of A「A に取って代わる」は③ replace と同じ意味。

803 **pay attention to A** 「A に注意を払う」

attention は「注意」, **pay attention to A** は「A に注意を払う」の意味。

804 **keep an eye on A** 「A から目を離さない」

空所のあとに my suitcase があるので, **keep an eye on A**「A から目を離さない」を用いる。

選択肢 ③ open *one's* eyes to A「A について (人) の目を開かせる, A のことを (人) に気づかせる」, ④ take *one's* eyes off A「A から目をそらす [離す]」

805 **bear fruit** 「実を結ぶ」

fruit に注目。**bear fruit** で「実を結ぶ」の意味になる。

Vocab diligent「熱心な」, in due time「いずれ時が来れば, やがて」

解答 798 ② 799 ④ 800 may well take pride in winning the prize 801 ① 802 ③ 803 ③ 804 ② 805 ②

806 アキオは私を説得しようとしたが，彼の考えは私にはわからなかった。

Akio tried to persuade me, but his idea didn't (　　　　　) sense to me.

適語補充 (西南学院大)

807 少年たちがその歌手のヘアスタイルを冷やかした。 (東京理科大)

The young boys (　　) of that singer's hairstyle.

① took advantage　　② were chilled

③ made fun　　④ had enough

808 My father (　　) every available tool when he built the shed. (駒澤大)

① made use of　　② had the disadvantage of

③ put up with　　④ planned ahead

809 It (　　) whether he wins or loses. (福岡大)

① makes no difference　　② matters slight

③ makes little　　④ matters difference

810 私は，寝る前に毎晩日記をつけることにしている。 並べかえ (龍谷大)

I (rule / a / make / it) to write in my diary every night before I go to bed.

811 A：Many elderly people are struggling to live on their basic pension.

B：I know. My grandmother finds it hard to make (　　) meet with hers.

① a living　　② ends　　③ money　　④ a budget (専修大)

812 Her hospitality was perfect. It (　　) nothing to be desired. (中央大)

① came　　② deserved　　③ left　　④ went

---

808 納屋を建てたとき，父は使える道具をすべて活用した。

809 彼が勝とうが負けようがどちらでもよい。

811 A：多くのお年寄りが，自分たちの基礎年金で暮らそうと努力しています。

　　B：知っています。祖母は自分の年金でやりくりをするのが難しいと思っています。

812 彼女のもてなしは完ぺきだった。それはまったく申し分なかった。

806 **make sense** 「理解できる，筋が通っている」

空所のあとの sense に注目。make sense で「理解できる，筋が通っている」の意味。

◎ 一緒に確認 sense の前に形容詞がつくことも多い。**make no sense**「意味をなさない」，**make little sense**「ほとんど意味がない」など。

◎ 一緒に確認 **make sense of A** は「A（の意味）を理解する」の意味。

807 **make fun of A** 「A をからかう」

「冷やかす」は，**make fun of A**「A をからかう」を用いて表す。

選択肢 ① take advantage of A「A をうまく利用する」→ **799**，②の chill は「…を冷やす」の意味の動詞。

808 **make use of A** 「A を活用［利用］する」

「納屋を建てたとき，父は使える道具をすべて（　　）」という意味。make use of A「A を活用［利用］する」を空所に入れる。

選択肢 ② have the disadvantage of A「A という欠点を持っている」，③ put up with A「A を我慢する」→ **766**，④ plan ahead「事前に計画を立てる」

809 **make no difference** 「違いがない，どちらでもよい」

空所のあとに whether he wins or loses「彼が勝とうが負けようが」があるので，空所には① **makes no difference**「違いがない，どちらでもよい」を入れる。

810 **make it a rule to _do_** 「…することを習慣にする」

「…することにしている」は，**make it a rule to _do_**「…することを習慣にしている」を用いて表せる。この it は形式目的語で，真の目的語は to _do_ 以下。

811 **make (both) ends meet** 「収入内でやりくりする」

「基礎年金で生活しようと努力するお年寄りが多い」という A に対し，B が同意している。hers は「祖母の年金」を指すので，空所に② ends を入れると **make ends meet**「収入内でやりくりする」の意味になり，文意が通る。

Vocab struggle to _do_「必死に…しようとする，…しようと努力する」，live on A「A（年金など）をよりどころに暮らす」，basic pension「基礎年金」

812 **leave nothing to be desired** 「まったく申し分ない」

leave nothing to be desired は「望まれることが何も残っていない」，つまり「まったく申し分ない」という意味になる。leave の過去形は left。

◎ 一緒に確認 **leave _much_ to be desired** は「不十分な点が多い」の意味。

解答 **806** make **807** ③ **808** ① **809** ① **810** make it a rule **811** ② **812** ③

Field 1 文法　Field 2 語法　Field 3 イディオム　Field 4 会話・表現　Field 5 ボキャブラリー　Field 6 英文構造

813 私は彼らが何の問題について話しているのかわからない。 　並べかえ （京都女子大）

I (are / have / idea / no / problem / talking / they / what) about.

814 Due to damage from the earthquake, we have no choice (　) to close
our factory. 　（甲南大）
① unless 　② as 　③ but 　④ only

815 Please (have / to / let / a look / at / me) your pictures. （1 語不要）（畿央大）

816 The cold weather influenced everybody's work. 　同意文 （中央大）
The cold weather had an (　) on everybody's work.
① affection 　② effect 　③ insight 　④ intention

817 A : I didn't know Hillary had such a good (　) of Chinese. 　（麻布大）
B : Oh, didn't you know her mother is Chinese?
① command 　② direction 　③ instruction 　④ order

818 Would you please turn down the TV? The noise is getting on my nerves.
① annoying me 　② comforting me 　同意選択 （中部大）
③ pleasing me 　④ surprising me

819 My boss often criticizes me. 　（名古屋学芸大）
My boss always (　) my work.
① has fun with 　② makes use of
③ gets hold of 　④ finds fault with

---

814 地震による損害のせいで，私たちは工場を閉鎖せざるを得ない。
815 あなたの写真をちょっと私に見せてください。
816 寒い天候がみんなの仕事に影響した。
817 A：私はヒラリーがあんなに中国語ができるなんて知らなかった。／B：ああ，彼女のお母
さんが中国人なのを知らなかったの？
818 テレビの音量を下げてもらえますか。音でイライラします。
819 私の上司はよく私を批判する。／私の上司はいつも私の仕事のあら探しをする。

813 I have no idea ＋疑問詞節 「…かわからない」

〈I have no idea ＋疑問詞節〉で「…かわからない」を表す。「何の問題について話しているのか」の部分を what で始まる疑問詞節にすると，what problem they are talking (about) となり，idea に続けることができる。what 以下は間接疑問なので平叙文の語順になることに注意する。

注目 I have no idea. ＋ What problem <u>are they</u> talking about?

I have no idea what problem <u>they are</u> talking about.

814 have no choice but to *do* 「…せざるを得ない」

choice は「選択の機会，余地」で，have no choice で「選択の余地がない」の意味となる。これに「…以外の」を表す but を続け，**have no choice but to *do*** とすると，「…する以外に選択の余地がない」，つまり「…せざるを得ない」の意味になる。

815 have[take / get] a look at A 「A をちょっと見る」

let, me があるので，〈let me ＋ *do*〉「私に…させてください」（→ 500）の形にする。a look があるので，**have a look at A**「A をちょっと見る」として続ける。to が不要。

816 have an effect on A 「A に影響を与える」

influence「…に影響する」の同意表現は，**have an effect on A**「A に影響を与える」。effect は「効果，結果」の意味を表す名詞。

選択肢 ① affection「愛情」，③ insight「洞察（力）」，④ intention「意図」

817 have a good[fine] command of A 「A（言語など）を自由に使いこなす」

have a good[fine] command of A は「A（言語など）を自由に使いこなす」の意味。

818 get on *one's* nerves 「（人）の神経にさわる，（人）をイライラさせる」

nerve は「神経」という意味で，**get on *one's* nerves** は，「（人）の神経の上に乗る」から「（人）の神経にさわる，（人）をイライラさせる」の意味になる。同じ意味は annoy「…をイライラさせる」。

選択肢 ② comfort「…を慰める」，③ please「…を楽しませる」，④ surprise「…を驚かす」

819 find fault with A 「A のあら探しをする」

criticize は「…を批判する，…のあら探しをする」の意味。これと同じ意味を表すのは，**find fault with A**「A のあら探しをする」。

選択肢 ① have fun with A「A と楽しく遊ぶ」，② make use of A「A を活用［利用］する」→ 808，③ get hold of A「A を手に入れる」

解答 813 have no idea what problem they are talking 814 ③ 815 let me have a look at（to が不要）
816 ② 817 ① 818 ① 819 ④

820 ケイトは，自分の子どもが服を汚しているのを見てかっとなった。 並べかえ

Kate (temper / her / when / lost / she) saw her children's dirty clothes.

(法政大)

821 私たちは，目的を見失わないように心がけなければならない。 (東京理科大)

We must remember not to (　　) sight (　　) our goal.

① fail － on　　② forget － to　　③ lose － of　　④ pass － on

822 Our teacher had us learn some English poems by (　　). (専修大)

① heart　　② mind　　③ head　　④ thought

823 I am wondering if I could ask a favor (　　) you. (神奈川大)

① to　　② for　　③ on　　④ of

824 His speech <u>gave rise to</u> a heated argument. 同意選択

① canceled　　② caused　　③ maintained　　④ overturned

(日本大)

825 Everybody (　　) mistakes on the job sometimes. (日本大)

① gets　　② makes　　③ put　　④ took

826 Peter (　　) so much weight that he had to have his pants altered.

① keeps on　　② hang on　　③ moves on　　④ put on

(大阪経済大)

827 Oil has (　　) an important part in the progress of civilization. (國學院大)

① given　　② made　　③ played　　④ saved

---

822 私たちの先生は私たちに数編の英語の詩を暗記させた。
823 あなたにお願いがあるのですが。
824 彼のスピーチが白熱した議論を引き起こした。
825 誰でも時には仕事中にミスをする。
826 ピーターはとても太ったのでズボンを仕立て直さなければならなかった。
827 石油は文明の発達に重要な役割を果たしてきた。

820 **lose _one's_ temper** 「急に怒る，かっとなる」

temper は「気分，平常心」という意味の名詞。lose _one's_ temper で「急に怒る，かっとなる」という意味を表す。lost her temper のあとに when she を続ける。

◎ 一緒に確認 **keep _one's_ temper** は「平静を保つ」の意味。

821 **lose sight of A** 「A を見失う」

sight は「視界，見ること」を表す名詞で，「A を見失う」は lose sight of A と表す。

《ココも注目》 <u>**remember not to _do_**</u> は「…しないことを覚えている，…しないように心がける」の意味。

822 **learn A by heart** 「A を暗記する」

had us learn は使役動詞 have を用いた〈have ＋人＋ _do_〉「(人) に…させる」(→ **503**) の形。**learn A by heart** で「A を暗記する」という意味を表す。

823 **ask a favor of A** 「A に頼み事をする」

ask a favor of A で「A に頼み事をする」の意味。could は許可を求める用法。

《ココも注目》 <u>**wonder if ...**</u> は「…かどうかと思う」の意味。

◎ 一緒に確認 「お願いがあるのですが」は，**May I ask a favor of you?** や **Could you do me a favor?** でも表せる。

824 **give rise to A** 「A を引き起こす」

give rise to A は「A を引き起こす」の意味。② caused が同意表現。

選択肢 ③の maintain は「…を維持する」，④の overturn は「…を転覆させる」の意味。

825 **make a mistake / make mistakes** 「ミスをする，間違いを犯す」

make mistakes で「ミスをする，間違いを犯す」の意味になる。make a mistake と言うこともある。

826 **put on weight** 「太る，体重が増える」

put on weight で「太る，体重が増える」の意味。put は put-put-put と活用し，ここでは過去形 put が使われている。同じ意味を gain weight と表すこともある。

◎ 一緒に確認 **lose weight** 「やせる，体重が減る」

827 **play a part[role] in A** 「A において役割を果たす」

空所のあとに an important part があるので，**play a part in A** 「A において役割を果たす」を用いる。part の代わりに role を用いることもある。また，本問のように part[role] の前に形容詞を置くことも多い。

解答 **820** lost her temper when she **821** ③ **822** ① **823** ④ **824** ② **825** ② **826** ④ **827** ③

☐ 828 Helen is one of the most popular students in our class. She knows how to (　　) people.　　　　　　　　　　　　　　　　　　(成蹊大)
① be at odds with　　　② make fun of
③ get along with　　　④ take advantage of

☐ 829 When will you get through with painting the house?　　[同意選択]
① continue　　② finish　　③ progress　　④ pause　　(青山学院大)

☐ 830 A : Oh, no. There's a hole in the heel of my sock.　　(女子栄養大)
B : Well, you've worn it for such a long time. Maybe it's time you got
(　　) of it.
① hold　　② rid　　③ away　　④ off

☐ 831 The government should not (　　) in to terrorists' demands.　　(亜細亜大)
① make　　② give　　③ keep　　④ go

☐ 832 日本語の意味に合うように空所に入る語をそれぞれ選びなさい。　　(駒澤大)
今こそ彼らが私たちの要求に譲歩するときだ。
(　　) is (　　) (　　) for them to give (　　) to our demands.
(① now　　② the　　③ way　　④ time)

☐ 833 We have (　　) sugar, so we cannot make a cake now.　　(駒澤大)
① cut up　　② already bought　　③ run out of　　④ got out of

☐ 834 We had to rush through our presentation because we were running (　　) of time.　　(南山大)
① late　　② short　　③ behind　　④ along

---

828 ヘレンは私たちのクラスで最も人気のある生徒の一人だ。彼女は人とうまくやっていく方法を知っている。

829 あなたはいつ家のペンキ塗りをやり終えるのですか。

830 A：ああ。靴下のかかとに穴があいている。／B：そうだね。ずいぶん長い間はいているからね。たぶん，捨てる時期なんだよ。

831 政府はテロリストの要求に屈するべきではない。

833 砂糖を切らしてしまったので，私たちは今ケーキをつくることができない。

834 時間が不足してきていたので，私たちは発表を急いで終わらせなければならなかった。

Section 199 ⟨•⟩ 3 語以上のイディオム

828 **get along with A** 「A とうまくやる，仲よくする」

how to *do* は「…する方法」。クラスで人気があるヘレンが知っているのは「人とうまくやる方法」だと考えられるので，③ **get along with A**「A とうまくやる，仲よくする」を用いる。

【選択肢】 ① be at odds with A「A と不仲だ」，② make fun of A「A をからかう」→ 807, ④ take advantage of A「A をうまく利用する」→ 799

829 **get through with A** 「A（仕事など）を終える，仕上げる」

get through with A は「A（仕事など）を終える，仕上げる」という意味なので，② finish が同意。

◎（一緒に確認） **get through (to A)** は「(A に) 電話がつながる」の意味。

830 **get rid of A** 「A を捨てる，除去する」

get rid of A で「A を捨てる，除去する」という意味。

《ココも注目》 **wear** は「(衣服など) を身につけている」の意味。wear-wore-worn と活用する。

831 **give in to A** 「A に屈する」

give in は「(圧力などに) 屈する」という自動詞で，「A に屈する」は **give in to A** で表す。

832 **give way to A** 「A に譲歩する，屈する」

「今こそ…するときだ」は Now is the time to *do* で表し，不定詞の意味上の主語は for ~ を不定詞の前に置くので，文の前半は Now (is) the time for them となる。「A に譲歩する，屈する」は **give way to A** で表すので，4 つ目の空所は way が入る。

833 **run out of A** 「A を使い果たす」

so 以降の「ケーキをつくることができない」より，「砂糖がない」という内容になると考える。③の **run out of A** で「A を使い果たす」の意味を表す。

【選択肢】 ① cut up A「A を切り刻む」，④ get out of A「A から外に出る，下車する」

834 **run short of A** 「A が不足する」

「私たちは発表を急いで終わらせなければならなかった」ことの原因なので，because 節は「時間がない」という内容を表すと考える。② short を入れれば，**run short of A**「A が不足する」となる。run short of A は run out of A とほぼ同意。

解答 828 ③ 829 ② 830 ② 831 ②
832 ①，②④，③ Now (is) the time (for them to give) way (to our demands.) 833 ③ 834 ②

右端縦書き見出し：
Field 1 文法
Field 2 語法
Field 3 イディオム
Field 4 会話・表現
Field 5 ボキャブラリー
Field 6 英文構造

835 We should do ( ) with these old rules. 〔青山学院大〕
① all ② away ③ for ④ over

836 The graph shows a serious decrease in sales. However, next year's gains are expected to ( ) this loss. 〔甲南大〕
① put up with ② make up for
③ come up with ④ live up to

837 The doctor told the patient to ( ) salt. 〔日本大〕
① be equal to ② cut down on ③ make out of ④ take part in

838 We all have to come to terms with our destiny. 同意選択
① accept ② fight ③ resist ④ neglect 〔駒澤大〕

839 Alice could not go to school because she came down with the flu. 〔東海大〕
① felt ② got ③ ran ④ sought

840 Please keep in ( ) that we have to sign the contract by Friday.
① head ② heart ③ memory ④ mind 〔愛知学院大〕

841 A : What did you think of the camera work? 〔法政大〕
B : It didn't ( ) up to my expectation.
① live ② go ③ move ④ reach

---

835 私たちはこれらの古い規則を廃止するべきだ。
836 グラフは売上高の深刻な減少を示しています。しかし、来年の利益がこの損失を埋め合わせると予想されます。
837 医者は患者に塩分を減らすように言った。
838 私たちは皆、自分の運命を受け入れなければならない。
839 アリスはインフルエンザにかかったので学校に行けなかった。
840 私たちが金曜日までにその契約書に署名しなければならないことを覚えていてください。
841 A：そのカメラワークをどう思った？／B：私の期待には応えていなかったね。

835 **do away with A** 「A を廃止する」

do away with A で「A を廃止する」。abolish「…を廃止する」でも同じ意味を表すことができる。

836 **make up for A** 「A（損失など）を補う，埋め合わせる」

「来年の利益はこの損失を（　　　）と見込まれている」という意味なので，「A（損失など）を補う，埋め合わせる」の意味の② make up for A を選ぶ。

選択肢 ① put up with A は「A を我慢する」→ **766**，③ come up with A は「A を思いつく」→ **734**，④ live up to A は「A（期待）に沿う」→ **841**

《ココも注目》 be expected to *do*「…すると予想される」→ **510**

837 **cut down on A** 「A を減らす，削減する」

「医者は患者に…するように言った」という意味。salt という語があるので② cut down on を入れて「塩分を減らす」の意味になるようにする。cut down on A で「A を減らす，削減する」の意味。

選択肢 ① be equal to A「A に等しい」，④ take part in A「A に参加する」→ **798**

838 **come to terms with A** 「A を受け入れる」

come to terms with A で「A を受け入れる」の意味。「…を受け入れる」は accept でも表せる。

839 **come down with A** 「A（病気）にかかる」

come down with A で「A（病気）にかかる」の意味。get the flu でも「インフルエンザにかかる」の意味を表せる。

Vocab flu「インフルエンザ」は the flu の形で用いられることが多い。

840 **keep[bear] A in mind** 「A のことを覚えておく」

keep[bear] A in mind で「A のことを覚えておく」の意味になる。A にあたる語が長い場合は後置されるため，ここでは〈keep in mind ＋ that 節〉の語順になっている。

841 **live up to A** 「A（期待）に沿う」

後ろに my expectation「私の期待」があるので，live up to A「A（期待）に沿う」が適する。live up to A には，ほかに「A（信念など）に沿って生きる」の意味もある。

解答 **835** ② **836** ② **837** ② **838** ① **839** ② **840** ④ **841** ①

842 一生懸命働いたのに今期の売り上げは予想を下回った。 （国士舘大）

The sales for this term (　　) our expectations although we had worked hard.

① went away　　② take off　　③ fell short of　　④ came out of

Section 200

843 She hurt herself playing basketball, so she (　　) to the hospital by the coach. （京都産業大）

① is gone　　② is taking　　③ was gone　　④ was taken

844 To hear him talk, you would (　　) him for an American. （武蔵大）

① exchange　　② have　　③ like　　④ take

845 あなたは当然彼のことを知っていると私は思っていた。　　並べかえ

I (him / you / knew / took / for / it / that / granted). （龍谷大）

846 Sue (　　) her life to the equal rights movement for women. （獨協大）

① evaluated　　② devoted　　③ donated　　④ interpreted

847 The government concluded that the train crash was caused by a technical fault. 同意文

The government (　　) the train crash to a technical fault. （東京理科大）

① attributed　　　　② described

③ explained　　　　④ reasoned

---

843 彼女はバスケットボールをしているときにけがをした。それで，コーチが彼女を病院に連れていった。

844 彼が話すのを聞けば，彼をアメリカ人だと思うだろう。

846 スーは女性のための男女同権運動に人生を捧げた。

847 政府は，列車の衝突事故は技術的な過失によって起きたと結論づけた。／政府は列車の衝突事故の原因を技術的な過失のせいにした。

842 **fall short of A** 「A に達しない，及ばない」

( ) our expectations は「予想を下回った」の部分にあたると考える。「…を下回る」は，**fall short of A**「A に達しない，及ばない」で表せるので，③ fell short of が正解。come short of A でも同じ意味を表せる。

〈 Section **200** •〈動詞＋ A ＋前置詞＋ B〉の形のイディオム 〉

843 **take A to B** 「A を B に連れていく」

by the coach「コーチによって」とあるので「彼女は病院に連れていかれた」という受動態の内容になることがわかる。「**A を B に連れていく**」は take A to B で表すが，本文では受動態になるので，④が正解。

844 **take A for B** 「A を B だと（誤って）みなす」

would が使われていることから，仮定法の文だと考える。To hear him talk は，仮定法の条件節の代わりに用いられている不定詞句で，「彼が話すのを聞けば」という意味。**take A for B** とすれば，「A を B だと（誤って）みなす」の意味になる。take A for B は mistake A for B とほぼ同意。

選択肢 ① exchange A for B「A を B と取り替える」

845 **take it for granted that ...** 「…を当然のことと思う」

took と granted があるので，**take A for granted**「A を当然のことと思う」を用いると判断する。take の目的語が節になる場合は，形式目的語の it を置いて **take it for granted that ...**「…を当然のことと思う」にする。that のあとに you knew him を続ける。

846 **devote A to B** 「A を B に捧げる」

「スーは女性のための男女同権運動に自分の人生を（　　）」という意味から，② devoted を選ぶ。**devote A to B** で「A を B に捧げる」の意味を表す。

◎ 一緒に確認 **dedicate A to B** も「A を B に捧げる」の意味。

選択肢 ① evaluate「…の価値を見極める」，③ donate「（お金など）を寄付する」，④ interpret「（言語など）を通訳する」

847 **attribute A to B** 「A を B のせいにする」

1 文目の cause は「…を引き起こす，…の原因となる」という意味の他動詞。受動態の A is caused by B.「A は B によって引き起こされる」という文では，A が〈結果〉，B が〈原因〉となる。2 文目には前置詞の to があるので **attribute A to B**「A〈結果〉を B〈原因〉のせいにする」の形にする。

選択肢 ② describe「…を言い表す」，③ explain「…を説明する」，④ reason「…と論じる」

解答 **842** ③ **843** ④ **844** ④ **845** took it for granted that you knew him
846 ② **847** ①

848 The use of fire distinguishes humans (　　) other animals.　　　　(昭和大)
① in　　② from　　③ of　　④ among

849 Let me be the first to (　　) your achievement.　　　　(駒澤大)
① congratulate you on　　　② explain you
③ mention to you　　　　　　④ say you

850 The country of Bolivia is named (　　) a great leader named Simon
Bolivar.　　　　(聖隷クリストファー大)
① after　　② by　　③ in　　④ from

Section 201

851 I will take back nothing of what I said.　　[同意選択] (日本大)
① accomplish　　　　　② demand
③ exaggerate　　　　　④ withdraw

852 I wish I hadn't turned down that job offer.　　　　(東京理科大)
① became reality　　　② enrolled in
③ postponed　　　　　④ refused

List 93　turn を用いたイディオム

☐ turn down A	「A を断る，拒む」→ 852	「A（音量など）を下げる」
☐ turn out (to be) A	「（結局）A だとわかる，判明する」→ 739	
☐ turn in A	「A（課題など）を提出する」→ 758	
☐ turn up	「（人が）現れる」→ 776	
☐ turn A into B	「A を B に変える」	
☐ turn off A	「A（電気，ガス，水）を切る，止める」→ 857	

848 火を使うことが人類と他の動物を区別する。
849 あなたの功績に対して，私に真っ先にお祝いを言わせてください。
850 ボリビア国は，シモン・ボリバルという名の偉大な指導者にちなんで名づけられた。
851 私は自分が言ったことを何も取り消しません。
852 その仕事の申し出を断らなければよかったなぁ。

848 **distinguish A from B** 「A を B と区別する」

distinguish A from B は「A を B と区別する」の意味を表すので, ② from が正解。

◎ 一緒に確認 **tell A from B** 「A を B と見分ける, 区別する」と同意。→ **774**

849 **congratulate A on B** 「A を B のことで祝う」

your achievement「あなたの功績」が続いているので, **congratulate A on B**「A を B のことで祝う」を用いる。

《ココも注目》〈**Let me + do.**〉「私に…させてください」
　　　　　　 the first to do「最初に…する人」

誤答 ② explain は, explain A to B「B に A を説明する」の形をとる。③ mention「…を話に出す」は他動詞で目的語が直後に続く。④ say は〈人〉を目的語にとらない。

850 **name A after[for] B** 「B にちなんで A に名前をつける」

この文の主部は The country of Bolivia。is named は受動態。空所のあとに「偉大な指導者」が続くので **name A after B**「B にちなんで A に名前をつける」の受動態だと考える。

《ココも注目》2 つ目の named は **name A B**「A を B と名づける」の用法の過去分詞で a great leader を後ろから修飾している。

〈Section **201**〉〈他動詞＋副詞〉の形のイディオム〈　〉

851 **take back A / take A back** 「A（発言など）を取り消す」

take back A には「A（発言など）を取り消す」という意味があり, ④ withdraw「（発言・申し出など）を撤回する」と同意。

《ココも注目》**withdraw** には「（軍隊など）を撤退させる,（預金）を引き出す」の意味もある。

選択肢 ① accomplish「…を成し遂げる」, ② demand「…を要求する」, ③ exaggerate「…を誇張する」

852 **turn down A / turn A down** 「A を断る, 拒む」

(TOP 100) turn down A は「A を断る, 拒む」という意味で, ④ refuse「…を拒む」と同意。turn down には「A（音量など）を下げる」の意味もある。

選択肢 ① become reality「実現する」, ② enroll in A「A に入学する」, ③ postpone「…を延期する」

《ココも注目》〈**wish ＋仮定法過去完了**〉「…したらよかったのに」→ **102**

---

853 Last week Morgan bought a new sports car. Now he's showing it (　) to all of his friends. 〔徳島文理大〕
① over　　② off　　③ through　　④ on

854 They have <u>brought up</u> five children.　〔同意選択〕 〔駒澤大〕
① raised　　② had　　③ loved　　④ educated

855 The scientist carefully (　) her equipment for the experiment.
① set on　　② took on　　③ set up　　④ took after　〔芝浦工業大〕

856 We can (　) you up at eight at the front gate.　〔武蔵大〕
① approve　　② offer　　③ pick　　④ reach

857 Peter, the shower is dripping. Please (　) the water completely.　〔南山大〕
① turn down　　② turn off　　③ turn out　　④ turn away

858 消防車がやって来たのは，近所の人たちが火事を消した直後だった。　〔適語補充〕
The fire truck arrived just after the neighbors had put (　)
the fire.　〔西南学院大〕

859 My wife asked me to <u>pick out</u> curtains that match the carpet.　〔東海大〕
① cut　　② lose　　③ hide　　④ select

860 He worked very hard and was completely <u>exhausted</u>.　〔東海大〕
① worn out　　② backed up　　③ let down　　④ run over

turn on A「Aをつける，出す」　　turn off A「A を切る，止める」

---

853 先週，モーガンは新しいスポーツカーを買った。今や彼は彼の友人全員にそれを見せびらか
している。
854 彼らは 5 人の子どもを育てた。
855 科学者は実験のための装置を慎重に準備した。
856 私たちは，正門で 8 時にあなたを車で拾えるよ。
857 ピーター，シャワーがポタポタたれているわ。しっかり水を止めてください。
859 妻は私に，カーペットに合うカーテンを選ぶように頼んだ。
860 彼は一生懸命働いたのですっかりくたびれていた。

Field **1** 文法

Field **2** 語法

Field **3** イディオム

会話・表現

ボキャブラリー

英文構造

---

853 **show off A / show A off** 「A を誇示する，見せびらかす」

show off A で「A を誇示する，見せびらかす」の意味を表す。ここでは，目的語が代名詞 it なので show it off の語順になる。

---

854 **bring up A / bring A up** 「A を育てる」

brought は bring の過去形。**bring up A**「A を育てる」と同じ意味の動詞は，raise。
選択肢 ④ educate「…を教育する」

---

855 **set up A / set A up** 「A を準備する」

「科学者は実験のための装置を慎重に（　）」という意味なので，③の set up A「A を準備する」を入れる。set up A には「A を建設 [設置] する」，「A（会社など）を設立する」などの意味もある。
選択肢 ② take on A「A を引き受ける」，④ take after A「A に似ている」→ **771**

---

856 **pick up A / pick A up** 「A を車で拾う，車に乗せる」

pick A up / pick up A は「A を車で拾う，車に乗せる」の意味。

---

857 **turn off A / turn A off** 「A（電気，ガス，水）を切る，止める」

「A（水・ガスなど）を止める」は② turn off A で表す。そのほかに「（電化製品のスイッチ）を切る」場合でも turn off A を用いる。
一緒に確認 **turn on**「A（電気，ガス，水）をつける，出す」
選択肢 ① turn down A「A を断る，拒む」→ **852**，③ turn out (to be) C「（結局）C だとわかる，判明する」→ **739**，④ turn away A「A（顔など）をそむける」

---

858 **put out A / put A out** 「A（明かり・火など）を消す」

「火事を消す」は put out A / put A out「A（明かり・火）を消す」を用いる。

---

859 **pick out A / pick A out** 「A を選び出す」

pick out A は「A を選び出す」の意味で，④ select と同意。
一緒に確認 **single out A** も「A を選び出す」の意味。

---

860 **wear out A / wear A out** 「A を疲れ果てさせる」

exhaust の同意表現は，①の **wear out A**「A を疲れ果てさせる」。ここでは受動態〈be 動詞＋過去分詞〉になっている。
選択肢 ② back up A「A を支援する」，③ let down A「A の期待を裏切る」，④ run over A「A を車でひく」

解答 853 ② 854 ① 855 ③ 856 ③ 857 ② 858 out 859 ④ 860 ①

□ 861 Scott will (　　) the family business next year when his father retires.
□ ① take over　　② stand out　　③ stay up　　④ fill out　　(目白大)

✓ Check 57 他動詞と副詞で構成されるイディオムの語順

・名詞を目的語にする場合
〈他動詞＋副詞＋名詞〉/〈他動詞＋名詞＋副詞〉のいずれの語順も可能
put on the cap / put the cap on「帽子をかぶる」
・代名詞を目的語にする場合
〈他動詞＋代名詞＋副詞〉の語順
put it on「それを身につける」

□ 862 Some salesmen take in people with their smooth talking.　　同意選択
□ ① deceive　　② recognize　　③ admire　　④ judge　　(獨協医科大)

□ 863 She accepted the huge responsibility of looking after the children without
□ parents.　　(國學院大)
① took down　　② took on　　③ handed over　　④ handed out

□ 864 Please fill (　　) this form to register for the course.　　(成城大)
□ ① down　　② out　　③ on　　④ over

□ 865 I will put (　　) my coat if it gets cold.　　(亜細亜大)
□ ① from　　② in　　③ on　　④ with

□ 866 The exam is about to begin. Please (　　) your books and notes.　　(南山大)
□ ① put away　　② put inside　　③ put off　　④ put in

□ 867 She asked the shop clerk whether she could (　　) the dress displayed
□ in the window.　　(名城大)
① bring with　　② give in　　③ take over　　④ try on

---

861 スコットは来年，彼の父親が引退したら，家業を引き継ぐだろう。
862 セールスマンの中には，巧みな言葉で人々をだます人もいる。
863 彼女は親のいない子供たちの世話をするという大きな責任を引き受けた。
864 その講座に登録するにはこの用紙に記入してください。
865 寒くなったらコートを着ます。
866 試験を始めます。本とノートを片付けてください。
867 彼女はウインドウに飾られているドレスを試着できるか，店員に尋ねた。

861 **take over A / take A over** 「A を引き継ぐ」

「スコットは来年，彼の父親が引退したら，家業を（　　）」という意味なので，**take over A**「A を引き継ぐ」を用いる。

選択肢 ③ stay up「（寝ないで）起きている」

862 **take in A / take A in** 「A をだます」

「セールスマンの中には，巧みな言葉で人々を（　　）する人もいる」の意味なので，この **take in A** は「A をだます」の意味になる。① deceive「…をだます」と同意。

選択肢 ② recognize「…を認める」，③ admire「…を賞賛する」，④ judge「…を判断する」

◎ 一緒に確認 **take in A / take A in** には他に「A を理解する」という意味もある。
I couldn't **take in** his lecture.（私は彼の講義が理解できなかった）

863 **take on A / take A on** 「A（仕事など）を引き受ける，A（責任など）を負う」

accept「…を引き受ける」の同意表現は，**take on A**「A（仕事など）を引き受ける，A（責任など）を負う」。

864 **fill out A / fill A out** 「A に書き入れる」

this form「この用紙」が目的語なので，**fill out A**「A に書き入れる」を用いる。fill out A は主にアメリカ英語で用いられる。

《ココも注目》register for A「A（授業など）に登録する」

◎ 一緒に確認 **fill in A**「A（用紙）に記入する，A（名前）を記入する」

865 **put on A / put A on** 「A を着る」

my coat が目的語なので，**put on A**「A を着る」とする。

《ココも注目》put on A は衣服を着るという〈動作〉を表し，wear は着ているという〈状態〉を表す。

◎ 一緒に確認 **take off A**「A を脱ぐ」

866 **put away A / put A away** 「A（物）を片付ける」

「試験を始めます」と言っているので「本とノートを<u>片付けて</u>ください」となるように **put away A**「A（物）を片付ける」を用いる。

選択肢 ③ put off A「A を延期する」→ **778**，④ put in A「A を差し入れる」

867 **try on A / try A on** 「A を試着する」

the dress が目的語なので，**try on A**「A を試着する」を用いる。

選択肢 ② give in A「A を手渡す」，③ take over A「A を引き継ぐ」→ **861**

Field **1** 文法

Field **2** 語法

Field **3** イディオム

Field **4** 会話・表現

Field **5** ボキャブラリー

Field **6** 英文構造

解答 **861** ①　**862** ①　**863** ②　**864** ②　**865** ③　**866** ①　**867** ④

868 I have doubts about his story. He probably (　) it up.　(法政大)
① made　② had　③ brought　④ took

869 Dick had to (　) his family behind when he went to New York to work.
① leave　② make　③ put　④ take　(中村学園大)

870 私は試合に負けて，サポーターたちをがっかりさせたくありません。　[並べかえ]
I do not (by / the / let down / want / my supporters / losing / to) game.
(神戸学院大)

871 空港までアメリカ人の友人を見送りに行ってきたところです。　(中央大)
I have just been to the airport to see an American friend (　).
① around　② forward　③ off　④ out

872 She pointed (　) the problem in the project and suggested a solution.
① down　② in　③ out　④ up　(学習院大)

Section 202

873 Home theaters have <u>brought about</u> the decline of the film industry.
① caused　② educated　③ structured　④ remembered
[同意選択] (愛知工業大)

874 Some people believe (　) ghosts.　(東京国際大)
① to　② of　③ with　④ in

---

868 私は彼の話に疑いを持っている。たぶん彼は話をでっちあげた。
869 ディックがニューヨークに働きに行くとき，家族を残して行かなければならなかった。
872 彼女はその企画の問題を指摘し，解決策を示した。
873 ホームシアターは映画産業の衰退をもたらした。
874 幽霊を信じる人もいる。

868 make up A / make A up 「A（話）をでっちあげる」

目的語の it は his story のことなので, **make up A**「A（話）をでっちあげる」を用いる。make up は,「…を組み立てる, …を構成する」などの意味がある。

選択肢 ③ brought は bring の過去形。bring up A「A を育てる」→ **854**

869 leave behind A / leave A behind 「A を置き去りにする, A を置いてくる」

leave A behind / leave behind A は「A を置き去りにする, A を置いてくる」の意味を表す。

870 let down A / let A down 「A を失望させる」

「…させたくない」は I do not want to do で表現する。「…をがっかりさせる」は let down があるので, **let down A**「A を失望させる」を用いる。「試合に負けて」は〈方法〉を表す by のあとに losing the game を続ける。

871 see A off 「A を見送る」

「A を見送る」は **see A off** で表す。× see off A という語順では用いられない。

872 point out A / point out A out 「A を指摘する」

point out A は「A を指摘する」の意味。

Section 202 〈自動詞＋前置詞〉の形のイディオム

873 bring about A 「A をもたらす」

bring about A「A をもたらす」と同じ意味の動詞は, cause「…を引き起こす」。現在完了 have brought は〈完了〉の意味。

Vocab decline「減少, 衰退」, film industry「映画産業」

選択肢 ② educate「…を教育する, …に教育を受けさせる」, ③ structure「…を組み立てる」, ④ remember「…を覚えている」

874 believe in A 「A の存在を信じる」

believe in A で「A の存在を信じる」の意味。

解答 **868** ① **869** ① **870** want to let down my supporters by losing the **871** ③ **872** ③ **873** ① **874** ④

375

875 A：Have you found a new job yet?　　　　　　　　　　(学習院大)
　　　B：No, not yet.　Good jobs are hard to (　　) by these days.
　　　① bring　　② come　　③ get　　④ go

876 The name of the shop <u>comes from</u> the name of the owner's dog.　同意選択
　　　① orbits　　　　　　　　② organizes　　　　　　(駒澤大)
　　　③ orders from　　　　　　④ originates from

877 名古屋まで出張に行ってくれてどうもありがとう。　　　(名城大)
　　　Thank you very much for going (　　) the business trip to Nagoya.
　　　① on　　② off　　③ up　　④ out

878 I hope we can go on a picnic tomorrow.　It all (　　) on the weather.
　　　① forecasts　　② arranges　　③ depends　　④ affects　　(南山大)

879 Bread (　　) flour, water, yeast, salt, oil, and a little sugar.　(四日市看護医療大)
　　　① consists of　　　　　② makes of
　　　③ baked of　　　　　　④ mixture of

880 Turn down the television!　It's so noisy that I can't (　　) my studies.
　　　① put up with　　　　　② take the place of　　　(青山学院大)
　　　③ do without　　　　　④ concentrate on

---

875 A：新しい仕事はもう見つかった？／B：いいえ，まだよ。このごろはよい仕事を得るのは
難しいわ。
876 その店の名前は店主の犬の名前に由来する。
878 明日ピクニックに行けたらいいなあ。すべては天気次第だ。
879 パンは小麦粉，水，イースト，塩，油，少量の砂糖でできている。
880 テレビの音を下げて！　うるさすぎて勉強に集中できないよ。

875 **come by A** 「A を手に入れる」

be hard to *do* は「…するのが難しい」という意味で，主語の good jobs が不定詞の目的語にあたる。「このごろはよい仕事を（　　）するのは難しい」という意味になるので，**come by A**「A を手に入れる」を用いる。

◎ 一緒に確認 自動詞 **come by** は「立ち寄る」の意味になる。

選択肢 ③ get by「なんとか暮らしていく」，④ go by「（時が）過ぎる」

876 **come from A** 「A に由来する」

come from A は「A に由来する」の意味。④の originate は origin「起源，初め」から派生した動詞で，originate from A が同意表現。

選択肢 ① orbit「…の周りを回る」，② organize「…を計画 [準備] する」，③ order「…を注文する」

877 **go on A** 「A（旅行など）に出かける」

空所の後ろに the business trip とあるので，① on を入れ，go on とすると「出張に行く」となる。**go on A** で「A（旅行など）に出かける」という意味を表す。

878 **depend on A** 「A 次第である」

「すべては天気次第だ」となるよう **depend on A**「A 次第である」を用いる。なお，depend on[upon] A には「A に頼る，あてにする」の意味もある。

《ココも注目》 go on A「A（旅行など）に出かける」。→ **877**

選択肢 ① forecast「…を予報する，予言する」，② arrange「（会合など）の手配をする」，④ affect「…に影響する」

879 **consist of A** 「A から成る」

空所のあとにはパンの材料が列挙されているので，①の **consist of A**「A から成る」を用いる。consist of の目的語には主語の構成要素や材料がくる。

◎ 一緒に確認 consist of A と同意表現は **be made up of A** や **be composed of A**。

880 **concentrate on A** 「A に集中する」

so ... that ～「とても…なので～」の構文が用いられている。「うるさすぎて勉強に…できない」という意味から，④ **concentrate on A**「A に集中する」を選ぶ。

《ココも注目》 **turn down A**「A（音量など）を下げる」→ **852**

選択肢 ① put up with A「A を我慢する」→ **766**
② take the place of A「A に取って代わる」→ **802**
③ do without A「A なしでやっていく，A なしですます」→ **897**

選択肢 875 ② 876 ④ 877 ① 878 ③ 879 ① 880 ④

881 Please drop ( ) my house on your way to school. （大谷大）
① by ② of ③ out ④ under

882 I would like to ( ) physics in college. （津田塾大）
① major ② major at ③ major in ④ major on

883 Scientists claim they have succeeded ( ) a cure for cancer.
① found ② to find ③ finding ④ in finding （高崎健康福祉大）

884 My grandfather <u>went through</u> many hardships in London when he was
young. 同意選択 （玉川大）
① uncovered ② underlined
③ understood ④ underwent

885 Toshi needs to apply ( ) a passport for his first trip overseas.
① at ② for ③ in ④ with （京都医療科学大）

886 You need to go ( ) the data again to make sure there are no mistakes.
① in ② on ③ under ④ over （関西学院大）

887 What does CEO <u>stand for</u>? （日本大）
① recall ② replace ③ represent ④ resemble

---

881 学校に行く途中に私の家に立ち寄ってください。
882 私は大学で物理学を専攻したい。
883 科学者たちはガンの治療法の発見に成功したと主張している。
884 祖父は若いころロンドンで多くの苦労を経験した。
885 トシは初めての海外旅行のためにパスポートを申請する必要がある。
886 間違いがないことを確認するために，あなたはもう一度データを検査する必要がある。
887 CEOは何の略ですか。

881 **drop by A** 「A に立ち寄る」

drop by A で「A に立ち寄る」の意味。on *one's* way to A は「A に行く途中で」。
選択肢 ③ drop out「落後する，中退する」
◎ **一緒に確認** **stop by A, stop at A, stop by at A** も「A に立ち寄る」の意味を表す。

882 **major in A** 「A（学科）を専攻する」

動詞の major は自動詞で，**major in A** で「A（学科）を専攻する」という意味。

883 **succeed in A[*doing*]** 「A [⋯すること] に成功する」

succeed は「成功する」という意味では自動詞として用いられ，**succeed in A[*doing*]** で「A [⋯すること] に成功する」の意味を表す。
◎ **一緒に確認** **succeed to A** は「A のあとを継ぐ」の意味となる。

884 **go through A** 「A を経験する」

go through A は，文字通りの「A を通り抜ける」という意味のほかに，「A を経験する」という意味もある。この場合，目的語には好ましくない出来事がくる。同意表現は④の undergo「⋯を経験する」。**活** undergo-underwent-undergone
選択肢 ① uncover「⋯を暴露する，打ち明ける」，② underline「⋯に下線を引く」

885 **apply for A** 「A を申し込む，申請する」

「パスポートを申請する」という意味になるように，**apply for A**「A を申し込む，申請する」を用いる。for の直後には求める対象が続く。
◎ **一緒に確認** **apply to A**「A（機関など）に申し込む，（規則などが）A に当てはまる，A（学校など）に出願する」

886 **go over A** 「A を調べる，検査する」

go over A で「A を調べる，検査する」の意味。to make sure ... は〈目的〉を表す不定詞。
《ココも注目》 **make sure**「⋯を確認する」

887 **stand for A** 「(略語などが) A を表す」

stand for A は「(略語などが) A を表す」の意味で，③ represent「⋯を表す，象徴する」とほぼ同じ意味。stand for A には「A を我慢する」や「A を支持する」の意味もある。
選択肢 ① recall「⋯を思い出す」，② replace「⋯に取って代わる」，④ resemble「⋯に似ている」
Vocab CEO「最高経営責任者」Chief Executive Officer の略語。

888 The film business <u>accounts for</u> over three-quarters of the company's total sales.　同意選択（日本大）
① constitutes　② expands　③ owes　④ performs

889 There is no <u>accounting for</u> his taste in flashy sports cars.　（東海大）
① explaining　② discussing　③ considering　④ imagining

890 A famous musician died (　　) cancer this morning.　（大阪歯科大）
① of　② with　③ for　④ by

891 She (　　) to her happy schooldays in her autobiography.　（中村学園大）
① purchased　② provided　③ referred　④ reminded

892 At first, his parents didn't approve (　　) his marriage.　（福山大）
① to　② as　③ about　④ of

893 The invention of the radio (　　) greatly to mass communication.
① cooperated　　　　② contributed　（大東文化大）
③ congratulated　　　④ collected

894 Teachers need to (　　) to social changes.　（岐阜聖徳学園大）
① adapt　② adopt　③ apply　④ access

895 I used to <u>visit</u> my grandmother every weekend, but I haven't these days.
① call for　② call on　③ call off　④ call up　（拓殖大）

---

888 映画事業はその会社の総売上の 4 分の 3 以上を占める。
889 彼の派手なスポーツカー好きは説明ができない。
890 有名な音楽家が今朝，ガンで亡くなった。
891 彼女は自叙伝の中で幸せな学生時代にふれていた。
892 最初，彼の両親は彼の結婚を認めなかった。
893 ラジオの発明はマスコミ（大衆伝達）に大いに貢献した。
894 教師たちは社会の変化に順応する必要がある。
895 私は毎週末祖母を訪れていたものだが，このごろは訪れていない。

888 **account for A** 「A（割合，部分）を占める」

accounts for のあとに over three-quarters of A「A の 4 分の 3 以上」と割合が続くので，この **account for A** は「A（割合，部分）を占める」の意味。①の constitute は「…の構成要素となる，…を占める」の意味。

選択肢 ② expand「…を広げる」，③ owe「…を借りている」，④ perform「…を行う」

889 **account for A** 「A（理由など）を説明する」

account for A は，「A（割合，部分）を占める」の意味のほかに，「A（理由など）を説明する」という意味もあり，① explain「…を説明する」とほぼ同じ意味。

《ココも注目》 There is no *doing* は「…できない」の意味。→ **166**

890 **die of A** 「A（が原因）で死ぬ」

die of A で「A（が原因）で死ぬ」の意味。of の代わりに from が用いられることもある。

891 **refer to A** 「A に言及する」

「彼女は自叙伝の中で幸せな学生時代に…」という意味。**refers to A** で「A に言及する」という意味になるので，③が正解。

◎ 一緒に確認 **refer to A as B** で「A を B と呼ぶ」。

892 **approve of A** 「A をよしとする，容認する」

approve of A で「A をよしとする，容認する」の意味。

893 **contribute to A** 「A に貢献する」

空所の後ろにある to mass communication に注目。**contribute to A** で「A に貢献する」の意味を表す。mass communication は「マスコミ，大衆伝達」の意味。

選択肢 ① cooperate「協力する」，③ congratulate「（人）を祝う」，④ collect「集まる」

894 **adapt to A** 「A に順応する，慣れる」

to social changes が続くので，**adapt to A**「A に順応する，慣れる」を用いる。adapt には，他動詞としての adapt A to B「A を B に適合させる」の用法もある。

選択肢 ② adopt「…を採用する」，③ apply to A for B「A に B を申し込む」→ **885**

895 **call on A** 「A（人）を訪問する」

visit は「…を訪問する」の意味で，② **call on A**「A（人）を訪問する」が同意表現。

選択肢 ① call for A「A を要求する」→ **759**，③ call off A「A を中止する」→ **777**，④ call up A「A に電話をかける」

Field 1 文法

Field 2 語法

Field 3 イディオム

Field 4 会話・表現

Field 5 ボキャブラリー

Field 6 英文構造

解答 **888** ① **889** ① **890** ① **891** ③ **892** ④ **893** ② **894** ① **895** ②

896 Please (　) from smoking in this room. (川崎医療福祉大)
① forbid　② prevent　③ prohibit　④ refrain

897 Now that Sarah has a regular income, she should (　) any help from
her parents. (愛知学院大)
① do for　② do without　③ make out　④ make up

Section 203

898 Don't (　) up too late at night. (広島修道大)
① wake　② stay　③ live　④ let

899 努力がようやく報われたね。 (東京理科大)
Your efforts (　) at last.
① are to be a promise　② bore no fruit
③ paid off　④ reward

900 World War II (　) in 1939. (畿央大)
① broke out　② carried out　③ set out　④ took off

901 A：Why is it so hot in here? (学習院大)
B：The air conditioner has broken (　).
① down　② in　③ out　④ through

902 祖父は，私が 10 歳のときに亡くなりました。 (成城大)
My grandfather (　) away when I was 10 years old.
① got　② carried　③ passed　④ threw

---

896 この部屋で喫煙は控えてください。
897 いまやサラは定期的な収入があるのだから，両親からの助けなしでやっていくべきだ。
898 夜遅くまで起きていてはいけない。
900 第二次世界大戦は 1939 年に起こった。
901 A：なぜここはこんなに暑いんですか。　B：エアコンが故障してしまったんです。

896 refrain from A[*doing*] 「A [⋯すること] を差し控える」

〈動詞＋ from *doing*〉の形で用いる動詞を選ぶ。**refrain from *doing*** で「⋯することを差し控える」を意味する。

選択肢 ① 〈forbid ＋人＋ from *doing*〉「(人) に⋯するのを禁じる」, ② 〈prevent ＋人＋ from *doing*〉「(人) が⋯するのを妨げる」, ③ 〈prohibit ＋人＋ from *doing*〉「(人) が⋯するのを禁止する」

897 do without A 「A なしでやっていく, A なしですます」

now that SV は「いまや⋯だから」の意味。サラは定期的な収入があるのだから, 両親からの助け「なしでやっていく」べきだ, とする。**do without A** は「A なしでやっていく, A なしですます」の意味。

選択肢 ① do for A「A に役に立つ」, ③ make out A「A を理解する, 判読する」→ 792

Section 203 ◆ 自動詞の意味を表すイディオム

898 stay up late 「遅くまで起きている」

stay up late で「遅くまで起きている」という意味を表す。

◎ 一緒に確認 **fall asleep**「眠りに落ちる」

899 pay off 「(努力などが) 報われる, 実を結ぶ」

「(努力などが) 報われる」は **pay off** で表す。**bear fruit** も「実を結ぶ」(→ 805) の意味だが, ②には no があるので反対の意味になり, 文意に合わない。pay off を他動詞として使うと,「(負債など) を完済する」の意味になる。

誤答 ④ reward は「⋯に報いる, 報酬を与える」という意味の他動詞なので, were rewarded と受動態にしなければならない。

900 break out 「(戦争, 火事などが) 急に起こる」

主語が World War II「第二次世界大戦」なので **break out**「(戦争, 火事などが) 急に起こる」を用いる。

選択肢 ② carry out A「A を実行する」→ 746, ③ set out「始める, 取りかかる」→ 767, ④ take off「離陸する」→ 903

901 break down 「(機械, 乗り物などが) 故障する, 動かなくなる」

break down で「(機械, 乗り物などが) 故障する, 動かなくなる」の意味になる。

Vocab air conditioner「エアコン」

902 pass away 「亡くなる」

die「死ぬ」を遠回しに言う表現「亡くなる」は **pass away** で表す。

選択肢 ① get away「逃げる」, ② carry away A「A を運び去る」, ④ throw away A「A を捨てる」

解答 896 ④ 897 ② 898 ② 899 ③ 900 ① 901 ① 902 ③

903 The plane bound for Tokyo ( ) off at seven from the Chitose Airport.
① took　② put　③ came　④ went　（千歳科学技術大）

904 私たちは明日早朝，飛行機で東京へ出発します。　適語補充　（高知大）
We are going to ( ) out for Tokyo by plane early tomorrow morning.

905 I could easily find Kate as her big hat stood ( ) in the crowds.
① in　② out　③ of　④ with　（東京電機大）

906 Terry woke up suddenly when his alarm clock <u>sounded</u> in the morning.
① went by　② went off　③ went out　④ went over　同意選択
（東京理科大）

907 After a long period of struggles, her dreams finally came ( ).　（東洋大）
① truth　② fact　③ real　④ true

Section 204

908 Farming is to ( ) for the decline in the number of wild animals.
① harm　② damage　③ accuse　④ blame　（関西学院大）

909 ( ) it comes to choosing what to wear for a party, nobody can beat Susanna.　（立教大）
① As　② For　③ Since　④ When

910 At that moment, he ( ) into tears without minding who was around.
① bombed　② burst　③ flamed　④ split　（玉川大）

903 東京行きの飛行機が千歳空港から7時に離陸した。
905 ケイトの大きな帽子が人込みの中で目立ったので，彼女を簡単に見つけることができた。
906 朝，目覚まし時計が鳴ったとき，テリーはすぐに目が覚めた。
907 長い間苦労した末，彼女の夢はついにかなった。
908 農業は野生動物の数の減少に責任がある。
909 パーティーに何を着ていくべきかを選ぶということになると，スザンナにかなうものはいない。
910 そのとき，彼は誰が周りにいても気にせず，わっと泣き出した。

903 | **take off** 「離陸する」

主語が the plane「飛行機」なので，**take off**「離陸する」を用いる。take off は，自動詞は「離陸する」，他動詞は「…を脱ぐ」の意味。

（選択肢） ② put off（自動詞）「（船が）出航する」，③ come off「外れる」，④ go off「出発する」

904 | **set out** 「（旅，仕事に）出発する」

「（旅，仕事に）出発する」は **set out** で表す。

◎（一緒に確認） set off も「出発する」の意味。

905 | **stand out** 「目立つ」

人込みの中での大きな帽子なので，**stand out**「目立つ」を用いる。

906 | **go off** 「（急に）大きな音をたてる，鳴る」

sound には「音を出す，鳴る」の意味があり，**go off**「（急に）大きな音をたてる，鳴る」も同じ意味を表す。go off はほかに「出発する」「（爆弾が）爆発する」などの意味も表す。

（選択肢） ① go by「通り過ぎる」，③ go out「外出する」，④ go over「（…のところへ）行く」

907 | **come true** 「（夢などが）かなう，実現する」

「（夢などが）かなう，実現する」は **come true** で表す。after a long period of struggles で「長い間苦労した末」という意味。

Section 204 ･ 成句

908 | **be to blame (for A)** 「（A について）責任がある」

be to blame for A で「A について責任がある」の意味。
Vocab farming「農業」，decline「減少」

909 | **when it comes to A** 「A ということになると」

(TOP 100)

when it comes to A で「A ということになると」という意味。to の目的語には名詞や動名詞がくる。
《ココも注目》 **what to do**「何を…すべきか」，**nobody can beat A**「誰も A にはかなわない」

910 | **burst into tears** 「わっと泣き出す」

burst into tears で「わっと泣き出す」を意味する。burst は burst-burst[bursted]-burst[bursted] と活用し，ここでは過去形。

解答 **903** ① **904** set **905** ② **906** ② **907** ④ **908** ④ **909** ④ **910** ②

（右側タブ） Field 1 文法　Field 2 語法　Field 3 イディオム　Field 4 会話・表現　Field 5 ボキャブラリー　Field 6 英文構造

Section 205

911 A : When will your term exams begin? （中央大）
B : We are (　) to have them at the end of this month.
① considered　② meaning　③ supposed　④ willing

912 The player is (　) play in Sunday's final after minor surgery. （工学院大）
① likely to　　　　② highly likely
③ unlikely playing　④ like to

913 Remember to visit my aunt when you arrive in New York. 同意文
Be (　) to visit my aunt when you arrive in New York. （中央大）
① afraid　② free　③ generous　④ sure

914 帰ってきて以来，サイモンはずっと日本にまた行きたいと願っている。
Simon (again / anxious / been / ever / got / has / he / Japan / since / to / very / visit) back. 並べかえ （玉川大）

915 We are all (　) for Haruki Murakami to win the Nobel Prize in Literature. （専修大）
① famous　② eager　③ responsible　④ hard

916 Are you (　) to be a volunteer? （東北学院大）
① becoming　② interesting　③ pleasing　④ willing

---

911 A：あなたの期末試験はいつ始まるの？／B：試験は今月末にある予定だよ。
912 その選手は簡単な手術のあと，おそらく日曜日の決勝戦でプレーするだろう。
913 あなたがニューヨークに着いたら，私のおばを訪ねるのを忘れないで。／あなたがニューヨークに着いたら，私のおばを必ず訪ねて。
915 私たちは皆，村上春樹がノーベル文学賞を受賞することを願っている。
916 あなたはボランティアになる気はありますか。

Section 205 ･〈be ＋形容詞＋ to *do*〉の形をとるイディオム

911 **be supposed to *do*** 「…することになっている」

期末試験 (term exams) がいつ行われるかについて話しているのだから，**be supposed to *do*** 「…することになっている」を用いる。

選択肢 ① be considered (to be) A「Aであると見なされている」，④ be willing to *do*「進んで…する，…するのをいとわない」→ **916**

912 **be likely to *do*** 「…しそうである」

空所のあとに動詞の原形 play が続いているので，play の直前には to がくるはず。to があるのは①と④だが，意味を成すのは①の形のみ。**be likely to *do*** で「…しそうである」という意味を表す。

Vocab final「決勝戦」，minor surgery「簡単な手術」

913 **be sure to *do*** 「きっと [必ず] …する」

remember to *do*「忘れずに…する」は **be sure to *do*** 「きっと [必ず] …する」で表せる。

選択肢 ① be afraid to *do*「こわくて…できない」，② be free to *do*「自由に…できる」，③不定詞を続ける generous は It is generous of A to *do*「A が気前よく…する」の形。

914 **be anxious to *do*** 「…することを切望する」

「…と願っている」は，**be anxious to *do*** 「…することを切望する」で表現する。very は anxious の前に置く。「ずっと…願っている」という〈継続〉の意味なので，現在完了 has been を使う。「帰ってきて以来」は，接続詞の since を使い ever since he got (back) とする。ever は強調。

◎ 一緒に確認 be anxious about A「Aを不安に思う」，be anxious for A「Aを切望する」

915 **be eager to *do*** 「しきりに…したがる，…することを切望する」

be eager to *do* 「…することを切望する」を用いれば「私たちは皆，…することを願っている」という文になる。for Haruki Murakami は to win の意味上の主語で，「村上春樹がノーベル文学賞を受賞すること」の意味になる。

選択肢 ① be famous for A「Aで有名だ」→ **919**，③ be responsible for A「A に責任がある」→ **935**

916 **be willing to *do*** 「進んで…する」

空所のあとに to be という不定詞が続いているので，④ willing を入れて，**be willing to *do*** 「進んで…する」とする。

解答 **911** ③ **912** ① **913** ④ **914** has been very anxious to visit Japan again ever since he got
915 ② **916** ④

文法 語法 イディオム 会話・表現 ボキャブラリー 英文構造

917 Keiko was <u>not willing</u> to go to college until recently. 同意選択 （清泉女子大）
① consistent ② contented
③ disappointed ④ reluctant

918 持ち物はすべて，ここに置いていかなくてはなりません。 並べかえ （東北学院大学）
You (　)(　)(　)(　) all (　)(　) here.
(are / belongings / leave / required / to / your)

Section 206

919 Sapporo is famous (　) its snow festival. （芝浦工業大）
① for ② as ③ in ④ of

920 Kyoto is known (　) its old, beautiful temples. （武蔵大）
① as ② for ③ from ④ to

921 Tom is familiar (　) Japanese traditions. （日本大）
① off ② for ③ at ④ with

922 Our summer house is <u>close to</u> Lake Kawaguchi. （拓殖大）
① similar to ② near ③ on ④ over

---

917 ケイコは最近まで大学に行くのは気が進まなかった。
919 札幌は雪祭りで有名だ。
920 京都は古く美しい寺院で知られている。
921 トムは日本の伝統をよく知っている。
922 うちの夏の別荘は河口湖の近くにある。

917 **be reluctant to *do***　「…するのは気が進まない」

be willing to *do*「進んで…する」の否定形と同じ意味は，be reluctant to *do*「…するのは気が進まない」で表す。

918 **be required to *do***　「…しなければならない」

「…しなければならない」を be required to *do* で表す。「持ち物すべてを置いていく」は leave all your belongings。be required to *do* は「…するように義務付けられている」から「…しなければならない」の意味になる。

> **Section** **206**⟨⟨be ＋形容詞＋前置詞⟩の形をとるイディオム⟩

919 **be famous for A**　「A で有名だ」

be famous for A で「A で有名だ」という意味を表す。famous はよい意味で有名である場合に用いられ，類義語の well-known はよい意味でも悪い意味でも用いることができる。
《ココも注目》②be famous as A「A として有名だ」では⟨主語＝A⟩の関係が成り立つ。
Hemingway **is** famous **as** the author of "The Old Man and the Sea."
（ヘミングウェイは『老人と海』の作者として有名だ）

920 **be known for A**　「A で知られている，A で有名だ」

be known for A で「A で知られている，A で有名だ」の意味。
誤答 ① be known as A は，A が主語とイコールの関係になる場合に用いるので，誤り。

921 **be familiar with A**　「A をよく知っている，A に精通している」

be familiar with A で「A をよく知っている，A に精通している」の意味を表す。
◎ 一緒に確認 be familiar to A は「A によく知られている」という意味で，A は⟨人⟩。

922 **be close to A**　「A に近い」

be close to A で「A に近い」の意味。同じ意味は near「…の近くに」を用いて表す。
◎ 一緒に確認 be close to A には「もう少しで A しそうである」の意味もある。この意味の場合，come を用いることもある。
He **was[came]** close to tears.（彼は今にも泣きそうだった）

解答 **917** ④ **918** are required to leave / your belongings **919** ① **920** ②
921 ④ **922** ②

923 I was pleased (　　) the actor's performance. 　　(日本大)
① for 　　② of 　　③ to 　　④ with

924 What the author of the book is concerned (　　) is Internet security.
① about 　　② of 　　③ into 　　④ in 　　(法政大)

925 彼女のことが心配なら，電話したら？ 　　[並べかえ] (東北学院大)
If you (　　) (　　) (　　) her, why (　　) (　　) (　　) (　　) (　　)?
(a call / about / are / don't / give / her / worried / you)

926 I was so (ashamed / had / the mistake / I / of) made. 　　(椙山女学園大)

927 I am tired of the noise my neighbors are making. 　　[同意文] (活水女子大)
I am fed (　　) with the noise my neighbors are making.

928 One of my friends is very (　　) about the food when we travel together.
① general 　　② special 　　③ affectionate 　　④ particular 　　(岐阜聖徳学園大)

929 Don't be (　　) of making mistakes when you speak English. 　　(福井県立大)
① afraid 　　② worried 　　③ anxious 　　④ sorry

---

923 私はその俳優の演技に満足していた。
924 その本の著者が懸念しているのは，インターネットのセキュリティだ。
926 私は自分が犯した間違いをとても恥じていた。
927 隣人がたてる騒音に私はうんざりしている。
928 友人のうちの一人は，一緒に旅行するとき食べ物にとてもうるさい。
929 英語を話すとき，間違うことを恐れないで。

923 **be pleased with A** 「**A** に喜んでいる，満足している」

be pleased with A で「A に喜んでいる，満足している」の意味。
Vocab performance「演技」

924 **be concerned about A** 「**A** を心配する，懸念する」

be concerned about A で「A を心配する，懸念する」という意味を表す。
◎ **一緒に確認** be concerned with A「A に関心を持つ」
be concerned in A「A (犯罪など) に関わっている」

925 **be worried about A** 「**A** を心配している」

「…が心配だ」は be worried about A「A を心配している」を用いて表すことができる。
「…したら？」は Why don't you ...?「…してはどうか」で表す。「電話する」は「彼女に電話をする」のだから，give her a call と表す。
《ココも注目》 Why don't you *do* ... ?「…してはどうか」は提案や助言を表す表現。**423**

926 **be ashamed of A** 「**A** を恥じている」

be ashamed of A で「A を恥じている」の意味。of のあとは the mistake を続け，そのあとに関係代名詞節 I had made を続ける。間違いを犯したのは恥じていた時よりも前のことなので過去完了形になっている。
注目 I was so ashamed of the mistake [(which) I had made].

927 **be fed up with A** 「**A** にうんざりしている」

be tired of A で「A にうんざりしている」という意味。be fed up with A で同じ意味を表す。
◎ **一緒に確認** be sick of A「A にうんざりしている」

928 **be particular about A** 「**A** について好みがうるさい」

人が主語で be ( ) about の形で用いるのは④ particular。be particular about A で「A について好みがうるさい」を意味する。

929 **be afraid of A** 「**A** を恐れている」

選択肢の中で of を続ける形容詞は afraid のみ。be afraid of A で「A を恐れている」。
選択肢 ② be worried about A「A を心配している」→ **925**，③ be anxious about A「A を心配している」，④ be sorry for[about] A「A を気の毒に思っている」

解答 **923** ④ **924** ① **925** are worried about ／ don't you give her a call
926 ashamed of the mistake I had **927** up **928** ④ **929** ①

930 The manager was (　) the problem. (岐阜聖徳学園大)
① aware of　② able to　③ capable of　④ proud of

931 He is good (　) playing the guitar. (熊本県立大)
① at　② in　③ to　④ for

932 彼女は，娘が医者であることを誇りにしている。 適語補充 (兵庫県立大)
She is (　　　　　) of her daughter (　　　　　) a doctor.

933 私はその小説に夢中になってしまって，友達に電話するのを忘れた。 並べかえ
I was (in / the / absorbed / novel) and forgot to call my friend. (摂南大)

934 The sales manager was stuck in traffic, and so he was (　) for work.
① close　② late　③ unable　④ usual (関西学院大)

935 The hotel is not (　) for cash or other valuables left in the room.
① restless　② respectable　③ resolved　④ responsible (名城大)

936 Some researchers say that many allergies are (　) to diet. (南山大)
① joined　② related　③ associated　④ caused

---

930 経営者はその問題に気づいていた。
931 彼はギターを弾くのが上手だ。
934 営業部長は渋滞につかまってしまって，仕事に遅刻した。
935 ホテルは，部屋に残された現金やその他の貴重品について責任を負いません。
936 多くのアレルギーは食事と関係していると言う研究者もいる。

930　be aware of A 「A に気づいている」

空所のあとに the problem「問題」が続くので，①が正解。be aware of A で「A に気づいている」の意味を表す。

選択肢 ② be able to *do* で「…できる」，③ be capable of A「A の能力がある」，④ be proud of A「A を誇りに思う」→ 932

931　be good at A 「A が上手だ」

be good at A で「A が上手だ」の意味。

誤答 ④ be good for A「（健康など）によい」

932　be proud of A 「A を誇りに思う」

「…を誇りにしている」は be proud of A「A を誇りに思う」を用いて表す。of は前置詞なので，あとに動詞を続けるときは動名詞にする。「医者であること」は being a doctor。「娘が医者であること」なので，意味上の主語である her daughter を動名詞の前に置いている。

933　be absorbed in A 「A に没頭している」

「A に夢中になっている」は be absorbed in A「A に没頭している」で表す。

934　be late for A 「A に遅れる」

be stuck in traffic で「交通渋滞につかまっている」の意味。その結果として「彼は仕事に遅刻した」となると考えられるので，be late for A「A に遅れる」を用いる。

935　be responsible for A 「A に責任がある」

「ホテルは忘れ物には責任を負わない」という意味にすると推測できるので，be responsible for A「A に責任がある」を用いる。be responsible for A には「（主語が）A の原因である，A を招いた」という意味もある。

《ココも注目》 left in the room は cash or other valuables を修飾する過去分詞句。

936　be related to A 「A に関係している」

that 以下は say の目的語。be related to A で「A に関係している」の意味。

Vocab allergy「アレルギー」，diet「食べ物，食事」

解答　930 ①　931 ①　932 proud, being　933 absorbed in the novel　934 ②　935 ④　936 ②

Field 1 文法　Field 2 語法　Field 3 イディオム　Field 4 会話・表現　Field 5 ボキャブラリー　Field 6 英文構造

937 The glass is half (　　) of orange juice. (名古屋学芸大)

① filled　　② overflowing　　③ pour　　④ full

938 彼は，警官になるために必要な身長に，3 センチ足りなかった。 (中央大)

He was three centimeters (　　) of the height required to become a police officer.

① narrow　　② little　　③ small　　④ short

939 Do you think there is a life <u>free from</u> worry and anxiety?　同意選択

① owing to　　② over　　③ without　　④ for the purpose of (駒澤大)

940 これらの操作は，脳内の認知プロセスに似ているかもしれません。 (名城大)

These operations may be similar (　　) cognitive processes in the brain.

① with　　② from　　③ by　　④ to

941 She had a desire to study abroad, but her parents were against the idea.

Although she wanted to study abroad, her parents were (　　) to it.

① opposed　　② turned　　③ denied　　④ allowed　同意文 (相模女子大)

942 On my way to work I was involved (　　) a traffic accident. (千歳科学技術大)

① at　　② on　　③ in　　④ with

943 Not all novelists are indifferent (　　) politics. (青山学院大)

① at　　② for　　③ of　　④ to

944 To be regularly (　　) to strong sunlight may cause skin cancer. (清泉女子大)

① exposed　　② imposed　　③ opposed　　④ reposed

---

937 コップにはオレンジジュースが半分入っている。

939 悩みや心配がない人生はあると思いますか。

941 彼女は留学したいという望みを抱いていたが，彼女の両親はその考えに反対していた。／彼女は留学したいと思っていたが，彼女の両親はそれに反対だった。

942 仕事に行く途中で私は交通事故に巻き込まれた。

943 すべての小説家が政治に無関心なわけではない。

944 強い日差しにしばしばさらされることが皮膚がんの原因になるかもしれない。

937 be full of A 「(容器などが) A で満ちた」

be ( ) of の形で用いるのは④ full。be full of A で「(容器などが) A で満ちた」を表す。ここでは half があるので，コップの半分まで入っている状態。
〔誤答〕① fill は動詞。fill A with B で「AをBで満たす」。受動態は be filled with B。

938 be short of A 「A が不足している」

「足りない」を be short of A「A が不足している」を用いて表す。
《ココも注目》required to become a police officer は the height を修飾する過去分詞句。「警察官になるために必要とされる身長」の意味。

939 be free from A 「A がない」

be free from A は「A がない」を表す。この文では，free from ... が後ろから前の名詞の a life を修飾している。③ without が同意表現。
〔選択肢〕① owing to A「A のために」→ 1053，④ for the purpose of A「A のために (目的)」

940 be similar to A 「A に似ている」

「A に似ている」は be similar to A で表す。be like A と書きかえられる。

941 be opposed to A 「A に反対している」

be against A で「A に反対している」の意味を表す。同様の意味は，be opposed to A「A に反対している」で表せる。
◎〔一緒に確認〕「A に反対する」は，他動詞 oppose A や自動詞 object to A (→ 1206) でも表せる。
be opposed to A = oppose A = object to A となる。

942 be involved in A 「A に巻き込まれる」

be involved in A で「A に巻き込まれる」の意味を表す。

943 be indifferent to A 「A に無関心である」

be indifferent to A は「A に無関心である」という意味。not all は部分否定で「すべての…が～とは限らない」の意味を表す。→ 430

944 be exposed to A 「A にさらされる」

may cause に注目。この〈助動詞＋動詞の原形〉がこの文の述語動詞。To be ... sunlight が主部。( ) のあとに to strong sunlight があるので，be exposed to A「A にさらされる」の形にする。

解答 937 ④ 938 ④ 939 ③ 940 ④ 941 ① 942 ③ 943 ④ 944 ①

945 (A) The (　) of this paper is very unusual. 　　　共通語補充 (日本大)
(B) My family are all (　) to colds.
① content　② index　③ matter　④ subject

946 The train bound (　) Pelham arrives at 1:23. 　　　(明治大)
① by　② for　③ in　④ with

947 Mark was totally dependent (　) his parents until he got married.
① of　② on　③ in　④ with 　　　(中部大)

948 He wants to be independent (　) his parents. 　　　(駒澤大)
① by　② on　③ of　④ in

949 This opera is made up of three acts. 　　　同意選択 (流通経済大)
① results in　② consists of　③ excludes　④ is deprived of

950 The theory was based on data from many experiments and observations.
① denied by　② developed from 　　　(中部大)
③ differed from　④ supposed to

Section 207

951 Everything is packed, and we are (　) to leave. 　　　(神戸学院大)
① boring　② busy　③ ready　④ start

---

945 (A) この論文のテーマはかなり独特だ。／ (B) 私の家族は皆，風邪をひきやすい。
946 ペラム行きの列車は1時23分に到着します。
947 マークは結婚するまですっかり両親に頼っていた。
948 彼は両親から独立したいと思っている。
949 このオペラは3幕で構成されている。
950 その理論は，多くの実験と観察からのデータに基づいていた。
951 すべては荷造りされていて，私たちはいつでも出発できる。

945 **be subject to A** 「A (病気など) にかかりやすい，A (被害・悪影響) を受けやすい」

(B) be subject to A は「A (病気など) にかかりやすい」の意味を表す。(A) の subject は「主題，テーマ」の意味。

《ココも注目》be subject to A には「(被害・悪影響) を受けやすい」の意味もある。
This area **is** **subject** **to** floods. (この地域は洪水が起こりやすい)

946 **be bound for A** 「A 行きである」

bound は be bound for A の形で「A 行きである」という意味を表す。この文では bound for Pelham が，前の The train を後ろから修飾している。

947 **be dependent on A** 「A に頼っている」

be dependent on A は「A に頼っている」の意味を表す。

948 **be independent of A** 「A に依存しない，頼らない」

be independent of A は「A に依存しない，頼らない」を意味するので③ of が正解。

949 **be made up of A** 「A から成り立っている」

be made up of A は「A から成り立っている」の意味を表す。consist of A「A から成り立っている」と同意表現。

選択肢 ① result in A「A という結果になる」，③ exclude「…を除外する」，④ deprive A of B「A から B を奪う」

950 **be based on A** 「A に基づく」

be based on A は「A に基づく」の意味を表す。同じ意味が，develop B from A「A から B を展開させる」の受動態，B is developed from A「B は A に基づく」で表現することができる。

選択肢 ① be denied by A「A に否定される」，③ differ は自動詞で，differ from A「A と異なる」，④ be supposed to *do*「…することになっている」→ **911**

Section 207 形容詞を使ったイディオム・形容詞の意味を表すイディオム

951 **be ready to *do*** 「いつでも…できる，…する用意がある」

「すべて荷造りしてある」とあるので，be ready to *do*「いつでも…できる，…する用意がある」の形にして「いつでも出発できる」とする。

解答 **945** ④ **946** ② **947** ② **948** ③ **949** ② **950** ② **951** ③

952 Please feel ( ) to have more coffee. We have plenty. (大東文化大)
① free　　② good　　③ sorry　　④ easy

953 The first time I went abroad three years ago, I felt <u>ill at ease</u>. 同意選択
① disappointed　　　　② excited (日本大)
③ pleased　　　　　　④ uncomfortable

954 Jason is very <u>wealthy</u> and that's why he has a luxury car. (東海大)
① well known　　　　② well off
③ well ordered　　　　④ well organized

955 We cannot use the computer right now because it is ( ) order. (山梨大)
① outcome　　② out of　　③ outside　　④ out with

956 Without a scholarship, studying abroad would be <u>out of the question</u>. (玉川大)
① ready　　② practical　　③ easy　　④ impossible

Section 208

957 My old friend, Janet, called me last night <u>out of the blue</u>. (日本大)
① from outside　　　　② sadly
③ under fine skies　　④ unexpectedly

958 <u>All at once</u>, all the lights in the house went out. (駒澤大)
① finally　　② potentially　　③ unfortunately　　④ suddenly

---

952 遠慮なくコーヒーのおかわりをどうぞ。たっぷりありますから。
953 3年前に初めて外国へ行ったとき，私は落ち着かなかった。
954 ジェイソンはとても裕福で，だから高級車を持っている。
955 故障中なので，現在そのコンピュータは使えません。
956 奨学金がなければ，留学など不可能だろう。
957 旧友のジャネットが昨夜，突然私に電話をかけてきた。
958 突然，家の明かりがすべて消えた。

952 feel free to *do* 「遠慮なく…する」

We have plenty. は We have plenty of coffee.「コーヒーはたっぷりあります」という意味なので, ① free を入れて **feel free to *do*** 「遠慮なく…する」の形にする。

953 ill at ease 「不安で，落ち着かなくて」

ill at ease は at ease「気楽に，くつろいで」の反意語で，「不安で，落ち着かなくて」という意味を表す。④ uncomfortable は comfortable「心地よい，くつろいだ」の反意語で「不快な，落ち着かない」という意味なので，これを選ぶ。

《ココも注目》〈**the first time + S′+ V′**〉は「初めて S′が V′ するとき」。

954 well off 「裕福な」

wealthy「裕福な」と同じ意味を表すのは② well off。**well off** で「裕福な」の意味を表し，比較級 better off にすると「暮らし向きがよくなって」の意味になる。

《ココも注目》**that's [that is] why ...** は「そういうわけで…」→ 214

955 out of order 「故障して」

前半に「そのコンピュータは使えない」とあるので, **out of order**「故障して」を用いる。out of order は設備や機械などが故障している場合に用い，個人の持ち物が故障していることを言う場合には broken を用いる。

956 out of the question 「不可能な，問題外の」

out of the question は「不可能な，問題外の」の意味で，④ impossible と同意。

《ココも注目》would は仮定法で，without で始まる句が if 節の代わりをしている。

Section 208 ◇「時」を表す副詞句をつくるイディオム

957 out of the blue 「突然」

out of the blue は「突然」という意味を表す慣用句。a bolt out of the blue「青い空からの稲光」が元の形で，「青天の霹靂 (へきれき)」(霹靂は雷鳴の意味)という慣用句と一致する。④ unexpectedly「思いがけなく，突然に」と同意。

958 all at once 「突然」

この **all at once** は「突然」の意味で，④ suddenly と同意。all at once には「いっせいに，すべて同時に」という意味もある。

◎ 一緒に確認 **all of a sudden**「突然」

解答 952 ① 953 ④ 954 ② 955 ② 956 ④ 957 ④ 958 ④

959 The customer wants the computer to be fixed <u>at once</u>. 〔同意選択〕(東海大)
① in the end　　② next time　　③ nearby　　④ right away

960 He has to deal with any complaints about goods from customers <u>right away</u>. (中央大)
① constantly　　　　　　② definitely
③ eventually　　　　　　④ immediately

961 The man seems to have left this country <u>for good</u>. (桜美林大)
① officially　　② proudly　　③ permanently　　④ secretly

962 私の友達は, 遅かれ早かれその秘密に気づくでしょう。　〔並べかえ〕(立命館大)
Sooner (about / find / later / my friend / or / out / will) the secret.

963 今までのところをおわかりいただけましたら, 次の点について説明いたします。
If you understand what I've said so (　　　　　　　), let's go onto the
next point. 〔適語補充〕(西南学院大)

964 I arrived at the station just (　　) time to catch the eleven o'clock train.
① at　　② by　　③ in　　④ near (名城大)

965 We want to start the meeting (　　) time, so please don't be late. (創価大)
① at　　② by　　③ in　　④ on

---

959 その客は直ちにコンピュータを修理してほしいと思っている。
960 彼は消費者からの商品に関するどんな苦情にも直ちに対処しなければならない。
961 その男性は永久にこの国を去ったようだ。
964 私は 11 時の電車に乗るのにぎりぎり間に合って駅に着いた。
965 私たちは会議を時間通りに始めたいので, 遅れないでください。

959 **at once** 「直ちに，すぐに」

at once は「直ちに，すぐに」の意味で，④ right away「直ちに，すぐに」と同意。at once には「同時に，一度に」という意味もある。

(選択肢) ① in the end「結局，最終的に」

960 **right away** 「直ちに，すぐに」

right away は「直ちに，すぐに」の意味で，④ immediately と同意。

(《ココも注目》) **deal with A** は「A（問題など）を処理する」。→ **750**

(選択肢) ① constantly「たえず」，② definitely「確かに」，③ eventually「最終的に」

961 **for good** 「永遠に，永久に」

for good は「永遠に，永久に」の意味で，permanently「永久に」と同じ意味。

962 **sooner or later** 「遅かれ早かれ，いずれそのうちに」

「遅かれ早かれ」は sooner or later。

(《ココも注目》) **find out about A**「A に関する事実に気づく」

963 **so far** 「今までのところ」

「今までのところ」は so far で表す。

(《ココも注目》) **go onto A**「（続けて）A に取りかかる」は **go on to A** とすることもある。

964 **in time** 「間に合って」

in time は「間に合って」という意味。just in time で「ぎりぎり間に合って」という意味になる。

965 **on time** 「時間通りに」

on time で「時間通りに」という意味になる。

(誤答) **in time** は「間に合って」という意味。

966 メアリーはこれを最後に彼女の夢をあきらめた。　　適語補充 （高知大）

Mary gave up her dream once and for (　　　　　).

967 Linda goes to the beach on weekends, but <u>every now and then</u> she likes to go hiking in the mountains. （日本大）

① always　　② frequently　　③ lately　　④ sometimes

968 I am Chris Miller of ABC Company. I am writing to you (　　). （帝京大）

① for the first time　　② for first time

③ at first time　　④ as the first time

969 (　　) the project looked boring, but it turned out to be really interesting.

① At large　　② At all　　③ At most　　④ At first　　（芝浦工業大）

970 <u>For the time being</u>, everything looks fine. （駒澤大）

① Probably　　② Until now　　③ For now　　④ Finally

Section 209

971 We have spent a lot of time to work on the problem. It is now <u>as good as</u> solved. （二松學舍大）

① almost　　② previously　　③ still　　④ yet

---

967 リンダは週末に海辺に行くが，ときどきは山にハイキングに行くのも好きだ。

968 私は ABC 社のクリス・ミラーです。初めてお便りを差し上げます。

969 そのプロジェクトは，最初は退屈に見えたが，結局のところ実におもしろかった。

970 さしあたり万事うまくいっているようだ。

971 私たちはその問題に取り組むのに多くの時間を費やしてきた。それはもはや解決したも同然だ。

966 once and for all 「これを最後に，きっぱりと」

「これを最後に」はonce and for all で表す。

967 (every) now and then 「ときどき」

every now and then は「ときどき」の意味で，④ sometimes と同じ意味。
選択肢 ② frequently「しばしば」，③ lately「最近，この頃」

968 for the first time 「初めて」

すべての選択肢に first, time が入っているので「初めて」の意味を正しく表す表現を選ぶ。
for the first time で「初めて」という意味を表す。

969 at first 「最初は，初めのうちは」

後半にある turn out to be A は「（結局）A だとわかる」の意味なので，前半は「そのプロジェクトは，最初は退屈に見えた」という意味を表すはず。「最初は…だが，結局は〜だ」という意味での「最初は」は，at first で表す。
《ココも注目》 turn out to be A「（結局）A だとわかる，判明する」→ 739

970 for the time being 「当分の間，さしあたり」

for the time being は「当分の間，さしあたり」という意味で，現在から先の短い間のことを言う。for now が同じ意味を表す。
選択肢 ① probably「おそらく」，② until now「今まで（は）」，④ finally「ついに」

〈 Section 209 〉・ 副詞のはたらきをするイディオム 〉

971 as good as ... 「…したも同然で」

形容詞，過去分詞，動詞の前で as good as ... は「…したも同然で」の意味になる。同じ意味は almost「ほとんど」で表す。

972 They had a long discussion and came to (　) the same opinion.
① more or less
② more and more
③ no more than
④ no less than
（東京歯科大）

973 (　) often than not, boys start to sound like their fathers as they grow up.
（学習院大）
① Less　② Little　③ More　④ Much

974 そんなことはほとんど起こらないと言ってよい。　並べかえ （専修大）
It is (　) (　) (　) that (　) a (　) (　) happen.
(next / thing / impossible / such / to / should)

975 I strived to make up for my mistake but failed.　同意文 （東京理科大）
I strived to make up for my mistake in (　).
① contrast　② mistake　③ reverse　④ vain

976 They gave us some food as (　) as something to drink.　（宮崎大）
① also　② good　③ nice　④ well

977 We were given ten weeks to complete the project, but we were able to finish it (　) of schedule.　（南山大）
① advance　② before　③ front　④ ahead

---

972 彼らは長い議論の末，ほぼ同じ意見になった。
973 たいていの場合，男の子は成長するにつれて父親に声が似てくる。
975 私は失敗を埋め合わせようと努力したが，むだだった。
976 彼らは私たちに飲み物だけでなく食べ物もくれた。
977 そのプロジェクトを仕上げるのに 10 週間が与えられたが，私たちはそれを予定より早く終えることができた。

972 **more or less** 「およそ，だいたい」

come to A は「結局 A ということになる」という意味。「だいたい同じ意見になった」となるように① more or less「およそ，だいたい」を選ぶ。

973 **more often than not** 「たいてい，通常は」

more often than not で「たいてい，通常は」の意となる。この文の sound like A は「A と声が似ている」という意味。

974 **next to ...** 「(通例否定の意味を含む語句の前で) ほとんど…」

It is impossible that such a thing should happen. で「そんなことが起こるのはあり得ない」という意味を表すので，残った next と to を impossible の前に置く。next to ... は，否定の意味を含む語句の前に置いて「ほとんど…」という意味を表すことができる。
《ココも注目》 It is impossible that ... の that 節内では，〈(should) + do〉を用いる。

975 **in vain** 「むだに」

but failed「しかし，だめだった」とあるので，in vain「むだに」で書きかえる。
◎ 一緒に確認 for nothing「むだに」でも同じ意味。→ 1007
《ココも注目》 strive to do「…しようと努力する，骨を折る」
make up for A「A (損失など) を補う，埋め合わせる」→ 836
選択肢 ① in contrast「対照的に」

976 **A as well as B** 「B だけでなく A も」

「彼らは飲み物だけでなく食べ物もくれた」の意味になると考えられる。「B だけでなく A も」は A as well as B で表すので，④が正解。
◎ 一緒に確認 A as well as B が主語になる場合，動詞は A に合わせる。
Jeff **as well as** his boys **enjoys** doing jigsaw puzzles on holidays.
(息子たちだけでなくジェフも休日にジグソーパズルをするのを楽しむ)

977 **ahead of A** 「A より前に，A より早く」

( ) of schedule で「予定より早く」という意味になると考え，ahead of A「A より前に，A より早く」を用いる。ahead of A は空間的に「A の前に」という意味を表すこともできる。
◎ 一緒に確認 behind schedule「予定より遅れて」→ 1012

解答 **972** ① **973** ③ **974** next to impossible ／ such ／ thing should **975** ④ **976** ④ **977** ④

978 Even though she can be a very annoying person, I think you should apologize ( ). （東京理科大）
① all the better　② in all　③ of all　④ all the same

979 <u>By and large</u>, what she said was true. 同意選択 （東海大）
① At the most　　　② Generally speaking
③ In the long run　　④ What is more

980 その子は靴下を裏返しにはいていた。 適語補充 （西南学院大）
The child wore his socks inside ( ).

inside out
「裏返しに」

upside down
「上下逆さまに」

back to front
「後ろ前に」

---

978 彼女が非常に腹立たしい人でありうるにせよ，それでもやはりあなたは謝るべきだと思う。
979 全体的に見て，彼女が言うことは本当だった。

978 **all the same** 「それでもやはり」

「彼女が非常に腹立たしい人であるにせよ，（　　）あなたは謝るべきだと思う」という意味なので，④ **all the same** 「それでもやはり」を入れる。**all the same** は前述の内容に対して「そうではあってもやはり」という意味を表すのに用いられ，文や節の最初または最後に置かれる。

◎ 一緒に確認 **nevertheless** 「それにもかかわらず」とほぼ同じ意味。→ 731

選択肢 ① all the better「なおさらよい」，② in all「全体で」，③ of all「すべての中で」

《ココも注目》 **even though ...** は「…ではあるけれども」の意味。→ 376

979 **by and large** 「全体的に見て，概して」

by and large は「全体的に見て，概して」という意味を表す。②の generally speaking は「一般的に言えば」という意味なので，ほぼ同じ意味。

選択肢 ① at (the) most「最大でも，せいぜい」，③ in the long run「長い目で見れば」→ 1207，④ what is more「そのうえ，さらに」

◎ 一緒に確認 on the whole「概して，全体から見て」→ 1017

980 **inside out** 「裏返しに」

「裏返しに」は **inside out** で表す。

◎ 一緒に確認 **upside down** 「上下逆さまに」，**back to front** 「後ろ前に」

Section 210

981 During our holiday trip, we came upon a crime scene ( ).　(芝浦工業大)
① by far　② by accident　③ lately　④ firstly

982 I met her ( ) when I was shopping downtown.　(福岡大)
① by chance　　　② in chance
③ happening　　　④ in happening

983 He broke my computer, but he didn't do it on purpose.　同意選択 (東海大)
① deliberately　　② preferably
③ responsibly　　④ hesitantly

984 He is getting better by degrees.　(国士舘大)
① easily　② eventually　③ gradually　④ speedily

985 My father will probably come home before long.　(福岡工業大)
① last　② fast　③ late　④ soon

986 I often go to the museum on ( ).　(大阪経済法科大)
① walk　② step　③ foot　④ leg

987 If you feel at ( ), you feel comfortable and at ease in the place or situation that you are in.　(跡見学園女子大)
① home　② last　③ once　④ random

988 彼らに共通するところは何もない。　適語補充 (山梨大)
They have nothing in ( ).

---

981 休暇旅行中に，私たちは偶然に犯罪現場に出くわした。
982 繁華街で買い物をしていたとき，私は偶然彼女に会った。
983 彼は私のコンピュータを壊したが，わざとやったわけではなかった。
984 彼は少しずつよくなってきている。
985 父はまもなく帰宅するだろう。
986 私はよく博物館へ徒歩で行く。
987 あなたがくつろいでいると感じるなら，あなたがいる場所や状況において，心地よくて気楽に感じるということだ。

Section 210 〈前置詞＋名詞〉のイディオム

981 **by accident** 「偶然に」

come upon A は「A に出会う，A を見つける」の意味。「私たちは（　　）犯罪現場に出くわした」という意味になるので，② by accident「偶然に」を選ぶ。

選択肢 ① by far「(最上級を強調して) はるかに」→ **283**，③ lately「最近」，④ firstly「まず」

982 **by chance** 「偶然に」

選択肢に chance や happening という語があることから，空所には「偶然に」という意味を表す語 (句) が入ると考える。この意味を表しているのは① by chance。

◎ **一緒に確認** **by accident**「偶然に」，**accidentally**「偶然に」も同じ意味。happen to *do* で「偶然…する」。

983 **on purpose** 「故意に，わざと」

on purpose は「故意に，わざと」の意味で，① deliberately と同意。

選択肢 ② preferably「できれば」，③ responsibly「責任をもって」，④ hesitantly「ためらって」

984 **by degrees** 「次第に，少しずつ」

by degrees は「次第に，少しずつ」という意味で，③ gradually と同意。

選択肢 ① easily「容易に」，② eventually「最終的に」，④ speedily「敏速に」

985 **before long** 「まもなく」

before long は「まもなく」という意味で副詞句。④ soon が同意表現。

986 **on foot** 「徒歩で」

on foot で「徒歩で」の意味。by foot とも言う。

987 **at home** 「気軽に，くつろいで」

「あなたが居る場所や状況において，心地よくて気楽に感じる」を表す語句は at home「気軽に，くつろいで」。at home には「在宅して」の意味もある。

《ココも注目》 **at ease**「気楽に」

選択肢 ② at last「ついに」，③ at once「すぐに」，④ at random「無作為に」

988 **in common** 「共通の，共通して」

「共通の」は in common で表す。

解答 **981** ② **982** ① **983** ① **984** ③ **985** ④ **986** ③ **987** ① **988** common

989 The clients had nothing ①but praise for Tom for his work, and ②in particularly, they were ③impressed with his skills in ④negotiation.

誤文指摘 (國學院大)

990 "Why did you bring an umbrella? It's sunny." "Well, you never know."
"Why did you bring an umbrella? It's sunny." "Well, just in (　　　)."

同意文 (明治大)

991 Are you going to talk to Ryan on the phone or meet him (　　) person?
① with　　② on　　③ in　　④ by (日本大)

992 Everything is (　　) control. We don't have to stay here any longer.
① below　　② among　　③ for　　④ under (亜細亜大)

Section 211

993 It was impossible for Mika to move the table on (　　), so Taichi helped her. (専修大)
① her　　② herself　　③ her own　　④ hers

994 実は，私はパリに二度，行ったことがある。 (東京理科大)
As a (　　) of (　　), I have been to Paris twice.
① point － importance　　② matter － fact
③ genuine － truth　　④ note － particular

List 94　matter を用いたイディオム

☐ to make matters worse「さらに悪いことに」→ 143
☐ no matter how ＋形容詞 [副詞]「どれほど…でも」→ 238
☐ no matter what ...「何が…しても，何を…しても」→ 239
☐ as a matter of fact「実は」→ 994
---

995 彼は学校にめったに遅れない。だが弟はいつも遅刻している。 並べかえ (専修大)
He is (　　) ever late for school; (　　)(　　)(　　)(　　), his brother is always late.
(on / hardly / other / hand / the)

---

989 取引先にはトムの仕事への称賛しかなかった。特に，彼らは彼の交渉術に感心していた。
990 「どうして傘を持ってきたのですか。晴れているのに」「ええ，念のためです」
991 あなたはライアンと電話で話すつもりですか。それともじかに彼に会うつもりですか。
992 すべてうまくいっている。もはや私たちがここに留まる必要はない。
993 ミカが自分ひとりでそのテーブルを動かすのは無理だったので，タイチが彼女を手伝った。

989 **in particular** 「特に，とりわけ」

②は前置詞 in のあとに副詞の particularly が続いているのが誤り。in particular と〈前置詞＋名詞〉の形にするのが正しい。in particular で「特に，とりわけ」の意味。

《ココも注目》 **nothing but A**「ただ A だけ」

990 **(just) in case** 「念のため」

You never know.「どうなるかわからないからね」は，just in case「念のため，万一の場合に備えて」で書きかえられる。just は省略することもできる。

991 **in person** 「直接，じかに」

「電話で話すか，それとも（　　）会うか」という意味なので，in person「直接，じかに」とする。

992 **under control** 「統制されて，管理されて」

under control で「統制されて，管理されて」の意味。

《ココも注目》 **don't have to**「…する必要はない」の意味。→ **54** **not … any longer**「もはや…ない」。→ **270**

《 Section **211** 》•〈 名詞・代名詞を使ったイディオム 〉

993 **on *one's* own** 「自力で，独力で」

on *one's* own で「自力で，独力で」という意味を表す。なお，on *one's* own には「ひとりぽっちで (= alone)」の意味もある。

◎《一緒に確認》 by *oneself* にも「独力で」の意味がある。

994 **as a matter of fact** 「実は」

「実は」は as a matter of fact で表す。as a matter of fact は，前に述べたことを補足・強調する具体例を述べるときに「実は」という意味で使われる。また，訂正や反論を述べるときに「(ところが) 実際には」という意味で使われることもある。

995 **on the other hand** 「一方」

「めったに…ない」は hardly ever を用いて表す。「だが」は「彼」と「弟」の対比を表しているので，on the other hand「一方」を用いて表す。

《ココも注目》 **hardly ever** は「ほとんど…ない，めったに…ない」の意味。→ **711**

解答 **989** ② (in particularly → in particular) **990** case **991** ③ **992** ④ **993** ③ **994** ②
995 hardly / on the other hand

996 広報担当の方をお願いします。 <u>並べかえ</u> （中央大）

I'd (someone / in / to / like / charge / of / to talk) public relations.

997 Those who were <u>in favor of</u> a higher sales tax were in the minority at that time. <u>同意選択</u> （日本大）

① against ② beyond ③ for ④ with

List 95　賛成・反対を表す表現

□ **for**	「…に賛成して」→ 307	□ **against**	「…に反対で」→ 308
□ **in favor of** A	「A に賛成して」→ 997		
□ **agree with** A	「A に賛成する，同意する」		
□ **disagree with** A	「A に不賛成である」		
□ **oppose** A	「A に反対する」	□ **object to** A	「A に反対する」→ 1206
□ **be opposed to** A	「A に反対している」→ 941		

---

998 The chairperson named the charity in honor (　　) her youngest son.

① after ② of ③ over ④ for （法政大）

999 Careless mistakes during tests must be avoided at all (　　). （南山大）

① costs ② chances ③ ways ④ means

1000 People don't ask questions (　　) appearing ignorant. （駒澤大）

① for the sake of ② in front of
③ in place of ④ for fear of

1001 彼の突然の出発にとても驚いています。何と言っていいかわかりません。

I am quite surprised at his sudden departure. I (a / for / loss / am / words / at). （高知大）

1002 This software can check for the computer virus around the (　　).

① clock ② time ③ watch ④ hour （青森公立大）

1003 The rock bands played at the festival <u>in succession</u>. （関東学院大）

① one after another ② each other
③ one more time ④ each way

---

997 その当時，売上税増税に賛成する人は少数派だった。
998 議長は彼女の末の息子に敬意を表してその慈善事業に名前をつけた。
999 テスト中のケアレスミスは是が非でも避けなければならない。
1000 人々は無知に見えるのを恐れて，質問をしない。
1002 このソフトウェアは 24 時間コンピュータウイルスをチェックできる。
1003 フェスティバルでロックバンドが次々に演奏した。

996 ┃ **in charge of A** ┃ 「A を担当して，A の責任を持って」

「…をお願いします」は「…と話したいです」という意味だと考え，(I'd) like to talk to …
と表す。「広報担当の方」は **in charge of A**「A を担当して」を用いて someone in
charge of public relations とする。

997 ┃ **in favor of A** ┃ 「A に賛成して」

in favor of A は「A に賛成して」の意味で，前置詞 for「…に賛成して」で書きかえられる。
選択肢 ① against「…に反対して」
《ココも注目》 <u>those who …</u> は「… (な) 人々」。→ **617**

998 ┃ **in honor of A** ┃ 「A に敬意を表して，A を記念して」

honor は「尊敬，敬意」という意味の名詞で，**in honor of A** で「A に敬意を表して，A
を記念して」という意味を表す。

999 ┃ **at all costs / at any cost** ┃ 「どんな代償を払っても，是が非でも」

① costs を入れれば，**at all costs**「どんな代償を払っても，是が非でも」という意味にな
り，文意が通る。at all costs は at any cost と言うこともある。

1000 ┃ **for fear of A** ┃ 「A を恐れて」

「人々は無知に見えるのを (　　)，質問をしない」という意味なので，④ **for fear of A**「A
を恐れて」を用いる。
選択肢 ① for the sake of A「A の (利益の) ために」，② in front of A「A の前で」，③ in place of
A「A の代わりに」→ **1032**

1001 ┃ **at a loss** ┃ 「困って，途方に暮れて」

「何と言っていいかわからない」は **at a loss**「困って，途方に暮れて」を使って，at a loss
for words「言葉に困って」と表す。

1002 ┃ **around the clock** ┃ 「24 時間ぶっ通しで，一日中」

around the clock で「24 時間ぶっ通しで，一日中」の意味。
Vocab check for A「A をチェックする」，computer virus「コンピュータウイルス」

1003 ┃ **one after another** ┃ 「次々に」

in succession は「相次いで，次々に」という意味。ほぼ同じ意味は① **one after another**
「次々に」で表せる。
選択肢 ② each other「お互い」→ **639**，③ one more time「もう一回」

解答　**996** like to talk to someone in charge of　**997** ③　**998** ②　**999** ①　**1000** ④
1001 am at a loss for words　**1002** ①　**1003** ①

413

1004 My husband and I <u>occasionally</u> go shopping together. 同意選択 (福岡歯科大)
① from time to time　　② day after day
③ until now　　④ per hour

1005 Diana lives by herself near her college, but she visits her parents <u>now and then</u>. (玉川大)
① once in a while　② very often　③ all the time　④ regularly

1006 車を修理するということになると，ジョージは極めて優れた技術があって誰にも引けを取らない。 並べかえ (専修大)
(　) (　) (　) to repairing cars, George is highly skilled and (　)
(　) (　).
(to / comes / when / second / it / none)

1007 He invited us to attend the concert <u>for nothing</u>. (駒澤大)
① with no purpose　　② freely
③ for free　　④ with intention

1008 この子どもは泣いてばかりいる。 (国士舘大)
This child does (　) but cry.
① all　② anything　③ nothing　④ something

List 96　nothing を用いたイディオム

☐ **have nothing to do with** A 「Aと何の関係もない」
☐ **come to nothing** 「むだになる」
☐ **leave nothing to be desired** 「まったく申し分ない」→ 812
☐ **for nothing** 「無料で」→ 1007
☐ **nothing but** A 「ただ A だけ」
☐ **do nothing but** *do* 「…してばかりいる，…だけしかしない」→ 1008
☐ **there is nothing for it but to** *do* 「…するより仕方がない」

1009 Please keep your questions brief and <u>to the point</u>. (日本大)
① casual　② enjoyable　③ fascinating　④ relevant

1010 (A) Our university has been (　) for 130 years. 共通語選択 (國學院大)
(B) Children must obey their parents. Not the other way (　).
① over　② out　③ behind　④ around

1004 夫と私はときどき一緒に買い物に出かける。
1005 ダイアナは自分の大学の近くでひとり暮らしをしているが，ときどき両親を訪ねる。
1007 彼は私たちをそのコンサートに無料で招待してくれた。
1009 質問は簡潔で要を得たものにしてください。
1010 (A) 私たちの大学は130年間続いている。／ (B) 子どもは親に従わなければならない。その逆ではない。

1004 **from time to time** 「ときどき」

occasionally は，① **from time to time** 「ときどき」と同じ意味。

選択肢 ② day after day 「来る日も来る日も」

1005 **once in a while** 「ときどき，たまに」

(every) now and then 「ときどき」(→ **967**) は，① **once in a while** 「ときどき，たまに」と同じ意味。

選択肢 ③ all the time 「その間ずっと」，④ regularly 「定期的に」

1006 **second to none** 「誰にも負けない」

「…ということになると」は when it comes to ... で表す。「誰にも引けをとらない」は **second to none** 「誰にも負けない」で表すことができる。second to ... は「…に次ぐ」の意を表すので，second to none で「誰の次にもならない」，つまり「誰にも負けない」という意味になる。

《ココも注目》 when it comes to A は「A ということになると」。→ **909**

1007 **for nothing** 「無料で」

for nothing は「無料で」という意味で，③ for free と同意。for nothing には「むだに」という意味もある。

◎ 一緒に確認 **free of charge** も「無料で」という意味を表す。

誤答 ② freely は「自由に」という意味。

1008 **do nothing but** *do* 「…してばかりいる，…だけしかしない」

do nothing but *do* で「…してばかりいる，…だけしかしない」を表す。

誤答 ② do anything but *do* は「…する以外は何でもする」の意味。

1009 **to the point** 「適切な，要を得た」

to the point 「適切な，要を得た」と同じ意味を表す形容詞は④ relevant 「適切な」。brief 「短い，簡潔な」と組み合わせた brief and to the point 「簡単明瞭な」の形がよく用いられる。

《ココも注目》 〈keep + O(your questions) + C(brief and to the point)〉で「O を C に保つ」。

1010 **the other way around[round]** 「逆に，あべこべに」

(A) は be around で「(物が) 存在している，利用できる」という意味を表す。(B) は **the other way around** で「逆に，あべこべに」という意味を表す。the other way round と言うこともある。

解答 **1004** ① **1005** ① **1006** When it comes / second to none **1007** ③ **1008** ③ **1009** ④ **1010** ④

1011 My friend encouraged me by saying, "Your father will recover in no time. 同意選択 （福岡歯科大）
① very soon　　　　② for the present moment
③ behind time　　　④ every now and then

1012 The bus is running (　　) schedule this morning due to heavy rain.
① late　　② after　　③ delayed　　④ behind （福岡大）

1013 You shouldn't speak ill of a friend (　　) his or her back. （十文字学園女子大）
① under　　② after　　③ behind　　④ over

1014 The plan to construct a new plant is still up in the air. （駒澤大）
① uncertain　　　　② advertising
③ broadcasted　　　④ unexpected

1015 The assignment was really a piece of cake. （桜美林大）
① expensive　　② easy　　③ delicious　　④ sweet

1016 Although her friend helped her (　　), there was still too much to do.
① certain way　　　　② for a certainty （聖マリアンナ医科大）
③ on her own　　　　④ to some extent

1017 I enjoyed the party yesterday. The place was a little far from the subway station, but the food, on the whole, was good. （名城大）
① for a while　　② by and large　　③ in return　　④ at ease

1011 私の友人は「あなたのお父さんはすぐによくなるよ」と言って，私を励ましてくれた。
1012 バスは豪雨のせいで今朝は定刻よりも遅れて運行している。
1013 いないところで友人を悪く言うべきではない。
1014 新しい工場を建設する計画はいまだに未定である。
1015 その宿題は実に簡単だった。
1016 彼女の友人はある程度は彼女を助けてくれたが，まだすべきことがあまりにもたくさんあった。
1017 私は昨日のパーティーを楽しんだ。場所は地下鉄の駅から少し遠かったが，食事は全体としてよかった。

1011 | **in no time** 「すぐに」

in no time は「すぐに」を意味するので，① very soon が同じ意味を表す。
選択肢 ③ behind time「遅刻して」，④ every now and then「ときどき」→ **967**

1012 | **behind schedule** 「予定［定刻］よりも遅れて」

behind schedule で「予定［定刻］よりも遅れて」の意味。
《ココも注目》 due to A「Aが原因で，Aのせいで」→ **1054**
heavy rain「豪雨」→ **1125**

1013 | **behind A's back** 「Aのいないところで」

behind A's back で「Aのいないところで」の意味。
《ココも注目》 speak ill of A「Aを悪く言う」→ **784**
◎ 一緒に確認 behind the back of A も「Aのいないところで」の意味。

1014 | **up in the air** 「宙に浮いて，未定で」

up in the air は「宙に浮いて，未定で」の意味。同じ意味は① uncertain「不確かな，未定の」。
Vocab construct「…を建設する」

1015 | **a piece of cake** 「朝飯前なこと，簡単なこと」

a piece of cake で「朝飯前なこと，簡単なこと」の意味。
Vocab assignment「宿題，課題」

1016 | **to some extent** 「ある程度まで」

although があるので，後半の「まだすべきことがあまりにもたくさんあった」と逆接の内容になる。④ to some extent「ある程度まで」を用いれば，「ある程度は彼女を助けてくれたが」となり，意味が通る。
選択肢 ② for a certainty「確かに」，③ on one's own「自力で，独力で」→ **993**

1017 | **on the whole** 「概して，全体から見て」

on the whole は「概して，全体から見て」の意味。同意表現は② by and large「全般的に見て，概して」。→ **979**
選択肢 ① for a while「しばらくの間」，③ in return「お返しに」，④ at ease「気楽な［に］」

解答 **1011**① **1012**④ **1013**③ **1014**① **1015**② **1016**④ **1017**②

第 24 章 | Field 3 イディオム | 前置詞を用いた イディオム

Section 212

1018 According ( ) a recent survey, Kobe is one of the best places to live.
① in ② on ③ to ④ with
（関西学院大）

1019 ( ) for the details, please visit our website for more information.
① On ② By ③ As ④ In
（亜細亜大）

1020 ( ) popular belief, Sydney is not the capital of Australia.
（岩手医科大）
① Contrary to ② Aside from
③ With regard to ④ Except for

1021 ( ) introducing new recipes, she will explain some cooking tips.
① Even though ② As for
（青山学院大）
③ Along with ④ Whether or not

1022 I went to New Zealand ( ) way of Australia.
（愛知工業大）
① on ② by ③ to ④ for

1023 私は子どもたちのためにタバコをやめた。(1 語不要) 並べかえ （高知大）
(children / the / of / up / I / sake / for / to / gave / our / smoking).

1024 彼は家を売却するために塗装をしている。 適語補充
He is painting the house with a ( ) to selling it. （昭和大）

1025 Mr. Hamilton was a manager at a hotel in London ( ) coming to California.
（国士舘大）
① apart from ② prior to
③ right away ④ for sure

1018 最近の調査によると，神戸は住むのに最もいい場所の一つだ。
1019 詳細に関しましては，より詳しい情報を弊社のウェブサイトにてご覧ください。
1020 一般に信じられていることに反して，シドニーはオーストラリアの首都ではない。
1021 新しいレシピ［料理法］の紹介と一緒に，彼女は料理のコツをいくつか説明するだろう。
1022 私はオーストラリア経由でニュージーランドに行った。
1025 ハミルトンさんはカリフォルニアに来る前にロンドンのホテルで支配人だった。

Section 212 〈 前置詞を用いたイディオム 〉

1018 **according to A** 「A(情報源)によれば」

according to A で「A(情報源)によれば」という意味を表す。according to a recent survey で「最近の調査によれば」の意味。

《ココも注目》 according to A は「A に応じて，A に比例して」の意味も表す。

1019 **as for A** 「A に関しては」

as for A で「A に関しては」という意味を表す。as for the details で「詳細に関しては」。

1020 **contrary to A** 「A に反して」

文の後半「シドニーはオーストラリアの首都ではない」は popular belief「一般に信じられていること」とは違うので，① Contrary to「…には反して」を入れれば文意が通る。

選択肢 ② aside from A「A は別にして」，③ with regard to A「A に関しては」，④ except for A「A を除いて」→ **1026**

1021 **along with A** 「A と一緒に，A とともに」

along with A「A と一緒に」を用いれば，「新しいレシピの紹介と一緒に，彼女は料理のコツをいくつか説明するだろう」となり，意味が通る。

選択肢 ① even though「…であるけれども」と④ whether or not「…であるかどうかに関わりなく」は，接続詞。② as for A で「A に関しては」の意味。→ **1019**

Vocab cooking tip「料理のコツ」

1022 **by way of A** 「A 経由で」

by way of A で「A 経由で」という意味を表す。

1023 **for the sake of A** 「A のために」

「私はタバコをやめた」I gave up smoking. を最初に組み立てる。「子どもたちのために」は for the sake of A「A のために」を用いて表す。to が不要。

1024 **with a view to *doing*** 「…する目的で」

日本文から with a (　　) to ... が「…のために(目的)」を表すと考える。view を入れれば with a view to *doing* となり，「～する目的で」の意味になる。この to は前置詞。

1025 **prior to A** 「A より前に」

空所の前は「ハミルトンさんはロンドンのホテルで支配人だった」の意味。②を入れれば「カリフォルニアに来る前に」となり意味が通る。prior to A は「A より前に」の意味。

選択肢 ① apart from A「A を除いて」→ **1027**，③ right away「直ちに，すぐに」→ **960**，④ for sure「確実に，確かに」

解答 **1018** ③ **1019** ③ **1020** ① **1021** ③ **1022** ② **1023** I gave up smoking for the sake of our children **1024** view **1025** ②

1026 若干のスペルミスを除けば，これはよいレポートだ。 (中央大)

Except (　) a few spelling mistakes, this is a good paper.

① of　　② to　　③ by　　④ for

1027 This is a good report, <u>apart from</u> this mistake. 同意選択 (国士舘大)

① except for　　② far from　　③ in spite of　　④ due to

1028 I still need to borrow a tent from Mary and Bill for our camping trip.

(　) than that, I think we have everything we need. (南山大)

① Except　　② Besides　　③ Other　　④ Aside

1029 I really admire Tim. (　) being a good student, he is also an outstanding athlete. (南山大)

① Although　　② Since　　③ Not only　　④ In addition to

1030 Mr. Takahashi will speak (　) behalf of the committee. (岐阜聖徳学園大)

① from　　② on　　③ for　　④ to

1031 (　) meeting at the office, we decided to meet at the coffee shop.

① As far as　　② Except for (日本赤十字広島看護大)

③ In spite of　　④ Instead of

1032 You can use honey <u>in place</u> of sugar in this recipe. (日本大)

① instead　　② in front　　③ in order　　④ in spite

1033 A：Thanks for the cake. It's so sweet of you. (学習院大)

B：Not at all. I baked it for you in (　) for your kindness.

① research　　② rest　　③ return　　④ revenge

1027 この間違いを除いては，これはとてもよいレポートです。

1028 私たちのキャンプ旅行のために，私はまだメアリーとビルからテントを借りる必要がある。それ以外は，私たちは必要なものをすべて持っていると私は思う。

1029 ティムは本当にすばらしいと思う。よい学生であるだけではなく，優れたスポーツ選手でもある。

1030 タカハシさんは委員会を代表して話をすることになるだろう。

1031 私たちは会社で会うのではなく，喫茶店で会うことに決めた。

1032 このレシピでは，砂糖の代わりにはちみつも使えます。

1033 A：ケーキをありがとう。あなたはなんて優しいのでしょう。B：どういたしまして。親切にしてもらったお礼にあなたのために焼いたんです。

1026 | **except for A** 「A を除いて，A を除けば」

except for A で「A を除いて，A を除けば」の意味を表すので，④ for が正解。

1027 | **apart from A** 「A を除いて」

apart from A「A を除いて」の意味。同意表現は① except for A「A を除いて」。→ **1026**
apart from A は「A から離れて」の意味にもなる。
選択肢 ② far from ...「決して…でない」→ **441**，③ in spite of A「A にもかかわらず」→ **1055**，
④ due to A「A のために，A が原因で」→ **1054**

1028 | **other than A** 「A 以外の，A を除いて」

1 文目は「テントを借りなければならない」，2 文目は「必要なものはすべて持っていると思
う」と述べているので，（　　）than that は「それ（借りるテント）以外は」を意味している
と考える。other than A で「A 以外の，A を除いて」を表す。

1029 | **in addition to A** 「A に加えて」

ティムがすばらしいと思う根拠として，「よい学生である」ことと「優れたスポーツ選手でも
ある」ことが述べられているので，空所には in addition to A「A に加えて」を入れる。

1030 | **on[in] behalf of A** 「A の代理として，A の代表として」

on[in] behalf of A で「A の代理として，A の代表として」を表す。

1031 | **instead of A** 「A の代わりに，A ではなくて」

文の後半は「私たちは喫茶店で会うことに決めた」の意味。④を入れれば「会社で会うの
ではなく」となり，文意が通る。instead of A は「A ではなくて」の意味。
選択肢 ① as far as 接「…する限りでは」→ **357**，② except for A「A を除いて」→ **1026**，
③ in spite of A「A にもかかわらず」→ **1055**

1032 | **in place of A / in A's place** 「A の代わりに」

in place of A「A の代わりに」は，instead of A「A の代わりに」で書きかえられる。in
place of A は in A's place という形をとることもある。

1033 | **in return for A** 「A に対するお礼として，A に対する見返りとして」

in return for A で「A に対するお礼として，A に対する見返りとして」の意味。
《ココも注目》 **It's so sweet of you.** 「あなたはなんて優しいのでしょう」
Not at all. 感謝の言葉への返答「どういたしまして」

1034 His head was ( ) the way of my view. (東京理科大)
① against ② in ③ on ④ through

1035 I saw Tom walking in the ( ) of the school about ten minutes ago.
① direction ② course ③ route ④ way (南山大)

1036 ( ) emergency, our hotel elevators will be out of service: Use the exit stairs. (芝浦工業大)
① Since ② When ③ In case of ④ In spite of

1037 ( ) sound, this piano is the best. (駒澤大)
① According to ② On the point of
③ By way of ④ In terms of

1038 My sister went abroad ( ) of twenty. (大阪経済法科大)
① at the age ② at the years
③ in the age ④ in the years

1039 Rescue teams worked hard ( ) the chaos caused by the storm.
① in the way of ② in favor of (関西医科大)
③ in the face of ④ in view of

1034 彼の頭は私の視界の邪魔になっていた。
1035 私は，10分くらい前にトムが学校の方向に歩いているのを見た。
1036 緊急の場合には，当ホテルのエレベーターは使用できません。非常階段をご利用ください。
1037 音に関しては，このピアノが一番いい。
1038 私の姉［妹］は20歳のときに外国へ行った。
1039 嵐によって引き起こされた大混乱にもかかわらず，レスキュー隊は一生懸命働いた。

Section 213 〈in／at＋名詞＋of A〉の形をとるイディオム

1034 **in the way of A** 「A の邪魔になって」

in the way of A で「A の邪魔になって」の意味を表すので、② in を入れると「私の視界の邪魔になって」の意味になる。

◎ 一緒に確認 **stand in *one's* way** で「(人) の邪魔をする」の意味を表す。

1035 **in the direction of A** 「A の方向に」

in the direction of A で「A の方向に」の意味を表す。

◎ 一緒に確認 **in all directions** は「四方八方に」の意味。

1036 **in case of A** 「A の場合には」

「当ホテルのエレベーターは使用できません」という意味が続くので、「緊急の場合には」という意味になるように **in case of A**「A の場合には」を用いる。

選択肢 ④ In spite of A「A にもかかわらず」

◎ 一緒に確認 **in case** を接続詞的に用いれば「…するといけないから、念のため」の意味。→ **364**

1037 **in terms of A** 「A の (観) 点から、A に関して」

in terms of A は「A の (観) 点から、A に関して」の意味。in terms of sound で「音に関しては」という意味になる。

選択肢 ① according to A「A によれば」→ **1018**、② on the point of A「今にも A しそうで」→ **1044**、③ by way of A「A 経由で」→ **1022**

1038 **at the age of A** 「A 歳のときに」

at the age of A で「A 歳のときに」の意味になる。

1039 **in the face of A** 「A にもかかわらず」

空所の前は「レスキュー隊は一生懸命働いた」の意味。空所のあとは「嵐によって引き起こされた大混乱」の意味なので、**in the face of A**「A にもかかわらず」を用いる。caused by the storm が後ろから前の the chaos を修飾している。

選択肢 ① in the way of A「A の邪魔になって」→ **1034**、② in favor of A「A に賛成して」→ **997**、④ in view of A「A を考慮して」

Vocab chaos「混沌、大混乱」

解答 **1034** ②　**1035** ①　**1036** ③　**1037** ④　**1038** ①　**1039** ③

1040 シカゴ行きのバスは必ず午後6時に出発します。 　適語補充 (西南学院大)
The bus to Chicago will depart at 6 p.m. (　　　) fail.

1041 A : If we want to go to that live concert next month, we should buy our
　　　 tickets (　).
B : Good idea. They might be sold out on the day of the concert.
① by accident 　 ② in advance 　 ③ on average 　 ④ so long 　 (東北福祉大)

1042 Her father worked hard (　) the expense of his health. 　 (西南学院大)
① in 　 ② at 　 ③ on 　 ④ by

1043 Keiko won three games in a (　). 　 (川崎医科大)
① series 　 ② chain 　 ③ row 　 ④ succession

Section 215

1044 I was (　) signing the document when my phone rang. 　 (法政大)
① due to 　　　　　　　　 ② just about for
③ on the point of 　　　　 ④ in the way of

1045 It's (　) you whether you believe it or not. 　 (関西学院大)
① as for 　 ② down with 　 ③ out of 　 ④ up to

1046 Plans are <u>under way</u> to build a new bridge over the river next year.
① in progress 　 ② delayed 　 ③ in schedule 　 ④ extended 　 同意選択
(星薬科大)

1041 A：来月のあのライブコンサートに行きたいなら，私たちは前もってチケットを買うべきだ
　　 よ。／B：いい考えね。コンサートの日には売り切れているかもしれないわね。
1042 彼女の父親は健康を犠牲にして熱心に働いた。
1043 ケイコは連続して3試合に勝利した。
1044 私がまさにその書類にサインをしようとしていたとき，電話が鳴った。
1045 それを信じるか信じないかは，あなた次第です。
1046 来年その川に新しい橋を建設する計画が進行中だ。

Field 1 文法

Field 2 語法

Field 3 イディオム

Field 4 会話・表現

Field 5 ボキャブラリー

Field 6 英文構造

Section 214 ｜ 動詞を修飾するイディオム

1040 **without fail** 「必ず」

without fail で「失敗なしで」，つまり「必ず」という意味を表す。

◎ 一緒に確認 **never fail to** *do* 「必ず…する」→ 446

1041 **in advance** 「前もって，あらかじめ」

Aが「私たちは（　　　）私たちのチケットを買うべきだ」と言ったのに対し，Bは「それら（＝チケット）はコンサートの日には売り切れているかもしれない」と言っているので，空所に② in advance「前もって，あらかじめ」を入れる。

選択肢 ① by accident「偶然に」→ 981， ③ on average「平均で」， ④ so long「非常に長く」

1042 **at the expense of A** 「A を犠牲にして」

at the expense of A で「A を犠牲にして」という意味を表す。expense は「費用，犠牲」という意味の名詞。

1043 **in a row** 「連続して，立て続けに」

in の前までは「ケイコは 3 試合に勝利した」という意味。（　）に row を入れれば in a row「連続して，立て続けに」という意味になり，文意が通る。in a row には「一列に」という意味もある。

Section 215 ｜ be 動詞のあとに続けられるイディオム

1044 **on the point of A** 「今にも A しそうで，まさに A しようとして」

「その書類にサインをしようとしていた」と考え，③ on the point of A「今にも A しそうで，まさに A しようとして」を用いる。A には名詞か動名詞が入る。

選択肢 ① due to A「A が原因で」→ 1054， ④ in the way of A「A の邪魔になって」→ 1034

1045 **up to A** 「A 次第で」

up to A で「A 次第で，A の責任で」という意味を表す。

選択肢 ① as for A「A に関しては」→ 1019， ③ out of A「A から外へ」

◎ 一緒に確認 up to A には「(最高) A まで」という意味もある。

1046 **under way** 「進行中で」

under way は「進行中で」という意味なので，① in progress「進行中で」が同意。

解答 **1040** without **1041** ② **1042** ② **1043** ③ **1044** ③ **1045** ④ **1046** ①

1047 Opening times are as ( ): weekdays 9:00 a.m. to 5:00 p.m., weekends 10:00 a.m. to 3:00 p.m. (法政大)

① followed by   ② following   ③ followed   ④ follows

1048 In 1880, according to a frequently cited report, 4,000 churches were under ( ) in the United States. (亜細亜大)

① construction   ② building   ③ contact   ④ equivalent

1049 It's ( ) my understanding why he decided to buy such an old car.

① against   ② behind   ③ beneath   ④ beyond   (大学入試センター)

Section 216

1050 ( ) the bad weather, we stayed at home. (中部大)

① Because   ② Because of   ③ On account   ④ In spite

1051 野球の試合は雨で中止になった。 [並べかえ] (西南学院大)

The baseball game (account / called / was / on / off) of rain.

1052 ( ) regular practice and good leadership, the swimming club was successful in the national competition. (東洋英和女学院大)

① According to   ② In spite of   ③ Regardless of   ④ Thanks to

---

1047 営業時間は次の通りです。平日は午前9時から午後5時，週末は午前10時から午後3時です。
1048 頻繁に引用された報告書によると，1880年に合衆国で4,000の教会が建設中だった。
1049 なぜ彼がそんなに古い車を買うことに決めたのか私には理解できない。
1050 天候が悪かったため，私たちは家に留まった。
1052 日頃の練習と優れたリーダーシップのおかげで，水泳部は，全国大会でよい結果を残した。

426

1047 **as follows** 「次の通りで［に］」

as follows で「次の通りで［に］」の意味を表す。as follows は，主語や時制にかかわらず follows という形が用いられ，通例，直後にコロン（:）を置き，そのあとに内容を列挙する。

1048 **under construction** 「建設中で」

under construction で「建設中で」の意味を表すので，① construction を入れる。
Vocab cite「…を引用する」 cited「引用された」

1049 **beyond *one's* understanding** 「理解できない，（人）の理解を超えて」

beyond *one's* understanding で「理解できない，（人）の理解を超えて」の意味。
◎ 一緒に確認 **beyond description**「言葉では表せないほど」
beyond recognition「見分けがつかないほど」
beyond *one's* ability「（人）の能力を超えて」

┌─ **Section 216** ・ 原因・理由の意味を表すイディオム ─┐

1050 **because of A** 「A のために，A の理由で」

空所のあとに the bad weather という名詞句が続いているので，〈原因・理由〉を表す **because of A**「A のために，A の理由で」を用いる。後ろに節が続く場合は because を用いる。
選択肢 ③ on account of A「A のせいで」→ **1051**，④ in spite of A「A にもかかわらず」→ **1055**

1051 **on account of A** 「A のために，A の理由で」

「雨で」は「雨のせいで」と考え，〈理由〉を表す **on account of A**「A のために，A の理由で」を用いる。主語が The baseball game なので，「中止になった」は call off A「A を中止にする」の受動態の過去形 was called off で表す。

1052 **thanks to A** 「A のおかげで」

水泳部が全国大会でよい結果を残したのは，「日頃の練習と優れたリーダーシップ」のおかげだと考えられるので，**thanks to A**「A のおかげで」を用いる。
選択肢 ① according to A「A によれば」→ **1018**，② in spite of A「A にもかかわらず」→ **1055**，③ regardless of A「A にかかわらず」→ **1056**

解答 **1047** ④ **1048** ① **1049** ④ **1050** ② **1051** was called off on account **1052** ④

1053 Severe food shortage might occur in the future (　) the effects of global warming.　　　　　　　　　　　　　　　　　　　（創価大）
① because　　② owing to　　③ in spite of　　④ in terms of

1054 The airport was closed (　) the typhoon.　　　　　　　　（工学院大）
① thanks of　　② on account　　③ due to　　④ because

Section **217**

1055 (　) the poor conditions, many surfers were able to perform well, which surprised the judges.　　　　　　　　　　　　　　（日本大）
① Due to　　② In spite of　　③ Instead of　　④ Owing to

1056 She always remains calm (　) of the dangers present.　　（東京理科大）
① despite　　② practically　　③ regardless　　④ somehow

1057 ジャックは約束したにもかかわらず，会いに来なかった。　適語補充（西南学院大）
For (　　　　　　　) his promises, Jack didn't come to see me.

1053 地球温暖化の影響のせいで，将来，深刻な食料不足が起こるかもしれない。
1054 空港は台風のせいで閉鎖された。
1055 悪い条件にもかかわらず，多くのサーファーはよいパフォーマンスができて，それは審査員たちを驚かせた。
1056 危険なことがあるにもかかわらず，彼女はいつも冷静なままだ。

1053 **owing to A** ▷ 「A のために，A が原因で」

「深刻な食料不足」は「地球温暖化の影響」が〈原因〉なので，空所には② owing to A「A のために，A が原因で」を入れる。

選択肢 ④ in terms of A「A の (観) 点から」→ 1037

1054 **due to A** ▷ 「A のために，A が原因で」

(TOP 100)

「空港が閉鎖された」のは「台風のせい」だと考えられるので，〈原因〉を表す③ due to A「A のために，A が原因で」を用いる。

誤答 ① of ではなく thanks to A で「A のおかげで」→ 1052，② on account of A「A のために」→ 1051，④ because of A「A のために」→ 1050

Field 3 イディオム

‹ **Section** 217 › ┤ 譲歩の意味を表すイディオム ├

1055 **in spite of A** ▷ 「A にもかかわらず」

(TOP 100)

「悪い条件 (　　)，多くのサーファーはよいパフォーマンスができた」という意味から，空所には〈譲歩〉を表す② In spite of「…にもかかわらず」が入る。in spite of A は despite A (→ 326) と同意。

選択肢 ① due to A「A のために」→ 1054，③ instead of A「A の代わりに」，④ owing to A「A のために」→ 1053

1056 **regardless of A** ▷ 「A にかかわらず」

「危険なことがある (　　)，彼女はいつも冷静なままだ」という意味から，空所には〈譲歩〉を表す regardless of A「A にかかわらず，A と関係なく」を入れる。

《ココも注目》 the dangers present は the dangers (which are) present ということで，直訳すると「存在する危険なこと」という意味。

誤答 ① despite は「…にもかかわらず」(→ 326) の意味を表すが，直後に of があるので誤答。

1057 **for all A** ▷ 「A にもかかわらず」

「A にもかかわらず」は，for all A で表す。

解答 **1053** ② **1054** ③ **1055** ② **1056** ③ **1057** all

第21章　動詞を中心にしたイディオム

☐ keep up with A	A に遅れずについていく	732
☐ catch up with A	A に追いつく	733
☐ come up with A	A を思いつく	734
☐ think of A	A を思いつく	735
☐ It occurs to ＋人＋ that ...	…という考えが（人）の心に浮かぶ	736
☐ figure out A	A がわかる，A を理解する	737
☐ figure out A	A（解決策など）を見つける，A を計算する	737
☐ work out A	A を考え出す，（苦心して）つくり出す	738
☐ turn out (to be) C	（結局）C だとわかる，判明する	739
☐ end up *doing*	結局…になる，最後には…になる	740
☐ take A into account / take into account A	A を考慮に入れる	741
☐ take A into consideration	A を考慮に入れる	742
☐ turn A into B	A を B に変える	**List 89**
☐ come across A	（偶然）A に出くわす，A を見つける	743
☐ come on[upon] A	（偶然）A に出くわす，A を見つける	743
☐ run across A	（偶然）A に出くわす，A を見つける	743
☐ run into A	A に偶然会う	744
☐ happen to *do*	偶然…する	745
☐ carry out A / carry A out	A を実行する	746
☐ put A into practice	A を実行する	747
☐ decide on A	（選択肢の中から）A を決める，選ぶ	748
☐ make up *one's* mind to *do*	…しようと決心する	749
☐ deal with A	A（問題など）を処理する	750
☐ cope with A	A（困難・問題など）に対処する	751
☐ keep in touch	連絡を取り合う	752
☐ get in touch with A	A と連絡を取る	753
☐ hear from A	A から連絡をもらう，便りをもらう	754
☐ count on A	A を頼りにする，あてにする	755
☐ rely on A	A を頼りにする，あてにする	756
☐ hand in A	A を手渡す，提出する	757
☐ turn in A	A（課題など）を提出する	758
☐ call for A	A を要求する	759
☐ insist on *doing*	…すると強く主張する，要求する	760
☐ carry on A	A を続ける	761
☐ keep (on) *doing*	…し続ける	762
☐ get over A	A を乗り越える	763
☐ recover from A	A（病気など）から回復する，A が治る	764
☐ suffer from A	A に苦しむ	765
☐ put up with A	A を我慢する	766
☐ set out	始める，取りかかる	767
☐ take up A / take A up	A（趣味・仕事など）を始める	768

☐ put aside A / put A aside	A（お金）を貯める	769
☐ set aside A / set A aside	A をとっておく	770
☐ take after A	A（親など）に似ている	771
☐ look like A	A に似ている	772
☐ tell A apart	A の違いを見分ける	773
☐ tell A from B	A を B と見分ける	774
☐ show up	現れる，姿を見せる	775
☐ turn up	（人が）現れる	776
☐ call off A / call A off	A を中止する	777
☐ put off A / put A off	A を延期する	778
☐ stand up for A	A の味方をする，擁護する	779
☐ stand by A	A を支持する，A の力になる	780
☐ look up to A	A を尊敬する	781
☐ look down on A	A を軽蔑する	782
☐ speak highly of A	A を称賛する，ほめる	783
☐ speak ill of A	A を悪く言う	784
☐ look at A	A を調査する	785
☐ look into A	A（問題など）を調べる	786
☐ look up A / look A up	A（言葉）を調べる	787
☐ look for A	A を探す	788
☐ look out for A	A に気をつける	789
☐ look after A	A の世話をする	790
☐ take care of A	A の世話をする	790
☐ make for A	A を生み出す，A に役立つ	791
☐ make out A	A を理解する，判読する	792
☐ make it	成功する，うまくいく	793
☐ make it	たどり着く，間に合う	794
☐ make sure that ...	必ず…する	795
☐ make the most of A	A を最大限利用する，A を存分に楽しむ	796
☐ make believe + that 節	…であるふりをする，…と見せかける	797
☐ take part in A	A に参加する	798
☐ take advantage of A	A をうまく利用する	799
☐ take pride in A	A を誇る	800
☐ take place	（行事などが）行われる，起こる，発生する	801
☐ take the place of A	A に取って代わる	802
☐ pay attention to A	A に注意を払う	803
☐ keep an eye on A	A から目を離さない	804
☐ bear fruit	実を結ぶ	805
☐ make sense	理解できる，筋が通っている	806
☐ make fun of A	A をからかう	807
☐ make use of A	A を活用［利用］する	808
☐ make no difference	違いがない，どちらでもいい	809
☐ make it a rule to *do*	…することを習慣にする	810
☐ make (both) ends meet	収入内でやりくりする	811

Field 1 文法

Field 2 語法

Field 3 イディオム

Field 4 会話・表現

Field 5 ボキャブラリー

Field 6 英文構造

☐ leave nothing to be desired	まったく申し分ない	812
☐ I have no idea ＋疑問詞節	…かわからない	813
☐ have no choice but to *do*	…せざるを得ない	814
☐ have [take / get] a look at A	A をちょっと見る	815
☐ have an effect on A	A に影響を与える	816
☐ have a good[fine] command of A	A（言語など）を自由に使いこなす	817
☐ get on *one's* nerves	（人）の神経にさわる，（人）をイライラさせる	818
☐ find fault with A	A のあら探しをする	819
☐ lose *one's* temper	急に怒る，かっとなる	820
☐ lose sight of A	A を見失う	821
☐ learn A by heart	A を暗記する	822
☐ ask a favor of A	A に頼み事をする	823
☐ give rise to A	A を引き起こす	824
☐ make a mistake	ミスをする，間違いを犯す	825
☐ make mistakes	ミスをする，間違いを犯す	825
☐ put on weight	太る，体重が増える	826
☐ play a part [role] in A	A において役割を果たす	827
☐ get along with A	A とうまくやる，仲よくする	828
☐ get through with A	A（仕事など）を終える，仕上げる	829
☐ get rid of A	A を捨てる，除去する	830
☐ give in to A	A に屈する	831
☐ give way to A	A に譲歩する，屈する	832
☐ run out of A	A を使い果たす	833
☐ run short of A	A が不足する	834
☐ do away with A	A を廃止する	835
☐ make up for A	A（損失など）を補う，埋め合わせる	836
☐ cut down on A	A を減らす，削減する	837
☐ come to terms with A	A を受け入れる	838
☐ come down with A	A（病気）にかかる	839
☐ keep A in mind	A のことを覚えておく	840
☐ bear A in mind	A のことを覚えておく	840
☐ live up to A	A（期待）に沿う	841
☐ fall short of A	A に達しない，及ばない	842
☐ take A to B	A を B に連れていく	843
☐ take A for B	A を B だと（誤って）みなす	844
☐ take it for granted that ...	…を当然のことと思う	845
☐ devote A to B	A を B に捧げる	846
☐ attribute A to B	A を B のせいにする	847
☐ distinguish A from B	A と B を区別する	848
☐ congratulate A on B	A を B のことで祝う	849
☐ name A after[for] B	B にちなんで A に名前をつける	850
☐ take back A / take A back	A（発言など）を取り消す	851
☐ turn down A / turn A down	A を断る，拒む	852

□ turn A into B	A を B に変える	**List 93**
□ show off A / show A off	A を誇示する，見せびらかす	853
□ bring up A / bring A up	A を育てる	854
□ set up A / set A up	A を準備する	855
□ pick up A / pick A up	A を車で拾う，車に乗せる	856
□ turn off A / turn A off	A (電気，ガス，水) を切る，止める	857
□ put out A / put A out	A (明かり・火など) を消す	858
□ pick out A / pick A out	A を選び出す	859
□ wear out A / wear A out	A を疲れ果てさせる	860
□ take over A / take A over	A を引き継ぐ	861
□ take in A / take A in	A をだます	862
□ take on A / take A on	A (仕事など) を引き受ける	863
□ fill out A / fill A out	A に書き入れる	864
□ put on A / put A on	A を着る	865
□ put away A / put A away	A (物) を片付ける	866
□ try on A / try A on	A を試着する	867
□ make up A / make A up	A (話) をでっちあげる	868
□ leave behind A / leave A behind	A を置き去りにする，A を置いてくる	869
□ let down A / let A down	A を失望させる	870
□ see A off	A を見送る	871
□ point out A / point A out	A を指摘する	872
□ bring about A	A をもたらす	873
□ believe in A	A の存在を信じる	874
□ come by A	A を手に入れる	875
□ come from A	A に由来する	876
□ go on A	A (旅行など) に出かける	877
□ depend on A	A 次第である	878
□ consist of A	A から成る	879
□ concentrate on A	A に集中する	880
□ drop by A	A に立ち寄る	881
□ major in A	A (学科) を専攻する	882
□ succeed in A[*doing*]	A […すること] に成功する	883
□ go through A	A を経験する	884
□ apply for A	A を申し込む，申請する	885
□ go over A	A を調べる，検査する	886
□ stand for A	(略語などが) A を表す	887
□ account for A	A (割合，部分) を占める	888
□ account for A	A (理由など) を説明する	889
□ die of A	A (が原因) で死ぬ	890
□ refer to A	A に言及する	891
□ approve of A	A をよしとする，容認する	892
□ contribute to A	A に貢献する	893
□ adapt to A	A に順応する，慣れる	894

Field 1 文法

Field 2 語法

Field 3 イディオム

Field 4 会話・表現

Field 5 ボキャブラリー

Field 6 英文構造

☐ call on A	A（人）を訪問する	895
☐ refrain from A[*doing*]	A［…すること］を差し控える	896
☐ do without A	Aなしでやっていく，Aなしですます	897
☐ stay up late	遅くまで起きている	898
☐ pay off	（努力などが）報われる，実を結ぶ	899
☐ break out	（戦争，火事などが）急に起こる	900
☐ break down	（機械，乗り物などが）故障する	901
☐ pass away	亡くなる	902
☐ take off	離陸する	903
☐ set out	（旅，仕事に）出発する	904
☐ stand out	目立つ	905
☐ go off	（急に）大きな音をたてる，鳴る	906
☐ come true	（夢などが）かなう，実現する	907
☐ be to blame (for A)	（Aについて）責任がある	908
☐ when it comes to A	Aということになると	909
☐ burst into tears	わっと泣き出す	910

第 22 章　形容詞・副詞を中心にしたイディオム

☐ be supposed to *do*	…することになっている	911
☐ be likely to *do*	…しそうである	912
☐ be sure to *do*	きっと［必ず］…する	913
☐ be anxious to *do*	…することを切望する	914
☐ be eager to *do*	しきりに…したがる	915
☐ be willing to *do*	進んで…する	916
☐ be reluctant to *do*	…するのは気が進まない	917
☐ be required to *do*	…しなければならない	918
☐ be famous for A	Aで有名だ	919
☐ be known for A	Aで知られている，Aで有名だ	920
☐ be familiar with A	Aをよく知っている，Aに精通している	921
☐ be close to A	Aに近い	922
☐ be pleased with A	Aに喜んでいる，満足している	923
☐ be concerned about A	Aを心配する，懸念する	924
☐ be worried about A	Aを心配している	925
☐ be ashamed of A	Aを恥じている	926
☐ be fed up with A	Aにうんざりしている	927
☐ be particular about A	Aについて好みがうるさい	928
☐ be afraid of A	Aを恐れている	929
☐ be aware of A	Aに気づいている	930
☐ be good at A	Aが上手だ	931
☐ be proud of A	Aを誇りに思う	932
☐ be absorbed in A	Aに没頭している	933
☐ be late for A	Aに遅れる	934
☐ be responsible for A	Aに責任がある	935
☐ be related to A	Aに関係している	936

☐ be full of A	（容器などが）A で満ちた	937
☐ be short of A	A が不足している	938
☐ be free from A	A がない	939
☐ be similar to A	A に似ている	940
☐ be opposed to A	A に反対している	941
☐ be involved in A	A に巻き込まれる	942
☐ be indifferent to A	A に無関心である	943
☐ be exposed to A	A にさらされる	944
☐ be subject to A	A（病気など）にかかりやすい	945
☐ be bound for A	A 行きである	946
☐ be dependent on A	A に頼っている	947
☐ be independent of A	A に依存しない，頼らない	948
☐ be made up of A	A から成り立っている	949
☐ be based on A	A に基づく	950
☐ be ready to *do*	いつでも…できる，…する用意がある	951
☐ feel free to *do*	遠慮なく…する	952
☐ ill at ease	不安で，落ち着かなくて	953
☐ well off	裕福な	954
☐ out of order	故障して	955
☐ out of the question	不可能な，問題外の	956
☐ out of the blue	突然	957
☐ all at once	突然	958
☐ at once	直ちに，すぐに	959
☐ right away	直ちに，すぐに	960
☐ for good	永遠に，永久に	961
☐ sooner or later	遅かれ早かれ，いずれそのうちに	962
☐ so far	今までのところ	963
☐ in time	間に合って	964
☐ on time	時間通りに	965
☐ once and for all	これを最後に	966
☐ (every) now and then	ときどき	967
☐ for the first time	初めて	968
☐ at first	最初は，初めのうちは	969
☐ for the time being	当分の間，さしあたり	970
☐ as good as ...	…したも同然で	971
☐ more or less	およそ，だいたい	972
☐ more often than not	たいてい，通常は	973
☐ next to ...（通例否定の意味を含む語句の前で）	ほとんど…	974
☐ in vain	むだに	975
☐ A as well as B	B だけでなく A も	976
☐ ahead of A	A より前に，A より早く	977
☐ all the same	それでもやはり	978
☐ by and large	全体的に見て，概して	979
☐ inside out	裏返しに	980

Field 1 文法
Field 2 語法
Field 3 イディオム
Field 4 会話・表現
Field 5 ボキャブラリー
Field 6 英文構造

第 23 章　名詞・代名詞を用いたイディオム

☐ by accident	偶然に	981
☐ by chance	偶然に	982
☐ on purpose	故意に，わざと	983
☐ by degrees	次第に，少しずつ	984
☐ before long	まもなく	985
☐ on foot	徒歩で	986
☐ at home	気軽に，くつろいで	987
☐ in common	共通の，共通して	988
☐ in particular	特に，とりわけ	989
☐ (just) in case	念のため	990
☐ in person	直接，じかに	991
☐ under control	統制されて，管理されて	992
☐ on *one's* own	自力で，独力で	993
☐ as a matter of fact	実は	994
☐ on the other hand	一方	995
☐ agree with A	A に賛成する，同意する	**List 95**
☐ disagree with A	A に不賛成である	**List 95**
☐ object to A	A に反対する	**List 95**
☐ in charge of A	A を担当して，A の責任を持って	996
☐ in favor of A	A に賛成して	997
☐ in honor of A	A に敬意を表して，A を記念して	998
☐ at all costs / at any cost	どんな代償を払っても，是が非でも	999
☐ for fear of A	A を恐れて	1000
☐ at a loss	困って，途方に暮れて	1001
☐ around the clock	24 時間ぶっ通しで，一日中	1002
☐ one after another	次々に	1003
☐ from time to time	ときどき	1004
☐ once in a while	ときどき，たまに	1005
☐ second to none	誰にも負けない	1006
☐ for nothing	無料で	1007
☐ do nothing but *do*	…してばかりいる，…だけしかしない	1008
☐ have nothing to do with A	A と何の関係もない	**List 96**
☐ come to nothing	むだになる	**List 96**
☐ nothing but A	ただ A だけ	**List 96**
☐ there is nothing for it but to *do*	…するより仕方がない	**List 96**
☐ to the point	適切な，要領を得た	1009
☐ the other way around[round]	逆に，あべこべに	1010
☐ in no time	すぐに	1011
☐ behind schedule	予定 [定刻] よりも遅れて	1012
☐ behind A's back	A のいないところで	1013
☐ up in the air	宙に浮いて，未定で	1014
☐ a piece of cake	朝飯前なこと，簡単なこと	1015
☐ to some extent	ある程度まで	1016

☐ on the whole	概して，全体から見て	1017

第24章　前置詞を用いたイディオム

☐ according to A	A (情報源) によれば	1018
☐ as for A	A に関しては	1019
☐ contrary to A	A に反して	1020
☐ along with A	A と一緒に，A とともに	1021
☐ by way of A	A 経由で	1022
☐ for the sake of A	A のために	1023
☐ with a view to *doing*	…する目的で	1024
☐ prior to A	A より前に	1025
☐ except for A	A を除いて，A を除けば	1026
☐ apart from A	A を除いて	1027
☐ other than A	A 以外の，A を除いて	1028
☐ in addition to A	A に加えて	1029
☐ on[in] behalf of A	A の代理として，A の代表として	1030
☐ instead of A	A の代わりに，A ではなくて	1031
☐ in place of A / in A's place	A の代わりに	1032
☐ in return for A	A に対するお礼として	1033
☐ in the way of A	A の邪魔になって	1034
☐ in the direction of A	A の方向に	1035
☐ in case of A	A の場合には	1036
☐ in terms of A	A の (観) 点から，A に関して	1037
☐ at the age of A	A 歳のときに	1038
☐ in the face of A	A にもかかわらず	1039
☐ without fail	必ず	1040
☐ in advance	前もって，あらかじめ	1041
☐ at the expense of A	A を犠牲にして	1042
☐ in a row	連続して，立て続けに	1043
☐ on the point of A	今にも A しそうで，まさに A しようとして	1044
☐ up to A	A 次第で	1045
☐ under way	進行中で	1046
☐ as follows	次の通りで [に]	1047
☐ under construction	建設中で	1048
☐ beyond *one's* understanding	理解できない，(人) の理解を超えて	1049
☐ because of A	A のために，A の理由で	1050
☐ on account of A	A のために，A の理由で	1051
☐ thanks to A	A のおかげで	1052
☐ owing to A	A のために，A が原因で	1053
☐ due to A	A のために，A が原因で	1054
☐ in spite of A	A にもかかわらず	1055
☐ regardless of A	A にかかわらず	1056
☐ for all A	A にもかかわらず	1057

Field 1 文法

Field 2 語法

Field 3 イディオム

Field 4 会話・表現

Field 5 ボキャブラリー

Field 6 英文構造

Field 4

会話・表現

1058　A：(　　　)
　　　B：Fine. How are things with you?
　　　① Are you there?　　　　② For here or to go?
　　　③ How's it going?　　　　④ What a shame!
(日本福祉大)

1059　A：(　　) You look so happy.
　　　B：I got a new job with a good salary.
　　　① What's up?　　　　② What's the matter?
　　　③ Something wrong?　　　④ Take it easy.
(鎌倉女子大)

1060　A：(　　　)
　　　B：Yes, you haven't changed at all.
　　　① Long time no go.　　　② Long time no look.
　　　③ Long time no see.　　　④ Long time no show.
(大阪産業大)

1061　A：(　　)
　　　B：I work in a bank.
　　　① What do you do?　　　② When do you work?
　　　③ Where do you live?　　④ Why do you work?
(日本福祉大)

1062　あなたが帰宅したら，彼女によろしくお伝えください。　並べかえ (関西学院大)
　　　Please (when / regards / to / my / you / her / give / get) home.

1063　Please send my best regards to your wife.　同意文 (國學院大)
　　　Please (　　) me to your wife.
　　　① communicate　② tell　③ memory　④ remember

1058 A：元気ですか。／B：元気です。あなたはいかがですか。
1059 A：どうかしたの？　とても幸せそうね。／B：給料がいい新しい仕事についたんだ。
1060 A：お久しぶりです。／B：そうね，あなたはまったく変わらないね。
1061 A：お仕事は何をしていますか。／B：私は銀行に勤めています。
1063 奥様によろしくお伝えください。

Section 218 ｜ 挨拶で用いられる表現

1058 **How's it[everything] going?** 「元気ですか，調子はどう」

B が Fine. How are things with you?「元気です。あなたはいかがですか」と尋ね返していることから，空所には B の健康や近況を尋ねる③ **How's it going?**「元気ですか，調子はどう」が入る。How are things going (with you)? と同意表現。

1059 **What's up?** 「元気ですか，どうかしたの」

A は，B が幸せそうに見えると述べ，B はその理由を「給料がいい新しい仕事についたんだ」と答えている。空所には，① **What's up?**「元気ですか，どうかしたの」が入る。What's up? は気心が知れた知り合い同士で使うくだけた挨拶。

◎ 一緒に確認 ② What's the matter (with you)? (→ **1087**) は相手のことを心配して「どうしたの?」と尋ねる表現。

1060 **Long time no see.** 「お久しぶりです」

B の「あなたはまったく変わらないね」の応答から，空所は久しぶりに会った挨拶と考える。Long time を使う適切な表現は③ **Long time no see.**「お久しぶりです」。

1061 **What do you do (for a living)?** 「お仕事は何をしていますか」

B「私は銀行に勤めています」の応答から A は職業を尋ねているとわかる。① **What do you do (for a living)?**「お仕事は何をしていますか」が適切。

1062 **give[send] my (best) regards to A** 「A によろしく伝える」

語群に regards があるので，「A によろしく伝える」は give my regards to A を用いる。「彼女に」なので A には her が入る。「あなたが帰宅したら」は when を用いて when you get home とする。

◎ 一緒に確認 get home「帰宅する」→ **720**

1063 **remember me to A** 「A によろしく伝える」

send my best regards to A は「A によろしく伝える」(→ **1062**) の意味。remember me to A も「A によろしく伝える」の意味になる。

List 97 挨拶で用いられるその他の表現 (出題例)

☐ Hi. What's up? — <u>Nothing special</u>. What about you?　　(駒澤大)
(やあ。変わりない? — 特に何も。あなたは?)

☐ Hi. How's it going? — <u>Pretty good</u>. And you?　　(駒澤大)
(やあ。調子はどう? — とてもいいわ。あなたは?)

☐ What have you been <u>up to</u> lately? — Oh, well, I've been getting by.　　(学習院大)
(最近どうしてた? — ああ，まぁ，なんとかやってきたよ)

☐ <u>Hi there</u>. — Hello. How are you?　　(駒澤大)
(やあ，君。 — こんにちは。お元気ですか)

解答　**1058** ③　**1059** ①　**1060** ③　**1061** ①　**1062** give my regards to her when you get　**1063** ④

1064 A : We won the game yesterday. (駒澤大)
B : Congratulations! (　　)!
① Well for you　　　　　② Nice for you
③ Good for you　　　　　④ Better for you

1065 A : I had a flat tire on my way home. (広島修道大)
B : (　　)
① That's nice.　　　　② That's too bad.
③ That's too good to be true.　　④ That's a pleasure.

1066 A : You should contact Mr. Jones for advice. (明治大)
B : This is not your affair. Mind (　　) business.
① your own　　② his personal　　③ my real　　④ our actual

1067 トムの意見は的はずれだ。 適語補充 (高知大)
Tom's opinion is (　　　　　) the point.

1068 A : I feel like I am going to be sick. (天理大)
B : Relax. Don't be so nervous.
A : I can't (　　) it. This is my first speech in front of a large audience.
① get　　② find　　③ help　　④ remove

1069 A : I'm having a party on Saturday night. Do you want to come?
B : (　　), but I have to babysit for my nephew. (共立女子大)
① Maybe so　　　　　② Probably not
③ Sure, I'll come　　　　④ Thanks anyway

1064 A：私たちは昨日の試合に勝ったんだよ。／B：おめでとう！　よかったね！
1065 A：家に帰る途中でタイヤがパンクしました。／B：それはお気の毒に。
1066 A：あなたは，アドバイスをもらうためにジョーンズさんに連絡をとるべきです。
　　B：余計なお世話だ。人のことに口出しするな。
1068 A：気分が悪くなってきたわ。／B：気を楽にして。そんなに神経質にならないで。
　　A：しょうがないわ。大勢の聴衆の前で初めてスピーチするんだもの。
1069 A：土曜の夜にパーティーをするよ。参加しない？
　　B：ありがとう，でもおいの子守りをしないといけないの。

Section 219 ‹ 感想や気持ちを表す表現 ›

1064 **Good for you!** 「よかったね！」

Good for you! で「よかったね！」の意味を表す。

List 98 **人をほめるときの表現**

☐ **Way** to **go**! （よくやった！，その調子で行け！）
☐ You **did** a great **job**. （頑張りましたね，よくやりましたね）
☐ You **deserve** it. （あなたにはそれだけの価値がある，当然だよ）

1065 **That's too bad.** 「お気の毒に」

A が「家に帰る途中でタイヤがパンクしました」と悪いニュースを伝えているので，②
That's too bad.「お気の毒に」と応える。「それは残念ですね」という意味にもなる。
選択肢 ③ That's too good to be true. は「夢のようだ」の意味。

1066 **Mind your own business.** 「余計なお世話だ，人のことに口出しするな」

Mind your own business. で「余計なお世話だ，人のことに口出しするな」という意味
を表す。That's none of your business. とも言う。前文の This is not your affair. や
That's none of your affair. も同様の意味。

List 99 **「余計なお世話だ」の表現**

☐ Mind your **own** **business**. → 1066
☐ That's **none** of your **business**.
☐ That's **none** of your **affair**.

1067 **beside the point** 「的はずれで」

「的はずれで」は beside the point で表す。beside には「…をはずれて」の意味がある
ので，beside the point は「要点からはずれて」つまり「的はずれで」の意味になる。

1068 **I can't help it.** 「どうしようもない，しょうがない」

I can't help it. で「どうしようもない，しょうがない」の意味を表す。

1069 **Thanks anyway.** 「（何はともあれ）ありがとう」

A のパーティーの誘いに対して，B は but のあとに行けない理由を述べている。空所には，
感謝の言葉④ Thanks anyway.「（何はともあれ）ありがとう」を入れる。

解答 1064 ③ 1065 ② 1066 ① 1067 beside 1068 ③ 1069 ④

1070 I hear you have started a new job. (　　) like it? (北里大)
① How much　　② How to　　③ How do you　　④ How are you

Section 220

1071 A : (　　) (龍谷大)
B : It depends on what it is.
A : Can you lend me 2,000 yen?
B : I suppose so.
① Can you guess what I want?　　② I have something to tell you.
③ Can you do me a favor?　　④ Don't you have any money?

1072 A : Which style of restaurant would you like to go to tonight, casual or formal? (札幌学院大)
B : Well ... (　　) going to that newly opened noodle shop?
① how come　　② how about　　③ how to　　④ however

1073 A : How about going to a movie tonight? (新潟医療福祉大)
B : (　　)
A : Really? That makes me so happy!
① I feel very fine.　　② I think that couldn't be worse.
③ We went there on foot.　　④ Why not?

1074 できるだけ早くご返事をいただければ幸いです。 (東洋大)
I would (reply / it / would / appreciate / you / if) as soon as possible.

1075 私の宿題の提出日を延期していただきたいのですが。 並べかえ (神戸学院大)
I (of / extend / if / wondering / am / the due date / you could) my homework.

1070 新しい仕事を始めたそうですね。それはいかがですか。
1071 A：お願いがあるんだけど。／B：それが何かによるわ。
　　A：2000 円貸してくれない？／B：たぶん貸せると思うわ。
1072 A：今夜，気楽なのと格式あるのと，どちらの形式の料理店に行きたいですか。
　　B：ええっと…。新しくオープンしたあの麺料理店に行くのはどうですか。
1073 A：今晩，映画に行かない？／B：喜んで。／A：本当？　すごくうれしい！

1070 How do you like A? 「A はいかがですか」

空所を含む文は，新しい仕事についての感想を尋ねていると考えられるので，How do you like A? 「A はいかがですか」を用いる。この文の it は your new job を表す。

Section 220 〈・〉 依頼・提案に関する表現

1071 Can you do me a favor? 「お願いを聞いてくれますか」

B が「それが何かによるよ」と応えているので，A は Can you do me a favor? 「お願いを聞いてくれますか」と尋ねているとわかる。

選択肢 ①「私が欲しいものは何かわかりますか」，②「私はあなたに伝えることがあります」，④「あなたはお金を持っていませんか」

1072 How[What] about *doing* ...? 「…するのはどうですか」

How[What] about *doing* ... ? で「…するのはどうですか」という提案を表す。

1073 Why not? 「いいとも，喜んで」

A の 2 つ目の発言から，B は A の提案を承諾したとわかる。承諾の応答は④ Why not? 「いいとも，喜んで」が適切。

選択肢 ② I think that couldn't be worse. は「それはこれ以上悪くなりようがない」つまり「それは最低だと思う」という意味。

1074 I would appreciate it if you would[could] *do* ... 「…していただければ幸いです」

appreciate があるので「…していただければ幸いです」は I would appreciate it if you would *do* ... を用いる。

《ココも注目》 as soon as possible 「できるだけ早く」 → 251

1075 I wonder if you could[would] *do* ... 「…していただけますか」

I wonder if you could[would] *do* ... 「…していただけますか」は丁寧な依頼を表し，I am wondering if ... とするとさらに丁寧な表現になる。

Vocab the due date 「提出期限の日」

解答 1070 ③ 1071 ③ 1072 ② 1073 ④ 1074 appreciate it if you would reply
1075 (I) am wondering if you could extend the due date of (my homework.)

1076　A : Can you help me with this suitcase? (東洋大)

　　B : (　　)

　　① It's none of your business.　② Yes, you can do it.

　　③ Sure, I'd be happy to.　④ No, you must step on it.

1077　A : Bob, could you give me a ride home? (東京造形大)

　　B : Oh, (　　)

　　A : Thanks.

　　① sure.　② it's very kind of you.

　　③ just kidding.　④ that's right.

1078　A : Let me ask you a question. (昭和大)

　　B : OK, (　　)

　　① go ahead.　② I'm afraid not.

　　③ let's do so.　④ how about you?

1079　A : Can I bring my brother to the dance party tomorrow? (鹿児島大)

　　B : (　　)

　　① Not at least.　② Be sure.　③ Don't mind.　④ By all means.

1080　A : My goodness. I don't think I can manage to finish this by tomorrow.

　　B : Is that your French homework? (日本大)

　　A : Yeah ... I have no idea what this sentence means. Can you translate it, please?

　　B : (　　) That's your homework, not mine.

　　① Not to worry.　② Not bad.　③ No way.　④ No problem.

1081　A : I'd appreciate it very much if you could send this document to Ms. McCartney. (国士舘大)

　　B : (　　)

　　① Don't mention it.　② Of course. I did it this morning.

　　③ No problem.　④ Thank you, you're a big help.

1076 A : このスーツケースを運ぶのを手伝ってもらえますか。／B : いいですよ。喜んで。
1077 A : ボブ，家まで乗せて行ってくれますか。／B : ああ，いいよ。／A : ありがとう。
1078 A : 質問させてください。／B : いいですよ，どうぞ。
1079 A : 明日のダンスパーティーに弟を連れていってもいいですか。／B : もちろん。
1080 A : なんてことだ。明日までにこれを終わらせられるとは思えないよ。
　　　B : フランス語の宿題のこと？
　　　A : そう…。この文がどんな意味かわからないんだ。翻訳してくれないかな。お願いだ。
　　　B : 絶対だめ。それはあなたの宿題で，私の宿題じゃないんだから。
1081 A : この書類をマッカートニーさんに送っていただければ幸いです。／B : いいですよ。

1076 I'd be happy to. 「喜んで」

Aの依頼に対する応答として，選択肢の中で適切な表現は③ Sure, I'd be happy to. 「いいですよ。喜んで」。**I'd be happy to.** は「喜んで」の意味。

◎ 一緒に確認 ① It's none of your business. は「君の知ったことではない，余計なお世話だ」を表す。

1077 Sure. / Certainly. 「いいとも，もちろん」

空所は，Aの依頼に対する応答であり，それに対して A は「ありがとう」と言っているので，相手の依頼に応えているとわかるので，**Sure.** 「いいとも，もちろん」が正解。

選択肢 ② It's very kind of you. 「ご親切にどうも」，③ Just kidding. 「ほんの冗談です」，④ That's right. 「そのとおりです」

1078 Go ahead. 「どうぞ」

「質問させてください」と許可を求めているのに対して，OK, と答えているので，① **go ahead.** 「どうぞ」を選ぶ。

選択肢 ② I'm afraid not. 「残念ながらそうではありません」，④ How about you? 「あなたは？」

1079 By all means. 「もちろん，いいとも，ぜひとも」

承諾や許可の返事をする場合には **By all means.** 「もちろん，いいとも，ぜひとも」を用いる。

1080 No way. 「絶対だめだ，嫌なこった」

空所のあとに「それはあなたの宿題で，私の宿題じゃない」と言っているので，③ **No way.** 「絶対だめだ，嫌なこった」が入る。

選択肢 ① Not to worry. 「心配ご無用」，② Not bad. 「悪くない」，④ No problem. 「問題ない」

1081 No problem. 「問題ありません，いいですよ」

Aは，書類をマッカートニーさんに送ってほしいとBに頼んでいるのだから，③ **No problem.** 「問題ありません，いいですよ」が適切。

選択肢 ① Don't mention it. 「どういたしまして」，④ Thank you, you're a big help. 「ありがとう，とても助かります」

《ココも注目》 I'd appreciate it if you could *do* ... 「…していただければ幸いです」→ 1074

解答 1076 ③ 1077 ① 1078 ① 1079 ④ 1080 ③ 1081 ③

1082 Can I use your pen? 同意文 （亜細亜大）
Do you (　　) if I use your pen?
① mind　　② make　　③ matter　　④ miss

1083 "Would you mind (　　) to another channel?" （日本女子大）
① if I switched　　　　② if you switch
③ of switching　　　　④ to switch

1084 A：Would you mind if we went to a restaurant tonight? （東洋大）
B：(　　)
① You're welcome.　　② I have, if it's OK.
③ The weather is fine.　　④ Not at all.

1085 空所に入らないものを選びなさい。 （国士舘大）
A：Would you mind shutting the window?
B：(　　)
① Certainly not.　　② Of course not.
③ Not in the least.　　④ No, you wouldn't.

Section 222

1086 A：Did you hear about Mary? （神奈川大）
B：(　　)
A：She got a new job.
B：That's great news.
① Yes. Congratulations.　　② No. I called her yesterday.
③ Yes. What kind of job?　　④ No. What happened?

1082 あなたのペンを使ってもいいですか。
1083 「ほかのチャンネルに変えてもよろしいでしょうか」
1084 A：今晩，レストランに行くことにしてもかまいませんか。／B：かまいませんよ。
1085 A：窓を閉めていただけますか。／B：もちろん，かまいませんよ。
1086 A：メアリーのことを聞いた？／B：いいえ。どうしたんだい？
　　　A：新しい仕事についたのよ。／B：それは大ニュースだね。

Section 221 ｜ mind を用いた質問と応答

1082 Do you mind if I[we] ...? 「…してもいいですか」

① mind は「…を気にする」の意味で, **Do you mind if I[we] ...?** は「…したら気にしますか」から「…してもいいですか」の意味になる。

1083 Would you mind if I[we]＋仮定法過去 ...? 「…してもよろしいでしょうか」

Would が文頭にあることに注目。**Would you mind if I[we]＋仮定法過去 ...?** は, 丁寧に許可を求める表現で,「…してもよろしいでしょうか」の意味。if 節は仮定法過去にするので, ① **if I switched** が正解。

1084 Not at all. 「いいですよ, かまいません」

Would you mind if I[we] ...?「…してもよろしいでしょうか [あなたは気にしますか]」という問いに,「いいですよ, かまいません」と答える場合は「気にしませんよ」と表すので, 否定語を用いた④ **Not at all.** を選ぶ。嫌な場合は, Yes. と答える。

1085 Certainly not. / Of course not. / Not in the least. 「もちろん, かまいません」

Would you mind *doing* ...?「…していただけますか」と依頼する文に対して了承する場合には, ① **Certainly not.**「もちろん」, ② **Of course not.**「もちろん」, ③ **Not in the least.**「かまいません」が適切。応答として不適切なのは④。

List 100 Do you mind ... ?「…してもいいですか」に対して「いいですよ」と答える場合

- [ ] No, I don't <u>mind</u>.
- [ ] No, <u>go</u> <u>ahead</u>.
- [ ] <u>Not</u> <u>at</u> <u>all</u>.　→ 1084
- [ ] Of course <u>not</u>.　→ 1085
- [ ] Certainly <u>not</u>.　→ 1085
- [ ] Not <u>in</u> <u>the</u> <u>least</u>.　→ 1085

Section 222 ｜ いろいろな質問と応答

1086 What happened? 「どうしたの？, 何があったの？」

「メアリーのことを聞いた？」に対する応答なので, ④が適切。**What happened?** は「どうしたの？, 何があったの？」という意味を表す。

List 101 会話で使われる What を用いた疑問文

- [ ] What <u>happened</u>? (どうしたの？, 何があったの？) → 1086
- [ ] What's the <u>matter</u> (with you)? (どうしたの？) → 1087
- [ ] <u>What's</u> <u>wrong</u>? (何か問題ですか)

解答 1082 ① 1083 ① 1084 ④ 1085 ④ 1086 ④

Betty：Hi, Alice. How are you? (亜細亜大)
Alice：Not so well, I'm afraid.
Betty：Really? (　　)
Alice：I'm suffering from a headache today.
Betty：That's too bad. Take care of yourself.
① How have you listened?　② What's wrong with her?
③ What's the matter?　④ Where is your doctor?

1088　A：Hi, Yukiko. Do you have the time? (広島経済大)
B：(　　)
A：Thanks. I have a class at ten past two.
① Not now, but tomorrow is OK.
② Sorry, but I don't know when I'll have time.
③ Sure. I have a few minutes before my next class.
④ Yes. It's two o'clock.

1089　A：I'm sorry I'm late. I completely forgot the time. (明治大)
B：(　　) At least you're here, so we can start the meeting.
① Mind your own business.　② Never mind.
③ No minding.　④ You should mind it.

1090　A：Hurry up, or you will be late for the train. (鎌倉女子大)
B：(　　) The train comes every three minutes.
① I'm going.　② You said that.
③ I'm coming.　④ Don't worry.

1091　You are quite right. I (　　) agree more, John. (学習院大)
① could　② couldn't　③ would　④ wouldn't

1087 ベティ：こんにちは，アリス。元気？／アリス：あいにくあまり体調がよくないの。
　　ベティ：本当？　どうしたの？／アリス：今日は，頭痛がしているの。
　　ベティ：それはいけないわね。お大事にね。
1088 A：こんにちは，ユキコ。今，何時ですか。／B：はい。2時です。
　　A：ありがとう。私は2時10分から授業があるんです。
1089 A：遅れてごめんなさい。すっかり時間を忘れていました。
　　B：気にしないで。少なくともあなたはここにいるんだから，私たちは会議を始められます。
1090 A：急いで，そうしないと電車に遅れるわ。／B：心配ないよ。電車は3分おきに来るから。
1091 まさに君は正しい。まったく同感だよ，ジョン。

1087　What's the matter (with you)?　「どうしたの？」

体調がよくないと言ったアリスは，空所のあと，さらに具体的に答えている。空所には③ What's the matter?「どうしたの？」が適切。相手を心配して尋ねる表現。

1088　Do you have the time?　「今，何時ですか」

Do you have the time? は「今，何時ですか」の意味。その応答は④ Yes. It's two o'clock.「はい。2 時です」が適切。Do you have ... ? には Yes. / No. で答える。

◎ 一緒に確認　「何時ですか？」は What time is it? や What time do you have? でも表せる。

1089　Never mind.　「気にするな」

mind は「…を気にする」という意味。Never mind. で「気にするな」の意味を表す。

選択肢　① Mind your own business.「余計なお世話だ，人のことに口出しするな」→ 1066

1090　Don't worry (about it).　「心配するな」

空所のあとに「電車は 3 分おきに来る」とあるので，④ Don't worry.「心配するな」を選ぶ。Don't worry (about it). には Never mind.「気にするな」の意味もある。

1091　I couldn't agree more.　「まったく同感だ」

I couldn't agree more. とすれば，「これ以上同感しようとしてもできない」，つまり「まったく同感だ」という意味になる。話し言葉で使われる表現。この could は仮定法なので，現在のことでも couldn't を用いる。

空所に<u>入らない</u>ものを選びなさい。 （国士舘大）

A：Thank you very much.

B：（ 　 ）

① The pleasure is mine. 　　 ② Not at all.

③ I'm afraid not. 　　 ④ Don't mention it.

A：Which is the better way to get to the museum, train or bus?

B：It （ 　 ）. （長浜バイオ大）

① depends 　　 ② expends 　　 ③ extends 　　 ④ suspends

Section 223

A：Good afternoon, sir. Can I help you? （椙山女学園大）

B：（ 　 ）

① I'm not interested. 　　 ② I'm just looking.

③ I'm trouble. 　　 ④ I'm too busy.

Clerk： 　　 Hello, how are you? （摂南大）

Customer：Great, thanks. Can I have a cup of coffee, please?

Clerk： 　　 Certainly. （ 　 ）

Customer：No, thanks.

① Is that all for you? 　　 ② That's going to be $3.

③ For here or to go? 　　 ④ Anything else?

A：Would you like another sandwich? （女子栄養大）

B：No, thank you. （ 　 ）

A：Then what about some dessert?

① Maybe a small one. 　　 ② They are so good.

③ I've had enough. 　　 ④ How about you?

1092 A：どうもありがとう。／B：どういたしまして。

1093 A：博物館に行くには電車とバス，どちらがいい？／B：それは場合によりけりだね。

1094 A：こんにちは。いらっしゃいませ。／B：見せてもらっているだけです。

1095 店員：こんにちは，いらっしゃいませ。／客：こんにちは。コーヒーを1杯，お願いします。
店員：わかりました。ほかには？／客：いいえ，結構です。

1096 A：サンドイッチをもう1ついかがですか。／B：いいえ，ありがとう。もう十分いただきました。
A：では，デザートはいかがですか。

1092 The pleasure is mine. / Not at all. / Don't mention it. 「どういたしまして」

お礼に対する応答として適切なのは，① **The pleasure is mine.**「こちらこそ楽しませていただきました。どういたしまして」，② **Not at all.**「どういたしまして」，④ **Don't mention it.**「お礼なんて不要です，どういたしまして」が適切。空所に入らないのは③ **I'm afraid not.**「残念ながらそうではありません」。

List 102 お礼に対して「どういたしまして」の表現

- ☐ The pleasure is <u>mine</u>. → 1092
- ☐ <u>Not</u> <u>at</u> <u>all</u>. → 1092
- ☐ Don't <u>mention</u> it. → 1092
- ☐ You're <u>welcome</u>.
- ☐ My <u>pleasure</u>.

1093 It (all) depends. 「それは場合によりけりだ」

It (all) depends. で「それは場合によりけりだ」の意味を表す。

Section 223 食事・ショッピングのときの会話

1094 I'm just looking (around). 「見ているだけです」

Can[May] I help you? は店員が買い物客にかける言葉で，「いらっしゃいませ」「何にいたしましょうか」などを意味する。選択肢の中で，客の応答として適切なのは② **I'm just looking.**「見ているだけです」。

1095 Anything else? 「何かほかには？」

( ) は，客がコーヒーを注文したあとの店員からの質問。客は No, thanks. と断っていることから，空所には，追加の注文があるか尋ねる文④ **Anything else?**「何かほかには？」が入る。

《ココも注目》 店員の最初の発言の How are you? はここでは，健康を尋ねているのではなく「いらっしゃいませ」くらいの挨拶の言葉。それに応える Great, thanks. も挨拶の言葉。

1096 I've had enough (of A). 「(A を) もう十分いただきました」

Would you like ...? は，人に丁寧に物を勧める表現。What about ...? も物を勧める表現。サンドイッチを勧められた B が No, thank you. と断ったあとに続く言葉なので，③ **I've had enough.**「もう十分いただきました」が正解。

解答 1092 ③ 1093 ① 1094 ② 1095 ④ 1096 ③

1097 A : How much do I owe you for dinner? (東洋大)

B : (　　)

① Say hello to the waiter.　② No, it's on me.

③ May I take your order?　④ It was delicious.

1098 A : Two cheeseburgers, please. (専修大)

B : For here or (　　)?

A : For here.

① to go　② to leave　③ to start　④ to finish

Section 224

1099 I'm ① afrald you have the ② different number. What ③ number are you ④ calling? 誤文指摘 (立教大)

1100 〈Talking on the phone〉 (金城学院大)

A : Hello?

B : Hi. Is Mike there, please?

A : May I ask who's calling?

B : This is Linda, a friend from school.

A : OK. (　　)

B : Thanks.

① Hang on a minute.　② Hang out for a minute.

③ Hang over for a minute.　④ Hang up for a minute.

1101 A : (　　) (会津大)

B : I am sorry, but he is on another line right now.

① I saw Mr. Smith standing in line in front of the new restaurant.

② Where did you find Mr. Smith?

③ I thought Mr. Smith worked here today.

④ May I speak to Mr. Smith, please?

1097 A：食事代はあなたにいくらお支払いすればいいですか。／B：いいんですよ，私のおごりです。

1098 A：チーズバーガーを2つ，お願いします。／B：ここで召し上がりますか，お持ち帰りですか。
A：ここで食べます。

1099 電話番号をお間違えではないかと思います。どちらの番号におかけですか。

1100 〈電話での会話〉 A：もしもし。／B：もしもし。マイクをお願いできますか。
A：どちらさまですか。／B：リンダです。学校の友達です。
A：そうですか。ちょっと待ってね。／B：ありがとう。

1101 A：スミスさんをお願いします。
B：申し訳ありませんが，彼は今別の電話に出ています。

1097 **It's on me.** 「私のおごりです」

owe は「…に支払う義務がある」の意味の動詞。ここでは，一緒に食事した相手にいくら払えばいいのかを尋ねている。お金の支払いについて答えている②が正解。**It's on me.** で「私のおごりです」の意味。

1098 **For here or to go?** 「ここで召し上がりますか，それともお持ち帰りですか」

チーズバーガーを注文している場面。For here or に続くのは，① to go。**For here or to go?** で「ここで召し上がりますか，それともお持ち帰りですか」を表す。

List 103 **買い物の場面で用いられるその他の表現（出題例）**

- ☐ Do you still have the <u>receipt</u>? （まだレシートをお持ちですか） 〔京都光華女子大〕
- ☐ I'm afraid we are <u>out of stock</u>. （申し訳ありませんが在庫がありません） 〔摂南大〕
- ☐ <u>Can</u> I <u>try</u> this <u>on</u>? （試着してもいいですか） 〔国士舘大〕
- ☐ <u>May</u>[<u>Can</u>] <u>I</u> <u>help</u> <u>you</u>? （いらっしゃいませ） 〔会津大〕
- ☐ <u>What</u> <u>can</u> <u>I</u> <u>do</u> <u>for</u> <u>you</u>? （いらっしゃいませ） 〔山梨学院大〕

Section 224 **電話での会話**

1099 **have the wrong number** 「電話番号を間違えている」

「電話番号を間違えている」は wrong を用いて **have the <u>wrong</u> number** とする。

1100 **hang[hold] on** 「電話を切らずにそのまま待つ」

「電話を切らずにそのまま待つ」は **hang[hold] on**。Hang on a minute. で「ちょっと待って」の意味になる。

◎ 一緒に確認 「電話を切る，受話器を置く」は hang up で表す。

1101 **May[Can / Could] I speak[talk] to[with] A?** 「A をお願いします」

be on another line は「別の電話に出ている」の意味。B が I am sorry と言っている理由は，彼が別の電話に出ていることなので，A には④ **May I speak to Mr. Smith, please?**「スミスさんをお願いします」が適切。

解答 **1097** ② **1098** ① **1099** ②（different → wrong） **1100** ① **1101** ④

1102 A : I'd like to speak to Mr. John Smith of the Accounting Department.

B : Certainly. May I (　　) your name, please? (立教大)

① have 　② hear 　③ know 　④ see

1103 Could you have her (me / soon / back / as / as / call) possible?

並べかえ (福島大)

1104 A : I would like to talk with Dr. Brown. (昭和大)

B : I'm afraid he's out now. (　　)

A : Yes, please. Please tell him that Suzuki called.

B : I will.

① What can I do for you? 　　　② Can I take a message for him?

③ Let me know if you need help. 　④ Could you call again?

1105 A : Who's calling, please? (岡山理科大)

B : This is Mr. Smith. May I speak to Mr. Cooper, please?

A : (　　) Please hold on. He'll be right with you.

① I'll put you through now. 　② Speaking.

③ This is he. 　　　　　　　　④ Shall I take a message?

Section 225

1106 A : Did you eat all of the cookies? (愛知学院大)

B : (　　) me, I didn't hear you.

① Call 　② Help 　③ Pardon 　④ Repeat

1107 A : It's very, very hot in here. (学習院大)

B : No (　　) it feels so hot. The heater is on full!

① really 　② reason 　③ way 　④ wonder

1102 A：経理部のジョン・スミスさんをお願いします。

B：かしこまりました。お名前を伺ってもよろしいですか。

1103 できるだけ早く彼女に私へ折り返し電話してくれるようにしていただけますか。

1104 A：ブラウン先生とお話ししたいのですが。

B：あいにく彼は今，外出しています。彼に伝言はありますか。

A：はい，お願いします。スズキから電話があったと彼にお伝えください。

B：はい，わかりました。

1105 A：どちらさまですか？／B：スミスと申します。クーパーさんをお願いできますか。

A：今おつなぎします。このままお待ちください。すぐに電話に出ます。

1106 A：クッキーを全部食べましたか。／B：もう一度言って，聞こえなかった。

1107 A：ここはとても，とても暑い。／B：なるほどとても暑いわけだ。暖房が最大出力だ！

1102 May I have your name, please? 「お名前を伺ってもよろしいですか」

電話での会話。**May I have your name, please?** は，相手の名前を丁寧に尋ねる表現で，「お名前を伺ってもよろしいですか」という意味。

1103 call A back 「A に折り返し電話する」

（　）内に soon, as, as が，文末に possible があることから，as soon as possible を組み立てる。have her という形から〈have ＋人＋ *do*〉「(人) に…させる，…してもらう」を用いると考え，have her call me back「彼女に，私へ折り返し電話してもらう」とする。**call A back** は「A に折り返し電話する」の意味。

List 104 電話での会話で使われるその他の表現 (出題例)

☐ The line is always <u>busy</u>. （いつも話し中だ）　　(静岡大)
☐ <u>Who's calling</u>, please? （どちらさまですか）　　(阪南大)

1104 Can[Could] I take a message? 「伝言はありますか」

電話をかけてきた A (スズキ) の 2 つ目の言葉で，彼 (ブラウン先生) への伝言をしていることから，空所は② **Can I take a message for him?**「彼に伝言はありますか」が適切。

1105 I'll put you through (to A). 「(電話で) (A に) おつなぎします」

hold on は「電話を切らないでおく」の意味。その前の言葉として適切なのは，① **I'll put you through now.**「今おつなぎします」。

《ココも注目》 He'll be right with you. 「彼はすぐに電話に出ます」

Section 225 〈・定型表現・慣用表現 〉

1106 Pardon (me). 「すみません，もう一度おっしゃってください」

空所のあとに I didn't hear you「聞こえませんでした」とあるので，相手の言葉を聞きもらしたときに言う **Pardon me.**「すみません，もう一度おっしゃってください」が適切。I beg your pardon. と同じ意味。

1107 No wonder ... 「道理で…なわけだ，なるほど…なわけだ」

The heater is on full!「暖房が最大出力だ！」とあるので，**No wonder ...**「道理で…なわけだ，なるほど…なわけだ」とする。

1108 Please (　) to it (　) all the doors are locked. （専修大）
① watch / who　② look / which　③ see / that　④ find / what

1109 A : Should I type my essay or can I write it by hand? （明治大）
B : (　) as long as I can read it.
① It doesn't care　　　　② It doesn't help
③ It doesn't matter　　　④ It doesn't work

1110 A : Bill, are you hungry? （国士舘大）
B : Yes, (　).
① I could eat a horse
② I eat like a horse
③ straight from the horse's mouth
④ hold your horses

1111 If you've got a high fever, you should (　) a doctor at once. （専修大）
① look　② meet　③ see　④ watch

1112 I have a (　) throat and a fever. （名古屋学芸大）
① hurt　② sore　③ pain　④ sour

1113 I'm sorry (you / to / kept / waiting / have) so long. Someone came
to talk to me when I was about to leave my office.　並べかえ （法政大）

1108 すべてのドアに鍵をかけるようにしてください。
1109 A：私は自分の作文をタイプすべきですか，それとも手書きでいいですか。
　　　 B：読めさえすればかまいません。
1110 A：ビル，お腹がすいているの？／B：ああ，腹ペコだ。
1111 熱が高いなら，あなたはすぐに医者の診察を受けるべきです。
1112 私はのどが痛くて熱があります。
1113 長いことお待たせして申し訳ありません。事務所を出ようとしたときに，私に話があって訪
　　　 ねてきた人がいましたので。

1108 see to it that ... 「…になるように取り計らう，…になるように注意する」

see to it that ...で「…になるように取り計らう，…になるように注意する」の意味。

1109 it doesn't matter 「どうでもいい，かまわない」

Aの「私は自分の作文をタイプすべきですか，それとも手書きでいいですか」という質問に対し，Bは「読めれば（　　）」と答えている。空所には③ It doesn't matter「かまわない」が入ると考えられる。matter は「（人にとって）重要である」という意味を表す動詞なので，it doesn't matter で「どうでもいい，かまわない」の意味になる。

1110 I could eat a horse. 「腹ペコだ」

お腹がすいているかと尋ねられていることに注目。I could eat a horse. は「馬 1 頭食べられそうだ」から「腹ペコだ」の意味になる。

1111 see a doctor 「医者の診療を受ける」

「医者の診療を受ける」の場合は③ see を用いて see a doctor とする。

1112 have a sore throat 「のどが痛い」

have a sore throat は「のどが痛い」という意味。sore は形容詞で「痛い，ヒリヒリする」の意味。

List 105 病気に関する表現 (出題例)

☐ **I feel a little sick.** I need to lie down. （大阪経済大）
（少し気分が悪い。私は横になりたい）

☐ I have lost my **appetite**. （獨協大）
（私はずっと食欲がありません）

☐ The babysitter decided to **send** for the doctor. （中央大）
（ベビーシッターは医者を呼びにやろうと決めた）

☐ You look **pale**. （顔色が悪いよ） （東洋大）

1113 I'm sorry to have kept you waiting. 「お待たせして申し訳ありません」

I'm sorry to do「…して申し訳ありません」は謝罪を表す表現。不定詞の完了形〈to have ＋過去分詞〉を用いる。〈keep ＋人＋ doing〉は「（人）を…している状態にしておく」の意味。**I'm sorry to have kept you waiting so long.** で「長いことお待たせして申し訳ありません」の意味。

解答 1108 ③ 1109 ③ 1110 ① 1111 ③ 1112 ② 1113 to have kept you waiting

1114 A：The game was canceled because of bad weather. (防衛大学校)
B：Oh, (　　)! I hope you'll get another chance to play.
① that's a shame ② I'm ashamed of you
③ you put me to shame ④ that's nothing to be ashamed of

1115 A：I will tell you something I have kept a secret. My father is a professional baseball player. (玉川大)
B：You're (　　)!
① sure ② kidding
③ telling me the truth ④ loved by your father

1116 A：It would be helpful if you could help me with the report. (専修大)
B：I (　　) I could, but I am very busy right now.
① announce ② help ③ wonder ④ wish

1117 A：That concert was fantastic! (青山学院大)
B：You can (　　) that again.
① take ② help ③ say ④ make

1118 A：Excuse me, I'm trying to get to the post office. Can you give me directions? (専修大)
B：Sure. Go straight and turn right at the first corner. It's just before the next corner. You can't (　　) it.
① take ② miss ③ show ④ find

1119 A：Yukiko, come downstairs! Dinner is ready! (新潟医療福祉大)
B：(　　)
① He came here yesterday. ② I'm coming.
③ It's gone. ④ No, there aren't.

1120 A：Can I see your boarding pass, please? (福岡工業大)
B：Sure. (　　)
A：Thank you.
① There we are. ② Here you are.
③ How you are. ④ Here we are.

1114 A：悪天候のせいで試合は中止になったよ。
B：おや，それは残念！　試合するまた別の機会が君にあるといいね。
1115 A：秘密にしてきたことをあなたに教えます。私の父はプロ野球選手なんです。
B：まさか！
1116 A：あなたが私のレポートを手伝ってくださったら助かるんですが。
B：できたらいいんだけど，ちょうど今，とても忙しいんです。
1117 A：あのコンサートはすばらしかった！／B：本当にその通りです。
1118 A：すみません。郵便局に行きたいんですが，道を教えてもらえますか。／B：もちろん。まっすぐ行って最初の角で右に曲がって。次の角の直前にあります。すぐわかりますよ。
1119 A：ユキコ，降りてきて！　夕食よ！／B：すぐ行きます。
1120 A：搭乗券を拝見できますか。／B：ええ，どうぞ。／A：ありがとう。

1114 **What[That's] a shame!** 「それは残念ですね」

試合が中止になったと言っている A に，B が，別の機会があるといいねと言っているので，（　）には① that's a shame「それは残念ですね」を入れるのが適切。この a shame は「残念なこと」を意味する。

選択肢　④ That's nothing to be ashamed of. は「何も恥じることはない」という言葉。

1115 **You're kidding!** 「冗談でしょう，まさか」

You're kidding! で「冗談でしょう，まさか」の意味を表す。この kid は joke「冗談を言う」の意味。同じ意味を You must be kidding. や Are you kidding? で表すこともある。

1116 **I wish I could, but ...** 「できたらいいんだけど…」

レポートを手伝ってほしいと言われた B は，「ちょうど今，とても忙しい」と言っているので，依頼を断っていると予想できる。I wish I could, but ... は，仮定法を用いて「できたらいいんだけど…」と断る表現。

1117 **You can say that (again).** 「本当にその通りだ」

You can say that again. は相手の発言に同意して「本当にその通りだ」と言うときに用いる。

1118 **You can't miss it.** 「すぐわかりますよ」

You can't miss it. は，道案内などで，目的地について「それを見落とすことはありえない」から「すぐわかりますよ」の意味で用いられる。

1119 **I'm coming.** 「すぐ行きます」

I'm coming. は相手に呼ばれて「すぐ行きます」というときに用いる。× I'm going. とは言わない。

1120 **Here you are[go].** 「はい，どうぞ」

相手に手渡すときは Here you are.「はい，どうぞ」と言う。Here you go. や Here it is. でも同じ意味。

解答　**1114** ①　**1115** ②　**1116** ④　**1117** ③　**1118** ②　**1119** ②　**1120** ②

- ☐ **Prevention** is better than **cure**. （転ばぬ先の杖） （法政大）
- ☐ There is no point **crying** over spilt **milk**. （覆水盆に返らず） （西南学院大）
- ☐ **No man** is so **old** but he may learn. （学ぶのに遅すぎることはない） （中京大）
- ☐ Honesty doesn't **pay**. （正直者がばかを見る） （防衛医科大）
- ☐ When in Rome, do as the **Romans** do. （郷に入っては郷に従え） （防衛医科大）
- ☐ Better late than **never**. （遅くてもしないよりはまし） （国士舘大）
- ☐ Even Homer sometimes **nods**. （弘法も筆の誤り） （防衛医科大）
- ☐ **Fear** is greater than the **danger**. （案ずるより生むが易し） （杏林大）
- ☐ **More** haste, **less** speed. （急がばまわれ） （国士舘大）
- ☐ **No** news is **good** news. （便りのないのはよい知らせ） （防衛医科大）
- ☐ There is no **accounting** for **tastes**. （タデ食う虫も好きずき） （大阪医大）
- ☐ There is no **royal road** to learning. （学問に王道なし） （大妻女子大）
- ☐ The **early** bird catches the **worm**. （早起きは三文の得） （防衛医科大）
- ☐ All roads **lead to** Rome. （すべての道はローマに通ず） （国士舘大）
- ☐ A bird in the **hand** is worth two in the **bush**.
  （手中の一羽は茂みの中の二羽に値する） （福山大）
- ☐ Don't **put off** till tomorrow **what you can do** today.
  （今日できることを明日に延ばすな） （青山学院大）
- ☐ **All things** are easy that **are done** willingly.
  （熱意をもってなされることは，何でも簡単にできる） （東京慈恵会医科大）

Field 4 会話・表現 **暗記リスト 4**　Field 4 で出てきた暗記すべき表現を抜き出しています。

第 25 章　会話・表現

☐ **How's it[everything] going?**	元気ですか，調子はどう。	1058
☐ **What's up?**	元気ですか，どうかしたの。	1059
☐ **Long time no see.**	お久しぶりです。	1060
☐ **What do you do (for a living)?**	お仕事は何をしていますか。	1061
☐ **give[send] my (best) regards to A**	A によろしく伝える	1062
☐ **remember me to A**	A によろしく伝える	1063
☐ **Nothing special.**	特に何も。	**List 97**
☐ **Pretty good.**	とてもいいです。	**List 97**
☐ **What have you been up to lately?**	最近どうしてた？	**List 97**
☐ **Hi there.**	やあ，君。	**List 97**
☐ **Good for you!**	よかったね！	1064
☐ **That's too bad.**	お気の毒に。	1065
☐ **Mind your own business.**	余計なお世話だ。	1066
☐ **That's none of your business.**	余計なお世話だ。	**List 99**
☐ **That's none of your affair.**	余計なお世話だ。	**List 99**

☐ beside the point	的はずれで	1067
☐ I can't help it.	どうしようもない，しょうがない。	1068
☐ Thanks anyway.	（何はともあれ）ありがとう。	1069
☐ How do you like A?	A はいかがですか。	1070
☐ Can you do me a favor?	お願いを聞いてくれますか。	1071
☐ How[What] about *doing* ...?	…するのはどうですか。	1072
☐ Why not?	いいとも。喜んで。	1073
☐ I would appreciate it if you would[could] *do* ...	…していただければ幸いです。	1074
☐ I wonder if you could[would] *do* ...	…していただけますか。	1075
☐ I'd be happy to.	喜んで。	1076
☐ Sure. / Certainly.	いいとも，もちろん。	1077
☐ Go ahead.	どうぞ。	1078
☐ By all means.	もちろん，いいとも，ぜひとも。	1079
☐ No way.	絶対だめだ，嫌なこった。	1080
☐ No problem.	問題ありません，いいですよ。	1081
☐ Do you mind if I[we] ...?	…してもいいですか。	1082
☐ Would you mind if I[we] ＋仮定法過去 ...?	…してもよろしいですか。	1083
☐ Not at all.	いいですよ，かまいません。	1084
☐ Certainly not.	もちろん，かまいません。	1085
☐ Of course not.	もちろん，かまいません。	1085
☐ Not in the least.	もちろん，かまいません。	1085
☐ No, I don't mind.	いいですよ。	**List 100**
☐ No, go ahead.	いいですよ。	**List 100**
☐ What happened?	どうしたの？，何があったの？	1086
☐ What's wrong?	何か問題ですか。	**List 101**
☐ What's the matter (with you)?	どうしたの？	1087
☐ Do you have the time?	今，何時ですか。	1088
☐ Never mind.	気にするな。	1089
☐ Don't worry (about it).	心配するな。	1090
☐ I couldn't agree more.	まったく同感だ。	1091
☐ The pleasure is mine.	どういたしまして。	1092
☐ Not at all.	どういたしまして。	1092
☐ Don't mention it.	どういたしまして。	1092
☐ You're welcome.	どういたしまして。	**List 102**
☐ My pleasure.	どういたしまして。	**List 102**
☐ It (all) depends.	それは場合によりけりだ。	1093
☐ I'm just looking (around).	見ているだけです。	1094
☐ Anything else?	何かほかには？	1095
☐ I've had enough (of A).	（A を）もう十分いただきました。	1096
☐ It's on me.	私のおごりです。	1097
☐ For here or to go?	ここで召し上がりますか，それともお持ち帰りですか。	1098
☐ Do you still have the receipt?	まだレシートをお持ちですか。	**List 103**
☐ I'm afraid we are out of stock.	申し訳ありませんが在庫がありません。	**List 103**

Field 1 文法

Field 2 語法

Field 3 イディオム

Field 4 会話・表現

Field 5 ボキャブラリー

Field 6 英文構造

☐ Can I try this on?	試着してもいいですか。	**List 103**
☐ May [Can] I help you?	いらっしゃいませ。	**List 103**
☐ What can I do for you?	いらっしゃいませ。	**List 103**
☐ have the wrong number	電話番号を間違えている	1099
☐ hang[hold] on	電話を切らずにそのまま待つ	1100
☐ May[Can / Could] I speak[talk] to[with] A?	Aをお願いします。	1101
☐ May I have your name, please?	お名前を伺ってもよろしいですか。	1102
☐ call A back	Aに折り返し電話する	1103
☐ The line is always busy.	いつも話し中だ。	**List 104**
☐ Who's calling, please?	どちらさまですか。	**List 104**
☐ Can[Could] I take a message?	伝言はありますか。	1104
☐ I'll put you through (to A).	（電話で）（Aに）おつなぎします。	1105
☐ Pardon (me).	すみません，もう一度おっしゃってください。	1106
☐ No wonder ...	道理で…なわけだ。	1107
☐ see to it that ...	…になるように取り計らう	1108
☐ it doesn't matter	どうでもいい，かまわない	1109
☐ I could eat a horse.	腹ペコだ。	1110
☐ see a doctor	医者の診療を受ける	1111
☐ have a sore throat	のどが痛い	1112
☐ I feel a little sick.	少し気分が悪い。	**List 105**
☐ I have lost my appetite.	私はずっと食欲がありません。	**List 105**
☐ send for the doctor	医者を呼びにやる	**List 105**
☐ You look pale.	顔色が悪いよ。	**List 105**
☐ I'm sorry to have kept you waiting.	お待たせして申し訳ありません。	1113
☐ What[That's] a shame!	それは残念ですね。	1114
☐ You're kidding!	冗談でしょう，まさか。	1115
☐ I wish I could, but ...	できたらいいんだけど…	1116
☐ You can say that (again).	本当にその通りだ。	1117
☐ You can't miss it.	すぐわかりますよ。	1118
☐ I'm coming.	すぐ行きます。	1119
☐ Here you are[go].	はい，どうぞ。	1120

Field 5

ボキャブラリー

第26章 | Field 5 ボキャブラリー ボキャブラリー

Section 226

1121 I can't (　　) this intense heat. It makes me dizzy.　　（東邦大）
① cure　　② dig　　③ stand　　④ follow

1122 Chris： I can't open this jam jar.　　（防衛大学校）
Larry： Try putting it in hot water. That sometimes (　　).
① opens　　② works　　③ will open　　④ will warm

1123 Most amusement parks will not let young children ride some attractions
if they don't (　　) the minimum height requirements.　　（中央大）
① call　　② meet　　③ run　　④ work

1124 The restaurant is always crowded, so I recommend you to (　　) a table.
① board　　② bet　　③ bother　　④ book　　（青山学院大）

Section 227

1125 The traffic was so (　　) that we couldn't be in time for the train.　（法政大）
① great　　② large　　③ big　　④ heavy

1126 My mother didn't like the steak because it was too (　　).　　（名城大）
① rough　　② solid　　③ strong　　④ tough

1127 The woman checked if there were any seats (　　) on the flight. （立命館大）
① available　　② frequent　　③ offensive　　④ successful

1121 私はこの猛烈な暑さに耐えられない。暑さで私はめまいがする。
1122 クリス：このジャムのビンを開けられない。／ラリー：熱湯に入れてみなよ。うまくいくことがあるんだ。
1123 ほとんどの遊園地は，小さな子どもが最低身長の条件を満たさなければ，いくつかのアトラクションには乗車させない。
1124 そのレストランはいつも混んでいるので，私はあなたにテーブルを予約することをお勧めします。
1125 ひどい渋滞だったので，私たちは電車の時刻に間に合わなかった。
1126 母はそのステーキがかた過ぎたので気に入らなかった。
1127 その女性は，その飛行機の便に空席があるかどうかを調べた。

Section 226 ◦ 意外な意味が問われる語

1121 **stand** 「…を我慢する，…に耐える」

stand には「立つ」の意味のほかに「…を我慢する，…に耐える」という意味がある。
Vocab intense heat「猛烈な暑さ」，dizzy「めまいがする」

1122 **work** 「うまくいく，効果がある」

that は前文の「熱湯にビンを入れてみること」を指している。自動詞 work には「働く」のほかに「うまくいく，効果がある」などの意味もある。

1123 **meet** 「(条件) を満たす，(要求・必要など) に応じる」

文末に requirements があることに注目。meet a requirement で「条件を満たす」の意味になる。meet には「…に会う」のほかに，「(条件など) を満たす」(＝ satisfy) の意味がある。
◎ 一緒に確認 meet には「(要求・必要など) に応じる」の意味もある。
The university **met** the demands of the students.「大学は学生の要求に応じた」

1124 **book** 「…を予約する」

〈recommend ＋ O ＋ to *do*〉で「O に…するように勧める」の意味。book には「本」の意味のほか，動詞で「…を予約する」の意味もある。

Section 227 ◦ 形容詞・副詞

1125 **heavy** 「(数や量が) 多い」

主語の the traffic「交通量」を説明する形容詞として適切なのは④ heavy「(量が) 多い」。the traffic was so heavy で「ひどい渋滞だった」の意味になる。
◎ 一緒に確認 **heavy rain**「豪雨」，**heavy snow**「大雪」
◎ 一緒に確認 「(交通量が) 少ない」は light で表す。
The traffic is **light**. (交通量が少ない)

1126 **tough** 「かたい，噛み切れない」

it は the steak を指している。肉などが「かたい，噛み切れない」は tough で表す。
◎ 一緒に確認 「(肉などが) 柔らかい」は **tender** で表す。

1127 **available** 「利用できる，使用できる」

(TOP 100)

available は「利用できる，使用できる」の意味。seats available で「空席」の意味になる。
◎ 一緒に確認 人が主語のとき，**be available** で「体が空いている，都合がつく」の意味。

解答 **1121** ③ **1122** ② **1123** ② **1124** ④ **1125** ④ **1126** ④ **1127** ①

1128 I can't go to the movies with you tonight, because my assignment is ( ) tomorrow.

（芝浦工業大）

① ready　　② punctual　　③ due　　④ timely

List 107　due を用いた表現

□ **be due to** *do*「…するはずである，まもなく…する」
□ **due to** A「Aが原因で」→ 1054
□ **be due**「（提出物などが）期限が来る」→ 1128
□ **be due**「（子どもが）生まれる予定である」
□ **be due at** A「（乗り物が）Aに到着予定である」
　※前置詞 at は，場所によって in や on になる。

1129 Please write your name and ( ) address on the card and place it in the box.

（摂南大）

① late　　② approximate　　③ current　　④ modern

1130 When it is too warm for snow, people sometimes ski on slopes which have ( ) snow.

（神奈川大）

① automatic　　② equivalent　　③ artificial　　④ elaborate

1131 Mayu：Our basketball team finally beat our rivals to win the championship.
Kana：Yes．It was a ( ) victory.

（岐阜聖徳学園大）

① tragic　　② trivial　　③ significant　　④ somewhat

1132 We cannot go there by car．An ( ) way would be to travel by railroad.

（大阪学院大）

① alternative　　② exceptional　　③ impossible　　④ opponent

1133 The concert was ( )，but the people there were too excited to leave the hall.

（名城大）

① below　　② down　　③ up　　④ over

1134 The car's engine suddenly began to make ( ) loud noise.　（東京理科大）

① a multiply　　② an imply　　③ a comply　　④ an extremely

1128 私は今夜，あなたと一緒に映画に行けません。私の宿題は明日が期限なので。
1129 カードにあなたのお名前と現住所を書いて箱に入れてください。
1130 雪が降るには暖かすぎるとき，人は人工雪のゲレンデでスキーをすることもある。
1131 マユ：うちのバスケットボールチームはライバルを破ってついに優勝しました。
　　カナ：ええ。それは重要な勝利でした。
1132 私たちはそこに車で行くことはできない。別の方法は鉄道で行くことだろう。
1133 コンサートが終わったが，そこにいた人々はホールを去るにはあまりに興奮しすぎていた。
1134 その車のエンジンは突然，極めて大きな音を出し始めた。

1128 | **due** 「(提出物などが) 期限が来て」

主語が my assignment「私の宿題」で，( ) のあとに tomorrow「明日」という期限を示す「時」があるので，「期限が来て」の意味の③ **due** を入れる。

《誤答》 ①の be ready「用意ができている」では，今夜映画に行けない理由にならない。

1129 | **current** 「現在の，最新の」

current address で「現住所」の意味。**current** は「現在の，最新の」の意味を表す形容詞。なお，current には名詞で「(川・空気などの) 流れ」の意味もある。

◎ (一緒に確認) **latest**「最新の」，**modern**「現代の，近代の」

1130 | **artificial** 「人工の，人工的な」

artificial snow で「人工雪」の意味。**artificial** は「人工の，人工的な」の意味を表す形容詞。

《選択肢》 ① automatic「自動の，自動的な」，② equivalent「同じ，同等の」，④ elaborate「複雑な，精巧な」

1131 | **significant** 「重要な」

victory「勝利」を修飾するのに適切な形容詞は③ **significant**「重要な」(= important)。② trivial は「ささいな，つまらない」の意味。

《選択肢》 ① tragic は「悲劇の」，④ somewhat は副詞で「やや，いささか」の意味。

《ココも注目》 **beat ... to win the championship** は「…を破って優勝する」の意味。

1132 | **alternative** 「別の，それに代わる」

前文には「車では行けない」とあるので，to travel by railroad「電車で行くこと」は「別の方法」と考えられる。**alternative** は「別の，それに代わる」の意味。

《選択肢》 ② exceptional「例外的な」，③ impossible「不可能な」，④ opponent「敵対する」

1133 | **over** 「終わって」

over は「終わって」という意味も表す。

《ココも注目》 **too ＋形容詞＋ to do**「…すぎて〜できない」→ **139**

1134 | **extremely** 副「極度に，極めて」

make a loud noise で「大きな音を立てる」の意味。a[an] と形容詞の間には，後ろの loud「大きい」を修飾する副詞を入れる。**extremely** は「極度に，極めて」の意味。

《選択肢》 ① multiply 動「(数) を掛ける，増やす」，② imply 動「暗に伝える」，③ comply 動「従う，応じる」

□□ 1135 A memorial service, attended by the President, is to be (   ) in
Washington, D.C. 　　　　　　　　　　　　　　　　　　　　　（獨協大）
① caught　　② held　　③ sent　　④ received

□□ 1136 Tom said he would give me a ride home, and I was happy to (   ) his
kind offer. 　　　　　　　　　　　　　　　　　　　　　　　（麗澤大）
① accept　　② inspect　　③ reject　　④ expect

□□ 1137 I'm sorry, but the bank can't (   ) your application for a loan. 　（南山大）
① admit　　② approve　　③ agree　　④ consent

□□ 1138 This sauce (   ) tomato. 　　　　　　　　　　　　　　（熊本県立大）
① covers　　② includes　　③ has　　④ contains

□□ 1139 Marriage (   ) compromise. 　　　　　　　　　　　　　（大阪経済大）
① invoices　　② involves　　③ investigates　　④ interviews

List 108 「…を含む」を表す動詞

・**contain** 「(容器などが) …を含む，(成分・構成要素として) …を含む」→ 1138
・**include** 「(全体の一部として) …を含む」
　The price **includes** postage. (その値段には郵送料も含まれる)
・**involve** 「(不可欠なものとして) …を含む，伴う」→ 1139

□□ 1140 After the accident, all of the trains were (   ) for about an hour. 　（獨協大）
① absorbed　　② advanced　　③ reflected　　④ delayed

□□ 1141 Do not (   ) me when I am talking to you! It's rude. 　　（神奈川大）
① encounter　　② interrupt　　③ take after　　④ refer to

1135 大統領が参列する追悼式は，ワシントン DC で開催される予定だ。
1136 トムは私を家まで乗せてくれると言ってくれて，私は喜んで彼の言葉に甘えた。
1137 申し訳ございませんが，銀行はあなたの融資のお申し込みを承認できません。
1138 このソースにはトマトが含まれている。
1139 結婚には妥協が伴う。
1140 事故後，すべての電車は約 1 時間遅れた。
1141 あなたに話しているときに，私の言葉を遮らないで。失礼だよ。

Section 228 ⟨・⟨ 動詞 ⟩

1135 | **hold** 「（会合・式典など）を催す，開催する」

主語は a memorial service「追悼式，告別式」。「（会合・式典など）を催す，開催する」は **hold** を用いて表す。ここでは受動態になっている。

1136 | **accept** 「…を受け取る，受け入れる」

accept *one's* kind offer で「（人）の親切な申し出を受ける，（人）の言葉に甘える」の意味。**accept** は「…を受け取る，受け入れる」の意味。③ reject は「…を拒絶する，断る」の意味。

選択肢 ② inspect「…を調査する」，④ expect「…を期待する」

1137 | **approve** 「…を承認する，認可する」

your application for a loan「あなたの融資の申請」を承認する場合には，② **approve**「…を承認する，認可する」を用いる。① admit は「（入会・入学など）を認める」の意味。

選択肢 ③ agree「意見が同じである」，④ consent「（意見などに）同意する」

1138 | **contain** 「…を含む」

成分・構成要素として「…を含む」を表すのは **contain**。

誤答 ② include は「（全体の一部として）…を含む」の意味。

1139 | **involve** 「…を含む，伴う」

不可欠なものとして「…を含む，伴う」を表すのは **involve**。

選択肢 ① invoice「送り状；送り状を送る」，③ investigate「…を調査する」，④ interview「…にインタビューする」

1140 | **delay** 「…を遅らせる」

主語が all of the trains で，後ろに for about an hour と時間が述べられているので，**delay**「…を遅らせる」の過去分詞④ delayed が正解。ここでは受動態で用いる。

選択肢 ① absorb「…を吸収する」，② advance「…を推進する」，③ reflect「…を反射する」

1141 | **interrupt** 「…の言葉を遮る」

失礼な態度なので，② **interrupt**「…の言葉を遮る」が適切。interrupt には「…を中断する，妨げる」という意味もある。

選択肢 ① encounter「…に出会う，出くわす」，③ take after「…に似ている」→ **771**，④ refer to「…に言及する」→ **891**

解答 **1135** ② **1136** ① **1137** ② **1138** ④ **1139** ② **1140** ④ **1141** ②

1142 It is ( ) that about 40% of the total population of Japan will be 65 years old or older in the year 2050. (名城大)

① searched　　② estimated　　③ consulted　　④ prepared

1143 They were physically ( ) after their long hike in the mountains. (東京理科大)

① consisted　　② exhausted　　③ meditated　　④ resolved

1144 Surprisingly, the project turned out to be much more exciting than we had ( ). (芝浦工業大)

① interested　　② expected　　③ started　　④ determined

1145 Please ( ) your reservation by email. (立命館大)

① confirm　　② frighten　　③ invade　　④ slice

1146 The police will only ( ) the matter if an official complaint is made.

① advise　　② dedicate　　③ investigate　　④ operate (立命館大)

1147 The meeting has been ( ) until next week because too many people cannot attend. (南山大)

① interrupted　　② removed　　③ replaced　　④ postponed

1148 Black tea is ( ) mainly in Europe and North America, while green tea is preferred in many Asian and North African countries. (清泉女子大)

① acquired　　② consumed　　③ maintained　　④ spent

1142 2050 年には，日本の全人口の約 40% は 65 歳以上になると推定される。
1143 彼らは山地での長いハイキングのあとで身体的に疲れ切っていた。
1144 驚いたことに，その計画は私たちが予想していたよりも，はるかにおもしろくなった。
1145 あなたの予約をメールで確認してください。
1146 正式な告訴があって初めて，警察はその問題を取り調べる。
1147 あまりに多くの人が参加できないので，会議は来週まで延期された。
1148 紅茶は主にヨーロッパと北アメリカで消費される。一方で緑茶は多くのアジアと北アフリカ
の国々で好まれる。

1142　**estimate**　「…を見積もる，…と推定する」

形式主語を用いた文。真の主語は that 以下「2050 年には，日本の全人口の約 40％は 65 歳以上になる」なので，（　）には「…と推定される」となるように② estimated を選ぶ。estimate は「…を見積もる，…と推定する」の意味。

選択肢　① search「…を調べる」，③ consult「（専門家など）に相談する」，④ prepare「…を準備する」

1143　**exhaust**　「…を疲れ果てさせる」

after their long hike「長いハイキングのあとで」とあるので，（　）には exhaust「…を疲れ果てさせる」の過去分詞② exhausted が適切。

選択肢　① consist「成り立つ」，③ meditate「瞑想する」，④ resolve「（…を）決心する」

1144　**expect**　「…を予想する」

比較級を用いた「…よりもはるかにおもしろくなった」という文。we had（　）の部分が比較の基準となる。② expected を入れれば，「私たちが予想していたよりも」となる。expect は「…を予想する」の意味。

選択肢　① interest「…に興味をもたせる」，④ determine「…を決心する」

1145　**confirm**　「…を確認する」

手紙や電話などで日程や予約を確認する場合は confirm「…を確認する」を用いる。

選択肢　② frighten「…を怖がらせる」，③ invade「…に攻め入る」，④ slice「…を薄く切る」

1146　**investigate**　「…を取り調べる，調査する」

③ investigate「…を取り調べる」を入れれば，「警察はその問題を取り調べる」となる。

選択肢　② dedicate「…を捧げる」，④ operate「…を操作する」

1147　**postpone**　「…を延期する」

postpone「…を延期する」の過去分詞④ postponed を入れれば，「会議は来週まで延期された」となる。

◎一緒に確認　「A を延期する」は **put off A / put A off** でも表せる。→ **778**

選択肢　① interrupt「…を中断する」，② remove「…を取り除く」，③ replace「…を取りかえる」

1148　**consume**　「…を消費する」

（　）の前に be 動詞 is があり，選択肢の単語は過去分詞なので，受動態の文。主語は「紅茶」なので，（　）には consume「…を消費する」の過去分詞が入る。preferred は prefer「…を好む」の過去分詞。

《ココも注目》 while「…なのに対して，…である一方」→ **380**

Vocab　black tea「紅茶」，green tea「緑茶」

解答　**1142** ②　**1143** ②　**1144** ②　**1145** ①　**1146** ③　**1147** ④　**1148** ②

1149 I hope you (　　) that watching too much TV is bad for your eyes. （南山大）
① promise　　② realize　　③ forget　　④ expect

1150 ジェニーはとても変わっていたので，誰だかわからなかった。 （獨協医科大）
Jennie had changed so much that I didn't (　　) her.
① see　　② understand　　③ realize　　④ recognize

1151 John gave up smoking to (　　) his living expenses. （東邦大）
① remind　　② reduce　　③ inquire　　④ lose

1152 He took a long time to (　　) from his illness. （宮城学院女子大）
① recover　　② reduce　　③ remove　　④ resort

1153 When you (　　) a difficult goal, you feel really good. （南山大）
① achieve　　② gain　　③ win　　④ overcome

1154 A local group has been trying to (　　) city development in the Old Town. （日本大）
① assemble　　② resign　　③ resist　　④ trap

1155 It is impossible to (　　) when a big tsunami will hit this area. （大東文化大）
① follow　　② forbid　　③ demand　　④ predict

1156 I was truly (　　) by his moving speech. （東京理科大）
① breathed　　② ceased　　③ inspired　　④ reacted

1149 私はあなたに，テレビを見すぎることはあなたの目に悪いということに気づいてほしい。
1151 ジョンは生活費を減らすために喫煙をやめた。
1152 彼は病気が治るのに長い時間がかかった。
1153 困難な目標を達成すると，実に気分がいい。
1154 地元の団体は旧市街の都市開発に抵抗し続けている。
1155 いつ大津波がこの地域を襲うのかを予測するのは不可能だ。
1156 私は彼の感動的なスピーチにとても刺激を受けた。

1149　realize 「…に気づく」

realize that ... で「…だと気づく」の意味を表す。

選択肢　① promise「…を約束する」, ③ forget「…を忘れる」, ④ expect「…を予想する」

1150　recognize 「(覚えのある人やもの) がわかる」

〈人〉を目的語にとって「(覚えのある人) がわかる」は④ **recognize** で表す。

誤答　③ realize は realize that ... で「…だと気づく」の意味。→ 1149

1151　reduce 「…を減少させる」

禁煙の目的なので, ② **reduce**「…を減少させる」を入れて「自分の生活費を減らすために」とする。

選択肢　① remind「…を思い出させる」, ③ inquire「…を尋ねる」, ④ lose は「…を失う, なくす」

Vocab　one's living expenses「…の生活費」

1152　recover 「回復する, 正常な状態に戻る」

from his illness「病気から」が続くので, ① recover が正解。**recover from A** で「A から回復する, (病気) が治る」の意味。

選択肢　② reduce「…を減少させる」, ③ remove「移動する」, ④ resort「リゾート地；頼る」

1153　achieve 「…を成し遂げる, 達成する」

( ) のあとの目的語が a difficult goal「困難な目標」なので, ( ) には① achieve「…を成し遂げる, 達成する」が入る。

選択肢　② gain「…を得る」, ③ win「…に勝つ」, ④ overcome「…を克服する, 乗り越える」

1154　resist 「…に抵抗する」

③ **resist**「…に抵抗する」を入れれば, 「旧市街の都市開発に抵抗する」の意味になる。

選択肢　① assemble「…を集める」, ② resign「…を辞職する」, ④ trap「…をわなで捕らえる」

1155　predict 「…を予測する」

この文は, 形式主語を用いた It is ～ to do ...「…することは～だ」の文。when 節は, will があるので, 「いつ…するか」という名詞節。「いつ大津波がこの地域を襲うのかを…するのは不可能だ」という意味になるので, ( ) には④ predict「…を予測する」が入る。

選択肢　① follow「…に続く」, ② forbid「…を禁じる」, ③ demand「…を要求する」

1156　inspire 「(人) を奮い立たせる, …に刺激を与える」

inspire「(人) を奮い立たせる, …に刺激を与える」の受動態 be inspired by ... で「…に刺激を受ける」の意味になる。

1157 The beautiful mountains around the city ( ) many visitors. （立命館大）
① adopt　② attract　③ desire　④ detect

1158 The local hospital has to ( ) in order to take care of more patients.
① extend　② expand　③ increase　④ rise　（南山大）

1159 This passport has ( ) and should be renewed as soon as possible.
① reviewed　② expired　③ neglected　④ outdated　（日本大）

1160 The mayor announced a new plan to ( ) the railway to the next city.
① extend　② explore　③ express　④ expect　（広島修道大）

1161 The theater is ( ) about five minutes from the station. （名城大）
① existed　② found　③ located　④ placed

1162 The professor believed that the student would ( ) his problems and graduate from university. （亜細亜大）
① overcome　② overrun　③ oversee　④ overhead

1163 Details of the accident were ( ) in the local newspaper. （亜細亜大）
① revealed　② worried　③ founded　④ disturbed

1157 街を囲む美しい山々は多くの観光客を引きつける。
1158 その地方病院はより多くの患者を看るために拡大しなければならない。
1159 このパスポートは有効期限が切れていてできるだけ早く新しくするべきだ。
1160 市長は隣町へ鉄道を延ばす新しい計画を発表した。
1161 劇場は駅から5分くらいのところにある。
1162 教授は，その学生が自分の問題を克服して大学を卒業するだろうと信じていた。
1163 事故の詳細は地方紙で明らかにされた。

1157 attract 「…を引く，引きつける」

この文の主語は the beautiful mountains で，目的語は many visitors。（　）に② attract 「…を引きつける」を入れれば，「美しい山々が多くの観光客を引きつける」となる。

選択肢 ① adopt「…を採用する」，③ desire「…を強く望む」，④ detect「(秘密など) を見つける」

1158 expand 「大きくなる，拡大する」

主語が the local hospital「その地方病院」なので，expand「拡大する」が入る。

《ココも注目》 in order to *do*「…するために」→ 116　take care of「…を看病する」

選択肢 ① extend「伸びる」，② increase「増える」，④ rise「上がる」

1159 expire 「有効期限が切れる，失効する」

and 以降に「できるだけ早く新しくするべきだ」とあるので，「パスポートは有効期限が切れている」と考える。expire は「有効期限が切れる，失効する」の意味。

《ココも注目》 as soon as possible「できるだけ早く」→ 251

選択肢 ① review「批評する」，③ neglect「…を無視する」，④ outdate「…を時代遅れにする」

1160 extend 「…を延ばす，延長する」

選択肢の語は動詞の原形なので，to *do* が前の名詞 plan を修飾する不定詞句と考える。「隣町へ鉄道を…する計画」という意味なので，extend「…を延ばす」が正解。

選択肢 ② explore「…を探検する」，③ express「(考えや気持ち) を言う」，④ expect「…を予想する」

1161 be located 「(…に) ある，位置する」

「(…に) ある，位置する」という場合は，be located で表す。

1162 overcome 「…を克服する，乗り越える」

that 以下は believed の目的語。that 節は「その学生が自分の問題を…」という意味。（　）には「…を克服する，乗り越える」という意味の① overcome が入る。

選択肢 ② overrun「…を超過する」，③ oversee「…を監視する」，④ overhead 副「頭上に」

1163 reveal 「…を明らかにする，暴露する」

主語は details of the accident「事故の詳細」。reveal「…を明らかにする，暴露する」の過去分詞を入れれば，受動態で「明らかになった」となり意味が通る。

選択肢 ② worry「…を心配させる」，③ found「…の基礎を築く」，④ disturb「…の邪魔をする」

解答　1157 ②　1158 ②　1159 ②　1160 ①　1161 ③　1162 ①　1163 ①

1164 I don't know where the station is because I am a (　) here. (群馬大)
① stranger　② local　③ neighbor　④ resident

1165 Eating green vegetables has many health (　). (日本大)
① risks　② mysteries　③ problems　④ benefits

1166 Many people see electric cars as a (　) to the world's environmental problems. (京都橘大)
① composition　② foundation　③ notion　④ solution

1167 You have to get the manager's (　) to use this room. (東京工芸大)
① solution　② permission　③ subscription　④ admiration

1168 If you find a (　) to the mystery, please tell me. (東京理科大)
① clue　② new　③ due　④ queue

1169 Campbell Park has many beautiful picnic sites and free barbecue (　) that are open all year round. (京都橘大)
① merits　② practices　③ facilities　④ regulations

1170 When you apply for a job, you need to list your (　). (立命館大)
① dandelions　② qualifications　③ traitors　④ treaties

1164 ここは不案内なので，私は駅がどこかわかりません。
1165 緑色の野菜を食べることには多くの健康上の恩恵がある。
1166 多くの人は電気自動車を世界の環境問題の解決策とみなしている。
1167 この部屋を使うためには支配人の許可が必要です。
1168 謎を解くカギを見つけたら，私に知らせてください。
1169 キャンベル公園には，美しいピクニック場と一年中オープンしている無料のバーベキュー施設がたくさんある。
1170 仕事に応募するときは，自分の資格をリストにする必要がある。

Section 229 ・ 名詞

1164 **stranger** 「よそから来た人，不案内の人」

駅がどこかわからない理由は，「私がここは不案内だから」だと考えられるので，① stranger「よそから来た人，不案内の人」を選ぶ。

選択肢 ② local「地元の人」，③ neighbor「近所の人」，④ resident「居住者」

1165 **benefit** 「恩恵，利益」

「緑色の野菜を食べること」が備えている「健康上の（ ）」なので，④ benefits を選ぶ。benefit は「恩恵，利益」の意味。

1166 **solution** 「解決策」

「電気自動車」を「世界の環境問題への（ ）」とみなす，という文。④ solution「解決策」を選ぶと意味が通る。see A as B は「A を B とみなす」の意味。

選択肢 ① composition「構成」，② foundation「基盤」，③ notion「意見」

1167 **permission** 「許可」

permission to do で「…してよいという許可」の意味。

選択肢 ③ subscription「（ソフトウェア，サービスなどの）定額制」，④ admiration「賞賛」

1168 **clue** 「手がかり，ヒント」

（ ）の前に不定冠詞 a があり，後ろは前置詞 to なので，（ ）には名詞が入る。clue は「手がかり，ヒント」の意味なので，これが正解。

1169 **facility** 「施設，設備」

（ ）のあとに〈that + be 動詞 ...〉の形が続いているので，この that 以下は関係代名詞節。動詞 has の目的語は many beautiful picnic sites and free barbecue （ ）の部分。公園にあるものとして「ピクニック場とバーベキュー（ ）」を挙げており，③ facilities を入れれば文意が通る。facility は「施設，設備」の意味。

1170 **qualification** 「資格，適性」

仕事に応募するときに，リストにする必要があるものは「資格」。qualification は「資格，適性」。

《ココも注目》 apply for a job「仕事に応募する」

解答 **1164** ① **1165** ④ **1166** ④ **1167** ② **1168** ① **1169** ③ **1170** ②

1171 The rooms are essentially <u>identical</u>. 同意選択

① the cheapest   ② the same   ③ connected   ④ booked （長崎大）

1172 As a longtime worker, I was <u>indispensable</u> to the small company. （東海大）

① loyal   ② skillful   ③ essential   ④ harmful

List 109 「必要不可欠な」を表す形容詞

□ **indispensable**「必要不可欠な，絶対必要な」→ **1172**
□ **essential**「必要不可欠な，絶対必要な」→ **1172**
□ **necessary**「必要な，欠くことのできない」
□ **vital**「不可欠な，必須の」

1173 The book gives you a very <u>accurate</u> description of each hotel in Kyoto.

① precise   ② primitive   ③ awkward   ④ neutral （広島国際大）

1174 We will need to <u>fix</u> the car before we go on vacation. （阪南大）

① remake   ② replace   ③ repair   ④ rearrange

1175 Though they were human rights experts, they did not know how to <u>address</u> the issue. （玉川大）

① deliver   ② cancel   ③ refer to   ④ deal with

1176 There are many <u>reliable</u> customers in the Tokyo area. （東海大）

① significant   ② dissatisfied   ③ impolite   ④ dependable

1177 Before I <u>purchase</u> an imported book, I usually check the price online first. （東海大）

① read   ② buy   ③ recite   ④ lose

1171 その客室は基本的にまったく同じである。
1172 ベテラン社員として，私はその小さな会社に必要不可欠であった。
1173 その本は京都にある各ホテルのとても正確な記述をあなたに与えてくれる。
1174 私たちが休暇を取る前にその車を修理する必要があるだろう。
1175 彼らは人権の専門家だが，その問題にどう取り組むべきかわからなかった。
1176 東京圏には信頼できる取引先が多くある。
1177 輸入本を購入する前に，私はふつうまずオンラインで値段を確認する。

Section 230 ◇ 同意語選択

1171 **identical / the same** 「同一の，まったく同じの」

identical「同一の，まったく同じの」と同じ意味は，**the same** で表す。

選択肢 ① the cheapest「最も安い」，③ connected「結合した」，④ booked「予約された」

1172 **indispensable / essential** 「必要不可欠な，絶対必要な」

indispensable「必要不可欠な」と同じ意味は，**essential** で表す。

選択肢 ① loyal「忠誠な」，② skillful「熟練した」，④ harmful「有害な」

1173 **accurate / precise** 「正確な」

accurate「正確な」と同じ意味は，**precise** で表す。description は「記述，説明」の意味。

選択肢 ② primitive「原始的な」，③ awkward「不器用な」，④ neutral「中立の」

1174 **fix / repair** 「…を修理する」

fix「…を修理する」と同じ意味は，**repair** で表す。

選択肢 ① remake「…をつくり直す」，② replace「…を取り替える」，④ rearrange「…を配列し直す」

1175 **address / deal with** 「…に取り組む」

動詞の address には「(問題など) に取り組む」という意味があり，同じ意味は④ **deal with** で表す。

◎ 一緒に確認 動詞の **address** には，ほかに「(手紙など) に宛先を書く」「…に演説する」「(人) に話しかける」「(人) に (…と) 呼びかける」などの意味がある。

選択肢 ① deliver「…を配達する」，② cancel「…を取り消す」，③ refer to A「A を参照する」

1176 **reliable / dependable** 「信頼できる，頼りになる」

reliable は「信頼できる，頼りになる」という意味で，④ **dependable** が同じ意味。

選択肢 ① significant「重要な」，② dissatisfied「不満な」，③ impolite「失礼な」

1177 **purchase / buy** 「…を購入する」

purchase は「…を購入する」の意味なので，② **buy** が正解。

解答 **1171** ②　**1172** ③　**1173** ①　**1174** ③　**1175** ④　**1176** ④　**1177** ②

1178 Train delays often <u>occur</u> during heavy rain. 同意選択 （東海大）
① stop　② decrease　③ happen　④ correspond

1179 The president will be arriving in <u>approximately</u> 30 minutes. （東海大）
① exactly　② roughly　③ the next　④ the last

1180 How <u>frequently</u> should we check the data? （中央大）
① sensibly　② often　③ occasionally　④ early

1181 Smoking is <u>prohibited</u> in public places to prevent passive smoking.
① burnt　② banned　③ bonded　④ bent　（芝浦工業大）

List 110 「…を禁じる」を表す動詞

☐ **ban**：　　公式に行動などを禁じる
☐ **forbid**：　個人に特定の行為などを禁じる
☐ **prohibit**：法律や団体などがはっきりと禁じる → 1181

1182 Many bakeries have had to raise prices because of the recent <u>shortage</u>
of butter. （阪南大）
① lack　② exports　③ popularity　④ advantage

1183 She visits my parents <u>occasionally</u>. （会津大）
① sometimes　② abruptly　③ often　④ accidentally

1184 In order to share the pizza, we have to <u>divide</u> it into two pieces. （立命館大）
① join　② maintain　③ quarter　④ split

1185 I didn't have <u>sufficient</u> time to deal with the problem. （広島国際大）
① enough　② a little　③ little　④ precious

1178 豪雨のときは電車の遅れがしばしば生じる。
1179 社長はおよそ 30 分後に到着する。
1180 私たちはどのくらいの頻度でデータをチェックするべきですか。
1181 受動喫煙を防ぐために公共の場所で喫煙が禁止されている。
1182 最近のバター不足のせいで，多くのパン屋は価格を上げなければならなかった。
1183 彼女はときどき私の両親を訪ねる。
1184 そのピザを一緒に食べるために，私たちはそれを分割して 2 つにしなければいけない。
1185 私には問題を解決するための十分な時間がなかった。

1178 occur / happen 「起こる，生じる」

occur「起こる，生じる」と同じ意味は，③ happen で表す。

選択肢 ① stop「止まる」，② decrease「減少する」，④ correspond「一致する」

1179 approximately / roughly 「およそ，だいたい」

approximately「およそ，だいたい」と同じ意味は，roughly で表す。

《ココも注目》 approximately[əpráksəmətli]のアクセントと **roughly**[ráfli]の発音にも注意。

1180 frequently / often 「頻繁に」

frequently「頻繁に」と同じ意味は，often で表す。

選択肢 ① sensibly「賢明に」，③ occasionally「ときどき」

1181 prohibit / ban 「…を禁止する」

prohibit は「…を禁止する」という意味。同じ意味は **ban** で表す。

Vocab passive smoking「受動喫煙 (本人は喫煙しなくても，身の回りのタバコの煙を吸わされてしまうこと)」

1182 shortage / lack 「不足」

shortage は「不足」の意味。同じ意味は lack で表す。

《ココも注目》 because of A「A のために，A のせいで」

1183 occasionally / sometimes 「ときどき，たまに」

occasionally は「ときどき，たまに」の意味。同じ意味は sometimes で表す。

1184 divide / split 「…を分ける，分割する」

divide A into B で「A を分割して B にする」の意味。divide と split は「分ける，分割する」の意味。

1185 sufficient / enough 「十分な」

sufficient は「十分な」の意味の形容詞。同じ意味は enough で表せる。

《ココも注目》 deal with A「A (問題など) を処理する，解決する」

Field 1 文法

Field 2 語法

Field 3 イディオム

Field 4 会話・表現

Field 5 ボキャブラリー

Field 6 英文構造

解答 **1178** ③ **1179** ② **1180** ② **1181** ② **1182** ① **1183** ① **1184** ④ **1185** ①

1186 An American study group investigated how eating fatty fish (　　) our health during the last six months. （日本大）
① affect　　② affected　　③ effect　　④ effected

1187 "Suzuki" is one of the most (　　) last names in Japan. （芝浦工業大）
① often　　② routine　　③ common　　④ usual

1188 Harvard University has the (　　) of being one of the best places to study law. （南山大）
① evaluation　　② assessment　　③ reputation　　④ achievement

1189 He has a (　　) amount of money. （駒澤大）
① considered　　　　② considerable
③ considerate　　　　④ considering

1190 He is (　　) that she will be able to survive in the business world.
① confide　　② confidence　　③ confident　　④ confidential （国士舘大）

1191 This company will hire 3,500 new (　　) during the next six months.
① employment　　② employers　　③ employs　　④ employees （神奈川大）

List 111　対になる「-er：…する人 /-ee：…される人」

☐ **examiner**「試験官」
☐ **examinee**「受験者」
☐ **trainer**「訓練者, トレーナー, コーチ」
☐ **trainee**「訓練生, 研修生」
☐ **interviewer**「インタビュアー, 面接官」
☐ **interviewee**「インタビュー [面接] される人」

1186 アメリカの研究グループは，この6か月間に脂肪の多い魚を食べることが健康にどのような影響を及ぼすかを調査した。
1187 「鈴木」は日本で最もよくある苗字の一つだ。
1188 ハーバード大学は，法律を勉強するには最高の場所の一つであるという名声を得ている。
1189 彼はかなりの額のお金を持っている。
1190 彼は彼女が実業界で生き残ることができるだろうと確信している。
1191 この会社は今後6か月間に3,500人の新たな従業員を雇う予定だ。

Section **231** 〈・選択肢の意味が似ている問題〉

1186 **affect** 「…に影響を及ぼす，作用する」

「…に影響を及ぼす，…に作用する」の意味を表す動詞は **affect**。この文の述語動詞が investigated と過去形なので，② affected が正解。(現在形で表す場合は affects となる)。

[誤答] ③，④ effect は「(…の結果) をもたらす」という意味。

1187 **common** 「ふつうの，よくある」

last names を修飾する形容詞を入れるので，「ふつうの，よくある」の意味のある③ **common** を選ぶ。

[選択肢] ① often「しばしば，よく」，② routine「決まりきった，型通りの」，④ usual「いつもの，通常の」

1188 **reputation** 「評判，名声」

( ) of being A で「A であるという ( )」の意味。A にあたる語句は「法律を勉強するには最高の場所の一つ」なので ( ) には，③ **reputation**「評判，名声」を入れれば文意が通る。

[選択肢] ① evaluation「(価値などの) 評価」，② assessment「(財産・収入の) 査定，評価」，④ achievement「成果，業績」

Section **232** 〈・選択肢の形が紛らわしい問題〉

1189 **considerable** considerable「かなりの」/ considerate「思いやりのある」

( ) の前に a，後ろに名詞 amount「量」があるので，空所には形容詞が入る。considerable は形容詞で「かなりの，相当な」の意味があるので，②が正解。

[誤答] ③ considerate は「思いやりのある」の意味。

1190 **confident** confident「…を確信している」/ confidential「機密の」

前に be 動詞，後ろに that 節が続いていることに注目。**be confident that ...** の形で「…ということを確信している」の意味を表す。

[誤答] ④ confidential は「機密の，内密の」という意味。

[選択肢] ① confide 動「信頼する」，② confidence 名「信用，自信」

1191 **employee** employee「従業員」/ employer「雇い主」

hire「…を雇う」の目的語になる語なので，④ **employees**「従業員，雇われる人」が正解。

[誤答] ② employer は「雇い主，雇用者」の意味。使い分けに注意。

[選択肢] ① employment「雇用，職」，③は employ「…を雇う」の三人称単数現在形。

1192 I'm sorry. I ( ) forgot our appointment. (神戸学院大)
① completely　② complete　③ completed　④ completion

1193 I think you should be more ( ) to your superiors. (天使大)
① respectful　② respective　③ respectable　④ respecting

1194 The infant death rates were two and six per 1,000 births in Japan and the U.S., ( ). (獨協医科大)
① respective　② respectful　③ respectively　④ respectfully

1195 The weather forecast says that it will be cold tomorrow. It'd be ( ) of you to wear a jacket when you go out. (玉川大)
① sensitive　② sensual　③ senseless　④ sensible

1196 It is rude to ask other people how much they ( ). (東海大)
① weight　② weigh　③ weighing　④ weighs

Section 233

1197 (A) I only have a 20 dollar bill. Do you have any ( )? 共通語補充
(B) We looked at the map and decided to ( ) direction. (日本大)

1198 (A) Halfway through our hike, we took a fifteen-minute ( ). (静岡大)
(B) If you fall from the top of the steps, you'll likely ( ) a bone.

1192 ごめんなさい。約束をすっかり忘れていました。
1193 あなたはもっと目上の人を敬うべきだと思う。
1194 日本とアメリカの乳児死亡率は，1,000 人の出生に対しそれぞれ 2 人と 6 人であった。
1195 天気予報では明日は寒くなると言っています。外出するときには上着を着るのが賢明でしょう。
1196 他人に体重がどのくらいかを尋ねるのは失礼だ。
1197 (A) 私は 20 ドル紙幣しか持っていません。お釣りはありますか。
　　(B) 私たちは地図を見て，方向を変えることを決めた。
1198 (A) ハイキングの途中で，私たちは 15 分の休憩をとった。
　　(B) 階段の一番上から落ちたら，おそらく骨を折るでしょう。

1192 completely 「完全に，すっかり」

（　）は主語と動詞の間の位置なので，副詞の① completely「完全に，すっかり」を入れる。

選択肢 ② complete「完全な」は形容詞，③ completed は complete「…を完成させる」の過去形または過去分詞，④ completion「完成」は名詞。

1193 respectful 「敬意を表す，尊敬の念をもった」

be respectful to ... で「…に敬意を表す」の意味。

選択肢 ② respective「それぞれの，各自の」，③ respectable「（社会的に）立派な」，④ respecting 前「…について，…に関して」

1194 respectively 「それぞれ，各自に」

「日本とアメリカそれぞれで」という意味になるように，③ respectively「それぞれ，各自に」を選ぶ。

選択肢 ① respective 形「それぞれの」，② respectful 形「敬意を表す」→ 1193，④ respectfully 副「敬意を表して」

1195 sensible 「分別のある，賢明な」

It is sensible of ＋人＋ to do で「…するとは（人）は分別がある［賢明だ］」の意味。

選択肢 ① sensitive「敏感な」，② sensual「官能的な」，③ senseless「無分別な」

1196 weigh weigh 動「（…の）重さがある」/ weight 名「重さ」

how much they（　）は間接疑問で，（　）には動詞が入る。主語が they なので，② weigh「（…の）重さがある」が適する。

誤答 ① weight は「重さ」の名詞。

Section 233 重要多義語

1197 change 「名お釣り，小銭 ／動…を変える」

(A) 「20ドル札しか持っていない」と言っているので，「お釣りはありますか」という意味になると考える。change には名詞で「お釣り，小銭」の意味がある。

(B) change direction で「方向を変える」の意味になる。

1198 break 「名休憩 ／動…を壊す，…を折る」

(A) take a break で「休憩する」の意味。a fifteen-minute break で「15分の休憩」。

(B) （　）のあとに a bone があるので，動詞 break「…を折る」を入れる。

解答 1192 ① 1193 ① 1194 ③ 1195 ④ 1196 ② 1197 change 1198 break

1199 (A) We are (　) friends.

(B) Let's (　) the deal now.

① close　② make　③ open　④ share

1200 (A) Your dress is so (　)! Where did you buy it?　(大東文化大)

(B) It is (　) crazy to try to climb that mountain alone in winter.

① lovely　② really　③ pure　④ pretty

1201 (A) An (　) train is a train that makes stops only at major stations.

(B) Teenagers often cannot (　) themselves in a proper manner.

1202 (A) He spent the (　) of his life with his daughter in Hawaii.　(大東文化大)

(B) You need to get some (　) after a long walk.

① rest　② time　③ holiday　④ break

1203 (A) How long does the movie (　)?　(日本大)

(B) I liked her (　) novel better than this new one.

① continue　② last　③ prior　④ run

1204 (A) He didn't (　) to do any harm.　(日本大)

(B) It was (　) of them not to invite her to the party.

① intend　② mean　③ prepare　④ rude

1205 (A) How can I make you change your (　)? I really don't want you to give up!　(大東文化大)

(B) Do you (　) if I borrow your phone for a moment? I left mine at home.

① mind　② way　③ love　④ car

1199 (A) 私たちは親友だ。／ (B) 今すぐ契約をまとめましょう。

1200 (A) あなたのドレスはとてもかわいい！　どこで買ったのですか。

(B) 冬に単独でその山に登ろうとするのはかなり無謀だ。

1201 (A) 急行列車とは主要な駅にしか停まらない列車のことである。

(B) 10 代の若者は適切な方法で自分自身を表現することができないことがよくある。

1202 (A) 彼は残りの人生をハワイで自分の娘と過ごした。

(B) たくさん歩いたので，あなたは休息する必要があります。

1203 (A) その映画はどのくらい続くのですか。

(B) 私は彼女のこの新しい小説よりもこの前の小説のほうが好きだった。

1204 (A) 彼には悪気はなかった。／ (B) 彼女をパーティーに招待しないとは，彼らは意地悪だった。

1205 (A) どうすればあなたの考えを変えられますか。私は本当にあなたにあきらめてほしくありません！

(B) ちょっとあなたの電話をお借りしてもよろしいでしょうか。私の電話を家に置いてきてしまいました。

1199 **close** 「形 親しい ／ 動 …を成立させる，まとめる」

(A) （　）には，名詞 friends を修飾する形容詞 close「親しい」を入れる。
(B) Let's のあとなので（　）には動詞を入れる。the deal「契約」を目的語にとる動詞は close「…を成立させる，まとめる」。
close にはほかに 形「近い」，動「…を閉じる」などの意味がある。

1200 **pretty** 「形 かわいい ／ 副 かなり，とても」

(A) （　）には形容詞 pretty「かわいい」を入れる。
(B) （　）には形容詞 crazy を修飾する副詞 pretty「かなり，とても」を入れる。

1201 **express** 「形 急行の ／ 動 …を表現する」

(A) An と名詞の間には形容詞を入れる。「主要な駅にしか停まらない列車」という定義から，（　）には形容詞 express「急行の」が入る。
(B) cannot のあとには動詞を入れる。動詞の express には「…を表現する」という意味がある。

1202 **rest** 「残り」「休息」

(A) the rest of *one's* life で「残りの人生」の意味。
(B) get (some) rest で「休息する」の意味。

1203 **last** 「動 続く，持続する ／ 形 この前の，最後の」

(A) 疑問文。（　）には動詞が入る。last は，動詞で「続く，持続する」の意味。
(B) 「新しい小説」と比べているので last novel「この前の小説」とする。last は形容詞で「この前の，最後の」の意味。

1204 **mean** mean to *do*「…するつもりである」／ mean 形「卑きょうな，意地悪な」

(A) mean to *do* で「…するつもりである」の意味。
(B) 〈It is ＋形容詞＋ of ＋人＋ to *do* ...〉「（人）が…するとは〜だ」の構文。「彼女をパーティーに招待しない」という内容から，（　）には形容詞 mean「卑きょうな，意地悪な」が入る。

1205 **mind** 「名 精神，意見，考え ／ 動 嫌だと思う，気にする」

(A) 名詞の mind「考え」を入れると，change your mind で「あなたの考えを変える」の意味になる。
(B) 動詞の mind「嫌だと思う」を入れると，Do you mind if I ...? で「…してもいいですか」の意味になる。→ **1082**

解答　**1199** ①　**1200** ④　**1201** express　**1202** ①　**1203** ②　**1204** ②　**1205** ①

1206 (A) There was a dark, round (　　) lying in the middle of the road. I had no idea what it was. 　共通語選択 (大東文化大)

(B) Does anyone (　　) to what has been proposed? If not, it will come into effect from today.

① matter　② object　③ agree　④ oppose

1207 (A) Honesty will pay in the long (　　). (東洋大)

(B) They (　　) a very nice restaurant.

① manage　② run　③ time　④ work

1208 (A) What is your favorite (　　) in school? 　共通語補充 (明治薬科大)

(B) We are (　　) to the laws of our country.

1209 (A) My brother always (　　) envelopes open without using scissors.

(B) The sad story brought (　　) to her eyes. (芝浦工業大)

1210 (A) The museum restored the old painting back to its original (　　).

(B) You need to (　　) your opinion clearly. (東京理科大)

① say　② state　③ declare　④ maintain

1211 (A) He made a good (　　) in his speech. (大東文化大)

(B) It's not polite to (　　) at people.

① joke　② wave　③ point　④ yell

1212 (A) It may (　　) strange, but what she says is true. (駒澤大)

(B) He has a (　　) knowledge of Japanese geography.

① enough　② great　③ look　④ sound

1206 (A) 道路の真ん中に黒っぽくて丸い物体があった。私にはそれが何だかわからなかった。
(B) 提案されたことに反対の人はいますか。いなければ，それは今日から有効になります。
1207 (A) 正直は長い目で見れば割に合う。
(B) 彼らはとてもすてきなレストランを経営している。
1208 (A) 学校であなたの好きな教科は何ですか。
(B) 私たちは自国の法律に従わなければならない。
1209 (A) 兄［弟］はいつもはさみを使わずに封筒をちぎって開ける。
(B) その悲しい物語を読んで彼女は涙を流した。
1210 (A) 美術館は古い絵画を元の状態へと修復した。
(B) あなたははっきり意見を述べる必要がある。
1211 (A) 彼はスピーチでよい主張をした。／ (B) 人を指さすのはよくない。
1212 (A) 奇妙に思えるかもしれないが，彼女が言うことは真実だ。
(B) 彼は日本の地理に正しい知識がある。

1206 **object** object「物体」/ object to A「A に反対する」

(A) （　）には名詞が入る。a dark, round object で「黒っぽくて丸い**物体**」の意味。lying は lie「横たわる」の現在分詞。活 lie-lay-lain-lying
(B) 動詞が入る。object to A で「A に反対する」の意味。

1207 **run** in the long run「長い目で見れば」/ run「…を運営 [経営] する」

(A) in the long run で「長い目で見れば，長期的には」の意味を表す。
(B) run は他動詞で「…を運営 [経営] する」の意味。

1208 **subject** subject「話題，教科」/ be subject to A「A に従わなければならない」

(A) （　）には，学校に関係のある名詞 subject「教科」が入る。
(B) be subject to A で「A に従わなければならない」という意味を表す。be subject to A は「A（よくないこと）の影響を受けやすい」の意味もある。

1209 **tear** 「動…を破る／名涙」

(A) 「はさみを使わずに封筒を開ける」の意味なので，（　）には動詞 tear「…を引き裂く，破る」を用いる。三人称単数形 tears にする。活 tear-tore-torn。
(B) 「悲しい物語」と「目」をヒントに，tear「涙」を用いると判断する。**bring tears to *one's* eyes** で「（人）の目に涙を浮かばせる，〔主語に感動して〕（人）が涙する」の意味。

1210 **state** 「名状態／動…を（明確に）述べる」

(A) state は名詞で「状態」の意味。**restore A to *one's* original state** で「復元する，原状に復する」。
(B) state は動詞で「…を（明確に）述べる」の意味。state *one's* opinion で「意見を述べる」。

1211 **point** 「名主張／動指さす」

(A) point は名詞で「主張」の意味があり，**make a point** で「主張する」を意味する。
(B) point at A で「A を指さす」の意味。

1212 **sound** 「動…に思われる，聞こえる／形確かな，正しい」

(A) **It may sound strange, but ...** は「奇妙に思えるかもしれないが，…」の意味。sound は動詞で「…に思われる，聞こえる」の意味。
(B) 前に a，後ろに名詞があるので，（　）には形容詞が入る。knowledge を修飾する形容詞 sound「確かな，正しい」を用いる。形容詞 sound には「健全な」の意味もある。

解答　**1206** ②　**1207** ②　**1208** subject　**1209** tears　**1210** ②　**1211** ③　**1212** ④

1213 (A) We are supposed to meet at the restaurant (　　) by the bank.
(B) Many people are still fighting for the (　　) to freedom of expression.
① just　　② opposition　　③ part　　④ right　　共通語選択 (日本大)

1214 (A) Do you really have to go back to Japan? We'll all (　　) you.
(B) I'm going to (　　) the lecture today because I have a very high fever.　　(大東文化大)
① tell　　② miss　　③ attend　　④ write

1215 (A) Janet said Mark is sick. If that is the (　　), we need more staff for today.　　(大東文化大)
(B) I'm sure he will come, but why not give him a call just in (　　)?
① time　　② cause　　③ truth　　④ case

List 112　入試で出題されたその他の多義語

- □ bear　　名 クマ
　　　　　　　動 …に耐える
- □ cost　　名 費用
　　　　　　　動 〈金額・費用〉がかかる／〈犠牲〉を払う
- □ order　　名 順番／注文／命令／秩序
　　　　　　　動 …を注文する／…を命令する
- □ decline　　動 (丁寧に) 断る／低下する
　　　　　　　名 減少，低下

1213 (A) 私たちは銀行のすぐそばにあるレストランで会うことになっている。
(B) 多くの人は表現の自由の権利のために今なお闘っている。
1214 (A) 本当に日本に帰らなければならないのですか。私たちは皆，あなたがいないと寂しくなるでしょう。
(B) 私はひどく高い熱があるので，今日は講義を欠席します。
1215 (A) マークは病気だとジャネットが言っていた。もしそうだとしたら，今日のスタッフはもっと必要だ。
(B) 彼はきっと来ますよ。でも念のため，彼に電話してはどうですか。

1213 **right** 「副（場所・時などを強調して）ちょうど／名権利」

(A) 場所を表す by the bank を強調するように副詞 right「ちょうど」を前に置く。right by A で「Aのすぐそばに」の意味。

(B) 定冠詞 the のあとには名詞を続ける。right には名詞で「権利」の意味があり，the right to freedom of expression で「表現の自由の権利」の意味。

1214 **miss** 「…がいなくて寂しく思う／…を欠席する」

(A) ② miss を入れれば，miss you「あなたがいなくて寂しく思う」となる。

(B) miss the lecture で「講義を欠席する」という意味になる。

1215 **case** if that is the case「もしそうだとしたら」／(just) in case「念のため」

(A) ④ case を入れれば，if that is the case「もしそうだとしたら」となる。この case は「事実」の意味。

(B) (just) in case で「念のため」の意味になる。

《ココも注目》 Why not ...? 「…してはどうですか」

Field 1 文法 / Field 2 語法 / Field 3 イディオム / Field 4 会話・表現 / Field 5 ボキャブラリー / Field 6 英文構造

Field 6

英文構造

英作文の
ストラテジー

STRATEGY 27 | 日本文から文の骨格を考える

私は明日の正午までに宿題を終わらせているでしょう。 （学習院大）

I will (   ).

解き方　【「骨格」と「肉付け」を分ける】
この文の骨格は「私は宿題を終わらせているでしょう」で，そのあとに「明日の正午までに」という〈時〉を表す語句が続く。

ア【文法・語法の知識を使って骨格を組み立てる】
未来のある時点までに「…してしまっているだろう」という〈完了〉の意味を表すには，未来完了〈**will have ＋過去分詞**〉を用いる。「宿題を終わらせる」は finish homework なので，「宿題を終わらせているでしょう」は will have finished my homework と表す。

イ【骨格に肉付けをする】
「…までに」は前置詞 by で表すので，「明日の正午までに」は by noon tomorrow。

プラス【ほかの表現】
will have finished は will have done でもよい。

➡ 正解は (I will) **have finished my homework by noon tomorrow**(.)

注目　英作文のポイント

▶ 日本語から文の骨格〈主語＋動詞（＋目的語）〉と肉付け（修飾要素）をつかみ，英文の大まかな形を決める。
▶ まず骨格を組み立ててから，肉付けの部分を英語に直す。

1216 土曜日からずっと雨が降っている。 （大同大）
It (   )

1217 もし来年私が海外で仕事を得たら，ひとり暮らしをしなければならないでしょう。
（日本女子大）
(   )

1218 図書館では携帯電話の使用が禁止されている。 （学習院大）
The use (   ) the library.

解答　**1216** (It) has been raining since Saturday.
　　　1217 If I get a job overseas next year, I will have to live on my own.
　　　1218 (The use) of mobile phones is prohibited in (the library.)

Section 234 • 〈 英作文の基本 〉

1216 **現在完了進行形** 過去から現在までの〈動作の継続〉

着眼 「ずっと雨が降っている」「土曜日から」

㋐ 「雨が降る」という動作がずっと継続しているのだから，**現在完了進行形**を使う。
It has been raining ...

㋑ 「土曜日から」
... since Saturday.

プラス 〈状態の継続〉は現在完了 has been で表す。

1217 **副詞節の if 節** 副詞節の if 節では未来の内容でも現在形を用いて表す

着眼 「もし…したら」「（私は）ひとり暮らしをしなければならないでしょう」

㋐ 「もし…したら」は if 節で表す。「海外で仕事を得る」は get a job overseas が一般的な表現。**副詞節中**では，未来のことでも**現在時制**で表す。
If I get a job overseas next year, ...

㋑ 「…しなければならないでしょう」は **will have to *do***。「ひとり暮らしをする」は「自分だけで生活する」と考え，live on my own や live by myself で表す。
... I will have to live on my own.

プラス overseas は副詞なので前置詞をつけないことに注意。「仕事を得る」は find a job としても可。

1218 **受動態** be 動詞＋過去分詞

着眼 「携帯電話の使用は禁止されている」「図書館では」

㋐ The use が主語の位置にあるので，The use of mobile phones「携帯電話の使用」を文の主語にする。use「使用」のような抽象的な意味の名詞は単数扱いする。「禁止されている」は**受動態** is prohibited で表す。
The use of mobile phones is prohibited ...

㋑ 「図書館では」
... in the library.

理科の試験のために，もっとしっかり勉強しておくべきでした。 （日本女子大）

(   )

私が子どものころ，その角に一軒の小さなパン屋があった。 （京都外国語大）

(   )

もし時をさかのぼってソクラテス（Socrates）と話せるとしたら，何を尋ねてみ
たいですか。 （福島県立医科大）

(   )

歴史を学ぶことは我々が過去の出来事を間接的に経験することを意味する。 （札幌大）

(   )

解答　1219 I should have studied harder for the science exam[test].
　　　1220 When I was a child, there was a small bakery on that corner.
　　　[There was a small bakery on that corner when I was a child.]
　　　1221 If you could go back in time and talk to[with] Socrates, what would you ask him?
　　　1222 Studying history means that we experience past events indirectly.

498

1219 should have ＋過去分詞 「…すべきだったのに」

着眼 「私はもっとしっかり勉強しておくべきでした」「理科の試験のために」

㋐ 主語は I「私」。「…すべきだった（のに実際はしなかった）」は〈**should have ＋過去分詞**〉で表すので，「私は勉強しておくべきでした」は I should have studied となる。「もっとしっかり」は harder。

I should have studied harder …

㋑ 「理科の試験のために」

… for the science exam[test].

1220 there is[are] …. 「…がある［いる］」

着眼 「私が子どものころ」「その角に一軒の小さなパン屋があった」

㋐ 「私が子どものころ」

When I was a child, …

㋑ 「…があった」は **there was …** で表す。「一軒の小さなパン屋」は a small bakery。「その角に」は on that corner。

… there was a small bakery on[at] that corner.

1221 仮定法過去 現在の事実に反する仮定

着眼 「もし…できるとしたら」「あなたは彼に何を尋ねてみたいですか」

㋐ 「もし時をさかのぼってソクラテスと話せるとしたら」は実現不可能なことなので，if 節に **仮定法過去**〈**could ＋動詞の原形**〉を使う。「時をさかのぼる」は go back in time。「A と話す」は talk to[with] A。

If you could go back in time and talk to[with] Socrates, …

㋑ 主節も**仮定法過去**〈助動詞の過去形＋動詞の原形〉の形にする。「何を尋ねてみたいですか」は単に「何を尋ねますか」と考える。ask の後ろに目的語 him(＝ Socrates) を置く。

… what would you ask him?

1222 動名詞 「…すること」

着眼 「歴史を学ぶことは…を意味する」「我々が過去の出来事を間接的に経験すること」

㋐ 主語「歴史を学ぶこと」は studying history。動詞「…を意味する」は mean。**動名詞**が主語になるときは単数扱いするので，動詞は means とする。

Studying history means …

㋑ means の目的語「我々が…経験すること」は that 節で表す。「過去の出来事を経験する」は experience past events。「間接的に」は indirectly。

… that we experience past events indirectly.

1223 あの山の頂上が雪に覆われているのがここから見える。 （学習院大）

( )

1224 私たちはもう昔ほど手紙を書かない。 （愛媛大）

( )

1225 今朝は電車が大変混んでいたので，私は東京駅までずっと立ち通しでした。

（成城大）

( )

1226 私が覚えている限り，父があんなに怒ったのを見たことがありません。

（日本女子大）

( )

解答 **1223** From here I can see the top of that mountain covered with snow.
1224 We no longer write letters as often as we used to.
1225 This morning, the train was so crowded that I had to stand (up) the whole way to Tokyo Station.
1226 As far as I remember, I have never seen my father so angry.

1223 ┃ **see ＋ O ＋過去分詞** ┃ 「O が…され（てい）るのが見える」

着眼 「ここから」「私は…が〜されているのが見える」
㋐ 「ここから」
  From here ...
㋑ 主語に「私は」を補って考える。「…が〜されているのが見える」は〈**see ＋ O ＋過去分詞**〉を用いる。「あの山の頂上」は the top of that mountain。「雪に覆われている」は covered with snow と表す。
  ... I can see the top of that mountain covered with snow.

1224 ┃ **否定語＋ as[so] ＋原級＋ as ...** ┃ 「…ほど〜ない」

着眼 「もう…ない」「…ほど〜ない」「昔ほど」
㋐ 「もう書かない」は no longer「もはや…ない」を用いて no longer write。「…ほど（頻繁に）〜ない」は, 否定語のあとに〈**as[so] ＋原級＋ as ...**〉を用いて表す。
  We no longer write letters as often as ...
㋑ 「昔ほど」という場合は used to を使う。to のあとの write は省略する。
  ... we used to.
  ┃プラス┃ 「昔ほどたくさんの手紙を書かない」と考えて, We no longer write as many letters as ... としてもよい。

1225 ┃ **so ... that 〜** ┃ 「とても…なので〜」

着眼 「大変混んでいたので…」「私は東京駅までずっと立ち通しでした」
㋐ this morning「今朝は」は, 文頭または文末につける。「大変混んでいたので」は **so ... that 〜**「とても…なので〜」を用いて表す。「混んでいる」は crowded。
  This morning, the train was so crowded that ...
㋑ 「私は…立ち通しでした」は,「…までずっと立っていなければならなかった」と考える。「…しなければならなかった」は had to *do*。「A までずっと立っている」は stand (up) the whole way to A。「東京駅」は Tokyo Station。駅名に the はつかないことに注意。
  ... I had to stand (up) the whole way to Tokyo Station.

1226 ┃ **as far as ...** ┃ 「…する範囲内で」

着眼 「私が覚えている限り」「父があんなに怒ったのを見たことがない」
㋐ 「…する限り, …する範囲内では」は **as far as ...** で表す。
  As far as I remember, ...
㋑ 「私は見たことがない」は〈経験〉を表す現在完了を使って I have never seen とする。「父があんなに怒ったのを見る」は〈see ＋ O ＋ C〉「O が C の状態であるのを見る」を使って表す。
  ... I have never seen my father so angry.

1227 ここに住むのにいくらかかるか想像もつかない。 (学習院大)

I can't ( ) live here.

1228 金銭的な成功が必ずしも幸福に寄与するとは限らない。 (関西学院大)

Financial success ( )

1229 彼女の両親は彼女がヨーロッパをひとりで旅行することを許した。 (学習院大)

Her parents ( )

1230 きちんと時間を守る人もいれば，約束の時間にほとんどいつも遅れる人もいる。

(愛知大)

( )

解答 1227 (I can't) imagine how much it costs to (live here.)

1228 (Financial success) doesn't always contribute to happiness.

1229 (Her parents) allowed her to travel around Europe by herself.

1230 Some people are punctual, and others are almost always late for appointments.

1227 間接疑問 how much ＋主語＋動詞 「いくら…か」

着眼 「（私は）…想像もつかない」「…するのにいくらかかるか」

㋐ 「…想像もつかない」は「私は…を想像できない」と考える。
I can't imagine ...

㋑ 「…するのに（金額）がかかる」は〈it costs ＋金額＋ to *do*〉で表す。「いくら」と金額を尋ねているので, how much を用いた疑問文にする。この疑問文を文の中に組み込むので**間接疑問**にする。how much のあとが〈主語＋動詞〉の語順になることに注意。「ここに住む」は live here。
... how much it costs to live here.

1228 not always ... 「必ずしも…とは限らない」

着眼 「必ずしも…とは限らない」「幸福に寄与する」

㋐ 「必ずしも…とは限らない」は**部分否定 not always ...** で表す。主語が financial success なので doesn't を用いる。
Financial success doesn't always ...

㋑ 「寄与する」は contribute。contribute は自動詞なので, 「…に寄与する」は contribute to ... となることに注意。happiness「幸福」は抽象名詞なので冠詞はつけない。
... contribute to happiness.

プラス always の代わりに necessarily でもよい。

1229 allow ＋ O ＋ to *do* 「O が…することを許す」

着眼 「彼女がヨーロッパを旅行することを許した」「ひとりで」

㋐ 「O が…するのを許す」は〈**allow ＋ O ＋ to *do***〉。「ヨーロッパを旅行する」は travel around Europe。
Her parents allowed her to travel around Europe ...

㋑ 「ひとりで」
... by herself.

プラス permit「…を許す」は「公式に認める」という意味なので, ここでは合わない。

1230 some ..., and others ～ 「…する人もいれば, ～する人もいる」

着眼 「…する人もいれば, ～する人もいる」「…にほとんどいつも遅れる」

㋐ 「…する人もいれば, ～する人もいる」は **some people ..., and others ～**を使って表す。「きちんと時間を守る」は形容詞 punctual「時間を厳守する, 時間に正確な」で表せる。
Some people are punctual, and others are ...

㋑ 「ほとんどいつも」は almost always。「約束の時間に遅れる」は be late for appointments。
... almost always late for appointments.

プラス 「きちんと時間を守る」は always on time でも可。

STRATEGY 28 「修飾する語句」→「修飾される語句」の関係を分析する

気候変動は，すべての国が早急に対処しなければならない最も重要な問題の一つである。 (成城大)

( )

解き方 【「修飾する→される」の関係に注意して日本文を分析する】

気候変動は，(すべての国が早急に対処しなければならない) 最も重要な問題 の一つである。

ア 【骨格】
「気候変動は最も重要な問題の一つである」を表す。
Climate change is one of the most important problems ...

イ 【修飾関係】
the most important problems を修飾するように，あとに「すべての国が早急に対処しなければならない」を意味する関係詞節を続ける。「A に対処する」は deal with A。deal with の目的語に当たる語は「最も重要な問題」なので，目的格の関係代名詞 that を用いる。「早急に」は urgently。
... the most important problems (that) all countries must deal with urgently.

➡ 正解は **Climate change is one of the most important problems (that) all countries must deal with urgently.**

注目 英作文のポイント
▶「修飾する→される」の関係を分析する。
▶ 名詞（句）を長い語句が修飾している場合は，分詞，関係詞，不定詞などを使って後ろから名詞（句）を修飾する。

1231 大昔，雨が多く降る日本のほとんどは森林に覆われていたに違いない。

( )

(津田塾大)

1232 大統領になろうという彼女の夢はおそらく実現するだろう。 (日本女子大)

( )

解答 1231 In ancient times, almost all of Japan, where it rains a lot, must have been covered with forests.
1232 Her dream to be President will probably come true.

Section 235 〈修飾関係に注意する英作文〉

1231 | **関係副詞 where** 非制限用法で先行詞に説明を加える

着眼 「大昔，日本のほとんどは森林に覆われていたに違いない」「雨が多く降る<u>日本</u>」

大昔，（雨が多く降る） 日本 のほとんどは森林に覆われていたに違いない。

㋐ 「大昔（には）」は in ancient times や a long time ago。「日本のほとんどは」は，almost all of Japan。「…したに違いない」は〈must have ＋過去分詞〉。「A に覆われている」は，be covered with A を用いる。
In ancient times, almost all of Japan must have been covered with forests.

㋑ 「雨が多く降る」は「（そこで）雨が多く降る」として「日本」を修飾すればいいので，Japan のあとに関係副詞節 where it rains a lot を続ける。ただし，「日本」は1つしかないので，非制限用法にする。
Japan, where it rains a lot, must ...

1232 | **名詞＋ to *do*** 不定詞が直前の名詞の具体的な内容を説明する

着眼 「彼女の夢はおそらく実現するだろう」「大統領になるという<u>彼女の夢</u>」

（大統領になろうという） 彼女の夢 はおそらく実現するだろう。

㋐ 文の骨格は「彼女の夢はおそらく実現するだろう」。「夢」は dream。「おそらく」は probably。「実現する」は come true。
Her dream will probably come true.

㋑ 「…するという夢」は dream のあとに不定詞を続けて表す。「大統領になる」は be President。
Her dream to be President will ...

プラス 「大統領になる」は become を用いてもよい。「実現する」は be realized でもよい。

Field 1 文法

Field 2 語法

Field 3 イディオム

Field 4 会話・表現

Field 5 ボキャブラリー

Field 6 英文構造

1233 明日コンサートに一緒に行ける人を探しています。 （日本女子大）

( )

1234 電車に乗ったとき，携帯電話を使っている人はいつもよりずっと少なかった。 （香川大）

( )

1235 重要なことは私たちに間違った情報を見抜く能力があるかどうかということだ。 （札幌大）

( )

解答 1233 I'm looking for someone who can go to the concert with me tomorrow.
1234 When I took the train, there were far fewer people using their mobile phones than usual.
1235 The important thing is whether we have the ability to spot false information.

1233 **関係代名詞 who** 関係詞節が名詞に説明を加える

着眼 「私は人を探しています」「明日コンサートに一緒に行ける<u>人</u>」

(明日コンサートに一緒に行ける) 人 を探しています。

㋐ 主語 I「私は」を補う。「A を探す」は look for A。「私は人を探しています」は現在進行形で表す。
I'm looking for someone ...

㋑ someone の後ろに「(その人が) 明日コンサートに一緒に行ける」を表す関係代名詞節を続ける。〈人〉は「行ける」の主語にあたるので, 主格の**関係代名詞 who** を使う。「一緒に」は with me「私と」とする。
... someone who can go to the concert with me tomorrow.

1234 **現在分詞の後置修飾** 分詞句が後ろから前の名詞を修飾する

着眼 「電車に乗ったとき」「いつもより人はずっと少なかった」「携帯電話を使っている<u>人</u>」

(電車に乗ったとき), (携帯電話を使っている) 人 は (いつもより) ずっと少なかった。

㋐ 「(私が) 電車に乗ったとき」を when 節で表す。 **When I took the train, ...**

㋑ 「人は少なかった」は there were few people と表す。「…よりも人が少なかった」という比較は, 比較級を用いて fewer people than ... とする。数が「ずっと」少ないと強調するので, far を比較級の前に置く。「いつもより」は than usual。
... there were far fewer people than usual ...

㋒ 「携帯電話を使っている人」は, people を後ろから現在分詞句が修飾する形にする。
people using their mobile[cell] phones

1235 **名詞 + to *do*** 不定詞が直前の名詞の具体的な内容を説明する

着眼 「重要なことは…だ」「私たちに能力があるかどうか」「間違った情報を見抜く<u>能力</u>」

重要なことは私たちに (間違った情報を見抜く) 能力 があるかどうかということだ。

㋐ 「重要なことは…だ」 **The important thing is ...**

㋑ 「私たちに能力があるかどうか」は whether 節で表す。「能力」は ability。
... whether we have the ability ...

㋒ 「…する能力」は**名詞 ability** のあとに**不定詞**を続けて表す。「…を見抜く」は spot や detect で表す。「間違った情報」は false information。
... the ability to spot[detect] false information.

STRATEGY 29　日本文を読みかえる

この美しい景色を見ると，ふるさとを思い出します。　　　　　　　　（学習院大）

(　　　　　　　　　　　　　　　　　　　　　　　　　　　　　　　　　　　　)

- -

解き方 ㋐【日本文を読みかえることによって，使える構文を考える】
　　　→「この美しい景色は（私に）ふるさとを思い出させる」と読みかえ，
　　　　〈remind ＋人＋ of A〉「（人）に A を思い出させる」を使えると考える。

㋑【骨格】
　　主語「この美しい景色」は This beautiful scenery。「私にふるさとを思い出さ
　せる」は reminds me of my hometown と表す。

プラス【ほかの表現】
　　scenery「景色」は landscape, view などでもよい。
　　「ふるさと」は homeland, my country などでもよい。

➡ 正解は **This beautiful scenery reminds me of my hometown.**

注目 英作文のポイント

▶ 与えられた日本語をそのまま英語に置きかえるのではなく，日本語を読みか
えることで使える構文は何か考える。

▶「Aによって（人）は…する」という文は，無生物Aを主語にし，第5文型
SVOC や〈SVO ＋ to *do*〉を使って「Aは（人）に…させる」と表すとうまく
いくことがある。

▶ 日本文で主語が省略されている場合，文脈から適切な主語を見抜く必要が
ある。

1236 奨学金のおかげで，私はスイスで3年間学ぶことができた。　　　（青山学院大）

The scholarship (　　　　　　　　　　　　　　　　　　　　　　　　　　)

1237 日本の昔話 (folktales) を英語で読んでみると，とてもおもしろいです。
　　　　　　　　　　　　　　　　　　　　　　　　　　　　　（愛知学院大）

(　　　　　　　　　　　　　　　　　　　　　　　　　　　　　　　　　　　)

1238 母が言った。「どんな夢でも，それを達成するために努力することが大切なの
よ」　　　　　　　　　　　　　　　　　　　　　　　　　　　　（成城大）

(　　　　　　　　　　　　　　　　　　　　　　　　　　　　　　　　　　　)

解答 1236 (The scholarship) enabled me to study in Switzerland for three years.
　　 1237 You will find it very interesting to read Japanese folktales in English.
　　 1238 My mother said, "Whatever dream you (may) have, it is important to make efforts
to achieve it."

Section 236 **日本文を読みかえる英作文**

1236 **enable + O + to do** 「O が…することを可能にする」

着眼 「奨学金は私が学ぶことを可能にした」「スイスで」「3 年間」

ア 主語の位置に The scholarship「奨学金」があるので,「奨学金は私がスイスで 3 年間学ぶことを可能にした」と考える。

イ 「O が…することを可能にする」は〈**enable + O + to do**〉で表す。
The scholarship enabled me to study ...

ウ 「スイスで」 ... in Switzerland ...

エ 「3 年間」 ... for three years.

プラス 主語の指定がなければ,I was able to study in Switzerland for three years thanks to the scholarship. でも同じ意味になる。

1237 **find + O + C** 「O が C だとわかる」

着眼 「あなたは日本の昔話を英語で読むことはとてもおもしろいとわかるでしょう」

ア 「…を読んでみると,とてもおもしろいです」は主語が省略されているが,話している相手は you。問題文は「あなたは,日本の昔話を英語で読むことはとてもおもしろいとわかるでしょう」と読みかえることができる。

イ 「あなたは…とわかるでしょう」 You will find ...

ウ 「O が C だとわかる」は〈**find + O + C**〉で表す。O = to read Japanese folktales in English「日本の昔話を英語で読むこと」,C = very interesting「とてもおもしろい」。ただし,O は長いので,形式目的語 it を使う。
You will find **it very interesting to read Japanese folktales in English.**

プラス 〈find + O + C〉を使わなければ,It will be very interesting for you to read Japanese folktales in English. となる。

1238 **whatever +名詞** 「どんな（名詞）を…しようとも」

着眼 「母が言った」「どんな夢をあなたが持っていようと」「それを達成するために努力することが大切だ」

ア 「どんな夢でも」は〈譲歩〉を表す副詞節で表す。節には主語と動詞が必要なので,「どんな夢をあなたが持っていようとも」と補う。

イ 「母が言った」 My mother said, "..."
言った内容を " " の中に入れる。

ウ 「どんな夢をあなたが持っていようとも」は〈譲歩〉を表す〈**whatever +名詞**〉「どんな（名詞）を…しようとも」を用いて表す。... "**Whatever dream you (may) have,** ...

エ 「それを達成するために努力すること」が主語にあたるが,長いので,形式主語構文 It is ... to do. を使う。「…するために努力する」は make efforts to do。「達成する」は achieve。 **... it is important to make efforts to achieve it."**

プラス 複合関係詞の whatever を使う代わりに,no matter what dream you (may) have としてもよい。

第28章 | Field 6 英文構造

英文理解のストラテジー

この章では，主部の中心となる名詞をS，述語動詞をV，目的語をO，品詞としての動詞を「動詞」と表記します。S', V'は「従属節内のS, V」を表します。

（例）Some of the students said that the test wasn't easy.

- Some = S; Some of the students = 主部
- said = V
- the test = S', wasn't = V', easy = C'; that the test wasn't easy = O

Section 237 主部が長い文の読み方

英文の最も基本的な原則は「SとVがある」ということだ。難しい文にあたったら，まずSとVを見つけ，それから文型や構文を判断するようにしよう。

STRATEGY 30 主部とVの間にある「切れ目」を意識する

主部とVの間に「／」を入れなさい。

A man in a black suit was sitting by the window.

[解き方] ㋐ 最初に出てくる，前置詞のついていない名詞をSと考える。➡ A manがS。

㋑ Sを修飾する語句を（　）で囲む。〈前置詞＋名詞〉や関係代名詞節など，Sを修飾する語句のまとまりを意識する。➡（in a black suit）がA manを修飾している。

㋒（　）のあとに最初に出てくる動詞がV。

（　）を隠してしまえばSとVのつながりが見えやすい。

➡ A man (S)（in a black suit）was sitting (V) by the window.

[解答] A man in a black suit ／ was sitting by the window.

【文構造】

A man (S) ←（in a black suit）／ was sitting (V) by the window (副詞句).

訳：黒いスーツを着た男性が窓のそばに座っていた。

主部とVの「切れ目」に ／ を入れなさい。

1239 The number of the students in our school has steadily increased over the last few years. （亜細亜大）

1240 Soon after the earthquake, many countries around the world sent volunteers to Japan.

1241 The next train to arrive at Platform 1 will be the 11:50 to Nagoya. （至学館大）

1242 The new library built just outside the city is popular. （立命館大）

1243 Only people who can speak English fluently should apply for the job. （東邦大）

Section 237 ◆ 主部が長い文の読み方

1239 **前置詞句** **S に前置詞句が続く場合**

The number of the students in our school / has steadily increased over the last few years.
S　　　　　　　　　　　　　　　　　　　副詞　　V　　　　副詞句

㋐The number「数」が S。㋑of the students は The number を修飾するまとまり。in our school は the students を修飾するまとまり。㋒（　）のあとに has が見えるので，これが V だと予測する。副詞 steadily のあとに increased が出てくるので，現在完了 has increased が V だと判断する。

1240 **副詞句** **文頭に副詞句がある場合**

Soon after the earthquake, many countries around the world / sent volunteers to Japan.
　　副詞句　　　　　　　S　　　　　　　　　　　　　V　　O　　　副詞句

㋐Soon は after the earthquake を修飾する副詞。the earthquake には前置詞 after がついているので，S ではない。many countries が S。㋑around the world は many countries を修飾しているので，（　）で囲む。㋒sent には目的語 volunteers がついているので，過去分詞ではなく過去形だと判断できる。これが V で，volunteers が O。

1241 **形容詞用法の不定詞句** **S に形容詞用法の不定詞句が続く場合**

The next train to arrive at Platform 1 / will be the 11:50 to Nagoya.
　　S　　　形容詞用法の不定詞　　　　V　　　C

㋐The next train が S。㋑不定詞 to arrive は V にはならない。arrive at ...で「…に到着する」という意味だから，to arrive at Platform 1 が S を修飾するまとまり。この to arrive は形容詞用法（→ 113）。㋒（　）のあとに出てくる will be が V。the 11:50「11 時 50 分の電車」が C で，to Nagoya は the 11:50 を修飾している。

1242 **過去分詞句** **S に過去分詞句が続く場合**

The new library built just outside the city / is popular.
　　S　　　過去分詞の後置修飾　　　　V　C

㋐The new library が S。㋑built が過去形だとすると，built のあとに目的語がないことの説明がつかない。だから，built は過去分詞で，S を修飾している（→ 172）と判断する。just outside the city「市のすぐ外に」は built にかかる副詞句なので，ここまでを（　）で囲む。㋒（　）のあとの is が V で，popular が C。

1243 **関係代名詞節** **S に関係代名詞節が続く場合**

Only people who can speak English fluently / should apply for the job.
　　S　　S'　V'　　O'　　副詞　　　V　　　副詞句

㋐副詞 Only は people にかかって「…な人々だけ」という意味を表しているので，people が S。㋑who は関係代名詞。who(S') can speak(V') English(O') で，fluently「流ちょうに」は speak を修飾する副詞だから，fluently までを関係代名詞節（→ 197）として（　）で囲む。㋒（　）のあとの should apply が V。

1239 私たちの学校の生徒の数は，この数年で着実に増えた。
1240 地震の直後に，世界中の多くの国々が日本にボランティアを派遣した。
1241 1 番ホームに到着する次の電車は，11 時 50 分の名古屋行きです。
1242 市の少し郊外に建てられた新しい図書館は人気がある。
1243 英語を流ちょうに話せる人だけがその仕事に応募すべきだ。

☐ **1244** The new tax system the local government is trying to adopt may cause many problems.　(北里大)

☑ Check 58　注意すべきその他の「長い主語」

- **不定詞（名詞用法）が S の文**

To know how to deal with stress ／ is very important.
　S　　　　　　　　　　　　　　　V　　　C

文頭の不定詞は，名詞用法なら S だが，「…するために」を表す副詞用法の可能性もある。もし名詞用法なら，不定詞句のあとに V が出てくるはず。副詞用法なら，不定詞句のあとに S−V が出てくるはず。また，副詞用法なら，不定詞句の終わりにコンマがあることが多い。ここでは，how to deal with stress「ストレスに対処する方法」というひとまとまりの語句のあとに is が出てくるので，To know は名詞用法で S, is が V だと判断する。

　　　　　　　　　　訳：ストレスに対処する方法を知ることはとても重要だ。

- **動名詞が S の文**

Walking in the park early in the morning ／ is very refreshing.
　S　　　　　　　　　　　　　　　　　　　　　V　　　C

文頭の *doing* は，動名詞なら S だが，現在分詞なら分詞構文になる。もし動名詞なら，動名詞句のあとに V が出てくるはず。現在分詞なら，分詞句のあとに S−V が出てくるはず。また，分詞構文の場合は分詞句の終わりにコンマがあることが多い。ここでは in the park と early in the morning が Walking を修飾するまとまりで，（　　）で囲める。そのあとに is が出てくるので，Walking は動名詞で S, is が V だと判断する。

訳：早朝に公園を散歩することは，気分をとてもすっきりさせてくれる。[早朝に公園を散歩すると，気分がとてもすっきりする。]

Practice 1　主語と V の「切れ目」に ／ を入れ，さらに英文を日本語に直しなさい。

(1) Efforts by the government to encourage women to bear* more children have had little effect.　*bear：…を生む　(青山学院大)

(2) The number of students going abroad on language programs has been falling significantly in recent years.　(学習院大)

(3) The amount of money spent on drinking accounts for 5% of my income.　(目白大)

(4) Many of the goods and services we use every day are controlled by only a few corporations.　(昭和女子大)

(5) The volunteer group whose aim is to help foreign visitors to Japan is now looking for interpreters.　(東京薬科大)

1244 関係代名詞節 関係代名詞が省略されている場合

The new tax system (S) [the local government (S') is trying (V') to adopt (O')] (which[that] の省略) / may cause (V) many problems (O).

関係代名詞節 → 202

[ア] The new tax system が S。[イ] S のあとの the local government is trying に注目。〈名詞＋名詞 (S') ＋動詞 (V')〉という語順なので，the local government から関係代名詞節が始まっていると推測する (p.516, Check 59「後置修飾とは」参照)。adopt に目的語がなく，直後に助動詞 may があることから，adopt までが関係代名詞節だと判断し，（　）で囲む。[ウ]（　）のあとの may cause が V。many problems が O。

Practice 1 解答

(1) Efforts (S) [by the government] [to encourage women to bear more children] / have had (V) little effect (O).

不定詞句（形容詞用法）→ 113

((ココも注目)) 〈encourage ＋ O ＋ to *do*〉「O に…するよう勧める，促す」→ 512

訳：女性にもっとたくさん子どもを生むよう促す政府の取り組みは，ほとんど効果がなかった。

(2) The number (S) [of students [going abroad on language programs]] / has been falling (V) significantly (副詞) in recent years (副詞句).

現在分詞の後置修飾 → 171

((ココも注目)) has been falling は現在完了進行形。→ 14

訳：語学プログラムで海外に行く学生の数は，近年著しく減り続けている。

(3) The amount (S) [of money [spent on drinking]] / accounts for (V（群動詞）) 5% (O) [of my income].

過去分詞の後置修飾 → 172

((ココも注目)) account for A「A（割合，部分）を占める」→ 888

訳：飲酒に費やされるお金の額は，私の収入の5パーセントを占めている。

(4) Many (S) [of the goods and services [we (S') use (V') every day (副詞句)]] / are controlled (V) by only a few corporations (副詞句).

関係代名詞節 → 202

which[that] の省略

訳：私たちが毎日利用している商品やサービスの多くは，ほんの数社の企業によってコントロールされている。

(5) The volunteer group (S) [whose aim (S') is (V') to help foreign visitors (C') [to Japan]] / is now looking for (V（群動詞）) interpreters (O).

関係代名詞節 → 201

訳：日本へ来る外国人観光客を助けることを目的とするボランティアグループが，現在通訳を探している。

1244 その地方自治体が採用しようとしている新しい税制は，多くの問題を引き起こすかもしれない。

Section 238 目的語が長い文の読み方

長い目的語のあとに別の要素 (α) が続いている場合，目的語の意味をとらえることに気を取られてしまい，次の要素 α が始まっていることに気づかないことがある。こうなってしまっては，正しい英文の理解は望めない。目的語が長い文を正しく理解するためには，V を見た時点でその文がとる可能性のある文型や構文を考え，先の展開を予測しながら読み進めることが重要だ。

STRATEGY 31 目的語の後ろの要素を予測して読む

O（修飾語句を含む）を□で囲みなさい。

Water makes all life on earth possible.

[解き方] ㋐ **V がとる可能性のある文型や構文を頭に入れ，O のあとに出てくる語句を予測する。**

➡「水が…を作る」では意味が不自然だから，SVOC「…を～にする」か，使役動詞の構文の可能性を考える。SVOC なら，O のあとに C ＝名詞か形容詞がくる。使役動詞なら〈make ＋ O ＋ *do*〉や〈make ＋ O ＋過去分詞〉の形だから，動詞の原形か過去分詞がくるので，これらが出てくることを予測して読み進める。

㋑ **目的語になれるのは名詞だけだから，「名詞のかたまり（＝名詞句・名詞節）」を意識して読み進める。**

➡ all life という名詞を on earth が修飾して，all life on earth「地球上のすべての生命」で名詞句になっている。

㋒ **名詞のかたまりのあとに㋐で予測した品詞や語句が出てきたら，そこまでの名詞のかたまりを□で囲む。**

➡ 形容詞 possible が出てくるので，これが C だと判断する。文型は SVOC。

[解答] Water makes [all life on earth] possible.

【文構造】

Water (S) makes (V) [all life (on earth)] (O) possible. (C)

訳：水は地球上のすべての生命を生存可能にする。[水のおかげで地球上のすべての生命は生存可能になる。]

O（修飾語句を含む）を□で囲みなさい。ただし，[1246] は 1 つ目の O について答えること。

[1245] She painted the walls of her room light green. （新潟工科大）

[1246] The company offered the international research team $30,000 to help on the subject. （藤田医科大）

[1247] The government advised its people staying in Iraq to leave the country soon.

[1248] I am having the ceiling of my house painted at the moment. （北里大）

Section 238 目的語が長い文の読み方

1245 SVOC 〈paint + O + C〉「O を C（色）に塗る」

She painted [the walls (of her room)] light green.

S: She / V: painted / O: the walls of her room / C: light green

〈paint + O + C〉「O を C（色）に塗る」

㋐ 他動詞の paint の代表的な使い方として，(1) SVO「…を描く」，(2) SVOC「…を～（色）に塗る」の 2 つを頭に入れておく。㋑ the walls「壁」という名詞を of her room が修飾して，the walls of her room「彼女の部屋の壁」で名詞句になっている。㋒ light green「薄緑色」という色の名前が出てくるので，これが C だと判断する。

1246 SVOO 〈offer ＋人＋物〉「（人）に（物）を提供する」

The company offered [the international research team] $30,000 to help on the subject.

S: The company / V: offered / O_1: the international research team / O_2: $30,000 / to help on the subject: 不定詞句（副詞用法）

〈offer ＋人＋物〉「（人）に（物）を提供する」

㋐ 他動詞の offer は，SVO で「…を提供する」，SVOO で「（人）に（物など）を提供する」（→ p.248 List 59）を表す。㋑ the international research team「国際研究チーム」は名詞で，1 つ目の目的語。㋒ 直後に $30,000 という別の名詞が出てくるので，SVOO だと判断する。to help 以下は目的を表す副詞用法の不定詞句。

1247 SVO + to *do* 〈advise + O + to *do*〉「O に…するように忠告［勧告］する」

The government advised [its people (staying in Iraq)] to leave the country soon.

S: The government / V: advised / O: its people staying in Iraq（staying in Iraq: 現在分詞句）

〈advise + O + to *do*〉「O に…するように忠告［勧告］する」

㋐ advise は〈advise ＋人＋ α〉の形で使うことが多い。 α は不定詞か that 節なので，どちらかがくると予測しながら読む。㋑ its people のあとの staying は予測した形ではない。staying は its people を修飾する現在分詞で，its people staying in Iraq「イラクに滞在している自国民」という名詞句だと判断する。㋒ to leave は予測した形の 1 つだから，〈advise + O + to *do*〉「O に…するよう忠告［勧告］する」（→ [511]）の形だと判断する。

1248 使役動詞＋ O ＋過去分詞 〈have + O ＋過去分詞〉「O を…してもらう」

I am having [the ceiling (of my house)] painted at the moment.

S: I / V: am having / O: the ceiling of my house / painted: 過去分詞 / at the moment: 副詞句

〈have + O ＋過去分詞〉「O を…してもらう」

㋐「持っている」という意味の have は進行形にならないから，having は使役動詞だと判断する。使役動詞 have は O のあとに原形不定詞や分詞をとるので，これらを予測しながら読む。㋑ the ceiling を of my house が修飾して，the ceiling of my house「私の家の天井」で名詞句になっている。㋒ painted を見て，〈have + O ＋過去分詞〉「O を…してもらう」（→ [506]）の形だと判断する。

1245 彼女は自分の部屋の壁を薄い緑色に塗った。
1246 その会社はその課題に役立つように，国際研究チームに 3 万ドルを提供した。
1247 政府はイラクに滞在している自国民に，すぐにその国を離れるよう勧告した。
1248 私はちょうど今，家の天井を塗装してもらっているところだ。

1249   I saw a group of girls in colorful costumes lining up in front of the theater.

1250   The man devoted the rest of his life to improving the city's educational system.

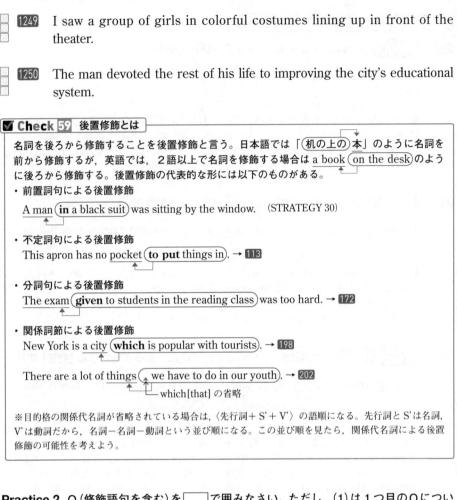

✓ **Check 59** 後置修飾とは

名詞を後ろから修飾することを後置修飾と言う。日本語では「(机の上の)本」のように名詞を前から修飾するが、英語では、2語以上で名詞を修飾する場合は a book (on the desk) のように後ろから修飾する。後置修飾の代表的な形には以下のものがある。

・前置詞句による後置修飾
A man (in a black suit) was sitting by the window. (STRATEGY 30)

・不定詞句による後置修飾
This apron has no pocket (to put things in). → 113

・分詞句による後置修飾
The exam (given to students in the reading class) was too hard. → 172

・関係詞節による後置修飾
New York is a city (which is popular with tourists). → 198

There are a lot of things (we have to do in our youth). → 202
which[that] の省略

※目的格の関係代名詞が省略されている場合は、〈先行詞＋S'＋V'〉の語順になる。先行詞とS'は名詞、V'は動詞だから、名詞－名詞－動詞という並び順になる。この並び順を見たら、関係代名詞による後置修飾の可能性を考えよう。

Practice 2 O（修飾語句を含む）を□で囲みなさい。ただし、(1)は1つ目のOについて答えること。さらに英文を日本語に直しなさい。

(1) My uncle is going to teach those interested in Japanese culture how to wear a kimono.

(2) We sometimes see people from other countries doing things differently from the way we do them.
（中央大）

(3) This device helps drivers who have to drive long distances at night stay awake.

(4) The teacher told the student whom she had found cheating on the examination to come to the office after school.
（武蔵野大）

516

1249 知覚動詞＋ O ＋現在分詞 〈see ＋ O ＋現在分詞〉「O が…しているのを見る」

I saw a group of girls in colorful costumes lining up in front of the theater.
S　V　　O　　　　　　　　　　　　　　　　　　現在分詞

〈see ＋ O ＋現在分詞〉「O が…しているのを見る」

❼see や hear などの動詞を見たら，〈知覚動詞＋ O ＋ *do*〉や〈知覚動詞＋ O ＋分詞〉の可能性を頭に入れて読み進めよう。❶a group of girls が修飾し，girls を in colorful costumes が修飾しているので，ここまでが 1 つの名詞句。❼lining を見て，〈see ＋ O ＋ *doing*〉「O が…しているのを見る」（→ 180）の構文だと判断する。lining は line「列を作る」という動詞の現在分詞。

1250 SV A to B　devote A to B「A を B に捧げる」

The man devoted the rest of his life to improving the city's educational system.
S　　　V　　　O(A)　　　　　　　　　　B

devote A to B「A を B に捧げる」

❼devote は devote A to B「A を B に捧げる」（→ 846）という構文をとることが多いので，to が出てくることを予測しながら読む。❶the rest を of his life が修飾して，the rest of his life「彼の人生の残り」で名詞句になっている。❼to が出てきたので，devote A to B の〈to B〉が始まると判断する。

Practice 2　解答

(1) My uncle is going to teach those interested in Japanese culture how to wear a kimono.
　　S　　　V　　　　　　　O₁　形容詞句による後置修飾　　　O₂

〈teach ＋人＋こと〉「（人）に（こと）を教える」

《ココも注目》 how to wear は〈疑問詞＋不定詞〉。→ 112

訳：私のおじは日本文化に興味のある人々に着物の着方を教える予定だ。

(2) We sometimes see people from other countries doing things differently from the way
　　S　副詞　V　　O　　　　　　　　　　現在分詞　　　　　　　　　　　　we do them.

〈see ＋ O ＋現在分詞〉「O が…しているのを見る」→ 180

《ココも注目》 the way we do them は〈the way ＋ S ＋ V〉「S が V する方法」。→ 216

訳：私たちは時々，外国から来た人々が私たちがするのとは違うやり方で物事をしているのを目にする。

(3) This device helps drivers who have to drive long distances at night stay awake.
　　S　　　V　　O　　　　S'　　V'　　　副詞句　　　副詞句　　動詞の原形

〈help ＋ O ＋ *do*〉「O が…するのを助ける」→ 518

訳：この装置は夜間長距離を運転するドライバーが眠らずにいるのを助ける。

(4) The teacher told the student whom she had found cheating on the examination
　　S　　　V　　O　　　　O'　S'　V'　　C'　　　副詞句

to come to the office after school.　〈tell ＋ O ＋ to *do*〉「O に…するように言う」→ 577
不定詞　副詞句　　　副詞句

《ココも注目》 found cheating は〈find ＋ O ＋ *doing*〉「O が…しているのを見つける」の形。O にあたるのが関係代名詞 whom。

訳：先生は試験でカンニングをしているのを見つけた生徒に，放課後職員室に来るように言った。

1249 私は色とりどりの仮装をした女の子のグループが劇場の前に並んでいるのを見た。
1250 その男性は彼の残りの人生［人生の残り］を市の教育制度の改革に捧げた。

andに代表される等位接続詞は，文法的に対等なもの同士を結ぶ。「文法的に対等」とは，名詞と名詞，目的語と目的語など，品詞や文の要素が同じであるということ。正確に英文を解釈するためには，等位接続詞がつくる並列の関係をつかむことが不可欠だ。

STRATEGY 32 　対等な語を見つけ，並列の関係をつかむ

下線部と並列な関係にある語句に下線を引きなさい。

She tried to talk with the boy and <u>become friends with him</u>.

(解き方)

㋐ 下線部と文法的に対等な語を，and の前から探す。

　➡ become は原形，現在形，過去分詞のどれかだが，and の前に現在形や過去分詞はない。不定詞 to talk の talk は原形だから，talk と become が文法的に対等。

㋑ ㋐で見つけた2つの語のはたらきを確認し，並列な関係の語句を見抜く。

　➡ to talk with the boy は tried の目的語だから，(to) become friends with him も tried の目的語だと判断する。2つの不定詞句が並列の関係になっている。

(解答)

She tried to <u>talk with the boy</u> and <u>become friends with him</u>.

【文構造】

She tried { to talk with the boy / **and** / (to) become friends with him }.
S　V

訳：彼女はその男の子と話して彼と友達になろうとした。

※ A and B のあとに，AとBの両方を修飾する語句が続く場合がある。
(例) These books can <u>be read</u> and <u>borrowed</u> by anyone.

【文構造】

These books can { be read / **and** / (be) borrowed } by anyone.
S　　助動詞

by anyone は be read と be borrowed の両方にかかるので，×「これらの本は読めるし，誰でも借りられる」のように by anyone を (be) borrowed にだけかけた訳は誤り。

訳：これらの本は誰でも読めるし，誰でも借りられる。

下線部と並列な関係にある語句に下線を引きなさい。

1251 John must go to the library today and <u>return the books he borrowed</u>.

1252 I asked my friend to go over to my house and <u>water my plants</u>. （広島修道大）

1253 I saw the boss come out of the building and <u>get into a taxi</u>. （東京経済大）

1254 In this class, you will learn the origin of rock climbing and <u>how it developed as a sport</u>. （中村学園大）

Section 239 ◆ 共通関係の読み方

1251 動詞の原形 ｜ 助動詞＋ *do* and *do*

John must go to the library today and return the books he borrowed.

㋐return は原形または現在形だが, 主語が John なので, 現在形なら returns になるはず。だから return は原形。㋑he borrowed は the books を修飾する関係代名詞節。go to the library today と return the books he borrowed が並列の関係になっている。

【文構造】
John must ⎰ go to the library today
　　　　　⎱ **and**
　　　　　　 return the books he borrowed .

1252 不定詞 ｜ V ＋ O ＋ to *do* and (to) *do*

I asked my friend to go over to my house and water my plants.

㋐water のあとに my plants「私の植物」が続いているので, この water は「…に水をやる」という意味の動詞。water は原形または現在形だから, V の asked と対等な関係にはならない。不定詞 to go の go と対等になる。㋑文全体は〈ask ＋ O ＋ to *do*〉「O に…してくれるように頼む」(→ p.240, Check 38) の形。2 つの不定詞句 to go over to my house と (to) water my plants が並列の関係。

【文構造】
I asked my friend ⎰ to go over to my house
　　　　　　　　　⎱ **and**
　　　　　　　　　　 (to) water my plants .

1253 原形不定詞 ｜ 知覚動詞＋ O ＋ *do* and *do*

I saw the boss come out of the building and get into a taxi.

㋐get は原形または現在形だから, V の saw と対等な関係にはならない。saw the boss come は〈see ＋ O ＋ *do*〉「O が…するのを見る」(→ **127**) の形だから, get は原形 come と対等な関係。㋑原形不定詞で始まる 2 つの動詞句 come out of the building と get into a taxi が並列の関係。

【文構造】
I saw the boss ⎰ come out of the building
　　　　　　　　⎱ **and**
　　　　　　　　　 get into a taxi .

1254 目的語 ｜ V ＋ O（名詞句）and O（名詞節）

In this class, you will learn the origin of rock climbing and how it developed as a sport.

㋐疑問詞 how と対等な語はないが, how it developed「それがどのように発展したか」という間接疑問 (→ **414**) は名詞節なので, and の前の名詞相当語句と対等な関係になる。㋑the origin of rock climbing「ロッククライミングの起源」という名詞句と, how it developed as a sport「それがスポーツとしてどのように発展したか」という名詞節が並列の関係で, 両方とも learn の目的語にあたる。

【文構造】
In this class, you will learn ⎰ the origin of rock climbing
　　　　　　　　　　　　　　 ⎱ **and**
　　　　　　　　　　　　　　　 how it developed as a sport .

1251 ジョンは今日図書館へ行って, 彼が借りた本を返さなければならない。
1252 私は友人に, 私の家へ行って植物に水をやってくれるよう頼んだ。
1253 私は上司がそのビルから出てきてタクシーに乗り込むのを見た。
1254 この授業で, あなたがたはロッククライミングの起源と, それがスポーツとしてどのように発展したかを学びます。

□ **1255** They showed their love and <u>respect</u> for Japanese culture.

Practice 3 次の英文を日本語に直しなさい。

(1) The government should track how the disease is spreading and take action accordingly*.　*accordingly：適切に　　　　　　　　　　　　　　　（東京工科大）

(2) My grandparents have decided to leave the northern part of the country and move to a warmer climate.　　　　　　　　　　　　　　　　　　　　（神奈川大）

(3) He has the ability to read and write English rapidly and correctly.

(4) French women do not waste money on clothes or accessories* they do not often use.　*accessory：アクセサリー　　　　　　　　　　　　　　　　（関西大）

(5) The airline pilot had to choose between making an emergency landing* on a busy highway or a little used river.　*emergency landing：緊急着陸　　　　（慶應大）

1255 共通する前置詞句 V + O and O +前置詞句

They showed their <u>love</u> and <u>respect</u> for Japanese culture.

㋐respect には名詞と動詞があるが，and の前には過去形の動詞しかないので，respect は love と対等な名詞だと判断する。㋑love は「日本文化に対する愛」だと考えるのが自然だから，for Japanese culture は love と respect の両方を修飾していると判断する。

【文構造】

They showed {
their love
and
(their) respect
} [for Japanese culture].

Practice 3　解答

(1) 政府はその病気がどのように広がっているのかを追跡し，適切に行動すべきだ。

The government should {
track how the disease is spreading
and
take action accordingly
}.

《ココも注目》 how the disease is spreading は間接疑問。→ 414

(2) 私の祖父母は国の北部を離れてより暖かい地方に引っ越すことに決めた。

My grandparents have decided {
to leave the northern part of the country
and
(to) move to a warmer climate
}.

(3) 彼には英語を速く正確に読み書きする能力がある。

He has the ability {
to read
and
(to) write
} English rapidly and correctly.

《ココも注目》 ability to *do*「…する能力」の to *do* は形容詞用法。

(4) フランスの女性は，たまにしか使わない衣類やアクセサリーにお金を浪費しない。

French women do not waste money on {
clothes
or
accessories
} (they do not often use).

《ココも注目》 they do not often use は clothes and accessories を修飾する関係代名詞節。they の前に which[that] が省略されている。→ 202

(5) その航空会社のパイロットは，渋滞した高速道路とあまり使われていない川のどちらに緊急着陸するかを選ばなければならなかった。

The airline pilot had to choose between {
making an emergency landing on a busy highway
or
(making an emergency landing on) a little used river
}.
└ making an emergency landing on は共通なので，後半では省略されている。

《ココも注目》 between はふつう between A and B の形で使う（→ 305）が，choose のあとで使う場合は，choose between A or B「A と B の中から選ぶ」のように or を使うこともある。

1255 彼らは日本文化に対する愛と敬意を示した。

大学入試で出題された問題を分類し，出題頻度の高い順に 100 項目，頻度ごとに 5 つのブロックに分けて掲載してあります。もし間違えた場合は，本章に戻ってしっかり理解し，必ず解けるようにしてください。

First Block　　　　　　　　　　　　　　　　　　　　　　　**TOP 1 〜 10**

☐ 1　If I had not lost my file, I (　　) the job on time.　　　（立命館大）
　　① had finished　　② have finished　　③ finished　　④ would have finished

☐ 2　I'm sorry, sir, but smoking is not (　　) in this building.　　　（南山大）
　　① permitted　　② permission　　③ permitting　　④ permit

☐ 3　It has been about a year since I (　　) learning the guitar.　　　（獨協大）
　　① start　　② started　　③ starting　　④ had started

☐ 4　(　　) in Old Japanese, the book was difficult for high school students to read.
　　① Wrote　　② Written　　③ To write　　④ Writing　　　（関西学院大）

☐ 5　This is the building (　　) my grandfather started his company.　　　（神奈川大）
　　① where　　② that　　③ which　　④ what

☐ 6　We looked at a picture (　　) on the wall of the cave.　　　（東邦大）
　　① draw　　② drawn　　③ to draw　　③ drawing

☐ 7　I want you to have this letter (　　) into French.　　　（日本大）
　　① to translate　　② translate　　③ translated　　④ translating

☐ 8　If I were you, I (　　) ask him for help.　　　（東京造形大）
　　① wouldn't　　② won't　　③ don't　　④ didn't

☐ 9　I (　　) English for a long time, but I can't speak it fluently yet.　　　（東京国際大）
　　① studied　　② have studied　　③ will study　　④ had studied

☐ 10　I (　　) in Kyoto for two years before I moved to Tokyo.　　　（法政大）
　　① am living　　② had lived　　③ live　　④ have lived

Second Block　　　　　　　　　　　　　　　　　　　　　　　**TOP 11 〜 38**

☐ 11　Instead of (　　) a new computer, I fixed my old one to save money.　　　（会津大）
　　① buy　　② buying　　③ bought　　④ having bought

☐ 12　I am teaching children (　　) first language is not English.　　　（宮城学院女子大）
　　① who　　② whose　　③ whom　　④ its

First Block TOP 1 ～ 10

1 **仮定法過去完了** 〈If S' had ＋過去分詞, S ＋助動詞の過去形＋ have ＋過去分詞〉→ 83, 84
④ もし私が自分のファイルを無くさなければ，私は期限通りに仕事を終わらせていただろう。

2 **受動態** 〈be 動詞＋過去分詞〉→ 34
① 申し訳ありませんが，お客様，この建物の中で喫煙は許可されていません。

3 **過去形** 過去の時点で行われた動作は過去形で表す。→ 2
② 私がギターを習い始めてから 1 年が経った。

4 **受動態の分詞構文** 過去分詞（Written）で始める分詞構文。ここでは理由を表す。→ 184
② 古い日本語で書かれていたので，その本は高校生が読むには難しかった。

5 **関係副詞 where** 〈場所〉を表す副詞のはたらきをする関係詞は where。→ 209
① これは，私の祖父が会社を始めた建物だ。

6 **過去分詞句の後置修飾** 〈名詞＋過去分詞＋語句〉「…された（名詞）」→ 172
② 私たちは洞窟の壁に描かれた絵を見た。

7 **have ＋もの＋過去分詞〈使役〉** 「(this letter) を（翻訳）してもらう」→ 506
③ 私はあなたにこの手紙をフランス語に翻訳してほしい。

8 **仮定法過去** If S' were ..., S ＋助動詞の過去形＋動詞の原形 → 80, 82
① もし私があなたなら，彼に助けを求めたりしないのに。

9 **現在完了―have ＋過去分詞** 現在までの〈継続〉を表す。→ 11
② 私は長い間，英語を勉強してきたが，まだ流ちょうに話せない。

10 **過去完了―had ＋過去分詞** 過去のある時点までの〈継続〉を表す。→ 19
② 私は東京に引っ越す前に 2 年間京都に住んでいた。

Second Block TOP 11 ～ 38

11 **動名詞―前置詞の目的語** 前置詞 instead of の目的語なので動名詞を用いる。→ 147
② 新しいコンピュータを買うのではなく，お金を貯めるために古いコンピュータを修理した。

12 **所有格 whose** 関係代名詞 whose は所有格の代名詞のはたらきをする。→ 201, **STRATEGY 14**
② 私は，第一言語が英語ではない子どもたちを教えている。

□ 13　(　　) he had met her before, he did not instantly recognize her on the street.
　① Although　　② As　　③ Because　　④ Since　　(武庫川女子大)

□ 14　(　　) close to the university, I can go there on foot.　(岡山理科大)
　① Live　　② Living　　③ Lived　　④ Being lived

□ 15　Nobody gets anything (　　) they ask for it.　(法政大)
　① unless　　② but　　③ which　　④ and

□ 16　There is a policeman (　　) downstairs to speak to you.　(奥羽大)
　① waited　　② waiting　　③ waits　　④ wait

□ 17　This card makes (　　) possible for members to get a 25% discount.　(中部大)
　① that　　② this　　③ it　　④ me

□ 18　I am not used (　　) in cities since I was born in the countryside.　(成城大)
　① to live　　② to be lived　　③ to living　　④ to be

□ 19　(　　) the train being late, he arrived at his office on time.　(国士舘大)
　① No matter　　② Instead of　　③ Despite　　④ But for

□ 20　I (　　) checked my flight schedule before going to the airport, but I did not do so.
　① had　　② had to be　　③ should have　　④ have　　(拓殖大)

□ 21　We'll give you a call as soon as we (　　) at the airport.　(青山学院大)
　① arrive　　② arrived　　③ were arriving　　④ will arrive

□ 22　The front door (　　) making a strange noise since last week.　(阪南大)
　① had been　　② has been　　③ is　　④ will have been

□ 23　It was brave (　　) your opinion in front of such a large audience.　(東京経済大)
　① of expressing　　　　② of you to express
　③ with you to express　　④ for you express

□ 24　I suggest that you (　　) more careful now.　(相模女子大)
　① had been　　② is　　③ has been　　④ be

□ 25　By the time I retire, I (　　) for 45 years.　(学習院女子大)
　① taught　　② will teach　　③ will have taught　　④ have taught

□ 26　The rain was (　　) heavy yesterday that I could not go out.　(宮城学院女子大)
　① quite　　② so　　③ too　　④ very

□ 27　Would you mind (　　) me your address?　(南山大)
　① tell　　② to tell　　③ telling　　④ being told

13 **譲歩を表す接続詞 although** 「…だけれども，…にもかかわらず」→ 374
① 彼は以前，彼女に会ったことがあったが，街頭で彼女だとすぐに気づかなかった。

14 **分詞構文** 分詞句を使って「…なので」という情報を文に加える。→ 183
② 大学の近くに住んでいるので，私は徒歩で大学へ行くことができる。

15 **unless** 「…しない限り，もし…でなければ」→ 370
① 求めなければ誰も何も手に入らない。

16 **現在分詞の後置修飾** 〈名詞＋現在分詞＋語句〉「…している（名詞）」→ 171
② あなたと話すために階下で待っている警察官がいる。

17 **形式目的語を受ける不定詞** SV ＋ it ＋形容詞＋ to *do* → 111
③ このカードによって会員は 25% 引きになる。

18 **be used to *doing*** 「…するのに慣れている」→ 153
③ 私は田舎に生まれたので，都会の生活に慣れていない。

19 **despite** 「…にもかかわらず」→ 326
③ 電車が遅れたのにかかわらず，彼は時間どおりに会社に着いた。

20 **should have ＋過去分詞** 「…すべきだったのに」〈後悔〉→ 67
③ 空港に行く前にフライトスケジュールを確認しておくべきだったが，私はそうしなかった。

21 **副詞節内の動詞** 時を表す副詞節内では未来の内容でも現在形で表す。→ 27
① 私たちが空港に着いたらすぐにあなたに電話をします。

22 **現在完了進行形―have been *doing*** 過去から現在までの〈動作の継続〉を表す。→ 14
② 玄関のドアは先週からおかしな音がしている。

23 **副詞用法〈判断の根拠〉** It is ＋人の性質を表す形容詞＋ of ＋人＋ to *do* → 122
② そんなに大勢の聴衆の前であなたの意見を述べるとはあなたは勇敢だ。

24 **suggest that S' (should) *do*** that 節内の動詞は原形または should *do* の形をとる。→ 541
④ これからもっと注意深くすることをお勧めします。

25 **未来完了―will have ＋過去分詞** 未来のある時点までの〈状態の継続〉を表す。→ 25
③ 私が退職するまでに，45 年間教えたことになるだろう。

26 **so ... that ～** 「とても…なので～〈結果〉／～ほど…〈程度〉」→ 361
② 昨日，雨がとてもひどかったので，私は外出できなかった。

27 **Would you mind *doing* ...?** 「…していただけませんか」→ 490
③ 私にあなたの住所を教えていただけませんか。

□ 28　I live in the northern part of Nara, (　　) is famous for the Great Buddha.　(天理大)
　　① that　　　　② what　　　　③ where　　　　④ which

□ 29　Some people still believe (　　) human actions are not changing the earth's climate.
　　① when　　　　② what　　　　③ which　　　　④ that　　(大東文化大)

□ 30　I can't speak English (　　) to talk to foreign customers.　(長崎県立大)
　　① so good　　　② enough good　　③ very well　　　④ well enough

□ 31　Dad (　　) dinner when I got home from work.　(阪南大)
　　① is cooking　　② cooks　　　　③ was cooking　　④ has cooked

□ 32　This is now an apartment building, but it (　　) a post office.　(立命館大)
　　① used as　　　② used for　　　③ used to be　　　④ was use

□ 33　After long hours of work, he (　　) exhausted last night.　(京都女子大)
　　① could be　　　② might be　　　③ must have been　④ would be

□ 34　They are really looking forward to (　　) Australia.　(神奈川大)
　　① the visit　　　② visit　　　　③ visiting　　　　④ getting visited

□ 35　This song (　　) me of my happy school days.　(松山大)
　　① remains　　　② remarks　　　③ remembers　　　④ reminds

□ 36　Make sure to finish this assignment (　　) the end of this month.　(跡見学園女子大)
　　① by　　　　　② since　　　　③ beyond　　　　④ till

□ 37　You can use my textbook (　　) you promise not to write anything in it.　(清泉女子大)
　　① as far as　　　② as long as　　③ as much as　　　④ as soon as

□ 38　She never lets her children (　　) in the street.　(目白大)
　　① play　　　　② playing　　　③ to play　　　　④ played

Third Block　　　　　　　　　　　　　　　　　　　　　TOP 39 〜 57

□ 39　The trekking route (　　) since late January because of a landslide.　(国士舘大)
　　① closed　　　　② closes　　　③ has been closed　④ is closed

□ 40　The population of China is much larger than (　　) of Japan.　(立命館大)
　　① it　　　　　② one　　　　③ that　　　　　④ those

□ 41　My best friend Mark has just started training (　　) a police officer.　(愛知学院大)
　　① as being　　　② at being　　　③ it to be　　　④ to be

□ 42　He sat on (his legs / the sofa / crossed / with).　　並べかえ　(大阪産業大)

526

28 **非制限用法の関係代名詞** 先行詞 Nara を補足説明する関係代名詞 which。→ 217
④ 私は奈良北部に住んでいる。奈良は大仏で有名だ。

29 **that 節「…ということ」** believe の目的語になる名詞節を導く接続詞 that → 385
④ 人間の行動が地球の気候を変えているのではないといまだに信じている人がいる。

30 **形容詞 [副詞] ＋ enough to *do*** 「…するのに十分～」→ 137
④ 私は外国の顧客に話しかけるほど上手に英語を話せない。

31 **過去進行形 was *doing* / were *doing*** 過去のある時点で進行中の動作を表す。→ 4
③ 私が仕事から家に帰ると、父が夕食を作っていた。

32 **used to** 「(以前は) …だった」〈過去の状態〉→ 60
③ ここは今はアパートだが、かつては郵便局だった。

33 **must have ＋過去分詞** 「…したに違いない」〈確信〉→ 63
③ 長時間労働のあとで、昨夜、彼は疲れ切っていたに違いない。

34 **look forward to *doing*** 「…するのを楽しみに待つ」→ 152
③ 彼らはオーストラリアを訪れることを本当に楽しみにしている。

35 **remind ＋人＋ of A** 「(人) に A を思い出させる」→ 523
④ この歌を聴くと私は幸せな学生時代を思い出す。

36 **by** 動作や状態の〈完了の期限〉を表す。→ 299
① 今月末までにこの宿題を必ず終わらせなさい。

37 **as long as** 「…しさえすれば」〈条件〉→ 358
② 何も書き込まないと約束するなら、私の教科書を使ってもいいですよ。

38 **let ＋ O ＋ *do*** 「(したいように) O に…させる、…するのを許す」→ 499
① 彼女は自分の子どもたちに決して通りで遊ばせない。

Third Block **TOP 39 ～ 57**

39 **完了形の受動態** have being ＋過去分詞 → 40
③ がけ崩れのためトレッキングルートはこの前の 1 月から閉鎖中だ。

40 **that** 〈the ＋名詞〉の意味を表す。→ 614
③ 中国の人口は日本の人口よりもはるかに多い。

41 **副詞用法〈目的〉 to *do***「…するために」→ 115
④ 私の親友のマークは警察官になるためにちょうどトレーニングを始めたところだ。

42 **with ＋名詞＋過去分詞** 「(名詞) が…された状態で」〈付帯状況〉→ 195
the sofa with his legs crossed 彼は足を組んでソファーに座っていた。

□ 43 The storm ( ) us from going on a picnic yesterday. (江戸川大)
① pretended ② presented ③ pressed ④ prevented

□ 44 My brother never allows me ( ) his car. (会津大)
① a use of ② to use ③ use ④ using

□ 45 I have been staying here ( ) three months. (神戸親和女子大)
① for ② during ③ since ④ in

□ 46 "I haven't decided which club to join yet." "( )" (北長崎県立大)
① So I haven't. ② I haven't, too. ③ So haven't I. ④ Neither have I.

□ 47 The girl loves her doll as if it ( ) her real sister. (女子栄養大)
① is ② be ③ would be ④ were

□ 48 I'll give him a key ( ) he can get in any time. (東洋大)
① so that ② such that ③ before that ④ about that

□ 49 The girl who is talking with the boys ( ) my friend. (江戸川大)
① are ② is ③ don't ④ does

□ 50 My house had its roof ( ) off in yesterday's storm. (京都女子大)
① blow ② blowing ③ blown ④ to blow

□ 51 I proposed a work project to Tom but he turned me ( ). (天理大)
① down ② off ③ on ④ up

□ 52 Why don't you join us? We ( ) a new game now. (名城大)
① are starting ② are started ③ had started ④ will have started

□ 53 ( ) Katy be given another chance, she would do her best. (関東学院大)
① If ② When ③ Could ④ Should

□ 54 No matter ( ), I try to call my grandparents at least once a week. (金沢工業大)
① how busy I am ② how I am busy ③ I am busy ④ what I am busy

□ 55 The more excuses he makes, ( ) his situation will be. (日本大)
① and most ② the worse ③ much more ④ by far better

□ 56 Her doctor recommended that she ( ) from eating meat. (東洋英和女学院大)
① has refrained ② is refraining ③ refrain ④ refrains

□ 57 ( ) wants to come to this church will be welcomed. (高千穂大)
① Who ② Whoever ③ Whatever ④ What

43 **prevent + O + from** *doing* 「O が…するのを妨げる」→ 521
④ 昨日，嵐のせいで私たちはピクニックに行けなかった。

44 **allow + O + to** *do* 「O が…することを許す」→ 515
② 兄［弟］は自分の車を私が使うことを決して許さない。

45 **for** 〈継続期間〉を表す。→ 298
① 私はここに三か月間滞在しているところだ。

46 **neither[nor] ＋助動詞［be 動詞］+ S** 否定の内容を受けて「S もまた…ない」→ 462
④ 「私はまだどこのクラブに入るか決めていない」「私もです」

47 **as if ＋仮定法過去** 「まるで…するかのように」→ 103
④ その少女は自分の人形を，まるで本当の姉妹であるかのように愛している。

48 **so that ...** 「…するために，…するように」〈目的〉→ 363
① 彼がいつでも入れるように，私は彼にカギを渡すつもりだ。

49 **関係代名詞節内の動詞** 関係代名詞節内の動詞は先行詞（The girl）に合わせる。→ 407
② 男の子たちと話している女の子は，私の友人です。

50 **have ＋もの＋過去分詞** 「(もの) を…される」〈被害〉→ 507
③ 私の家の屋根が昨日の嵐で吹き飛ばされた。

51 **turn down A / turn A down** 「A を断る，拒む」→ 852
① 私はトムに作業計画を提案したが，彼に断られた。

52 **現在進行形 is** *doing* **/ are** *doing* 今している最中の動作や進行中の変化を表す → 3
① 私たちに加わらないかい。私たちは今，新しいゲームを始めようとしているところだ。

53 **Should S** *do* **...** 「万一…なら」→ 96
④ 万一もう一度チャンスを与えられるなら，ケイティは最善を尽くすだろう。

54 **no matter how ＋形容詞［副詞］** 「どれほど…でも」→ 238
① どんなに忙しくても，私は少なくとも週に1回，祖母に電話をしようと試みる。

55 **the ＋比較級 ..., the ＋比較級 ～** 「…すればするほど，ますます～」→ 277
② 彼が言い訳をすればするほど，彼の状況は悪くなるだろう。

56 **recommend that S' (should)** *do* 「…するように勧める」→ 540
③ 彼女の医者は彼女に肉を食べるのを控えるよう勧めた。

57 **whoever** 「…する人は誰でも」→ 231
② この教会に来たいと思う人は誰でも歓迎されるだろう。

□ 58 During our conversation, I realized that we (   ) before.   (日本大)
① had been met   ② had met   ③ have been met   ④ were met

□ 59 Taro will email me when he (   ) at the airport.   (芝浦工業大)
① arrives   ② will have arrived ③ will arrive   ④ arrived

□ 60 Any flowers ordered on Mother's Day (   ) within four hours of placing the order.
① are deliver   ② will be delivered ③ will delivery   ④ delivery   (名城大)

□ 61 (   ) you were coming, I would have made a special dinner.   (立命館大)
① Had I known   ② Have I known   ③ I had known   ④ I have known

□ 62 He was made (   ) and see the doctor even though he didn't think it necessary.
① go   ② going   ③ gone   ④ to go   (東邦大)

□ 63 Only people (   ) can speak English fluently should apply for the job.   (東邦大)
① which   ② what   ③ whose   ④ who

□ 64 These old clothes are (   ) no use to me anymore.   (神奈川大)
① in   ② to   ③ of   ④ with

□ 65 There was a big traffic accident yesterday. However, (   ) was injured.   (新潟工科大)
① never ones   ② no one   ③ none people   ④ one not

□ 66 She (   ) a brilliant idea, so we were able to finish the project early.   (東京理科大)
① went downward   ② went upward   ③ came on in   ④ came up with

□ 67 I (   ) to play tennis a lot when I was young.   (会津大)
① am used   ② am using   ③ use   ④ used

□ 68 I wish Bob (   ) here when my computer stopped working.   (愛知学院大)
① be   ② had been   ③ is   ④ would be

□ 69 They bought four books, none of (   ) were interesting.   (実践女子大)
① that   ② which   ③ who   ④ whom

□ 70 There are few places for parking, (   ) is really a problem.   (名古屋学院大)
① as   ② what   ③ where   ④ which

□ 71 My older sister is taller than my mother (   ) five centimeters.   (金城学院大)
① as   ② by   ③ for   ④ in

□ 72 We won't go to the event if it (   ) tomorrow.   (阪南大)
① snows   ② will snow   ③ isn't snow   ④ snowing

Fourth Block

58 **大過去** 過去完了は「より古い過去」を表す。→ 20
　② 会話中に，私たちが前に会っていたことに私は気づいた。

59 **副詞節の when 節** 副詞節の when 節では未来の内容でも現在形で表す。→ 33
　① タロウは空港に着いたら私にメールをするだろう。

60 **助動詞を含む受動態** 助動詞＋ be ＋過去分詞 → 38
　② 母の日に注文された花はすべて，注文から 4 時間以内に配達されるだろう。

61 **Had S ＋過去分詞 ...** 「もし…だったら」→ 94
　① あなたが来るとわかっていたなら，特別な夕食を作っておいたのに。

62 **〈make ＋ O ＋ *do*〉の受動態** be made to *do*「…させられる」→ 130
　④ 彼は，必要だと思わなかったが，医者に診察してもらいに行かされた。

63 **主格 who** 先行詞が〈人〉／関係詞節中で主語のはたらきをする。→ 197
　④ 英語を流ちょうに話せる人だけ，その仕事に応募すべきだ。

64 **of ＋抽象名詞** of use は〈of ＋抽象名詞〉の形で形容詞の意味を表すことができる。→ 332
　③ これらの古い衣類は，もう私にまったく役に立たない。

65 **no ＋名詞** 「少しの…もない，ひとつの…もない」→ 436
　② 昨日，大きな交通事故があった。しかしながら，けがをした人は誰もいなかった。

66 **come up with A** 「A を思いつく」→ 734
　④ 彼女がすばらしい考えを思いついたので，私たちはプロジェクトを早期に完了できた。

67 **used to** 「(以前は)よく…した」〈過去の習慣的動作〉→ 61
　④ 若いとき，私はよくテニスをした。

68 **wish ＋仮定法過去完了** 「…したらよかったのに」過去の事実に反する願望 → 102
　② 私のコンピュータが動かなくなったとき，ここにボブがいたらよかったのに。

69 **非制限用法の〈none ＋ of which〉** コンマ＋ none of which「そのどれも…ない」→ 222
　② 彼らは本を 4 冊買ったが，そのどれも面白くなかった。

70 **非制限用法の which** which は節を先行詞にすることができる。→ 218
　④ 駐車する場所がほとんどありません。それが本当に問題です。

71 **by** 〈程度・差異〉を表す by → 327
　② 姉は母よりも 5cm 背が高い。

72 **副詞節の if 節** 副詞節の if 節では未来の内容でも現在形で表す。→ 31
　① 明日，雪が降れば，私たちはそのイベントに出かけないだろう。

□ 73　A shopping mall is (　　) in front of the train station.　（大阪歯科大）
　　① being built　　② having built　　③ build　　④ building

□ 74　Will you wait here?　I will be back (　　) a few minutes.　（フェリス女学院大）
　　① for　　② in　　③ on　　④ under

□ 75　(　　) the typhoon was hitting the Kanto area, they had to stay in the hotel.
　　① Whether　　② While　　③ Unless　　④ Until　　（神奈川工科大）

□ 76　We cancelled our trip to Kyoto (　　) bad weather.　（名古屋女子大）
　　① because　　② due to　　③ if not　　④ though

Fifth Block　　　　　　　　　　　　　　　　　　　　TOP 77 ～ 100

□ 77　Osaka is the third (　　) city in Japan.　（武蔵野大）
　　① largest　　② larger　　③ large　　④ as large as

□ 78　My husband and I could not get into the house because (　　) of us had a key.
　　① both　　② either　　③ neither　　④ no　　（中村学園大）

□ 79　His handwriting was terrible, so I could (　　) read it.　（埼玉医科大）
　　① easily　　② hardly　　③ lately　　④ definitely

□ 80　Alice (　　) reading for three hours when Peter knocked at the door.　（日本大）
　　① had been　　② has been　　③ is　　④ would be

□ 81　She would have been at (been / not / had / a loss / it) for his advice.
　　　　　　　　　　　　　　　　　　　　　　　　　並べかえ　（創価大）

□ 82　Ms. Kim did not have time to purchase gifts for her family (　　) her stay in Osaka.
　　① when　　② while　　③ during　　④ also　　（酪農学園大）

□ 83　(　　) the newspapers nor the television news reported that accident.　（大東文化大）
　　① Either　　② Both　　③ Neither　　④ Not only

□ 84　My uncle e-mailed to ask me (　　) I would attend his birthday party or not.　（名城大）
　　① though　　② whether　　③ where　　④ how

□ 85　I would like to (　　) to you for my rude behavior.　（学習院大）
　　① apologize　　② excuse　　③ regret　　④ sorry

□ 86　We are going to (　　) the matter in the meeting tomorrow.　（摂南大）
　　① tell　　② discuss　　③ talk　　④ speak

□ 87　I remember (　　) many happy experiences in my childhood.　（神戸親和女子大）
　　① have　　② to have　　③ to have had　　④ having

532

73 **進行形の受動態 be 動詞＋ being ＋過去分詞「…されているところだ」** → **39**
　① 駅前にショッピングモールが建設中だ。

74 **in 〈時の経過〉を表す in「これから…後に」** → **301**
　② ここで待ってもらえますか。私は数分で戻ります。

75 **while「…している間に」** → **346**
　② 台風が関東地方を襲っている間，彼らはホテルに滞在しなければならなかった。

76 **due to A「Aのために，Aが原因で」** → **1054**
　② 悪天候のせいで，私たちは京都旅行を取りやめた。

Fifth Block　　　　　　　　　　　　　　　　　　　　　　**TOP 77 ～ 100**

77 **the third ＋最上級「3 番目に…」** → **281**
　① 大阪は日本で三番目に大きな都市だ。

78 **neither of A「Aのどちらも…ない」** → **631**
　③ 夫と私は，どちらもカギを持っていなかったので，その家に入れなかった。

79 **hardly[scarcely] ＋動詞「ほとんど…ない」〈程度〉** → **709**
　② 彼の筆跡がひどかったので，私はそれをほとんど読めなかった。

80 **過去完了進行形 had been *doing*「（ずっと）…し続けていた」** → **21**
　① ピーターがドアをノックしたときに，アリスは 3 時間読書し続けていた。

81 **Had it not been for ...「…がなかったら」** → **98**
　a loss had it not been　彼のアドバイスがなかったら，彼女は途方にくれただろう。

82 **during 特定の期間を表す during** → **297**
　③ キムさんは大阪に滞在中，家族のお土産を買う時間がなかった。

83 **neither A nor B「AもBも（どちらも）…ない」** → **344**
　③ 新聞もテレビのニュースもその事故を報道しなかった。

84 **whether ... (or not)〈名詞節〉「…かどうか」** → **389**
　② 叔父は私に，自分の誕生日パーティーに出席するかどうか尋ねるメールをくれた。

85 **apologize to ＋人＋ for ...「（人）に…のことをわびる」** → **468**
　① 私の失礼な態度をあなたにおわびしたいです。

86 **discuss「…について話し合う」** → **470**
　② 私たちは明日の会議でその問題について話し合う予定だ。

87 **remember *doing*「…したことを覚えている」** → **494**
　④ 私は子ども時代に幸せな経験をたくさんしたことを覚えている。

☐ 88 I have a lot of things to do. Could you ( ) the meeting until next Wednesday?
① put off ② put on ③ take off ④ take on （東京経済大）

☐ 89 Ben is at a total loss when it ( ) to mechanics. （中央大）
① comes ② makes ③ puts ④ takes

☐ 90 ( ) his injured foot, he managed to finish the race. （十文字学園女子大）
① Because of ② In spite of ③ By way of ④ Instead of

☐ 91 I ( ) 22 years old when I graduate from college next spring. （金沢工業大）
① am being ② have been ③ was being ④ will be

☐ 92 It ( ) twenty years since my best friend Ken and I met in the children's choir.
① has been ② has passed ③ has passing ④ have passed （芝浦工業大）

☐ 93 My friend was injured in that accident and ( ). （武庫川女子大）
① I so was ② I was so ③ so I was ④ so was I

☐ 94 ( ) people present were over forty. （十文字学園女子大）
① Almost ② Almost of the ③ Most of ④ Most of the

☐ 95 Takeshi was ( ) because his friends in America are coming to Japan. （会津大）
① exciting ② excite ③ to excite ④ excited

☐ 96 He would be the ( ) person to deceive us. （日本女子大）
① difficult ② impossible ③ last ④ unlike

☐ 97 I can't put up with the heat here in summer. 同意選択 （日本大）
① sit ② stand ③ walk ④ stop

☐ 98 You should have asked her beforehand. （聖心女子大）
① in advance ② in progress ③ of late ④ on end

☐ 99 "Do you have a twin room for tonight?" "Yes, we have one ( )." （新潟医療福祉大）
① available ② conceivable ③ purposeful ④ useful

☐ 100 The box (heavy / is / lift / to / too). 並べかえ （駒沢女子大）

88 put off A / put A off 「Aを延期する」→ 778
① 私はやることがたくさんあります。会議を次の水曜日まで延期していただけませんか。

89 when it comes to A 「Aということになると」→ 909
① ベンは力学のことはさっぱりだ。

90 in spite of A 「Aにもかかわらず」→ 1055
② 彼は足をけがしているにもかかわらず，競走をなんとかゴールした。

91 will 未来のことは〈will ＋動詞の原形〉で表す。→ 6
④ 来年の春，大学を卒業するときには私は 22 歳になる。

92 It has been ＋時間＋ since S ＋ V. 「…してから（時間）になる」→ 16
① 子どもの聖歌隊で親友のケンと私が出会ってから，20 年が経った。

93 so ＋助動詞 [be 動詞] ＋ S 「Sもそうだ」→ 461
④ 私の友人はその事故でけがを負ったが，私もだった。

94 most of A 「Aのほとんど，Aの大部分」→ 621
④ 出席者のほとんどは 40 歳以上だった。

95 excited 「(人が) 興奮した」→ 678
④ タケシは，アメリカの友人が日本に来るのでワクワクしている。

96 the last person who ... 「最も…でない人」→ 440
③ 彼に限って私たちをだまさないだろう。

97 put up with A 「Aを我慢する」→ 766
② 夏のここの暑さは我慢できない。

98 in advance 「前もって，あらかじめ」→ 1041
① 前もって彼女に尋ねておくべきだったね。

99 available 「利用できる，使用できる」→ 1127
① 「今晩，ツインルームはありますか」「はい。1 部屋空きがあります」

100 too ＋形容詞 [副詞] ＋ to _do_ 「～すぎて…できない」→ 139
is too heavy to lift　その箱は持ち上げるには重すぎる。

538

	初　版　第 1 刷	2015 年 11 月 20 日	
	第 2 版　第 1 刷	2016 年 11 月 1 日	
	第 2 版　第 4 刷	2018 年 12 月 1 日	
New Edition	第 2 版　第 1 刷	2019 年 12 月 1 日	
	第 2 版　第 1 刷	2020 年 2 月 1 日	
	第 2 版　第 5 刷	2022 年 1 月 1 日	
3rd Edition	初　版　第 1 刷	2022 年 10 月 1 日	
	初　版　第 2 刷	2023 年 2 月 1 日	

3rd Edition

英文法・語法

Engage
エンゲージ

編著者

大久保 伊晨（おおくぼ よしあき）

1990(H2)年　同志社大学卒業。英語教材編集業務に20年以上携わった後,進学塾の講師を経て,高校生向け英語教材の執筆業を開始。大手通信教育,出版社などの英語教材を執筆。

松田 優（まつだ まさる）

1992(H4)年　京都大学卒業。その後,有名私立中学校・高等学校にて非常勤講師,大手進学塾にて専任講師を歴任。大手通信教育会社にて編集業務を経験した後,教材執筆を本格的に始動。高校生向け英語教材を中心に,ネット配信授業の制作から翻訳業まで,幅広く活躍。

編　著　者	**大久保 伊晨・松田 優**
発　行　者	**前田 道彦**
発　行　所	**株式会社いいずな書店**
	〒110-0016
	東京都台東区台東1-32-8　清鷹ビル4F
	TEL　03-5826-4370
	振替　00150-4-281286
	ホームページ https://www.iizuna-shoten.com
印刷・製本	**大村印刷株式会社**

ISBN978-4-86460-716-2 C7082

◆ 英文校閲／Dr. Thomas J. Cogan
◆ 装丁・レイアウト／BLANC design inc.
　　　　　　　　　　阿部ヒロシ
◆ イラスト／山口マナビ
◆ DTP／沼田和義（オフィス・クエスト）
◆ 編集協力／ねこの手

アクセント問題頻出語 （★は出題頻度が特に高い単語）

-oon や -eer など連続する母音にアクセント

★ ☐ ca-**reer**	[kəríər]	仕事，職業
☐ en-gi-**neer**	[èndʒɪníər]	技師
★ ☐ vol-un-**teer**	[vὰləntíər]	ボランティア
☐ ty-**phoon**	[taɪfúːn]	台風

語尾 -ique / -ology にアクセント

☐ tech-**nique**	[tekníːk]	手法，技法
☐ tech-**nol**-o-gy	[teknálədʒi]	科学技術

-fer にアクセント

★ ☐ pre-**fer**	[prɪfə́ːr]	好む
☐ re-**fer**	[rɪfə́ːr]	参照する

-ffer の前の母音にアクセント

☐ **dif**-fer	[dífər]	異なる
☐ **of**-fer	[ɔ́(ː)fər]	を提供する
☐ **suf**-fer	[sʌ́fər]	苦しむ

次の語尾の直前の母音にアクセント

[-ial]

☐ es-**sen**-tial	[ɪsénʃ(ə)l]	不可欠の
☐ in-flu-**en**-tial	[ìnfluénʃ(ə)l]	影響力の強い
☐ i-**ni**-tial	[ɪníʃ(ə)l]	最初の, イニシャル
☐ of-**fi**-cial	[əfíʃ(ə)l]	公務の, 公式の
★ ☐ in-**dus**-tri-al	[ɪndʌ́striəl]	産業の
☐ ma-**te**-ri-al	[mətí(ə)riəl]	原料

[-ian]

★ ☐ mu-**si**-cian	[mjuːzíʃ(ə)n]	音楽家
☐ pol-i-**ti**-cian	[pὰlətíʃn]	政治家
☐ his-**to**-ri-an	[hɪstɔ́ːriən]	歴史家
☐ pe-**des**-tri-an	[pədéstriən]	歩行者

[-ion]

☐ de-**ci**-sion	[dɪsíʒ(ə)n]	決定
☐ ex-hi-**bi**-tion	[èksəbíʃ(ə)n]	展覧会
☐ re-**la**-tion	[rɪléɪʃ(ə)n]	関わり

[-ious]

☐ re-**li**-gious	[rɪlídʒəs]	宗教の
☐ de-**li**-cious	[dɪlíʃəs]	とてもおいしい

[-ic/ics]

☐ e-co-**nom**-ic	[ìːkənάmɪk]	経済の
☐ dem-o-**crat**-ic	[dèməkrǽtɪk]	民主主義の
☐ dra-**mat**-ic	[drəmǽtɪk]	劇の，劇的な
☐ me-**chan**-ic	[mɪkǽnɪk]	機械工
☐ ter-**rif**-ic	[tərífɪk]	すばらしい
☐ math-e-**mat**-ics	[mæθəmǽtɪks]	数学

[-titude/-itute]

☐ **at**-ti-tude	[ǽtɪt(j)ùːd]	態度
☐ **con**-sti-tute	[kάnstət(j)ùːt]	構成する

[-ient]

☐ ef-**fi**-cient	[ɪfíʃ(ə)nt]	能率的な
☐ suf-**fi**-cient	[səfíʃ(ə)nt]	十分な

[-sive]

☐ com-pre-**hen**-sive	[kὰmprɪhénsɪv]	包括的な

[-age]

☐ **dam**-age	[dǽmɪdʒ]	損害
☐ **im**-age	[ímɪdʒ]	印象
☐ per-**cent**-age	[pərséntɪdʒ]	割合

[-ual]

★ ☐ **e**-qual	[íːkwəl]	等しい
☐ per-**pet**-u-al	[pərpétʃuəl]	絶え間のない

次の語句の2つ前の母音にアクセント

[-ate]

☐ an-**tic**-i-pate	[æntísəpèɪt]	…を予期する
☐ ap-**pre**-ci-ate	[əpríːʃièɪt]	高く評価する
☐ **dec**-o-rate	[dékərèɪt]	飾る
★ ☐ **del**-i-cate	[déləkɪt]	優美な，繊細な
☐ **dem**-on-strate	[démənstrèɪt]	…を証明する
☐ im-**me**-di-ate	[ɪmíːdiət]	即時の
☐ **in**-di-cate	[índəkèɪt]	指し示す
☐ **in**-ti-mate	[íntəmɪt]	親しい

[-ite]

☐ **op**-po-site	[άpəzɪt | ɔ́-]	反対の
☐ **sat**-el-lite	[sǽtəlàɪt]	人工衛星

[-ise/-ize]

☐ **com**-pro-mise	[kάmprəmàɪz]	妥協
☐ a-**pol**-o-gize	[əpάlədʒàɪz]	謝る

[-ism]

☐ **crit**-i-cism	[krítɪsìz(ə)m]	批判